Le guide du vin

Bonne lecture.

Santé !

[signature]

Design graphique: Josée Amyotte
Mise en page et infographie: Johanne Lemay
Soutien technique: Mario Paquin

Suivez-nous sur le Web

Consultez nos sites Internet et inscrivez-vous à l'infolettre pour rester informé en tout temps de nos publications et de nos concours en ligne. Et croisez aussi vos auteurs préférés et notre équipe sur nos blogues!

EDITIONS-HOMME.COM
EDITIONS-JOUR.COM
EDITIONS-PETITHOMME.COM
EDITIONS-LAGRIFFE.COM
RECTOVERSO-EDITEUR.COM
QUEBEC-LIVRES.COM
EDITIONS-LASEMAINE.COM

DISTRIBUTEUR EXCLUSIF:

· Pour le Canada
  et les États-Unis:
  MESSAGERIES ADP*
  2315, rue de la Province
  Longueuil, Québec J4G 1G4
  Téléphone : 450-640-1237
  Télécopieur: 450-674-6237
  Internet: www.messageries-adp.com
* filiale du Groupe Sogides inc.,
  filiale de Québecor Média inc.

Gouvernement du Québec – Programme de crédit d'impôt pour l'édition de livres – Gestion SODEC – www.sodec.gouv.qc.ca

L'Éditeur bénéficie du soutien de la Société de développement des entreprises culturelles du Québec pour son programme d'édition.

Conseil des Arts   Canada Council
du Canada   for the Arts

Nous remercions le Conseil des Arts du Canada de l'aide accordée à notre programme de publication.

Financé par le gouvernement du Canada
Funded by the Government of Canada   Canadä

Nous reconnaissons l'aide financière du gouvernement du Canada par l'entremise du Fonds du livre du Canada pour nos activités d'édition.

Cet ouvrage a été achevé d'imprimer sur les presses de Imprimerie Transcontinental, Beauceville, Canada

Imprimé au Canada

10-18

Dépôt légal: 2018
Bibliothèque et Archives nationales du Québec

ISBN 978-2-7619-5011-4

NADIA
FOURNIER

2019

PHANEUF

LES GRAPPES D'OR

38e édition

Le
guide
du vin

LES ÉDITIONS DE
L'HOMME
Une société de Québecor Média

LA TRADITION

Paolo de Marchi, fondateur d'Isole et Olena, est l'une des figures les plus respectées de la Toscane. Son fils Luca, devenu vigneron par la force des choses, est linguiste de formation. À l'écouter, on comprend vite que son amour du vin n'a d'égal que son amour des mots. Ainsi, lorsqu'il nous a rendu visite à Montréal il y a quelques mois, je me suis régalée de ses paroles autant que de ses vins. J'ai surtout été interpelée par ceci :

> « Le terme "tradition" est probablement l'un de ceux qu'on utilise le plus dans le milieu viticole. Et on l'emploie presque toujours mal… "Tradition" vient du latin *tradere*, qui signifie « faire passer à l'autre, transmettre ». Or, dans le cours de l'histoire, on a transmis des choses fausses. C'est pourquoi chaque génération doit savoir se remettre en question et transmettre à son tour le fruit de ses recherches, de son apprentissage. »

En somme, étymologiquement parlant, la tradition ne relève pas tant du maintien du *statu quo* ni du conservatisme que de l'évolution. Comme la transmission de savoir, elle implique une certaine dose d'adaptation et de remise en question. Sans cela, la tradition n'est qu'un copier-coller de ce qu'on a toujours fait. La capacité d'adaptation est aussi à la base de la survie de toute espèce. Personne n'oserait en douter, à part quelques détracteurs de Darwin.

Cet été, j'ai été traditionnelle. J'ai évolué.

J'ai eu la chance d'être épaulée dans le chantier du *Guide du vin 2019* par une sommelière remarquable : Marie-Michèle Grenier. Elle me dit qu'elle a beaucoup appris de son expérience. Moi aussi. Peut-être même plus qu'elle. À son contact, grâce à ses questions et à sa curiosité, j'ai dû me replonger dans les livres, repenser ma façon de déguster, de noter, de formuler certains commentaires. J'ai dû revoir une foule de petites habitudes que je répétais, d'année en année, un peu machinalement. À travers elle, j'ai beaucoup appris sur l'essence de mon métier, sur les raisons qui me motivent à l'exercer. Cet été, grâce à Marie-Michèle, j'ai connu ce même plaisir à rédiger le *Guide* qu'il y a une dizaine d'années, lorsque je faisais mes classes auprès de mon mentor, Michel Phaneuf.

Aujourd'hui plus que jamais dans l'histoire relativement courte de la viticulture, les vignerons doivent composer avec une foule de bouleversements. Les climats changent, les sols, fatigués par des décennies d'agriculture intensive, sont privés d'une activité microbienne essentielle et l'espérance de vie de la vigne n'a jamais été aussi courte, alors que l'Institut français de la vigne et du vin estime à 60 % la superficie du vignoble français touchée par le virus court-noué.

Devant ce constat, les vignerons repensent leurs façons de faire et les mentalités évoluent. Il y a une trentaine d'années, dans la France rurale, celui qui peinait à labourer ses sols et à arracher les mauvaises herbes était un peu perçu comme l'idiot du village. Aujourd'hui, c'est plutôt celui qui utilise du glyphosate qui est montré du doigt. Les vignerons consciencieux n'attendent pas que Bruxelles légifère sur la question. Ils ont déjà compris, à observer leurs parcelles, que le vignoble, dans son ensemble, vit mieux sans désherbant chimique.

C'est cette aptitude à observer le comportement de leurs vignes et leur environnement, puis à s'y adapter, qui fait les meilleurs vignerons d'aujourd'hui. De voir et d'écouter les Gérard Gauby, Olivier Jullien, Sylvain Fadat, Jean-Louis Chave, Christine Saurel, Jo Landron, André Ostertag, Matilde Poggi, Elisabetta Foradori, Randall Grahm ou Sam Weaver sont autant de leçons de philosophie que d'humilité. Ils se questionnent, cherchent et doutent, en tentant chaque année de composer avec les éléments et de livrer le meilleur vin possible, avec ce que la nature leur offre. Chaque année, ils essaient de mieux comprendre leur terre, afin de transmettre à la prochaine génération un héritage bonifié.

NADIA FOURNIER

MARIE-MICHÈLE GRENIER

Marie-Michèle Grenier a fait ses premières armes en restauration pendant des études en criminologie. Après quelques expériences dans ce domaine, un constat s'impose: le vin et le contact avec la clientèle lui manquent. Le besoin d'un retour aux sources se fait donc sentir et la conduit à l'école hôtelière de Sherbrooke, où son amour pour le vin continuera de grandir tout au long de ses études en sommellerie. Diplôme en poche, après un bref stage à la maison Boulud, elle s'installe à Drummondville, avec la certitude qu'il y a, en région, un terrain de jeu tout aussi propice à la communication sur le vin.

En plus d'exercer le métier de sommelière, Marie-Michèle est chroniqueuse-vin pour *La Voix de l'Est* et parcourt les régions du Québec pour l'animation d'événements, au sein de l'équipe de Vins au Féminin.

L'un des plus grands défis pour l'amateur de vin est souvent de verbaliser ses impressions et ses perceptions au moment de la dégustation. Commander une bouteille au restaurant ou poser une question à un conseiller en vin de la SAQ est pour vous une source d'angoisse? Voici un petit lexique des mots les plus fréquemment utilisés pour parler du vin. Vous verrez, ce n'est pas si compliqué.

PERCEPTIONS

Acidité : composante essentielle à la structure du vin. Elle lui confère son équilibre, sa fraîcheur et son potentiel de vieillissement. Plusieurs types d'acides jouent un rôle dans la qualité du vin. L'acide malique est vive et s'apparente à celle d'une pomme verte. L'acide lactique est plus tendre et ses parfums rappellent la crème et le beurre. Mais le plus important demeure l'acide tartrique, qui donne son caractère au vin. On dira d'un vin qui se tient bien en bouche et qui comporte une juste dose d'acidité qu'il est nerveux, vif, fringant ou tendu.

Alcooleux, capiteux : désigne un vin dont la teneur alcoolique, parfois parce qu'elle est trop élevée, n'est pas en harmonie avec ses autres composantes.

Amertume : élément essentiel à la longueur d'un vin. La sensation amère est souvent laissée en arrière-goût par des vins jeunes encore forts en tanins et même par certains vins blancs. Saveur négligée et méprisée des Nord-Américains, mais qui fait partie de l'univers culturel et gustatif des Italiens.

Âpre : vin qui râpe la langue et assèche les muqueuses. Défaut dû à des tanins de mauvaise qualité ou qui se fondent mal à l'ensemble.

Arôme : composé volatil perçu par l'odorat, soit au nez de manière directe, ou en bouche, par rétro-olfaction.

Astringence : sensation d'assèchement des muqueuses de la bouche, provoquée par une réaction des protéines salivaires à la présence de tanins, entraînant un resserrement des tissus et une diminution des sécrétions. Elle est caractéristique de certains vins comme ceux du Piémont (barolo, barbaresco et autres nebbiolos), des vins rouges de Naoussa.

Attaque : première impression gustative en bouche. Viennent ensuite le milieu de bouche et la finale.

Austère : se dit quelquefois d'un vin rouge tannique encore trop jeune pour être apprécié à sa pleine valeur (parfums timides, structure un peu dure), mais dont on devine le potentiel.

Boisé : odeur de bois de chêne, perçue essentiellement dans les vins qui ont séjourné quelque temps en fûts. Les parfums caractéristiques varient selon la provenance du chêne et le type de chauffe, et peuvent tantôt rappeler la vanille, la noix de coco, le bourbon, les notes fumées ou grillées, le caramel, les épices (clou de girofle, cannelle), le café, le chocolat, etc.

Buvabilité : employé dans le même ordre d'idée que les qualificatifs digeste et gouleyant, ce néologisme de plus en plus populaire dans le jargon des dégustateurs qualifie un vin qui se boit facilement, souvent en raison de son caractère désaltérant. Les vins rouges du Beaujolais, par exemple, font preuve d'une grande buvabilité.

Charpenté : vin particulièrement bien constitué et contenant beaucoup d'extraits tanniques.

Compact, serré : qualité d'un vin dont la matière est concentrée et la structure tannique dense. Un vin compact et serré n'est pas synonyme de vin robuste. Le grain tannique des meilleures syrahs du nord du Rhône, à Côte Rôtie par exemple, est souvent très serré, mais n'affiche aucune dureté.

Corsé : vin aux saveurs et à la texture affirmées.

Court : vin le plus souvent léger, sans persistance gustative. Les saveurs disparaissent aussitôt le vin avalé.

Déclarer : traduction littérale du verbe anglais *to declare* ; employé par les exportateurs de porto lorsqu'ils décident, dans un millésime particulier, de produire un porto de type vintage.

Dense, plein : vin agréablement corsé ; on dit : il est charnu, il a de la mâche ; comme si on pouvait le mâcher. Exprime la densité des éléments texturaux.

Digeste : par ce qualificatif qui peut faire sourciller, on ne sous-entend en rien que tel vin facilitera votre digestion. On l'utilise surtout pour signifier une opposition au caractère indigeste qu'ont certains vins modernes, hyper costauds, avec une forte teneur en alcool et parfois sucrés.

Doux : rarement applicable au rouge, il désigne les vins blancs arrondis par un reste considérable de sucre, comme les vendanges tardives, les demi-secs, etc. Selon le degré de concentration en sucre, on parlera de vin moelleux (entre 10 g et 45 g/l) ou de liquoreux (plus de 45 g/l).

Dur : vin sans onctuosité ni moelleux et généralement acide. Fréquent chez les vins jeunes. Synonyme de vert, pointu, raide ou ferme.

Équilibré : il n'est pas question ici de zénitude ni de régime alimentaire. Juste d'un bon vin dont les éléments (alcool, acidité, le fruit et les tanins pour les rouges) se présentent dans des proportions harmonieuses.

Ferme : vin à la structure affirmée, qui a de l'autorité en bouche. Souvent il s'agit d'un vin tannique qui doit vieillir pour se révéler pleinement.

Fruité : vin empreint des arômes et de saveurs de fruits. Contrairement à la pensée populaire, fruité ne signifie en aucun cas que le vin est sucré.

Gras, charnu : vin offrant beaucoup de rondeur, empreint d'onctuosité, mais sans être moelleux. Le contraire d'un vin maigre et osseux. Dans le cas des rouges, on parlera aussi de vin charnu.

Léger : vin peu alcoolisé et peu corsé, souvent peu coloré, mais très agréable malgré tout. Habituellement pas un vin de garde.

Longueur : c'est le propre d'un grand vin d'avoir une grande persistance gustative. On décrit ici la finale ou la «fin de bouche».

Lourd : vin corsé, voire puissant, mais dépourvu de finesse.

Minéralité, salinité : se dit d'un vin dont les composants font saliver, comme certaines solutions salines, ou dont les descripteurs organoleptiques s'apparentent aux minéraux. Ce concept un peu flou et difficilement quantifiable, ne fait pas l'unanimité au sein des professionnels.

Moderne : terme souvent utilisé pour définir les vins européens élaborés dans le même style que les vins du Nouveau Monde. Les plupart des vins qualifiés de «modernes» mettent à contribution des procédés œnologiques qui visent à assouplir les tanins et à donner une sensation flatteuse au vin, afin de plaire à un vaste public. Ils sont un peu au vin ce que la musique pop est à la chanson.

Moelleux : désigne des vins blancs dont la teneur en sucre les place entre les vins secs et les vins liquoreux.

Mou, plat : absence de tenue ou de structure, le plus souvent à cause d'un manque de tanins ou d'acidité.

Musclé, puissant : vin corsé, concentré, souvent riche en tanins et en alcool.

Perlant : vin renfermant un léger reste de gaz carbonique, qui peut être laissé volontairement dans le vin pour accentuer la sensation de fraîcheur en bouche et rehausser les saveurs. C'est le cas de plusieurs vins blancs ou de vins rouges légers à tendance nature. Pour que ce gaz se dissipe, il suffit alors de laisser le vin au contact de l'air.

Racé : vin non seulement représentatif de son appellation, mais aussi doté de beaucoup de classe et de caractère.

Rond : vin dont les saveurs et les éléments sont bien liés ensemble. Qualifie aussi un vin souple, velouté, sans excès de tanins ou d'acidité.

Sec : techniquement, se dit d'un vin qui contient moins de 4 g/l de sucre ou d'un vin donnant l'impression de ne pas contenir de sucre résiduel. La sensation sucrée est en relation étroite avec l'impression acide ; un vin peu acide paraît moins sec qu'un vin plus acide.

Souple : un vin peu tannique. Synonyme de coulant, leste, gouleyant.

Soyeux : qualifie un vin élégant, dont le grain tannique est empreint de finesse.

Tanins (tannins): l'un des principaux composants du vin, ils proviennent des pépins et de la peau des raisins et donnent au vin sa texture, sa charpente. Ils peuvent être tendres, souples, soyeux, fondus, déliés ou tissés serrés. On dira d'un vin costaud et structuré qu'il est tannique.

Tendre: vin dont la structure est souple et les tanins sont ronds, enrobés, gommeux et soulignés d'une acidité agréable. Impression d'onctuosité.

Terroir: se rapproche de la notion de minéralité, en termes de polémique. Expression fourre-tout, supposée désigner des vins dont le profil gustatif est intimement lié à leur lieu d'origine, mais qui a été malmenée jusqu'à devenir aujourd'hui un principe de marketing pour des multinationales. Dans ces cas précis, le terme «terroir-caisse» paraît plus approprié.

Velouté: l'une des nombreuses analogies en lien avec le textile. Il qualifie un vin dont la texture s'apparente à celle du velours.

ÉLÉMENTS TECHNIQUES ET DÉFAUTS

Acétone: arôme chimique qui rappelle le parfum d'un dissolvant à vernis à ongles. Les composants responsables de cette odeur – qui peut disparaître à l'aération – sont produits par le métabolisme des levures ou des bactéries.

Acidité volatile: comme le sel dans la cuisine, cet acide agit comme une caisse de résonance en magnifiant les saveurs de certains grands vins, à condition de jouer en sourdine. Contenue en dose trop importante, l'acidité volatile peut aussi affecter négativement les arômes, en leur donnant des airs de vinaigre, et durcir la sensation en fin de bouche. Certains amateurs de vins sont «allergiques» à cette odeur, d'autres en raffolent. Tout dépend des goûts, on ne le répétera jamais assez.

Bouchonné: odeur désagréable (moisissure, liège pourri, cave humide, huîtres) communiquée le plus souvent par un bouchon défectueux. Même une bouteille de grand vin peut être bouchonnée. Le fait de sentir le bouchon ne permet pas toujours d'identifier le problème. Le défaut se dévoile au nez et se confirme souvent en bouche.

Brett: Les brettanomyces relèvent d'une contamination par des levures du même nom. En jeunesse, les effets «de la brett» se perçoivent surtout au nez (odeurs de basse-cour, d'écurie, d'excréments de souris, d'arachide rance), mais avec le temps, les levures s'attaquent à la structure même du vin, rendant les tanins osseux, décharnés.

Réduction: dans la plupart des cas, une simple aération en carafe permet de remédier à ce gentil défaut, qui est attribuable à un manque de contact avec l'oxygène. On la décèle au nez par son odeur désagréable qui s'apparente à celle du *popcorn* brûlé, du maïs en crème, d'un gaz nauséabond, des œufs pourris, etc.

Soufre: lors du processus de vinification et surtout au moment de la mise en bouteille, le soufre est utilisé comme antiseptique et comme antioxydant. Un usage inconsidéré affecte les qualités olfactives du vin, masque l'expression du fruit et laisse parfois une odeur agressante d'allumettes. Certains vins jeunes perdent cette odeur après quelque temps au contact de l'air. Les vins natures sont vinifiés sans ajouts de soufre.

Transformation malolactique: aussi appelée, à tort, fermentation malolactique; elle se déclenche sous l'action de bactéries qui transforment l'acide malique (dur) en acide lactique (plus tendre). On lui doit notamment les parfums lactiques (beurre, crème fraîche, yogourt) dans les vins de chardonnay.

AGRICULTURE, ENVIRONNEMENT ET PHILOSOPHIE

Biodynamie : philosophie et système de production agricole qui se distingue essentiellement de l'agriculture biologique par la prise en considération des rythmes lunaires. Il consiste, en gros, à enrichir la vie microbienne des sols au moyen de préparations de silice, afin de renforcer les mécanismes de défense naturels de la plante. Les doses de soufre et de cuivre admises par les certifications biodynamiques sont inférieures à celles du bio.

Biologique : mode d'agriculture qui interdit l'usage d'herbicides et de pesticides de synthèse. Le soufre et le cuivre sont les principaux ingrédients utilisés pour lutter contre les maladies. Contrairement à l'idée de plus en plus véhiculée, les vins issus de l'agriculture biologique peuvent contenir des sulfites ajoutés lors de la vinification.

Haute Valeur Environnementale (HVE) : créée en 2012, elle certifie l'exploitation agricole dans son ensemble, plutôt que les produits qui en sont issus. Une exploitation à HVE préserve les zones naturelles en périphérie des vignes (boisés, haies, bandes enherbées), s'assure que les éléments de biodiversité (fleurs, insectes, etc.) y sont très largement présents et que l'impact des pratiques agricoles sur l'environnement (air, eau, sols, paysages) est réduit au minimum. En d'autres mots, la certification HVE porte une attention particulière à la biodiversité des lieux et sous-entend qu'un travail est mené sur les vignes, mais aussi sur la vie autour des vignes. La certification HVE n'interdit cependant pas l'emploi de produits de synthèse, mais elle encourage à les limiter au minimum.

Vin naturel ou vin nature : désigne des vins issus, pour la plupart, de l'agriculture biologique, et dont aucun intrant (incluant les sulfites) n'a été utilisé au cours du processus de vinification. Les vins sont conséquemment un peu plus fragiles (sensibles) aux conditions d'entreposage que les vins issus d'un processus industriel de vinification. Contrairement aux vins biologiques et biodynamiques, les vins dits naturels ne sont soumis à aucune règle ni cahier des charges officiels. Il s'agit d'une catégorie encore très hétérogène où on trouve certes, quelques vins défectueux, parfois abominables, mais aussi des vins d'une grande pureté, absolument délicieux.

COMMENT UTILISER CE GUIDE

LA GRAPPE D'OR

 Qu'ils soient chers ou bon marché, grands ou modestes, qu'il s'agisse de classiques ou de créations récentes, certains vins ont le don de vous accrocher un sourire. Une Grappe d'or est accordée à ces vins particulièrement remarquables, dans leur catégorie. Ce sont mes «bonheurs» de l'année qui, je l'espère, feront le vôtre. Pour éviter des frustrations aux lecteurs, seuls les vins présents en quantités suffisantes en septembre 2018 ont été retenus.

Pour la cinquième année, les vins sont regroupés par sous-régions ou par cépages, au sein d'une même entité géographique. Vous trouverez donc tous les vins de Cahors – dont quelques Grappes d'or – à la suite de l'autre dans la section Sud-Ouest. Il en va de même pour les rouges du Chianti ou de Montalcino en Toscane, les vins blancs d'Autriche ou les cabernets sauvignons de la vallée de Napa, en Californie.

Vous remarquerez aussi que les listes de fin de chapitre, où étaient énumérés les vins de qualité moyenne et passable ont été abolies, pour laisser davantage d'espace aux vins qui se distinguent par leur qualité et par leur singularité.

La liste complète des Grappes d'or 2019 se trouve à la page 19.

LES NOMS DES VINS

Les vins sont répertoriés par ordre alphabétique des marques ou des noms des producteurs. Les noms de château ou de domaine sont considérés comme des marques. Ainsi, le Josmeyer, Riesling 2015, Kottabe apparaît dans les «J» de la sous-section Riesling au sein du chapitre de l'Alsace, et le Côte Rôtie 2016 de Pierre Gaillard est inscrit sous la rubrique Gaillard, Pierre, dans le chapitre de la vallée du Rhône.

 ## LES CODES-BARRES

3 760018 783124 Pour faciliter le repérage des produits dans vos succursales, la plupart des vins présentés sont accompagnés d'un code-barres. Téléchargez gratuitement l'application SAQ pour les téléphones intelligents (Android ou iPhone). Vous pourrez l'utiliser pour «lire» les code-barres et vous aurez ainsi accès aux inventaires de la succursale la plus près de vous.

LES SYMBOLES ET LA NOTATION DANS LA CATÉGORIE

Dès la première édition du *Guide du vin,* Michel Phaneuf a adopté une simple séquence de zéro à cinq étoiles pour noter les vins. En réalité, ces étoiles ne constituent pas un score, mais un moyen abrégé d'indiquer au lecteur si un vin est moyen, excellent ou remarquable dans sa catégorie. Surtout, parce qu'on ne le dira jamais assez, rappelez-vous que ce ne sont pas les étoiles qui décrivent le vin, mais plutôt les mots.

Il est aussi important de retenir que chaque vin est noté dans sa catégorie et non pas dans l'absolu. Ce faisant, un simple vin de pays d'Oc a autant de chances qu'un grand cru de la Côte de Nuits de mériter une note de quatre étoiles. L'idée derrière cette façon de faire est de permettre au consommateur de faire un choix avisé dans chacune des catégories.

Par exemple, vous pourrez trouver dans la section traitant des vins de la Bourgogne un bourgogne générique ayant obtenu la même note ★★★★ qu'un gevrey-chambertin ★★★→★. Cela ne signifie pas que le vin générique soit aussi complexe que le gevrey. Seulement que chacun s'avère un excellent vin dans sa catégorie.

La combinaison ★★★→★ indique que le vin, déjà très bon, sera encore meilleur dans quelques années. Dans la plupart des cas, la maturité du vin est indiquée par un chiffre allant de ① à ④. Si un vin laisse planer des doutes sur ses possibilités d'évolution en bouteille, j'ai alors recours à la séquence suivante : ★★→?

Les petits coeurs ♥ qui suivent parfois les étoiles représentent un bon rapport qualité-prix, pas un coup de cœur.

LA COULEUR

☆ Vin blanc
★ Vin rouge

LA QUALITÉ

5 étoiles   Exceptionnel
4 étoiles   Excellent
3 étoiles   Très bon
2 étoiles   Correct
1 étoile   Passable

★★★→★   Se bonifiera avec les années
★★★→?   Évolution incertaine

L'ÉVOLUTION

① À boire maintenant, il n'y a guère d'intérêt à le conserver.
② Prêt à boire, mais pouvant se conserver.
③ On peut commencer à le boire, mais il continuera de se bonifier.
④ Encore jeune, le laisser mûrir encore quelques années.

LA CARAFE

⚱ Il est indiqué de passer le vin en carafe environ une heure avant de le servir.

L'AUBAINE

♥ Indique que le vin offre un bon rapport qualité-prix.

BIOLOGIQUE

 Issu de l'agriculture biologique. Par souci de traçabilité pour le lecteur, seuls les vins certifiés biologiques par un organisme reconnu par la SAQ ont été retenus. Plusieurs domaines suivent le cahier des charges de l'agriculture biologique et de la biodynamie, mais préfèrent ne pas avoir recours à la certification.

OÙ TROUVER LES VINS?

La SAQ change son modèle de distribution depuis une dizaine d'années. L'éventail de produits s'est élargi et les quantités pour chaque vin sont plus limitées. Pour éviter les frustrations et les déplacements inutiles, il est toujours conseillé de vé-rifier qu'un produit est bien disponible à votre succursale avant de vous y rendre.

Pour faciliter la consultation du site SAQ.com, vous pouvez utiliser les codes-produits qui accompagnent chaque description de vin.

Ⓢ Vendu exclusivement dans les magasins SAQ Signature.

▼ Stocks en voie d'épuisement, le produit apparaît dans le répertoire de la SAQ. Il peut être encore disponible dans certaines succursales.

 Ces vins sont disponibles exclusivement chez les producteurs de vins du Québec.

 Ces vins ont été dégustés avant leur arrivée sur le marché québécois.

DES QUESTIONS À PROPOS DU *GUIDE DU VIN*

Les vins sont-ils tous dégustés par l'auteure?
Oui. Chaque année, en préparation de ce guide, je déguste plus ou moins 2000 vins et j'en retiens environ la moitié, soit 1000 vins, qui sont réper-toriés et commentés dans ces pages.

L'auteure est-elle payée par la Société des alcools ou par des agences de vins?
Non. Indépendance et impartialité constituent la règle d'or. De plus, l'au-teure n'a aucun intérêt financier dans un vignoble ni dans une agence de vins.

Les vins vendus à la Société des alcools sont-ils tous répertoriés dans *Le guide du vin*?
Non. La tâche serait impossible, voire inutile, car plusieurs vins sont offerts à raison de quelques bouteilles seulement. Sans compter les produits qui arrivent sur les étagères en cours d'année et qui sont déjà disparus des tablettes au moment de la publication. Ceux qui veulent mettre à jour leur *Guide du vin* tout au long de l'année peuvent s'abonner au site Chacun son vin. En plus d'une foule de renseignements, les abonnés peuvent y lire régu-lièrement mes commentaires sur les nouveaux vins offerts sur le marché.

FRANCE

BORDEAUX

CHÂTEAU DUCASSE **Bordeaux 2017** (20,95$ – p. 32)

MOUEIX, JEAN-PIERRE **Bordeaux 2015** (19,55$ – p. 35)

CHÂTEAU LE PUY **Francs – Côtes de Bordeaux 2015** (28,45$ – p. 37)

CHÂTEAU MONTAIGUILLON **Montagne Saint-Émilion 2015** (24,90$ – p. 38)

CHÂTEAU DE LA RIVIÈRE **Fronsac 2010** (36,60$ – p. 40)

CHÂTEAU GOMBAUDE-GUILLOT **Pomerol 2008** (82,75$ – p. 41)

CHÂTEAU HAUT-BRETON LARIGAUDIÈRE **Margaux 2014** (44$ – p. 43)

BOURGOGNE

BILLAUD-SIMON **Chablis 2016** (33,25$ – p. 50)

BILLAUD, SAMUEL **Chablis 2016, Les Grands Terroirs** (33,75$ – p. 52)

DOMAINE DU MONT-ÉPIN **Mâcon-Péronne 2015** (22$ – p. 58)

DOMAINE GOISOT **Bourgogne Aligoté 2015** (25,10$ – p. 61)

DOMAINE GUEGUEN **Bourgogne blanc 2016, Côtes Salines** (20,15$ – p. 61)

FOILLARD, JEAN **Morgon 2016, Corcelette** (45,25$ – p. 64)

CHÂTEAU DU MOULIN-À-VENT **Moulin-à-Vent 2014, Croix des Vérillats** (47$ – p. 66)

PIRON, DOMINIQUE **Chénas 2015, Quartz** (24,45$ – p. 67)

BRUN, JEAN-PAUL **Fleurie 2015, Terres Dorées** (27,90$ – p. 68)

LAPIERRE & PACALET **Juliénas 2017, Cousins, Collection réZin** (29,20$ – p. 68)

CHÂTEAU CAMBON **Brouilly 2017** (27,75$ – p. 70)

DUFAITRE, LAURENCE ET RÉMI **Beaujolais-Villages 2017, Prémices** (28,50$ – p. 73)

ALSACE

OSTERTAG **Pinot gris 2016, Fronholz** (53$ – p. 78)

VAL DE LOIRE

DOMAINE LANDRON **Muscadet 2015, Fief du Breil** (33,25$ – p. 83)

CHÂTEAU YVONNE **Saumur 2016** (30,75$ – p. 84)

DOMAINE AUX MOINES **Savennière 2015, Roche aux Moines** (38,50$ – p. 85)

DOMAINE FOUASSIER **Sancerre 2016, Les Chasseignes** (29,75$ – p. 86)

LAMBERT, ARNAUD **Saumur-Champigny 2017, Les Terres Rouges** (22,90$ – p. 93)

VALLÉE DU RHÔNE

CAVE DE TAIN L'HERMITAGE Crozes-Hermitage blanc 2015, Grand Classique (26,90$ – p. 100)

VINS DE VIENNE Côte Rôtie 2015, Les Essartailles (75,50$ – p. 103)

COMBIER, LAURENT Crozes-Hermitage 2016 (35,50$ – p. 104)

CUILLERON, YVES Syrah 2016, Les Vignes d'à Côté, Collines Rhodaniennes (19,70$ – p. 106)

VILLARD, FRANÇOIS Syrah 2016, L'appel des Sereines, Vin de France (20,60$ – p. 107)

GASSIER, MICHEL Lou Coucardié blanc Costières de Nîmes 2014 (35,50$ – p. 109)

DOMAINE CHARVIN Châteauneuf-du-Pape 2016 (76$ – p. 110)

CLOS DE L'ORATOIRE DES PAPES Châteauneuf-du-Pape 2016 (49$ – p. 113)

DOMAINE DE BEAURENARD Rasteau 2016 (27,45$ – p. 114)

FERME DU MONT, LA Gigondas 2016, Jugunda (32,75$ – p. 116)

MONTIRIUS Vacqueyras 2015, Le Village (22,95$ – p. 117)

CLOS DU CAILLOU Côtes du Rhône 2015, Bouquet des Garrigues (29$ – p. 118)

CHÂTEAU DE NAGES Costières de Nîmes 2015, Vieilles vignes (18,60$ – p. 122)

SUD DE LA FRANCE

CAVE DE ROQUEBRUN Saint-Chinian – Roquebrun 2015, Granges des Combes (19,75$ – p. 128)

VIGNOBLE DU LOUP BLANC Minervois 2017, Le Régal (22,60$ – p. 133)

DOMAINE LES BÉATES Coteaux d'Aix-en-Provence 2015, Les Béates (29,75$ – p. 141)

SUD-OUEST

CRU BARRÉJATS Sauternes 2004 (51,25$ – p. 145)

CAMIN LARREDYA Jurançon sec 2016, La Part Davant (32$ – p. 146)

HOURS, CHARLES Jurançon sec 2015, Cuvée Marie (24$ – p. 147)

CLOS DE GAMOT Cahors 2014 (26,40$ – p. 150)

DA ROS, ELIAN Côtes du Marmandais 2016, Le vin est une Fête (22,30$ – p. 155)

ITALIE

PODERI COLLA Barolo 2013, Bussia Dardi Le Rose (59,75$ – p. 163)

PODERI COLLA Barbaresco 2015, Roncaglie (49,75$ – p. 164)

PRODUTTORI DEL BARBARESCO Barbaresco 2015 (41,10$ – p. 165)

TRINCHERO, EZIO GIACOMO Barbera d'Asti Superiore 2013, Terra del Noce (27,50$ – p. 167)

FORADORI Teroldego 2016, Vigneti delle Dolomiti (32$ – p. 168)

FILIPPI Soave Colli Scaligeri 2016, Vigne della Brà (31,25$ – p. 172)

I STEFANINI Soave Superiore Classico 2016, Monte di Fice (27,95$ – p. 173)

PRÀ Valpolicella 2017, Morandina (23,45$ – p. 175)

TEDESCHI Amarone della Valpolicella 2014 (41,35$ – p. 177)

CARPINETA FONTALPINO Chianti Colli Senesi 2017 (21,40$ – p. 179)

FATTORIA DEI BARBI Brunello di Montalcino 2012, Vigna del Fiore (79,75$ – p. 185)

ARGENTIERA Bolgheri Superiore 2015, Argentiera (75,25$ – p. 186)

SAPAIO Bolgheri 2016, Volpolo (29,10$ – p. 187)

MONTETI Caburnio 2014, Toscana (22,75$ – p. 191)

VOLPAIA Cabernet sauvignon 2016, Prelius, Maremma Toscana (21,30$ – p. 191)
MASCIARELLI Montepulciano d'Abruzzo 2015, Marina Cvetic (30,50$ – p. 195)
GRIFALCO Aglianico del Vulture 2015, Grifalco, Basilicate (24,25$ – p. 196)
DI BARTOLI, MARCO Lucido 2017, Terre Siciliane (21,15$ – p. 198)

ESPAGNE
ALTOLANDON Manchuela 2015, Doña Leo (18,90$ – p. 204)
ZARATE Rías Baixas 2017, Albariño, Val do Salnés (22,70$ – p. 205)
MAQUINA & TABLA Rueda 2016, Paramos de Nicasia (19,15$ – p. 207)
PALACIOS, ÁLVARO Priorat 2016, Camins del Priorat (28,45$ – p. 209)
IJALBA Rioja 2015, Graciano (22,75$ – p. 212)
PALACIOS REMONDO Rioja 2015, La Montesa (20,95$ – p. 213)
LOPEZ DE HEREDIA Rioja Reserva 2005, Viña Tondonia (52,75$ – p. 216)
AZUL Y GARANZA Jumilla 2016, Altamente, Monastrell (15,35$ – p. 220)

PORTUGAL
NIEPOORT Douro branco 2016, Diálogo (16,20$ – p. 225)
BARCO NEGRO (CAP WINE) Douro 2015 (14,70$ – p. 226)
QUINTA DA ROSA Douro 2016, Dourosa (19,55$ – p. 227)
QUINTA DA ROMANEIRA Douro 2013, Reserva (30$ – p. 229)
ADEGA DE PENALVA Dão Branco 2015, Maceration (23,85$ – p. 230)
QUINTA DA PELLADA Dão 2014, Álvaro Castro Reserva (28,20$ – p. 230)
VADIO Bairrada 2014 (22$ – p. 231)

GRÈCE
BIBLIA CHORA Pangeon 2017 (20,35$ – p. 236)
PAPAGIANNAKOS Savatiano 2017, Vieilles vignes, Markopoulo (16,70$ – p. 236)
SIGALAS Santorini 2017 (30,25$ – p. 237)
BIBLIA CHORA Ovilos 2017, VDP Pangée (31,50$ – p. 238)
SEMELI Mantinia 2016, Thea (27,80$ – p. 239)

ALLEMAGNE
DÖNNHOFF Riesling Trocken 2016, Nahe (26,20$ – p. 244)
WITTMANN Riesling 2016, 100 Hills, Rheinhessen (20,75$ – p. 245)
JOH. JOS. PRÜM Riesling Kabinett 2016, Graacher Himmelreich, Mosel
   (42,25$ – p. 247)
DOMÄNE WACHAU Riesling 2016, Federspiel, Terrassen, Wachau (20,35$ – p. 248)
JURTSCHITSCH Grüner veltliner 2017, Terrassen, Niederösterreich (27,90$ – p. 249)
JOHANNESHOF REINISCH Pinot noir 2016, Thermenregion, Autriche (23,90$ – p. 250)
OREMUS Tokaji Furmint 2016, Mandolas (30,25$ – p. 253)

ISRAËL
ADIR WINERY Cabernet sauvignon 2015, Kerem Ben Zimra, Upper Galilee
   (33,25$ – p. 256)

LIBAN
CLOS ST-THOMAS Château St-Thomas 2010, Vallée de la Bekaa (25,95$ – p. 258)

CANADA

DOMAINE ST-JACQUES **Chardonnay 2017, Vin du Québec** (24$ – p. 264)

CHAT BOTTÉ, LE **Blanc 2017** (18,35$ – p. 266)

DOMAINE LE GRAND ST-CHARLES **La Roche Vidal 2017** (23$ – p. 268)

VIGNOBLE 1292 **St-Pépin – Swenson 2016** (16$ – p. 269)

LE MAS DES PATRIOTES **La Mansarde, Réserve 2017** (25,35$ – p. 271)

PIGEON HILL **Le Chai 2016** (20$ – p. 275)

MAS DES PATRIOTES, LE **Le Sieur Rivard Sélection 2017** (18,10$ – p. 277)

OSOYOOS LAROSE **Grand Vin 2014, Okanagan Valley** (44,60$ – p. 280)

STRATUS **Cabernet franc 2014, Niagara-on-the-Lake** (38$ – p. 285)

ÉTATS-UNIS

EASTON **Sauvignon blanc 2014, Natoma, Sierra Foothills** (26,10$ – p. 291)

DOMINUS **Napa Valley 2013** (384$ – p. 294)

L'ÉCOLE N° 41 **Cabernet sauvignon 2014, Columbia Valley** (47,75$ – p. 296)

RIDGE VINEYARDS **Lytton Springs 2015, Dry Creek Valley** (67$ – p. 299)

CHILI

EMILIANA **La Vinilla 2016, Signos de Origen, Valle de Casablanca** (21,95$ – p. 304)

MONTSECANO **Pinot noir 2017, Refugio, Valle de Casablanca** (26,55$ – p. 307)

CLOS DES FOUS **Cabernet sauvignon 2013, Grillos Cantores, Alto Cachapoal** (21,15$ – p. 308)

GARCES SILVA **Syrah 2014, Boya, Valle de Leyda** (19,50$ – p. 310)

MONTGRAS **Ninquén Mountain Vineyard 2015, Valle de Colchagua** (27,65$ – p. 311)

EMILIANA **Coyam 2014, Los Robles Estate, Valle de Colchagua** (29,95$ – p. 312)

ARGENTINE

EL ESTECO **Malbec 2015, Valles Calchaquíes** (15,95$ – p. 316)

MASI **Passo Doble 2015, Valle de Uco** (15$ – p. 316)

AUSTRALIE

ALPHA BOX & DICE **Tarot 2016, McLaren Vale** (21,95$ – p. 324)

NOUVELLE-ZÉLANDE

CHURTON **Sauvignon blanc 2017, Marlborough** (23,90$ – p. 328)

AFRIQUE DU SUD

MULLINEUX **Chenin blanc 2017, Kloof Street, Old Vine, Swartland** (22,45$ – p. 335)

FORRESTER, KEN **Roussanne 2016, Stellenbosch** (23,55$ – p. 337)

HAMILTON RUSSELL **Chardonnay 2016, Hemel-en-Aarde** (41,25$ – p. 337)

BOEKENHOUTSKLOOF **Syrah 2017, Porcupine Ridge, Swartland** (16,50$ – p. 338)

BADENHORST, A. A. **Secateurs Red blend 2015, Swartland** (19,50$ – p. 340)

GLENELLY **Estate Reserve 2011, Stellenbosch** (22,15$ – p. 341)

CHAMPAGNE
CHARTOGNE-TAILLET **Cuvée Sainte Anne** (53,25$ – p. 344)
ROEDERER **Brut Premier** (70$ – p. 345)
DOQUET, PASCAL **Extra Brut 2005, Premier cru Vertus** (93$ – p. 346)
FLEURY **Brut Nature, Fleur de l'Europe** (66$ – p. 347)

MOUSSEUX ET LES AUTRES
CARÊME, VINCENT **Vouvray Brut 2015** (25,35$ – p. 353)
TISSOT, ANDRÉ ET MIREILLE **Crémant du Jura, Brut** (33,50$ – p. 355)
ADAMI **Prosecco Superiore Valdobbiadene Extra Dry 2016, Rive di Colbertaldo Vigneto Giardino** (26,80$ – p. 356)
BISOL **Prosecco di Valdobbiadene 2017, Crede** (22,25$ – p. 356)
RAVENTOS I BLANC **De Nit 2016, Conca del Riu Anoia** (27,75$ – p. 358)
SUMARROCA **Cava Gran Reserva Brut Nature 2013** (19,10$ – p. 359)
DOMAINE BERGEVILLE **Le Blanc, Brut** (27,90$ – p. 360)
VIGNOBLE NÉGONDOS **Noctambulles 2017** (28$ – p. 361)
DOMAINE BERGEVILLE **L'exception** (34$ – p. 362)
BENJAMIN BRIDGE **Méthode classique Brut 2012** (49,75$ – p. 364)
FORRESTER, KEN **Sparklehorse 2015, Cap Classique, Stellenbosch** (24,90$ – p. 367)
GOLAN HEIGHTS WINERY **Moscato 2017, Hermon, Galilee** (21,20$ – p. 369)

VINS ROSÉS
LE MAS DES PATRIOTES **Hortensias 2017** (18$ – p. 372)

VINS FORTIFIÉS
LUSTAU **Amontillado, Los Arcos, Solera reserva** (21,65$ – p. 377)
BADENHORST, A. A. **Caperitif** (28,40$ – p. 378)
VAL CAUDALIES **Vermouth sec, Lab** (24,65$ – p. 379)
DOMAINE DE LA RECTORIE **Banyuls Rimage 2016, Cuvée Parcé Frères** (24,95$ – p. 380)
DOMAINE LA TOUR VIEILLE **Banyuls Rimage 2017** (26,95$ – p. 380)
OFFLEY **Late Bottled Vintage 2012** (20$ – p. 381)

FRANCE

Le monde du vin poursuit son expansion, mais la France demeure souveraine. Aucun pays n'est encore en mesure d'offrir un aussi vaste registre de saveurs et de styles que cet immense jardin où la vigne s'exprime de mille et une façons.

Difficile de manquer de choix entre l'élégance soyeuse d'un vin de Bourgogne, la droiture des crus bourgeois de Bordeaux, la force tranquille d'un saumur-champigny ou la nervosité d'un vouvray de la Loire, la vigueur et l'originalité des vins du Sud-Ouest, le caractère cristallin et parfois plantureux des blancs d'Alsace, sans oublier l'exubérance des vins du Midi et l'effervescence sublime du champagne.

Le jardin français est aussi de plus en plus sain, de plus en plus vert, puisque la superficie du vignoble cultivée en agriculture biologique a été multipliée par 12 depuis le tournant du millénaire. Cela dit, la France a encore beaucoup de travail à faire pour rétablir l'équilibre de ses sols, malmenés par des décennies de viticulture intensive.

Autre ombre au tableau: les Français ne boivent plus. La consommation *per capita* a chuté de plus de moitié depuis 1960 et elle continue de baisser. Le pays doit donc désormais jouer du coude avec le reste du monde sur les marchés d'exportation. Ce contexte économique a enfin poussé les retardataires à se mettre au goût du jour et la plupart des vignerons français semblent avoir compris que la solution à cette impasse se résume à un mot: qualité.

Et qualité il y a! Souvent à bon prix, même. Les pages suivantes sont remplies de vins savoureux, authentiques – biologiques ou pas – et taillés sur mesure pour la table.

ROYAUME-UNI

PAYS-BAS

BELGIQUE

ALLEMAGNE

CHAMPAGNE

ALSACE

○
Paris

VAL DE LOIRE

BOURGOGNE

SUISSE

JURA

BEAUJOLAIS

ITALIE

SUD-OUEST

BORDEAUX

VALLÉE DU RHÔNE

LANGUEDOC-
ROUSSILLON

PROVENCE

ESPAGNE

CORSE

BORDEAUX

OCÉAN
ATLANTIQUE

Gironde

Médoc

Lesparre-Médoc

Saint-Estèphe

Côtes de Blaye

Pauillac

Saint-Julien

Moulis

Côtes de Bourg

Listrac

MÉDOC

Margaux

Bordea

Fronsac

Haut-Médoc

Libourne

RIVE GAUCHE

Bordeaux

Côtes de
Bordeaux-Cadi

RIVE GAUCHE

Le vignoble de Bordeaux est
traditionnellement séparé
en deux : le Médoc, les
Graves et le Sauternais sont
situés sur la rive gauche de
la Garonne. Le cabernet
sauvignon est le cépage
généralement dominant
dans les assemblages.
Cette variété à maturation
tardive s'est plutôt bien
adaptée aux sols graveleux
des Graves et du Médoc,
où il donne des vins
charpentés qui ont souvent
besoin de plusieurs années
en cave pour s'assouplir et
se révéler pleinement.

Pessac-
Léognan

Garonne

Arcachon

GRAVES

Cérons

Barsac

Lang

SAUTERNES

Dans l'édition 2016 de son *Pocket Wine Book* annuel, l'auteur britannique Hugh Johnson répondait à certains lecteurs qui lui demandaient s'il était toujours pertinent que les vins de Bordeaux aient droit à leur propre section dans son livre, alors que les vins de toutes les autres régions du pays y sont présentés sans distinction géographique, dans le chapitre de la France. Sa réponse, en traduction libre : « Bordeaux demeure le moteur du monde des vins fins, dont il est, de loin, le plus important producteur. Et la région suscite autant les débats, qu'elle stimule les investissements et l'intérêt des collectionneurs, à l'échelle planétaire. Par ailleurs, précise-t-il enfin, il y a peu de meilleures boissons. »

Et quel meilleur prétexte que l'excellent millésime 2015 pour renouer avec le charme des crus de la Gironde. Une année presque parfaite si on se fie aux comptes rendus des conditions météorologiques et au dire des vignerons. Dans l'ensemble, les quelques dizaines d'échantillons dégustés en janvier 2018 à Montréal étaient déjà harmonieux et étonnamment agréables à boire, plus en finesse qu'en muscle. Un très bon millésime entre classicisme et générosité.

RIVE DROITE

Le Libournais (Saint-Émilion, Pomerol, Fronsac), les Côtes de Blaye, de Bourg et de Castillon sont situés sur la rive droite de la Dordogne. Sauf exceptions, ces vins sont essentiellement constitués de merlot. Qu'il puise sa sève dans les sols calcaires du plateau de Saint-Émilion, dans les molasses de Fronsac ou dans les argiles et les graves de Pomerol, il donne des vins généralement plus suaves et dodus, aptes au vieillissement, mais pouvant être appréciés plus jeunes que ceux du Médoc.

RIVE DROITE

Côtes de Francs

milion

Dordogne

Sainte-Foy-la-Grande

Côtes de Castillon

ENTRE-DEUX-MERS

Médoc-Graves

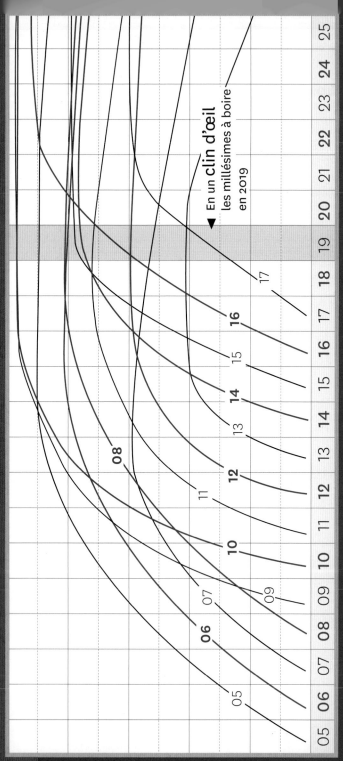

En un **clin d'œil**
les millésimes à boire
en 2019

longévité

qualité

LES DERNIERS MILLÉSIMES

2017

Un millésime hétérogène à distinguer entre les vignobles touchés par les gelées printanières et ceux qui ont été épargnés. Le Médoc a produit de bons cabernets sauvignons attrayants en jeunesse. Sur la rive droite, le cabernet franc a donné de meilleurs résultats.

2016

Excellent millésime, tant en quantité, qu'en qualité. Dans le Médoc, une longue saison végétative a donné des cabernets profonds et structurés; plusieurs font un parallèle avec 2010. Sur la rive droite, les jeunes vignes de merlot ont souffert de la sécheresse, mais dans l'ensemble, les conditions sont semblables à celles du Médoc et devraient donner des vins de très belle qualité.

2015

Floraison précoce et uniforme dans toute la Gironde. Des épisodes de chaleur et de sécheresse en juin et en juillet ont fait craindre le pire, mais les pluies du mois d'août ont permis de sauver la mise et la fin de saison a été remarquable. Les quelques échantillons goûtés lors de l'événement Primeur à Montréal m'ont laissé une impression très favorable. Plus de finesse que de muscle; du fruit, un bel équilibre. Très bon millésime entre classicisme et générosité.

2014

Une autre récolte «miraculeusement» sauvée par l'été indien. Dans le Médoc, on peut espérer de bons cabernets de facture classique. La rive droite a été davantage touchée par la pluie. Les résultats s'annoncent plus satisfaisants et homogènes pour le cabernet franc que pour le merlot.

2013

Jamais deux sans trois, dit-on. Le médoc a connu sa pire récolte depuis 1992! Même les crus classés sont à acheter avec prudence. Résultats un peu moins désastreux sur la rive droite; rendements très faibles et qualité moyenne.

2012

Deuxième année difficile dans la Gironde. Le climat a fait des siennes et le cabernet a peiné à mûrir. Le merlot étant un cépage plus précoce, les vignobles de la rive droite ont eu un peu plus de chance, mais il ne faudra pas fonder de grandes espérances quant à leur potentiel de garde. L'Yquem n'a pas été produit, signe éloquent d'une qualité médiocre à Sauternes.

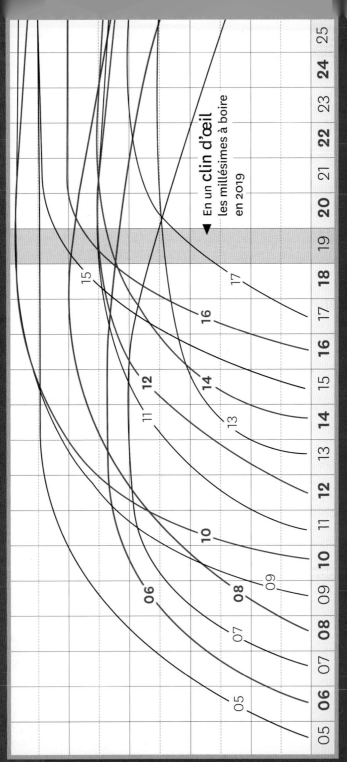

Saint-Émilion-Pomerol

En un **clin d'œil**
les millésimes à boire
en 2019

qualité

longévité

05 **06** 07 **08** 09 **10** 11 **12** 13 **14** 15 **16** 17 **18** 19 **20** 21 **22** 23 **24** 25

2011

Retour à la réalité après deux millésimes de rêve. Dans le Médoc comme sur la rive droite, un mois de juillet relativement chaud et humide a causé des problèmes de pourriture; épisode de grêle à Saint-Estèphe. Pomerol est l'appellation qui a le mieux tiré son épingle du jeu. De manière générale, les taux d'alcool sont plus faibles, heureusement! Comme dans tout millésime hétérogène, la réputation du producteur est la meilleure garantie.

2010

Après la sensationnelle récolte 2009, dame Nature s'est de nouveau montrée généreuse envers les Bordelais. Un été exceptionnellement sec et une récolte moins abondante que la moyenne – avec des raisins petits et très nourris – ont donné naissance à des vins rouges tanniques, solides et charpentés. Succès généralisé, autant dans le Libournais que sur la rive gauche. Millésime tout aussi prometteur à Sauternes, où les vendanges se sont étalées jusqu'à la fin d'octobre.

2009

De l'avis de plusieurs, probablement le meilleur millésime de la décennie. Après un été idéal, chaud, sec et ensoleillé, les vignes ont profité d'un mois de septembre de rêve pendant lequel les journées chaudes et les nuits fraîches ont alterné. Des conditions idéales pour produire le Bordeaux parfait. Bon millésime en perspective à Sauternes.

2008

La longue saison végétative qui s'est achevée par temps sec et sans excès de chaleur explique le style fin et classique des meilleurs vins du millésime. Mais tous les 2008 ne sont pas nés égaux, et la qualité reste variable. Seuls les meilleurs terroirs exploités avec rigueur et discernement ont donné des vins fins de style très classique.

2007

Après un été de misère, le beau temps de septembre a permis d'éviter le pire. La qualité est hétérogène. Les producteurs les plus habiles ont obtenu des vins rouges de bonne facture, fins et équilibrés, mais sans la profondeur des grandes années. De bons vins blancs secs et des Sauternes très réussis.

2006

De la pluie aux vendanges et de fréquents problèmes de pourriture ont causé bien des maux de tête aux viticulteurs, surtout dans le Médoc où le cabernet sauvignon a eu peine à mûrir. Sur la rive droite, le merlot a donné des résultats plus satisfaisants, en particulier à Pomerol. Bon millésime pour les vins blancs secs. Bon nombre de Sauternes riches et plantureux.

CHÂTEAU BONNET
Entre-Deux-Mers 2016

Un assemblage éprouvé de sauvignon blanc, de sémillon et de muscadelle donne une fois de plus un très bon blanc sec et nerveux, aux parfums d'agrumes. Rien de bien compliqué, mais assez ample, aromatique et désaltérant pour satisfaire la soif des amateurs de sauvignon.

083709   16,45$ ☆☆☆ ① ♥

CHÂTEAU CAILLETEAU BERGERON
Blaye Côtes de Bordeaux 2017

Comme la plupart des vins blancs de Bordeaux, cette cuvée du vignoble blayais, composée de sauvignon blanc et de sauvignon gris, exprime davantage des parfums de fruits tropicaux et d'agrumes, que les odeurs herbacées parfois associées au cépage sauvignon. Du reste, le fruit est soutenu par une acidité fraîche, elle-même enrobée par une texture juste assez grasse, attribuable au travail des lies.

10863281   17,70$ ☆☆☆ ①

CHÂTEAU DUCASSE
Bordeaux 2017

Plus les années passent, plus j'aime les vins blancs de Bordeaux. Et cet excellent 2017 d'Hervé Dubourdieu ne peut que me conforter dans mes goûts. Sec, pur et très délicatement parfumé, le vin est composé à 60% de vignes de sémillon d'une quarantaine d'années, ce qui explique sans doute sa tenue et son volume naturel en bouche. Un blanc net, digeste, élaboré sans trop de manipulations, qu'on boira avec les huîtres, dès son arrivée sur le marché, à la mi-novembre.

13477959   20,95$ ☆☆☆☆ ② ♥

CHÂTEAU MEZAIN
Bordeaux 2016

Amateur de sauvignon néo-zélandais, vous trouverez votre bonheur à moins de 15$ avec ce bordeaux blanc aromatique à souhait, nerveux et gorgé de parfums d'agrumes.

10863344   14,85$ ☆☆ ½ ①

CHÂTEAU PUYFROMAGE
Entre-deux-Mers 2016

Chaque bouteille de «sauvignônne blank» (prononcer avec l'accent américain) médiocre du Nouveau Monde qui croise mon chemin fait croître mon affection pour les bordeaux blancs – composés en majorité de sauvignon, eux aussi. Ce très bon blanc produit de l'Entre-deux-Mers me conforte dans mes goûts: une expression sobre et drôlement agréable du sauvignon blanc, sans l'acidité mordante ni les goûts envahissants de jus de pamplemousse. Juste un bon blanc frais, à apprécier à l'apéritif.

13576594   16,95$ ☆☆☆ ① ♥

CHÂTEAU SAINTE-MARIE
Entre-deux-Mers 2017, Vieilles vignes

J'aime beaucoup le charme discret de ce vin blanc élaboré par Stéphane Dupuch au cœur de l'Entre-deux-Mers, avec ses saveurs nettes de fruits tropicaux et de citron, ponctuées de notes de miel, sans doute attribuables au sémillon, qui représente 25% de l'assemblage. Le 2017 est moins nerveux que d'habitude, il me semble, et il a aussi plus de tenue en bouche, mais demeure tout aussi rafraîchissant. L'un des bons bordeaux blancs à la SAQ.

10269151   16,70$ ☆☆☆ ½ ② ♥

CHÂTEAU DE CAMARSAC
Bordeaux Supérieur 2014

Ce domaine de l'Entre-deux-Mers est dirigé par Thierry Lurton, fils de Lucien Lurton. Son 2014 est très réussi. Le bois occupe sa juste part, mais n'empiète pas sur le fruit ; les tanins sont souples et le vin laisse en fin de bouche une sensation saline, doublée d'une amertume fine. Beau travail.

10521301   18,15$ ★★★ ½ ① ♥

CHÂTEAU FLEUR HAUT GAUSSENS
Bordeaux Supérieur 2012

Un bordeaux supérieur élaboré avec de belles ambitions, ce qui permet de transcender un millésime moyen. Le vin est très bien réussi dans un style moderne, mariant les parfums fruités du merlot (85 %) aux goûts torréfiés du bois de chêne ; la texture sphérique emplit la bouche et le tout exerce un certain charme. Déjà bon à boire.

12574141   19,55$ ★★★ ②

CHÂTEAU LA MOTHE DU BARRY
Bordeaux Supérieur 2016

Joël Duffau signe de nouveau un vin impeccable dans cette propriété de Moulon, dont le vignoble est conduit en agriculture biologique. Les goûts de prune et de framboise sont relevés de délicats accents de cannelle, attribuables au bois de chêne, et le vin est assez charnu et équilibré. Un bon bordeaux pour les soirs de semaine.

10865307   15,50$ ★★★ ② 🗨

CHÂTEAU TAYET
Bordeaux 2012, Cuvée Prestige

Cette propriété secondaire de Bordeaux appartient à la famille du Château Haut Breton Larigaudière. Assez ample, avec des goûts de cerise sur fond de cacao, de feuille de tomate et de thé noir. Pas très ample ni long, mais tissé de tanins veloutés et serrés et techniquement impeccable.

11106062   20,65$ ★★★ ②

DOMAINE DE L'ÎLE MARGAUX
Bordeaux Supérieur 2015

Maintenant certifié biologique, le vignoble de cette propriété située au centre de la Gironde, face au Château Margaux, a produit un 2015 tout à fait à la hauteur de son millésime. La bouche est gorgée d'un fruit mûr, encadrée de tanins juste assez fermes, laissant en finale une sensation très digeste. Bonne longueur, bon équilibre. Il demeure parmi les plus étoffés et les plus substantiels dans sa catégorie.

43125   21,55$ ★★★ ½ ②

LA GRANDE CHAPELLE
Bordeaux 2017, Merlot-Cabernet sauvignon, Antoine Moueix

Vendu à un prix défiant (presque) toute compétition, un rouge souple, fruité, facile à boire et porté avant tout par la rondeur du merlot. Simple, mais bien meilleur que certaines des bombes de fruits (et de sucre) vendues dans cette gamme de prix.

36012   13,60$ ★★ ½ ① ♥

MARQUIS DE BORDEAUX
Bordeaux 2015

Ce vin autrefois vendu en importation privée et destiné, paraît-il, au marché de la restauration, est l'œuvre du négociant bordelais Alexandre Sirech. Une première à la SAQ, donc, pour cet assemblage de merlot et de cabernet franc qui s'avère recommandable à moins de 20$. Droit, boisé sans excès et relevé de saveurs particulières qui évoquent davantage le salé que le fruit. À servir d'ici 2021.

13364807   18,65$ ★★★ ②

MOUEIX, JEAN-PIERRE
Bordeaux 2015

Habillé d'une toute nouvelle étiquette d'inspiration Art déco, le bordeaux générique des Établissements Jean-Pierre Moueix revient sur le marché en pleine forme. Le 2015 est le fruit d'un assemblage de raisins de la rive droite – dont une proportion de saint-émilion et de pomerol déclassés – et repose toujours sur une base de merlot, dont on peut déjà apprécier les tanins ronds et veloutés, les goûts précis de fruits noirs, ponctués d'une touche de cacao. Savoureux dès maintenant et taillé pour la table.

En primeur

13734337   19,55$ ★★★★ ② ♥

CHÂTEAU BUJAN
Côtes de Bourg 2016

Le vin de Pascal Méli fait toujours bonne figure au sein des vins des Côtes de Bordeaux offerts à la SAQ. Un bon *claret* de facture classique, riche en goûts de fruits noirs, sur un fond torréfié, attribuable à l'élevage en fûts ; assez solidement constitué pour continuer de se bonifier d'ici 2022.

862086   22,80$ ★★★ ½ ③

3 358251 220003

CHÂTEAU CAILLETEAU BERGERON
Blaye – Côtes de Bordeaux 2015, Tradition

Ample, plein en bouche et fort rassasiant dans sa version 2015. Les tanins sont mûrs et charnus, le fruit est croquant et le vin laisse une sensation fraîche et digeste en finale. À moins de 20 $, l'amateur de rouge mi-corsé et boisé y trouvera certainement son compte.

10388601   17,50$ ★★★ ½ ② ♥

3 760035 961130

CHÂTEAU CAILLETEAU BERGERON
Blaye – Côtes de Bordeaux 2015, Vin Nature

Nouveauté à la SAQ cette année, un bordeaux «nature», au sens où aucun sulfite n'a été ajouté pendant les fermentations ni à la mise en bouteille. Les lecteurs assidus du *Guide* savent que j'affectionne tout particulièrement ce type de vins, quand ils sont bons. La vue de cette mention sur l'étiquette m'a tout de même laissée perplexe. Le terme «nature» n'est réglementé d'aucune façon et il n'implique pas, contrairement à l'idée répandue auprès des consommateurs, que le vin soit issu de l'agriculture biologique. Chaque vigneron y va de son bon vouloir. Cela dit, la volonté semble bonne ici et on a vraisemblablement tenté de produire un vin honnête, misant avant tout sur le fruit, avec quelques notes boisées. Dans l'ensemble donc, un bon bordeaux assez charnu, qui laissera sur sa soif l'amateur de rouge nature plus *funky*, mais qui trouvera certainement des adeptes auprès de l'amateur de bordeaux plus classique, sujet à des réactions allergiques aux sulfites.

13841423   21,45 $ ★★★ ②

En primeur

CHÂTEAU GODARD BELLEVUE
Francs – Côtes de Bordeaux 2014

Ce vin de qualité variable, selon les millésimes, m'a semblé tout à fait recommandable en 2014. Rien de grand, mais dans une année jugée moyenne, on a produit un bon vin souple, qui porte la rondeur fruitée du merlot, mais offre une certaine tenue et de la fraîcheur. À boire d'ici 2020.

914317   19,60$ ★★★ ②

3 760094 710021

CHÂTEAU LE PUY
Francs – Côtes de Bordeaux 2015

Le vignoble de la famille Amoreau est l'un des rares de Gironde à être cultivé en biodynamie. Le vin courant de la propriété est vinifié uniquement avec les levures naturelles, sans chaptalisation ni filtration et avec un minimum de soufre. Le 2015 est un pur délice! Tissé de tanins mûrs et soyeux qui caressent le palais et soutenu par une acidité finement dosée, avec un cœur fruité pur et savoureux. Un vin hyper digeste et déjà savoureux, qu'on pourra tout de même coucher en cave pendant une bonne dizaine d'années.

709469   28,45$ ★★★★ ½ ② ♥ 💬

CHÂTEAU PELAN BELLEVUE
Côtes de Castillon 2015

Le vin de ce domaine appartenant à Régis Moro (Puy-Landry, Vieux Château Champs de Mars) comporte une proportion importante de cabernet sauvignon (40%) dans l'assemblage. Ce détail explique peut-être la vigueur tannique de ce 2015; déjà ouvert et agréable à boire, mais encore plein de tonus et de fraîcheur. Le compagnon parfait des soirs de semaine, avec une pièce de viande.

10771407   17,30$ ★★★ ½ ② ♥ 💬

CHÂTEAU PUYFROMAGE
Francs – Côtes de Bordeaux 2016

Le 2016 de cette propriété, située dans la continuité du plateau calcaire de Saint-Émilion, mise à fond sur la souplesse et le naturel fruité du merlot. Rien de complexe, mais un bon bordeaux de tous les jours, mi-corsé et agréable à boire en jeunesse.

33605   16,75$ ★★★ ①

VIEUX CHÂTEAU CHAMPS DE MARS
Castillon – Côtes de Bordeaux 2015

Après quelques années d'absence dans le *Guide*, je retrouve dans ce 2015, le même bon vin sur lequel Régis Moro a bâti sa réputation au Québec. Très près d'un saint-émilion – appellation voisine des Côtes de Castillon – par son fini tannique dense et velouté, mais nettement plus abordable et doté de cette petite touche sauvage qu'arborent certains vins biologiques à tendance nature. On pourra le boire dès maintenant ou le laisser reposer en cave jusqu'en 2022.

10264860   23,20$ ★★★ ½ ② 💬

CHÂTEAU DES LAURETS
Puisseguin Saint-Émilion 2014

Ce domaine de Puisseguin, appartenant à la Compagnie du Baron Edmond de Rothschild produit régulièrement un très bon rouge mettant en relief l'essence fruitée gourmande du merlot, dont il est composé à 80 %. Le résultat est particulièrement heureux en 2014 : nez attrayant de framboise, bouche gourmande, bien servie par l'élevage et très fraîche. À boire d'ici 2022, avec une salade de confit de canard.

371401   21,30 $ ★★★ ½ ② ♥

CHÂTEAU GUIBEAU
Puisseguin Saint-Émilion 2012

Ce vin maintenant certifié biologique compte régulièrement parmi les bons achats de cette appellation secondaire de la rive droite. Une texture fine et des tanins tendres, un élevage bien maîtrisé en fûts de chêne et une juste concentration. Excellent rapport qualité-prix ! À boire maintenant et dans les quatre ou cinq prochaines années.

10259833   20,50 $ ★★★ ½ ②

CHÂTEAU LA PAPETERIE
Montagne Saint-Émilion 2012

Bon vin produit dans la commune de Montagne, à 5 km au nord de Saint-Émilion. Le 2012 offre une expression typique de l'appellation : des goûts de fruits secs, une attaque assez souple et un bon usage du bois, qui apporte de délicates notes vanillées en finale. À boire d'ici deux ans.

866400   27,90 $ ★★★ ①

CHÂTEAU MONTAIGUILLON
Montagne Saint-Émilion 2015

Le vin de la famille Amart est une valeur sûre de Montagne Saint-Émilion et il n'allait certainement pas décevoir dans un millésime de grande qualité comme 2015. Souple en attaque, ample et charnu en milieu de bouche, bien servi par l'élevage en fûts, chaleureux et en même temps d'une agréable fraîcheur. Vraiment excellent ; il vaut largement son prix.

864249   24,90 $ ★★★★ ② ♥

CHÂTEAU SOLEIL
Puisseguin Saint-Émilion 2015

Même s'il est encore passablement marqué par l'élevage en fûts de chêne, tant en bouche qu'au nez, avec une certaine amertume en finale et des parfums singuliers d'épices indiennes, ce vin semble avoir la matière fruitée et l'équilibre pour évoluer en beauté. Ample, gorgé de bons goûts de cerise et porté par une trame tannique veloutée.
À revoir idéalement dans quatre ou cinq ans.
11546551 35,75$ ★★★→? ③

3 760188 379165

CHÂTEAU VIRAMIÈRE
Saint-Émilion Grand cru 2015

D'une propriété secondaire de Saint-Émilion, ce 2015 en impose d'abord par sa couleur et par son nez de fruits confits, de cèdre et de cigare. La bouche est charnue, fruitée et assez fraîche, des notes subtilement boisées rehaussent le tout. Bon rapport qualité-prix.
972422 28,95$ ★★★ ②

3 192040 487891

CÔTES ROCHEUSES
Saint-Émilion Grand cru 2014

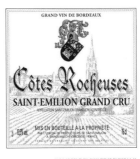

Dans un millésime moyen, la cave coopérative de Saint-Émilion a produit un vin à la fois souple et charnu, portant le caractère fruité du merlot et les délicats accents de poivron rouge du cabernet sauvignon. Un très bon vin de taille moyenne qu'on pourra boire dès maintenant.
704817 29,60$ ★★★ ②

3 192040 501528

PÉRACLOS
Montagne Saint-Émilion 2014

À 20$, ce vin franc et bien structuré, ferme, mais sans rudesse, est mis en valeur par un soupçon de bois de chêne, qui se marie au fruit, plutôt que de le masquer. Simple, mais de bonne longueur; tout à fait recommandable à ce prix.
12711424 20,40$ ★★★ ②

3 108210 311675

CHÂTEAU CHANTALOUETTE
Pomerol 2012

Deuxième vin du Château de Sales, la plus imposante propriété de Pomerol avec une superficie de près de 50 hectares. À défaut d'y trouver la concentration des meilleurs millésimes, on appréciera le fruit hyper charmeur de ce 2012 et son attaque en bouche franche, tissée de tanins veloutés, avec juste ce qu'il faut de poigne en finale. Déjà ouvert, mais on pourra le boire sans se presser jusqu'en 2022.

12127279 49,75$ ★★★ ½ ③

CHÂTEAU DE LA RIVIÈRE
Fronsac 2010

Ce vaste vignoble de Fronsac compte aussi un château imposant du XVIIe siècle, qu'on peut d'ailleurs voir sur l'étiquette. Le 2010 est maintenant ouvert et disponible en bonnes quantités dans le réseau. Une très belle occasion de *flirter* avec un excellent millésime et de découvrir le charme sous-estimé de cette appellation de la rive droite de Bordeaux. Un vin savoureux, riche en tanins suaves, relevé de bons goûts de fruits secs et de champignons, plein et long en bouche.

11588348 36,60$ ★★★★ ②

CHÂTEAU GARRAUD
Lalande de Pomerol 2014

Un cru de Lalande toujours fiable et une fois de plus recommandable en 2014, un millésime ayant connu des aléas météo. Un bon nez concentré et mûr présentant des notes de cerise; une bouche tendre et veloutée; compacte, vigoureuse et joliment fruitée. Rien de complexe, mais franc de goût.

978072 32,35$ ★★★ ②

CHÂTEAU GOMBAUDE-GUILLOT
Pomerol 2008

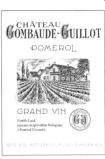

Situé sur le plateau de Pomerol, le vignoble tenu par Claire Laval et son fils Olivier Techer est certifié biologique et en voie d'être certifié biodynamique. En 2008, Claire Laval a produit un vin d'une grande finesse, fluide et gracieux, dont on ne peut que saluer la prestance et la fraîcheur. Un vin de charme, sans maquillage – on sent à peine l'élevage en fûts de chêne, neufs à 50% – et d'autant plus digeste qu'il est maintenant à point. Goûté de nouveau en septembre 2018, cet excellent pomerol était toujours en grande forme. On pourra le boire au cours des quatre prochaines années.

13480605 82,75$ ★★★★ ②

CHÂTEAU HAUT-CHAIGNEAU
Lalande de Pomerol 2014

Haut-Chaigneau est une propriété sérieuse de cette appellation satellite de Pomerol. La famille Chatonnet y a produit un bon 2014 modérément corsé, portant la rondeur et les goûts de prunes du merlot. Un vin harmonieux, en dépit d'une amertume prononcée en finale et de notes de torréfaction, attribuables à l'élevage en fûts de chêne. Il gagnera à reposer en cave jusqu'en 2020.

866467 30,25$ ★★★→? ③

CHÂTEAU TREYTINS
Lalande de Pomerol 2015

Ce vin confirme tout le bien que je pense du millésime 2015 à Bordeaux. L'attaque en bouche est juteuse et gorgée de fruit, le vin tapisse la bouche d'une texture charnue et rassasiante, mais assez souple pour être appréciable en jeunesse. Un très bon lalande adapté au goût du jour, mais fidèle à ses origines.

892406 25,85$ ★★★ ½ ②

MOUEIX, JEAN-PIERRE
Pomerol 2015

Le pomerol courant des Établissements Moueix (Lafleur-Petrus, Trotanoy, Hosanna, Providence, etc.) est particulièrement complet en 2015. Plus dense et concentré en saveurs que les derniers millésimes notés dans le *Guide*, le vin repose sur des tanins mûrs, bien servis par l'élevage en fûts, qui ne masque en rien l'expression du fruit. À boire d'ici 2021.

739623 31,60$ ★★★ ②

CHÂTEAU BEL ORME TRONQUOY LALANDE
Haut-Médoc 2014

Ce cru bourgeois situé près de Saint-Estèphe appartient à la famille Quié, du Château Rauzan-Gassies. On y a produit un 2014 de bonne consistance, solide et compact, mais dont les tanins semblent pourtant déjà avoir été polis par l'élevage et le temps; ses parfums de fruits secs et de cuir traduisent aussi une évolution précoce.
Très bien, mais à boire d'ici 2021.
126219   31,60$ ★★★ ①

CHÂTEAU CHASSE-SPLEEN
**Moulis-en-Médoc 2012,
L'Oratoire de Chasse-Spleen**

Goûté une première fois en 2016, le deuxième vin de Chasse-Spleen n'est en rien fatigué presque deux ans plus tard. Dans un millésime plutôt moyen dans le Médoc, Céline Villars et son équipe ont produit un très bon vin de facture classique, dont les tanins du cabernet sauvignon, plutôt droits et carrés en jeunesse, sont maintenant fondus. Rien pour s'imposer dans les concours, mais tout pour procurer du plaisir à table. À boire au cours des deux ou trois prochaines années.
737924   33,75$ ★★★★ ② ▼

CHÂTEAU DEYREM VALENTIN
Margaux 2014

Produit par la famille Sorge dans la commune de Soussans, tout au nord de l'appellation Margaux, cette cuvée est assez fidèle à l'esprit du millésime 2014 qui, dans le Médoc, a donné des cabernets de forme très classique. Droit, un peu strict pour le moment, mais harmonieux. Il vieillira bien jusqu'en 2022.
12994823   39$ ★★★→★ ③ ▼

CHÂTEAU HAUT-BAGES MONPELOU
Pauillac 2015

Ce domaine de Pauillac fait partie du giron de la famille Castéja, qui a aussi pris les rênes de la grande maison de négoce Mähler-Besse en juillet 2014. Quoiqu'un peu plus marqué par l'empreinte boisée en 2015, ce cru bourgeois de Pauillac me semble encore un très bel exemple de bordeaux de mouture traditionnelle, au profil à la fois séduisant et austère par sa carrure tannique et son amertume doublée d'un fruit mûr. Encore jeune et assez solidement constitué pour tenir jusqu'en 2023-2026.
12918370   54$ ★★★→★ ③

CHÂTEAU HAUT-BRETON LARIGAUDIÈRE
Margaux 2014

Le paysage gustatif du vin de Bordeaux a beaucoup changé depuis 30 ans. Heureusement, on trouve encore sur le marché des vins qui offrent une expression inaltérée de leur lieu de naissance. Comme cet excellent margaux secondaire, très médocain par sa composition – 85 % de cabernet sauvignon – et par son étoffe tannique à la fois fine et tissée très serrée. J'aime beaucoup son profil aromatique qui évoque davantage le salé que le fruit et ses accents de graphite, d'herbes séchées et de poivrons rouges rôtis qui persistent en finale. Beaucoup de caractère et d'intensité contenue dans cet excellent vin, dont l'amateur de bordeaux se régalera jusqu'en 2024.

732065   44$ ★★★★ ②

3 491871 010279

CHÂTEAU LACOUR JACQUET
Haut-Médoc 2010

Un 2010 assez charnu et large d'épaule, mûr et plein en bouche. Le bois est habilement joué, sans excès, et se mêle de façon harmonieuse aux goûts de fruits confits, de cèdre et d'épices. Ce vin donnera pleine satisfaction aux adeptes de bordeaux plus moderne.

12716356   26,30$ ★★★ ②

3 303292 303130

CHÂTEAU PATACHE D'AUX
Médoc 2014

Un médoc étonnamment solide vu le millésime, un peu sévère même. Le fruit est mûr, encadré de tanins bien affirmés, et le bois est habilement joué, mêlant les parfums de cèdre au notes de cassis. Déjà assez ouvert, il sera à son meilleur après un ou deux ans de repos.

11338226   26,10$ ★★★ ②

3 660044 100011

CHÂTEAU TOUR SAINT-JOSEPH
Haut-Médoc 2012

Même s'il est issu à 50 % de merlot, ce 2012 affiche le profil assez classique des vins du Médoc. Structuré, solide et un peu austère, mais sans aucune maigreur. Déjà ouvert et fort satisfaisant, surtout s'il est servi avec une pièce de viande rouge, qui permettra aux tanins de s'assouplir.

10752775   23,95$ ★★★ ½ ②

3 176481 013079

BOURGOGNE

||||||||||||||||||||||||||||||||||||||||||||||||||||||||||||||||||||||||||||||||||||||||||||||||||

La qualité des vins de la Bourgogne a longtemps été hétérogène, trop hétérogène. Deux vins d'une même appellation – sinon d'une même parcelle – pouvaient aussi bien vous tirer des larmes (de joie!) que vous faire regretter amèrement votre investissement. Car oui, être amateur de Bourgogne a un coût. De moins en moins doux, avec la spéculation et les aléas météo qui ont engendré de plus faibles récoltes.

Heureusement, la qualité n'a jamais été aussi élevée. La constance aussi. Grâce à l'arrivée de nombreux jeunes vignerons, soucieux de tirer le meilleur de terroirs secondaires, il est désormais possible de boire de très bons vins bourguignons, sans faire les frais des premiers et des grands crus. Pour les «aubaines», cherchez du côté d'appellations moins connues comme Marsannay, Auxey-Duresses, Chorey et Savigny-lès-Beaune. Plusieurs grandes maisons de négoce empruntent aussi la voie de la qualité.

Autrefois interdit aux tables sérieuses, le beaujolais est le chouchou d'une nouvelle génération de sommeliers tandis que son cépage, le gamay, a le vent dans les voiles et continue d'essaimer les vignobles partout sur la planète. Envie de vous mettre à l'heure du Beaujolais? Cette section compte pas moins de 10 pages dédiées aux vins de cette superbe région, située tout au sud de la Bourgogne, juste au nord de Lyon. Entre les dix crus du nord et les Terres Dorées, au sud, vous en trouverez certainement un pouvant donner des vins purement délicieux, aptes à la garde et le plus souvent abordables. Qu'attendez-vous?

||||||||||||||||||||||||||||||||||||||||||||||||||||||||||||||||||||||||||||||||||||||||||||||||||

CHABLIS

De l'avis de plusieurs, le chablis est la quintessence du cépage chardonnay. Grâce à leur acidité naturelle et à leur équilibre, les meilleurs peuvent être conservés plusieurs années.

CÔTE DE NUITS

Le morcellement du vignoble bourguignon a commencé dès la Révolution française et s'est poursuivi au fil des siècles et des successions familiales. Deux siècles plus tard, il n'y a toujours qu'un seul Clos de Vougeot, mais il est partagé entre 70 vignerons qui produisent autant de vins différents selon leur savoir-faire et leur rigueur.

Auxerre

CHABLIS

St-Bris

Irancy

○ Avallon

CÔTE DE NUITS

Marsannay
Fixin
Gevrey-Chambertin
Morey-Saint-Denis
Chambolle-Musigny
Vougeot
Vosne-Romanée
Nuits-Saint-Georges
Prémeaux-Prissey
Hautes Côtes de Nuits

◎ Dijon

CÔTE DE BEAUNE

Pernand-Vergelesses
Ladoix
Savigny-lès-Beaune
Aloxe-Corton
Chorey-lès-Baune
Beaune
Saint-Romain
Volnay
Auxey-Duresses
Pommard
Monthélie
Meursault
Blagny
Saint-Aubin
Puligny-Montrachet
Chassagne-Montrachet
Santenay
Hautes Côtes de Beaune

○ Beaune

○ Autun

Bourgogne

Bourgogne
Aligoté Bouzeron

Mercurey

Rully

○ Chalon-sur-Saône

Givry

CÔTE CHALONNAISE

Montagny

MÂCONNAIS

Mâcon Villages

Saint-Véran

Pouilly-Vinzelles et Pouilly-Loché

Mâcon ○

Pouilly-Fuissé

Mâcon Villages ○

Bourg-en-Bresse

Beaujolais-Villages

BEAUJOLAIS

BEAUJOLAIS

Contre toute attente, le Beaujolais compte plus de parcelles classées «viticulture de montagne», que la région de Savoie. Le tiers des vignobles ont une pente de 10% ou plus.

Villefranche-sur-Saône ○

Beaujolais

MÂCONNAIS

Certains vins du Mâconnais se comparent avantageusement à des blancs de la Côte de Beaune.

Lyon

Bourgogne blanc Côte d'Or

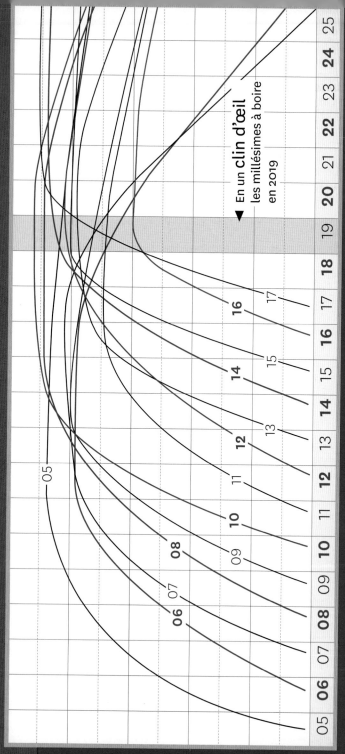

En un clin d'œil
les millésimes à boire
en 2019

qualité →

longévité →

LES DERNIERS MILLÉSIMES

2017

Contrairement à la plupart des régions de France, la Bourgogne a connu sa première récolte abondante depuis 2009 – à l'exception de Chablis, durement touché par les gels printaniers. Pour le reste, des vendanges hâtives ont donné des rouges fruités aux tanins souples et à l'acidité modérée. La récolte de chardonnay fut tout aussi généreuse; on peut s'attendre à des blancs mûrs, mais dotés d'une bonne tenue. Dans le Beaujolais, la qualité annoncée est exceptionnelle. Les quelques vins qui arriveront sur les tablettes à l'automne devraient vous en convaincre.

Dans le Beaujolais, la qualité annoncée est exceptionnelle. Les quelques vins qui arriveront sur les tablettes à l'automne devraient vous en convaincre.

2016

L'année de toutes les intempéries : gels printaniers, pluie et froid en mai et juin qui ont compromis la floraison, puis un peu de soleil, enfin. Ceux qui ont réussi à récolter des raisins ont produit de bons rouges souples à apprécier en jeunesse. Les blancs de la Côte d'Or et du Mâconnais sont juteux, frais et faciles à boire ; le peu produit à Chablis est bon, quoique parfois dilué.

2015

En Côte d'Or, des vins rouges très concentrés, semblables, dit-on, à ceux de 2005. Plusieurs vins blancs présentent une richesse atypique, frôlant parfois la lourdeur. Même ceux de Chablis. Les meilleurs producteurs du Beaujolais ont produit des vins gourmands et joufflus, mais on trouve aussi beaucoup de vins capiteux.

2014

Récolte un peu plus abondante, après trois années déficitaires. Vins rouges de densité moyenne, mais sans verdeur ; des vins blancs d'envergure, à la fois élégants et concentrés. Récolte hâtive et excellent potentiel à Chablis ; idem pour le Beaujolais qui a connu sa meilleure récolte depuis 2011.

2013

Moins concentré que 2012. Pluie abondante au moment des vendanges. La date de la récolte et le tri de la vendange ont été des facteurs qualitatifs déterminants. Malgré tout, on trouve des vins rouges très fins et élégants qui plairont à l'amateur de bourgognes classiques.

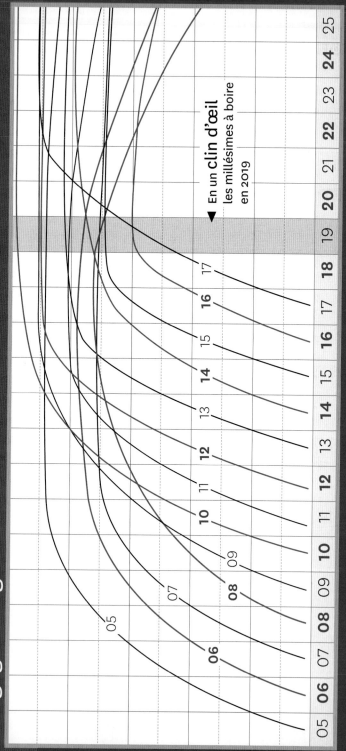

Bourgogne rouge Côte d'Or

En un **clin d'œil**
les millésimes à boire
en 2019

qualité

longévité

2012

Des mauvaises conditions météorologiques au printemps ont nui à la floraison et donné une très petite récolte. Les vins rouges sont pour la plupart très concentrés et auront encore besoin de quelques années de repos.

2011

Autre année de faibles rendements et de vendange hâtive. La peau des raisins de pinot noir était relativement épaisse, ce qui pourrait donner des vins un peu plus structurés. Récolte plus abondante en blanc. Troisième millésime d'excellente qualité dans le Beaujolais.

2010

Dans les meilleurs domaines, les vins rouges s'annoncent charnus et riches en tanins. Souvent dotés d'une acidité notable, les vins blancs semblent de qualité variable. Conditions plus favorables à Chablis ainsi que dans le Beaujolais.

2009

Très bon millésime favorisé par un mois d'août chaud, ensoleillé et sec. Des vins rouges de nature assez souple, et destinés à s'ouvrir plus rapidement que les 2005. Nourris et charmeurs, mais parfois faibles en acidité, les vins blancs devraient évoluer rapidement. Excellent millésime dans le Beaujolais ; des vins colorés, riches et savoureux.

2008

Quantité réduite de vins blancs apparemment de qualité plus homogène, autant en Côte d'Or qu'à Chablis. Millésime difficile et irrégulier dans le Beaujolais.

2007

Une faible récolte de vins rouges, souples et à boire jeunes.

2006

Un bon millésime, en particulier en Côte de Nuits où les pluies ont été moins pénalisantes. Qualité hétérogène des vins rouges. Des vins blancs généralement plus satisfaisants. Bons vins charmeurs, mais parfois atypiques à Chablis.

2005

Sur toute la Côte d'Or et en Côte Chalonnaise, des vins classiques, à la fois riches et bien équilibrés. Excellent millésime à Chablis.

2004

Plusieurs réussites en Côte de Nuits malgré des conditions hostiles ; succès plus aléatoires en Côte de Beaune. Qualité irrégulière des vins blancs, souvent handicapés par des rendements excessifs. Bon millésime à Chablis, mais certains vins sont dilués.

BILLAUD-SIMON
Chablis 2016

En 2016, ce domaine d'une vingtaine d'hectares – aujourd'hui propriété de Faiveley – a produit un chablis qui me semble issu d'une autre époque, au sens positif du terme. L'acidité caractéristique des vins de l'appellation est enrobée d'une texture bien grasse et les parfums de citron et de melon s'accompagnent d'accents de miel et de safran. Un peu atypique, mais savoureux. À boire au cours des deux prochaines années.

13740016   33,25$ ☆☆☆☆ ②

BOUCHARD, PASCAL
Petit Chablis 2016, Blancs Cailloux

À ne pas confondre avec la grande maison de négoce beaunoise. L'affaire de Pascal Bouchard et de son fils Romain se joue à une échelle beaucoup plus modeste, en termes de volume, et se limite essentiellement au nord de la Bourgogne. Leur petit chablis est de belle qualité; plutôt ouvert pour un vin âgé d'à peine deux ans. Plus de volume en attaque qu'en milieu de bouche, avec une finale un peu diffuse, aux accents de cire d'abeille. À boire sans trop tarder.

13211827   23,95$ ☆☆☆ ①

CHÂTEAU DE MALIGNY
Chablis 2017, Vigne de la Reine

Chablis «tout court» de facture conventionnelle; pointu et peu expressif, en raison d'une dose perceptible de soufre qui masque le fruit. Du volume en bouche certes, mais un ensemble plutôt terne et anonyme. On trouve sur le marché des petits chablis plus complets.

560763   23,45$ ☆☆ ½ ①

DOMAINE LAROCHE
Chablis 2017, Saint-Martin

La cuvée emblématique du Domaine Laroche – propriété du groupe Advini (Jeanjean) – est une référence parmi les chablis vendus en continu à la SAQ. Le 2017 a la fougue habituelle du chardonnay sur les sols kimméridgiens de la région; vif, tendu, parfaitement sec et relevé de goûts citronnés et minéraux. En d'autres mots: un vin qui sonne l'heure de l'apéro et des huîtres.

114223   25,90$ ☆☆☆ ½ ②

DROUHIN, JOSEPH
Chablis 2017, Vaudon

Dans les années 1960, avant que le vignoble de Chablis ne connaisse son rayonnement actuel, Robert Drouhin a acquis cette propriété en bordure du Serein. On y a produit un 2017 sec, vif et droit, dans lequel le fruit s'exprime avec netteté. Encore tout jeune et fringant, mais déjà si agréable.

199141   27,95$ ☆☆☆ ½ ②

MOREAU, LOUIS
Petit Chablis 2017

Le chardonnay dans son plus simple appareil, sans fard boisé ou quelconque enrobage que celui du travail des lies. Un vin d'une grande sapidité, dont on appréciera les saveurs pures de citron, de melon et de fleurs, autant à l'apéritif qu'à table, avec des sashimis ou autre carpaccio de poisson.

11035479   25,20$ ☆☆☆ ½ ②

BILLAUD, SAMUEL
Chablis 2016, Les Grands Terroirs

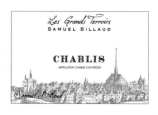

Samuel Billaud a fondé une entreprise de négoce en 2009, après avoir quitté le domaine familial, Billaud-Simon, qui a lui-même été acquis par Faiveley en 2014. Cette dernière transaction a permis à Samuel Billaud de récupérer plusieurs belles parcelles ancestrales. Cette cuvée vendue depuis quelques années à la SAQ est le fruit d'un assemblage de différents terroirs de l'appellation, dont une bonne partie provient du climat Les Pargues, qui jouxte le Premier cru Butteaux. Un chablis village donc, mais qui, entre les mains d'un vigneron hyper talentueux comme l'est Samuel Billaud, a la profondeur de certains premiers crus. Un vin pur, minéral et vibrant, dont les saveurs fruitées et mûres sont soulignées par une amertume fine qui porte le vin en finale. Un vin taillé pour les puristes amateurs de chablis. Retour prévu au début de l'année 2019.

11890993   33,75$ ☆☆☆☆ ②

BROCARD, JEAN-MARC
Chablis Premier cru Montmains 2016

Les vignes de la famille Brocard dans le cru Montmains profitent d'une exposition idéale sud-sud-est, ce qui, en dépit des conditions plus ou moins défavorables de 2016, a donné un vin plein et structuré, soutenu par une trame minérale et une salinité qui accentuent la sensation de sapidité. Hyper sec, porté par une acidité et un fruit mûrs et tellement séduisant. Un excellent chablis cette année encore.

12178818   37,75$ ☆☆☆☆ ②

CHÂTEAU DE MALIGNY
Chablis Premier cru Montée De Tonnerre 2016

Malgré les aléas météo de 2016, Jean-Paul Durup a produit un bon premier cru qui tapisse la bouche d'une texture grasse, quasi huileuse. En bouche, les goûts de fruits se mêlent à des accents de cire d'abeille et de safran, qui persistent en finale. Déjà ouvert; à boire idéalement d'ici 2021.

895110   36,50$ ☆☆ ½ ②

DOMAINE DES MALANDES
Chablis Premier cru Vau de Vey 2015

Ce domaine est mené avec grande rigueur par Lyne Marchive. En plus de pouvoir compter sur la nature généreuse de 2015, son Vau de Vey profite d'un élevage partiel (40%) en fûts de chêne neutre, qui n'altère en rien la pureté des saveurs, mais qui nourrit la texture du vin. Au moment d'écrire ces lignes, les inventaires du 2015 étaient au plus bas, mais surveillez de près les prochains arrivages du domaine des Malandes, qui sont autant de valeurs sûres.

960310   38,75$ ☆☆☆ ½ ② ▼

MOREAU, LOUIS
Chablis Premier cru Vaulignot 2016

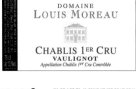

Héritier d'une famille de vignerons chablisiens depuis 1814, Louis Moreau reste attaché à la vivacité caractéristique des vins de l'appellation. Bien qu'il m'ait semblé un peu plus gras que d'habitude, son 2016 conserve une forme épurée, laissant s'exprimer sans maquillage les nuances minérales et les goûts délicats d'écorce de citron. Salin, très pur et tout à fait savoureux.

480285   34,10$ ☆☆☆ ½ ②

BOISSET, JEAN-CLAUDE
Savigny-lès-Beaune 2015, Les Planchots

Au nez, des parfums boisés annoncent un vin encore tout jeune. Ce 2015 aura besoin de quatre ou cinq années avant d'atteindre son plein potentiel, mais on y trouve déjà les qualités d'un bon savigny village: des tanins veloutés, une belle tenue en bouche, des saveurs fruitées amples et savoureuses, de l'équilibre et une bonne longueur. Le prix porte toutefois à réfléchir.

13303721   49,75$ ★★★ ½ ②

CHENU, PÈRE ET FILLES
Savigny-lès-Beaune Premier cru Aux Clous 2016

Les sœurs Juliette et Caroline Chenu veillent sur le vignoble familial, qu'elles ont converti à l'agriculture biologique il y a quelques années. Cette cuvée issue d'un terroir de bas de coteaux est déjà étonnamment souple et agréable à boire pour un premier cru encore si jeune. Voyons-y l'effet du millésime 2016. À défaut d'une longue garde, l'amateur de bourgogne épuré et raffiné peut espérer passer un très bon moment à table. À boire au cours des trois ou quatre prochaines années.

12876106   48,25$ ★★★★ ②

DOMAINE BILLARD
Hautes-Côtes de Beaune 2016

En prenant la relève de l'exploitation en 1999, Jérôme Billard a cessé d'acheminer la récolte vers la coopérative locale pour commencer à vinifier et à commercialiser sous sa propre étiquette. Cette cuvée vendue à la SAQ depuis l'an dernier est un bon exemple de 2016: souple, suffisamment fruité et doté d'une agréable fraîcheur. Un bon vin à boire au cours des deux prochaines années.

13239862   26$ ★★★ ½ ②

DROUHIN, JOSEPH
Beaune Premier cru 2016, Clos des Mouches Rouge

Le Clos des Mouches est le premier vin auquel on associe la maison Drouhin. Jamais vraiment puissant ni spécialement concentré, ce vin fait preuve d'une constance exemplaire et témoigne plutôt des vertus de finesse et d'équilibre des meilleurs «terroirs à rouge» de la Côte de Beaune. Le 2016 est mûr, charnu, très jeune et encore marqué par un élevage en fûts neufs. Il reflète aussi très bien son millésime, qui a donné des rouges plus accessibles en jeunesse, moins promis à une longue garde que les 2015. Un vin de qualité irréprochable, qu'on pourra tout de même coucher en cave jusqu'en 2022-2025.

13368103   167,75$ ★★★→★ ③

FOUGERAY DE BEAUCLAIR
Fixin 2017, Clos Marion

Fondé en 1978 par Jean-Louis Fougeray, ce domaine réputé de la Côte de Nuits est aujourd'hui dirigé par son gendre, Patrice Ollivier, qui signe un 2017 en tous points splendide. Le vin illustre bien le style de rouge – classique, fruité et parfumé – que l'on annonce pour ce millésime. Un grain tannique délicat, des saveurs précises, nuancées, toutes en dentelle, et une longue finale élégante. À 50$, dans le contexte actuel de la Bourgogne, c'est un super achat!

872952 51,50$ ★★★★ ②

GAY, FRANÇOIS
Chorey-lès-Beaune 2015

Les vins de François Gay n'ont jamais eu le profil de bêtes à concours, taillés pour impressionner par leur richesse et leur poids. Ainsi, même si son chorey affiche une ampleur et une concentration quelque peu inhabituelles en 2015, il conserve une fraîcheur et une droiture enviables, dans le contexte du millésime. L'empreinte boisée est un peu plus perceptible, sans masquer le fruit, la mâche est charnue et rassasiante. Un excellent vin en devenir, qu'on devrait laisser reposer jusqu'en 2023.

917138 36,75$ ★★★→★ ③

NAIGEON, PIERRE
Gevrey-Chambertin Premier cru Lavaux Saint-Jacques 2014

Lavaux Saint-Jacques est l'un des plus beaux terroirs de Gevrey-Chambertin et 2014 est un excellent millésime dans la Côte de Nuits pour qui aime le style classique bourguignon. Ainsi, mes attentes envers cette bouteille étaient-elles peut-être trop élevées, mais je n'y ai pas trouvé la profondeur escomptée. Le grain est compact et les tanins sont polis par l'élevage, qui apporte aussi une certaine sucrosité à la texture, ainsi que des accents de sucre brûlé; les parfums de terre humide côtoient le fruit mûr et les notes végétales, mais les éléments se présentent un peu maladroitement, pour le moment. Laissons-lui quelques années de repos.

13322068 127$ ★★★→? ③

POTEL, NICOLAS
Chorey-lès-Beaune 2015

La société de négoce créée par Nicolas Potel appartient aujourd'hui à Labouré-Roi. Un cran plus mûr et charnu cette année, ce chorey semble avoir bénéficié des largesses de l'été 2015, qui a donné des vins plus riches et concentrés. Peut-être bien la meilleure réussite des derniers millésimes pour ce vin, d'ailleurs.

12613728 29,60$ ★★★ ②

BOISSET, JEAN-CLAUDE
Pouilly-Fuissé 2017

Depuis son arrivée sur le marché en 2012, le pouilly-fuissé de la gamme Jean-Claude Boisset (Signature) s'est imposé comme une valeur sûre en matière de blanc abordable de Bourgogne. Le 2017 poursuit dans la même veine: du fruit, un bel apport boisé, du gras et de la fraîcheur. Encore jeune et marqué par des odeurs de réduction qui s'estompent avec l'aération. Un bon achat à 25$.

11675708   25,45$ ☆☆☆ ②

3 260980 001573

DROUHIN, JOSEPH
**Beaune Premier cru 2016,
Clos des Mouches Blanc**

À l'aveugle, et si je m'étais limitée à ses parfums, j'aurais facilement pu passer à côté de ce vin. Après tout, à vue de nez, rien ne ressemble plus à l'odeur d'un blanc boisé que celle d'un autre blanc boisé. C'est plutôt en bouche que Le Clos des Mouches se distingue des autres chardonnays ambitieux sur le marché. J'ai ouvert la bouteille un dimanche, j'ai dégusté, j'ai pris mes notes et je l'ai refermée. Je l'ai ensuite revisitée chaque jour, pendant une semaine. Le vin restait imperturbable. Comme si le temps et l'oxygène n'avaient aucune emprise sur lui. Sa tenue par contre, était exemplaire. Un blanc de grande envergure qu'on pourra attendre jusqu'en 2024-2027.

13363943   203,75$ ☆☆☆☆ ③ ⑤

0 012086 585463

DROUHIN, JOSEPH
Pouilly-Vinzelles 2016

Le vignoble de la commune de Vinzelles bénéficie d'une exposition plein est, ce qui contribue au profil relativement frais de ses vins. Celui de la maison Drouhin est sec et se distingue des autres vins de la région goûtés ce jour-là par une sensation de salinité, garante de fraîcheur, qui ajoute aussi une certaine profondeur à l'ensemble.
Très bien tourné dans un style classique.

13827411   37$ ☆☆☆ ½ ②

0 012086 582042

JADOT, LOUIS
Saint-Véran 2016, Combe aux Jacques

Jadot produit annuellement quelque 360 000 bouteilles de ce saint-véran d'une constance exemplaire. Le 2016 est très bon. Un léger reste gaz apporte en bouche une agréable fraîcheur qui fait contrepoids à la richesse naturelle du chardonnay, tandis qu'une amertume fine rehausse ses bons goûts de poire, sur un fond délicatement beurré. Un super achat à ce prix.

597591   23,95$ ☆☆☆ ½ ② ♥

LATOUR, LOUIS
Pernand-Vergelesses 2015, Premier cru En Caradeux

Cette importante maison de négoce établie à Beaune commercialise des vins de la plupart des appellations de la Côte d'Or, mais aussi du Mâconnais et de l'Ardèche. Celui-ci provient du petit village de Pernand-Vergelesses, à l'ombre des grands crus de la colline de Corton, et il est nourri par un élevage bien maîtrisé en fûts de chêne, dont 25 % neufs. Le 2015 est ample et gras, très typé de son millésime, sans verser dans l'excès. L'amateur de bourgogne blanc classique appréciera sa vinosité, à défaut de profondeur.

12760040   57,25$ ☆☆☆ ②

VIGNERONS DE BUXY
Givry blanc 2015, Buissonnier

Même s'il est un peu plus neutre que le montagny commenté ci-dessous, ce blanc produit par la cave coopérative de Buxy n'en est pas moins recommandable. Sec, juste assez gras, agrémenté de saveurs délicates de fruits blancs et d'un équilibre impeccable.

13594581   24,95$ ☆☆☆ ②

VIGNERONS DE BUXY
Montagny 2014, Buissonnier

Un nez de craie confère à ce blanc de Montagny une singularité fort appréciable, qui lui permet de se distinguer dans la marée de chardonnays disponibles sur le marché. Sec, élégant et étonnamment complexe pour le prix. Du beau travail!

12866291   18,65$ ☆☆☆ ½ ② ♥

BRUN, JEAN-PAUL
Beaujolais Chardonnay 2016

Vigneron autodidacte, Jean-Paul Brun s'inspire à la fois des méthodes traditionnelles du Beaujolais et de l'école bourguignonne pour produire des vins blancs et des vins rouges très achevés, sincères, qui rendent le caractère distinct de leurs terroirs d'origine. Chaque année, l'équilibre, l'élégance et le profil aromatique de son vin blanc me charment à coup sûr. Plus particulièrement encore en 2016. De mémoire, le plus singulier des derniers millésimes, par son large spectre de saveurs drôlement complexes – le premier nez évoquait pour moi la purée de fraises! – et par sa finale juteuse. Pas très long, mais que de plaisir dans le verre!

713495   26,85$ ☆☆☆ ½ ②

DOMAINE DU MONT-ÉPIN
Mâcon-Péronne 2015

Le terroir de Péronne est situé à l'ouest de Viré, derrière l'escarpement principal qui surplombe la Saône. Le climat y est, semble-t-il, plus frais que dans les secteurs situés plus à l'ouest. C'est peut-être ce qui explique la vitalité et la fraîcheur ressenties dans ce 2015, un millésime dans lequel plusieurs blancs accusent une certaine lourdeur. Ajoutons à cela une finale minérale et vous avez le portrait rêvé du vin blanc du Mâconnais. De quoi vous faire retomber sous le charme du chardonnay.

13620815   22$ ☆☆☆☆ ② ♥

DOMAINE RIJCKAERT
Mâcon-Villages 2016

Établis depuis 1998 dans la commune de Leynes, au sud-ouest de Mâcon, Régine et Jean Rijckaert se consacrent avec beaucoup de succès à l'élaboration de chardonnays, tant en Bourgogne, que dans le Jura. Leur mâcon 2016 est à la fois intense et aérien; gras, mais harmonieux et élégant. Le fruit et le bois font bon ménage et une amertume fine ajoute de la profondeur à sa finale. Excellent vin!

12604071   25,95$ ☆☆☆☆ ② ♥

DROUHIN, JOSEPH
Mâcon-Lugny 2015

Très bon vin blanc riche et aromatique, des relents de poires mûres très expressifs. Plein et vineux, très bon, même si un peu plus d'acidité lui aurait donné davantage de poigne. À apprécier idéalement avec un plat riche, en sauce crémeuse.

13319061   23$ ☆☆☆ ②

JADOT, LOUIS
Mâcon-Villages 2016, Grange Magnien

À juste titre, cette maison de négoce beaunoise est un grand nom de la Bourgogne. Dans le Mâconnais, la famille Gagey produit entre autres ce bon vin blanc frais, aux goûts purs de fruits blancs; à des lieues des chardonnays gras et boisés qui abondent sur le marché. À boire d'ici 2021.

13359901   21,75$ ☆☆☆ ②

MOMMESSIN
Beaujolais blanc 2017, Grandes Mises

Les vignes de chardonnay, qui compose ce beaujolais blanc, sont plantées dans des sols argilo-calcaires, dans les communes de Saint-Amour et de la Chapelle de Guinchay, aux portes du Beaujolais. Le vin est discret au nez, bien gras en bouche, presque huileux, et heureusement soutenu par un fil d'acidité qui le garde de la mollesse.

13498928   23,10$ ☆☆☆ ②

PACALET, CHRISTOPHE
Beaujolais blanc 2017

Après quelques années en biochimie et en cuisine, le neveu de Marcel Lapierre a démarré sa petite affaire de négoce qui s'étend aujourd'hui sur sept des dix crus du Beaujolais. Le 2017 est très typé des blancs du sud de la Bourgogne, avec ses goûts de poire pochée et sa vinosité doublée d'une trame saline, qui fait saliver. Bien plus qu'un chardonnay : un vrai blanc de terroir.

13112870   28,95$ ☆☆☆☆ ② ♥

BILLAUD, SAMUEL
Bourgogne d'Or 2016

Le Chablisien Samuel Billaud produit aussi un bon bourgogne blanc, issu d'un achat de raisins dans les secteurs de Chablis et de Mâcon. On retrouve d'ailleurs dans le verre toute la vitalité et la tension minérale de ce premier terroir, avec le gras et le volume en bouche du dernier. Un excellent chardonnay tout ce qu'il y a de plus bourguignon: élégant, racé, salin et de bonne longueur. Encore jeune, il se révèle avec plus de nuances après une aération d'une heure en carafe.

SAMUEL BILLAUD

BOURGOGNE d'Or

CHARDONNAY

En primeur

27,90 $ ☆☆☆☆ ② ♥ ⚗

BOUCHARD PÈRE & FILS
Bourgogne 2016

Cette maison de négoce beaunoise est aussi propriétaire de 130 hectares de vignes, dont 12 dans les grands crus et 72 dans les premiers crus. Le bourgogne blanc de Bouchard privilégie le fruit et la vivacité au gras et aux parfums boisés. Un vin pur vendu à bon prix.

10796524   22,90 $ ☆☆☆ ②

BROCARD, JEAN-MARC
Chardonnay 2015, Jurassique

En plus de leurs cuvées chablisiennes, les Brocard élaborent aussi un bourgogne générique issu de l'agriculture biologique et produit à l'extérieur de la zone d'appellation Chablis, sur les sols riches en sédiments marins de la période du jurassique, d'où le nom. Le 2015 est excellent, encore jeune tant par ses arômes que par sa vitalité en bouche. Sec, non boisé, assez gras et ponctué de notes crayeuses qui se mêlent à la poire. Excellent rapport qualité-prix.

11459087   22,40 $ ☆☆☆☆ ② ♥

DOMAINE GOISOT
Bourgogne Aligoté 2015

Spécialiste des vins de l'Yonne, la famille Goisot cultive son vignoble en biodynamie et produit des vins axés vers l'expression du terroir et offrant un rapport qualité-prix quasi imbattable. Le 2015 marque un retour triomphal dans les pages du *Guide* après quelques années d'absence. Un aligoté délicieux, nettement plus près de la terre que du fruit. Il est d'ailleurs rare de trouver une expression si minérale et si saline de ce cépage, plutôt connu pour donner des vins acides et citronnés. Savoureux, long et abordable. Génial!

10520835   25,10$ ☆☆☆☆ ② ♥

DOMAINE GUEGUEN
Bourgogne blanc 2016, Côtes Salines

Céline Gueguen, la fille de Jean-Marc Brocard, mène avec beaucoup d'aplomb le domaine qu'elle a créé avec son mari, Frédéric. En plus d'excellents vins dans les appellations Chablis, Saint-Bris et Irancy, le couple signe un bourgogne générique d'une pureté et d'une minéralité exemplaires. Difficile d'éviter la comparaison avec chablis. Le vin est discret au nez, plein de caractère; sec, franc et assez long en bouche. Plutôt exceptionnel dans sa catégorie. Faites-en provision pour les fêtes!

13657571   20,15$ ☆☆☆☆ ½ ② ♥

BOISSEAUX-ESTIVANT

Bourgogne Pinot noir 2017, Chèvre noire, Réserve

Une autre belle réussite pour ce bourgogne générique en 2017. Les saveurs de cerise caractéristiques du pinot sont nettes et mûres, l'attaque en bouche est souple et juteuse. Un vin simple, mais satisfaisant à sa manière.

237875 22,75$ ★★★ ①

BOISSET, JEAN-CLAUDE

Bourgogne Pinot noir 2016, Les Ursulines

Le géant Boisset propose une gamme complète de vins de la Côte d'Or sous l'étiquette Jean-Claude Boisset. Les vins sont élaborés par Grégory Patriat. Le 2016 a tout le fruit voulu, des saveurs nettes, une agréable fraîcheur et juste assez de matière en bouche pour laisser une sensation rassasiante. D'année en année, il demeure un bel exemple de bourgogne rouge générique.

11008121 22,35$ ★★★ ½ ②

BOUVIER, RENÉ

Bourgogne Pinot noir 2016, Chapitre Suivant

Bernard Bouvier, établi à Gevrey-Chambertin, élabore un très bon bourgogne générique dans lequel le pinot noir s'exprime avec pureté et délicatesse. L'attaque est souple et nerveuse, l'acidité s'enveloppe d'une chair fruitée bien mûre et le vin s'avère tout à fait rassasiant. À boire d'ici 2021.

11153264 24,75$ ★★★ ½ ②

FAIVELEY, JOSEPH

Bourgogne rouge 2015

Faiveley est sans l'ombre d'un doute de retour sur la voie de la qualité. Dès son arrivée en poste en 2008, Julien Bordet a remis les vignobles en ordre et la famille Faiveley a investi 3 millions d'euros pour la rénovation du cuvier. Autant de détails qui se traduisent par une nette progression de la qualité qui se mesure aussi dans ce bourgogne générique. Certainement aidé par la nature généreuse de 2015, un bon vin de facture classique, ni massif ni exagérément concentré, mais porté par une texture mûre et caressante. Parfaitement à point et à boire au cours des deux prochaines années.

142448 25,95$ ★★★★ ② ♥

FOUGERAY DE BEAUCLAIR
Bourgogne rouge 2017

Les quelques rouges de Bourgogne du millésime 2017 que j'ai eu l'occasion de goûter au cours des derniers mois étaient hyper séduisants. Pas spécialement concentrés, mais la qualité de leur fruit, leur fraîcheur et la pureté de leurs saveurs ne peut laisser l'amateur de pinot indifférent. C'est précisément tout ce qu'on trouve dans le bourgogne générique de ce domaine de Marsannay. Et à prix abordable en plus. Difficile de demander mieux.

12526413   24,40$ ★★★★ ② ♥

JADOT, LOUIS
Bourgogne Pinot noir 2015, Couvent des Jacobins

Frais, fruité et vigoureux, le pinot noir de la maison Jadot se démarque de la cohorte des petits bourgognes rouges chétifs par son style plus ferme et charnu. À boire dans les deux prochaines années.

966804   27,30$ ★★★ ½ ②

JUILLOT, MICHEL
Bourgogne 2016

Le domaine familial géré par Laurent Juillot est un nom important de l'appellation Mercurey, dans la Côte Chalonnaise. Son 2016 offre une expression modeste, mais franche, vigoureuse et modérément tannique du pinot noir. Le bon goût du bourgogne à prix abordable.

10792267   21,50$ ★★★ ½ ②

CHÂTEAU DE PIZAY
Morgon 2016

Ce morgon inscrit au répertoire général de la SAQ a le mérite de miser à fond sur le caractère fruité et affriolant du gamay. Rien de complexe, mais une bouche souple et coulante, relevée de notes poivrées. Une introduction abordable et accessible à ce cru réputé du nord du Beaujolais.

719393 18,40$ ★★★ ①

DUBŒUF, GEORGES
Morgon 2016

Bien loin du profil gustatif des vins nature, un morgon solide au nez exubérant de cassis. De la mâche, des tanins fermes et des saveurs fruitées dessinées à gros traits. À boire entre 2019 et 2022.

12073952 19,30$ ★★ ②

FOILLARD, JEAN
Morgon 2016, Corcelette

Les Foillard possèdent 5 hectares sur le terroir de Corcelette, voisin de Chiroubles, connu pour donner des vins abordables en jeunesse, plus fruités que charnus. Ce vin est issu de vignes  âgées de 80 ans, plantées dans des sols de grès. Le moût est vinifié de façon traditionnelle, avec les grappes entières, et à basse température, pour éviter d'extraire l'amertume de la râfle. En 2016, le résultat dans le verre est tout à fait délicieux. Le caractère gourmand du 2015 fait place à une plus grande définition aromatique, avec un éventail de saveurs complexes, des tanins très soyeux et une grande sapidité. Cher, mais dans une classe à part.

12201643 45,25$ ★★★★ ②

LAPIERRE, M & C
Morgon 2017

Une autre très belle réussite pour Camille et Mathieu Lapierre, dont le père, Marcel Lapierre, a tracé la voie pour de nombreux vignerons de la région quant à l'élaboration de cuvées naturelles, sans ajout de soufre. Les quelques bouteilles de 2017 ouvertes depuis l'automne dernier se sont toutes avérées à la hauteur des attentes – toujours élevées face à ce domaine phare de Morgon. Son attaque en bouche nerveuse et juteuse donne l'impression d'un vin facile, mais sous ses airs guillerets, ce vin cache des couches et des couches de nuances fruitées, épicées, florales. Un vin de plaisir qu'on peut ouvrir dès maintenant ou laisser reposer en cave cinq ou six ans, sans craindre qu'il ne se fatigue.

11305344   35$ ★★★★ ②

LORON, JEAN
Morgon 2016, Côte du Py

Vin coloré, issu de gamay cultivé sur les sols volcaniques de la Côte du Py, à Morgon. S'il est un peu moins concentré que le 2015 commenté l'an dernier dans le *Guide*, le 2016 déploie tout de même des parfums exubérants de confiture de framboise et une chair fruitée ample, quasi sucrée. Savoureux, sur un mode facile et flatteur, mais n'y cherchez pas la profondeur des meilleurs vins de la Côte du Py.

412023   20,90$ ★★ ½ ②

PIRON, DOMINIQUE
Morgon 2016, La Chanaise

Cultivé sur des sols de granit décomposé et de schiste brun de Morgon, le gamay adopte un profil un peu plus strict entre les mains de Dominique Piron. Le vin est d'abord souple en attaque, puis la bouche se resserre en une trame pleine et compacte et termine sur une jolie finale florale et épicée. Un très bon morgon abordable, dont on voudra surveiller l'arrivée à la SAQ cet automne, ainsi qu'au courant de l'hiver 2019.

10272966   22,20$ ★★★ ½ ② ♥

TÊTE, LOUIS
Morgon 2017, Les Charmes

À Morgon, le lieu-dit Les Charmes a la réputation de donner des vins d'une grande finesse. Ce 2017 dessiné à gros traits ne permet malheureusement pas d'en prendre la pleine mesure. Au mieux, l'amateur de vin ultrafruité sera séduit par sa bouche souple, juteuse et affriolante et ses goûts de jujubes à la framboise – peut-être attribuables à une thermovinification. La qualité est à la hauteur du prix.

961185   19,10$ ★★ ½ ②

CHÂTEAU BONNET
Chénas 2015, Vieilles vignes

Chénas, le plus petit des crus en superficie, a perdu une partie de ses meilleures parcelles au profit de Moulin-à-Vent, dont les vins arborent la même fermeté. Celui qu'élabore Charlotte Perrachon dans cette propriété datant du XVIe siècle en est un bon exemple. Issu d'une parcelle de gros galets roulés de granit, le vin est peu expressif au nez et prend sa pleine mesure en bouche, tissé d'un grain tannique bien mûr (c'est un 2015, après tout) et doté d'un joli relief fruité. La fin de bouche est un peu courte et anguleuse, mais dans l'ensemble, il s'agit d'un bon vin.

12134102   21,60$ ★★★ ②

CHÂTEAU DU MOULIN-À-VENT
Moulin-à-Vent 2014, Croix des Vérillats

Jacques Parinet a acheté ce château datant du XVIIIe siècle en 2009 et il a entrepris, en collaboration avec son fils Edouard, le projet ambitieux de rénover la cave et de restructurer les quelque 37 hectares que compte le vignoble. Les progrès accomplis sont spectaculaires et la propriété a déjà valeur de référence au

sein de l'appellation Moulin-à-Vent. Les vins sont vinifiés à la bourguignonne (raisins égrappés, macération préfermentaire à froid et élevage de 12 mois en fûts de chêne, neufs à 20%). Un beaujolais à l'opposé d'un morgon nature, mais non moins savoureux et certainement bâti pour une longue garde, au même titre qu'un pinot noir de la Bourgogne. L'empreinte boisée est encore bien perceptible, mais elle se dessine avec élégance, faisant déjà corps avec le fruit noir, et le vin laisse en finale une sensation remarquablement fraîche. À revoir vers 2024-2025.

13159029   47$ ★★★→★ ④ ⑤

DOMAINE DU POURPRE
Moulin-à-Vent 2016, Georges Dubœuf

Nettement moins «bonbon» que les autres vins de Georges Dubœuf dégustés en préparation du *Guide,* ce moulin-à-vent présente certes les saveurs fruitées pleines et intenses attribuables à la thermovinification, mais il a aussi de la matière, un grain tannique ferme et un bon équilibre d'ensemble. Pas très long ni complexe, mais recommandable.

13574441   22,75$ ★★ ½ ②

DOMAINE MANCIAT-PONCET
Mâcon-Bussières 2017, En Monsard

Un vin de gamay produit en Bourgogne dans la zone du Mâconnais, sur les sols de silice et de granit de la commune de Bussières. Les vinifications sont aussi conduites en cuves et le vin est ensuite élevé pendant six mois en fûts. Le 2017 est vif en attaque, l'acidité est enrobée par une chair fruitée délicate, et le vin laisse une note assez harmonieuse en finale, malgré un léger creux et des aspérités tanniques qui lui donnent une allure rustique. À découvrir par curiosité.

13184259   22,70$ ★★ ½ ②

DUBOST, JEAN-PAUL
Moulin-à-Vent 2016, Cuvée Nature

Je n'ai pas l'habitude des moulins-à-vent vinifiés en mode nature (levures indigènes, vinifié sans ajout de soufre, sans chaptalisation ni filtration) et je dois avouer que le résultat est plutôt réussi. Les angles tanniques sont accentués par l'acidité caractéristique du gamay, laissant un fini un peu rustique, mais le fruit est pur, expressif et le vin fait preuve d'une certaine longueur. À revoir dans trois ou quatre ans, lorsque tous les éléments seront en place.

12741025   26,60$ ★★★→? ③

PIRON, DOMINIQUE
Chenas 2015, Quartz

Comment résister à l'envie d'évoquer le minéral ici? Même dans une année chaude, qui a produit dans l'ensemble de la région des vins au fruité exubérant, laissant plus de place à l'expression du cépage et du millésime, qu'à celle du terroir, Dominique Piron signe un vin d'une pureté cristalline, comme du quartz, tiens! Le vin est mûr et les tanins enveloppés d'une chair généreuse, mais il n'y a pas à chercher trop loin pour trouver le cœur minéral, l'empreinte du cru, sous cette masse de fruit. Très bel usage du bois, excellente longueur, beaucoup de mâche, de relief et de complexité, pour le prix. Deux arrivages prévus au courant de l'hiver.

10367412   24,45$ ★★★★ ② ♥

BRUN, JEAN-PAUL
Fleurie 2015, Terres Dorées

Un heureux mariage d'onctuosité et de nervosité témoigne à la fois de la richesse du millésime et de l'acidité naturelle du cépage gamay. La patine tannique caresse le palais et le vin égrène les fruits noirs, la pivoine, le poivre noir concassé, les herbes séchées, mais plus que tout, il procure du plaisir et donne envie de se mettre à table. Un très bon vin dont on devrait mettre quelques bouteilles en cave pour ne les ouvrir que vers 2023-2025.

12184353 27,90$ ★★★★ ② ♥

3 424560 020006

CHÂTEAU DE PONCIÉ
Fleurie 2015, Le Pré Roi

Cette vaste propriété de Fleurie, acquise par la maison champenoise Henriot en 2008, comporte 246 parcelles de vignes, réparties autour d'un château du XVIIIᵉ siècle. En 2016, on y a produit un vin solide, posé sur une chair fruitée mûre et concentrée, aux goûts de cerise et de cassis, avec une touche herbacée en finale qui évoque les liqueurs italiennes amères. On pourra le laisser dormir en cave quelques années, le temps que les éléments se fondent.

13553974 24,35$ ★★★→? ③

3 700587 501811

DOMAINE DE LA PIROLETTE
Saint-Amour 2016

L'appellation la plus septentrionale du Beaujolais connaît chaque année un certain succès vers la mi-février, mais donne peu de vins mémorables. On appréciera celui-ci pour son fruit gourmand et généreux, sa bouche mûre et dodue, quasi sucrée et sa finale aux parfums de bonbon à la violette. Un très bon vin, auquel il manque un poil de profondeur pour valoir pleinement son prix.

13747269 26,40$ ★★★ ½ ②

3 343132 497933

LAPIERRE & PACALET
Juliénas 2017, Cousins, Collection réZin

Ce vin est né d'un partenariat entre Mathieu Lapierre et son cousin, Christophe Pacalet. Ils signent un 2017 éthéré et pourtant bien ancré dans son terroir. Le nez oscille entre le petit fruit rouge, la feuille de tabac et le gazon frais tondu. La bouche est vibrante, tissée de notes de fruit et de salé, de violette et de poivre, le tout porté par une texture fine, avec une minéralité qui donne soif. Amateur de gamay frais et digeste, surveillez son arrivée en décembre.

13286802 29,20$ ★★★★ ② ♥

3 764201 892013

LORON, JEAN
Juliénas 2016, Domaine de la Vieille Église

Un juliénas séduisant, au nez comme en bouche. Plutôt que de rechercher l'extraction de tanins et la robustesse, Jean-Pierre Rodet mise sur la générosité fruitée que génère la macération semi-carbonique. Assez de tenue, des saveurs florales et des tanins veloutés.
Pas spécialement long, mais très bien pour le prix.

13108133   21,75$ ★★★ ②

MOMMESSIN
Saint-Amour 2016, Grandes Mises

Ce saint-amour provient de vignes d'une quarantaine d'années, qui s'enracinent dans les sols argilo-siliceux et les cailloutis granitiques de l'appellation. Les raisins ont été vendangés le 19 septembre, vinifiés avec la râfle et élevés 11 mois sur lies fines. On obtient ainsi un vin coloré, qui présente aussi une extraction tannique nettement supérieure à la moyenne. Un peu atypique donc, mais savoureux et bourré de fruit, de bonne longueur et souligné d'une trame saline qui fait saliver. Dans son appellation, il mérite bien quatre étoiles.

13386168   24,70$ ★★★★ ② ♥

PACALET, CHRISTOPHE
Chiroubles 2017

Le vignoble de Chiroubles grimpe jusqu'à 450 m d'altitude, ce qui en fait le cru le plus élevé du Beaujolais. Les températures y sont donc inférieures de quelques degrés; assez pour décaler les vendanges de cinq ou dix jours par rapport aux autres secteurs. C'est peut-être ce qui explique, en partie, la grande sensation de fraîcheur qui émane de ce 2017, tant par son acidité que par ses parfums de fines herbes, qui se mêlent à la cerise rouge, et par sa fine amertume qui met le fruit en relief. Ne lui manque qu'un peu de longueur pour mériter quatre étoiles.

12847831   28,45$ ★★★ ½ ②

CHÂTEAU CAMBON
Brouilly 2017

En plus d'un beaujolais «tout court» vendu à la SAQ depuis quelques années et commenté dans les prochaines pages, Marie Lapierre et Jean-Claude Chanudet élaborent un

très bon vin de Brouilly au Château Cambon. L'arrivée de leur 2017 est prévue pour janvier 2019. Ça tombe bien : c'est le vin idéal pour contrer la grisaille hivernale. Le nez est affriolant et hyper charmeur, mêlant les petits fruits rouges à des notes animales (la réduction) et florales. La bouche est mûre, veloutée, charnue et juteuse, avec une saine acidité qui pince les joues, ouvre la soif et procure un plaisir hautement digeste.

13385931   27,75$ ★★★★ ②

3 769923 051106

CHÂTEAU DE LA TERRIÈRE
Brouilly 2016

Un brouilly tout en rondeur et en souplesse, bourré de fruit, mais aussi dessiné à gros traits et sans la nervosité propre au gamay, qui rend les vins du beaujolais si agréables à table.

13672092   22$ ★★ ½ ②

3 343132 497131

CHÂTEAU DE VAURENARD
Beaujolais Supérieur 2011, Baron de Richemont

Plutôt que de miser sur la jeunesse du fruit, Ghislain de Longevialle met en marché des vins à point. Ce beaujolais déjà passablement évolué est donc un peu hors normes avec ses parfums de cuir, de terre humide et de feuille morte. La bouche est franche, encore fruitée, avec une légère astringence. Intéressant, dans un style vieillot.

12100050   22,85$ ★★★ ②

3 760014 060007

DESCOMBES, GEORGES
Brouilly 2016

Les adeptes de brouilly plutôt ample et charnu trouveront leur bonheur chez Georges Descombes, qui adhère à la même philosophie que les Lapierre, Foillard, Breton, etc. Le 2016 est un cran plus vif que le 2015 commenté l'an dernier et présente une pointe d'acidité volatile qui, à mon avis, donne un éclat supplémentaire aux goûts de cerise, de fraise, de canneberge. Juste assez *funky*, gorgé de fruit et ponctué de notes animales et poivrées. Un excellent achat pour l'amateur de beaujolais en mode «nature».

12494028   26,70$ ★★★★ ② ♥

3 765551 980009

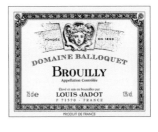

DOMAINE RUET
Brouilly 2016, Voujon

La famille Ruet tire du lieu-dit Voujon, à Brouilly, un 2016 assez substantiel, riche d'une chair fruitée bien mûre, bien potelée. Taillé sur mesure pour l'amateur de rouge «fruité et généreux»; il sera bien servi par les charcuteries autant que par une salade de canard confit.

11865245   21,75$ ★★★ ②

JADOT, LOUIS
Brouilly 2016, Sous les Balloquets

Pour assurer la gestion de son antenne beaujolaise, la famille Gagey a fait appel à Guillaume de Castelnau qui y élabore de très beaux vins de terroir. En 2016, son brouilly largement disponible dans le réseau est éclatant de fruit, dodu et charnu, avec toute la fraîcheur souhaitée. D'autant plus recommandable que sa qualité ne connaît aucun fléchissement, millésime après millésime.

515841   22,55$ ★★★ ½ ② ♥

MOMMESSIN
Beaujolais-Villages 2016, Grandes Mises

L'appellation sous-régionale Beaujolais-Villages jouxte la zone des crus tous azimuts, mais surtout à l'ouest et au sud. Vinifié dans le même esprit que les autres cuvées de la gamme Grandes Mises, ce 2016 profite d'un long élevage sur lies fines et est, lit-on sur l'étiquette, destiné à la garde. Cela dit, même s'il est plus solide que la moyenne régionale, le vin est bon dès maintenant: ample, fruité, charnu et de bonne longueur.

13212213   19,50$ ★★★ ½ ② ♥

MOMMESSIN
Côte-de-Brouilly 2016, Grandes Mises

Petit îlot situé au centre de l'appellation Brouilly, tout autour du mont Brouilly, un sommet d'origine volcanique. La maison Mommessin (groupe Boisset) y produit un 2016 robuste, dont l'armature tannique se présente dans un bel enrobage fruité. Légère réduction au nez, bouche quelque peu fermée, austère. Une aération d'une heure en carafe permettra de mieux apprécier ses arômes assez complexes. On peut aussi le laisser dormir en cave jusqu'en 2022-2025.

En primeur

13841360   23,20$ ★★★→★ ③ ⚗

CHANUDET, JEAN-CLAUDE
Beaujolais 2017, La Cuvée du Chat

Disciple de la première heure de Jules Chauvet, Jean-Claude Chanudet, alias «Le Chat», a été l'un des précurseurs de l'élaboration de vins sans soufre dans le Beaujolais. En plus d'excellents morgons, il signe aussi ce très bon beaujo, frais et pimpant comme seul le gamay peut l'être. Le 2017 est encore très jeune et déploie au nez des parfums fermentaires, mais il est impeccable en bouche et simplement délicieux. L'archétype du rouge de soif à servir frais, autour de 15 °C.

13184224 24,60$ ★★★★ ② ♥

CHASSELAY
**Beaujolais 2016,
Les Grands Eparcieux**

Un gros coup de cœur pour ce beaujolais d'un domaine familial de Châtillon, tout au sud de la région, commenté pour la première fois dans *Le guide du vin*. Le vignoble est conduit en agriculture biologique (certifiée) et donne un vin pur et fruité, doté d'une jolie palette de saveurs, assis sur des tanins juste assez compacts, qui le rendent particulièrement rassasiant.

12792092 21,20$ ★★★★ ② ♥ 🗨

CHÂTEAU CAMBON
Beaujolais 2017

Cette propriété reprise en 1995 par la famille Lapierre et par Jean-Claude Chanudet est située à mi-chemin entre Morgon et Fleurie, mais par un hasard administratif, elle n'a été incluse dans aucune des deux appellations lors de la classification de 1935. Il s'agit donc, en quelque sorte, d'un «superbeaujolais», pour reprendre la formule adoptée par les Italiens. Particulièrement salin en 2017, tout en restant juteux, affriolant, tissé d'un grain fin et bourré de goûts fruités d'une exquise fraîcheur. Délicieux!

12454991 24$ ★★★★ ② ♥

DOMAINE DU VISSOUX
Beaujolais 2016, Les Griottes

Tout au sud du Beaujolais, Martine et Pierre-Marie Chermette élaborent un très bon beaujolais dont le profil aromatique va au-delà du fruit, mêlant les notes animales aux accents d'herbes et de fleurs. Assez charnu, mais surtout très frais et taillé pour la table.

11259940 19,30$ ★★★ ②

DUFAITRE, LAURENCE ET RÉMI
Beaujolais-Villages 2017, Prémices

Laurence et Rémi Dufaitre font partie d'une nouvelle génération de vignerons du Beaujolais inspirés par les travaux de Jules Chauvet, tout comme l'ont été les Lapierre, Foillard, Chanudet dans les années 1970 et 1980. Installés depuis 2001 à Saint-Étienne-des-Oullières, au sud du mont Brouilly, ils signent cet excellent beaujolais-villages, issu de vignes de plus de 50 ans et vinifié en grappe entière, selon la méthode beaujolaise. Le 2017 présente la fougue et l'attaque en bouche nerveuse habituelles dans ce type de vin, avec de légers accents de réduction qui s'estompent après une courte aération. Beaucoup de relief, de détail aromatique et de longueur. À boire d'ici 2022.

13710909   28,50$ ★★★★ ② ♥

0 895958 000314

FOILLARD, JEAN
Beaujolais 2016, Collection réZin

Le beaujolais d'Agnès et de Jean Foillard, toujours vinifié sans ajout de levures, avec un apport minimal en soufre, semble plus pimpant et allègre que jamais en 2016, presque aussi frais qu'un primeur, mais nettement plus achevé, déployant en bouche des couches de saveurs de petits fruits rouges et noirs, de fines herbes et de violette, avec une jolie mâche et une acidité vibrante d'énergie. Irrésistible!

12454958   24,65$ ★★★★ ② ♥

3 765682 220029

JADOT, LOUIS
Beaujolais-Villages 2016, Combe aux Jacques

Dégusté parmi une série de vins nature, le beaujolais-villages de Jadot brillait par sa retenue. Moins exubérant et affriolant que d'autres «bojo» tendance, mais non moins agréable par son équilibre en bouche, sa tenue et son caractère fruité sobre, mais bien présent.

365924   17,65$ ★★★ ② ♥

3 535923 001003

LAPIERRE M & C
Raisins Gaulois 2017, Vin de France

Le gamay de négoce de Camille et de Mathieu Lapierre est commercialisé en Vin de France, mais il est l'exemple même du beaujolais de soif, gorgé de fruit, qu'on sert légèrement rafraîchi en pique-nique, à l'apéro, à table avec une cuisine simple des soirs de semaine.

11459976   21,80$ ★★★ ②

3 760196 820031

ALSACE

Le SAVIEZ-VOUS?

Certains producteurs laissent une dose perceptible de sucre résiduel dans leurs vins. Quelques maisons ont commencé à donner des informations relatives aux taux de sucre et d’acidité sur la contre-étiquette, mais cette pratique demeure assez marginale. Pour acheter des vins secs, retenez les noms de Beyer, Hugel, Ostertag et Trimbach.

Wissembourg
Haguenau
Saverne
Sarrebourg
Sarre
Strasbourg
Molshein
Alsace
Mont-Sainte-Odile
Barr
Ill
Dambach la Ville
Saint-Die
Sélestat
ALLEMAGNE
Bergheim
RHIN
Hunawihr
Ribeauvillé
Riquewihr
FRANCE
Kaysersberg
Colmar
Eguisheim
Guebwiller
Thann
Mulhouse

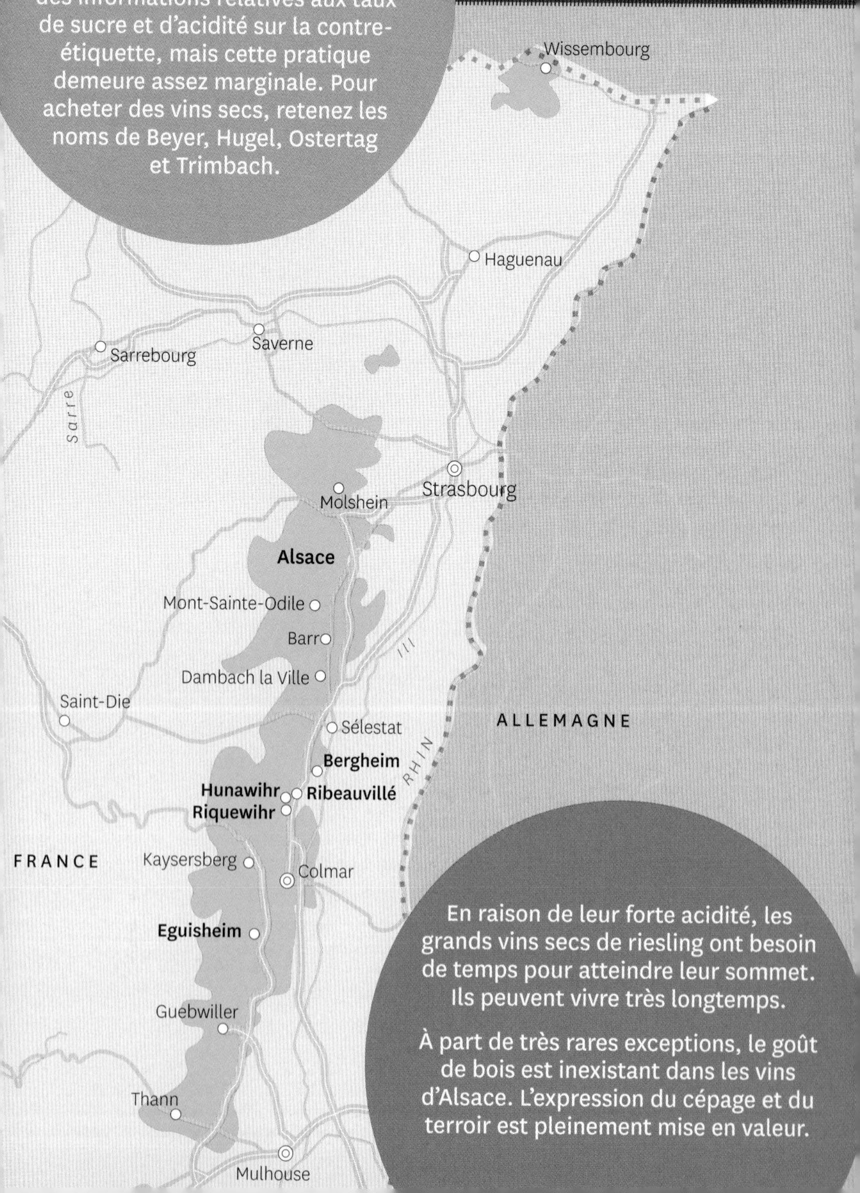

En raison de leur forte acidité, les grands vins secs de riesling ont besoin de temps pour atteindre leur sommet. Ils peuvent vivre très longtemps.

À part de très rares exceptions, le goût de bois est inexistant dans les vins d’Alsace. L’expression du cépage et du terroir est pleinement mise en valeur.

Pour comprendre l'Alsace et ses vins, il faut se pencher sur l'histoire de cette région du nord-est de la France. Séparée de l'Allemagne par le Rhin et du reste de la France par le massif des Vosges, l'Alsace a longtemps été disputée par ces deux pays frontaliers.

Peut-être en raison de l'héritage écolo de leurs ancêtres germaniques, les Alsaciens ont développé plus tôt que le reste de la France une certaine sensibilité environnementale. Aujourd'hui, près de 300 viticulteurs alsaciens sont dédiés à la culture biologique et 14,5 % du vignoble est certifié ou en voie de l'être. La moyenne nationale s'établissait à environ 9 % en 2016.

Première source française de vins blancs d'appellation, l'Alsace mise sur une poignée de cépages et sur une multitude de sols. Chaque sol a son cépage et chacun contribue à exprimer, de manière différente, la complexité du terroir alsacien. L'un des plus grands terroirs à vins blancs de France.

LES DERNIERS MILLÉSIMES

2017

Le gel printanier a fait des ravages et amputé la récolte de 20 %, par rapport à 2016. Un été chaud, avec un apport suffisant en eau, a conduit à une récolte précoce et on annonce un millésime d'exception, « l'un des meilleurs depuis la Seconde Guerre mondiale, avec 1947, 1971 et 2008 », selon le Britannique Hugh Johnson, et ce, pour tous les cépages et tous les niveaux de maturité.

2016

Après un printemps particulièrement humide, la vigne – en particulier le riesling – a souffert d'un stress hydrique dans certains secteurs, en raison d'un mois de juillet chaud et très sec. Le pinot gris semble avoir été moins touché par la sécheresse et a donné des vins riches, équilibrés par une acidité mûre et fraîche. Les quantités récoltées sont satisfaisantes et la qualité s'annonce très bonne. Peu de vins botrytisés.

2015

Un été de grande chaleur. On peut espérer d'excellents vins secs de riesling et de pinot gris, surtout dans les vignobles situés en haut de coteaux. Qualité plus hétérogène pour les gewurztraminer et muscat. Peu ou pas de vins liquoreux.

2014

Un été en dents de scie a donné des résultats hétérogènes. Le mois d'août a été passablement pluvieux, mais la chaleur en septembre aura permis de récolter une vendange saine.

2013

Excellente année pour le riesling. Millésime alsacien classique. De manière générale, des vins blancs très fins, élégants, dotés d'une saine acidité et d'une franche minéralité.

BEYER, LÉON
Riesling 2016, Réserve, Alsace

Même s'il est un peu plus souple, moins structuré que le 2015 commenté l'an dernier, le riesling 2016 de Marc Beyer n'en demeure pas moins sec, vif et tranchant. Ses bons goûts de pomme verte et de citron sont relevés d'une pointe de poivre blanc et encadrée d'une texture juste assez serrée. À servir à l'apéritif ou à table, avec un céviche.

081471   18,75$ ☆☆☆ ② ♥

HUGEL
Riesling 2016, Alsace

Chaque année depuis des décennies, ce vin de la famille Hugel est en quelque sorte l'archétype du riesling alsacien courant. Celui que tout élève devrait goûter pour saisir la qualité et le style des vins de la région. Le 2016 n'y fait pas exception : sec, nerveux, porté par une acidité fraîche qui ouvre la soif et qui rehausse les parfums de citron et de tilleul. Très bon rapport qualité-prix.

042101   17,90$ ☆☆☆ ② ♥

JOSMEYER
Riesling 2015, Le Kottabe, Alsace

Jean Meyer a propulsé le domaine familial de Wintzenheim au sein de l'élite alsacienne, notamment en convertissant l'ensemble du vignoble à la culture biologique, puis biodynamique dès 2000. Ses filles Céline et Isabelle assurent maintenant la relève et signent des vins d'une grande authenticité, dont ce riesling, issu de vieilles vignes sur le lieu-dit Herrenweg. Le 2015 est particulièrement mûr, nourri de goûts intenses de fruits jaunes et de cire d'abeille et d'une texture riche, qu'une trame minérale sous-jacente garde de toute lourdeur. Un vin plein, ample et vibrant tout à la fois. Presque disparu des tablettes au moment d'écrire ces lignes. Il faudra surveiller l'arrivée du 2016 à l'automne.

12713032   34$ ☆☆☆☆ ② ♥ ▼ 🗨

METZ, ARTHUR
Riesling 2016, Engelberg Grand cru, Alsace

Cette maison appartenant au groupe Grand Chai de France (J.P. Chenet) élabore un bon riesling sur le Grand cru Engelberg, de la commune de Dahlenheim. Sans être le plus complexe des grands crus d'Alsace sur le marché, le 2016 offre à un prix accessible des saveurs riches et une texture ample. Un conseil, si vous êtes sensible au soufre, laissez-le respirer en carafe au moins une demi-heure. Vous profiterez mieux des parfums fruitées e floraux du riesling.

13579496   26,45$ ☆☆ ½→? ③

OSTERTAG
Riesling 2016, Heissenberg, Alsace

Le nom du cru Heissenberg, dans le petit village de Nothalten, signifie «montagne chaude», en raison de son exposition plein sud, ainsi que d'une faible circulation d'air. André Ostertag y pratique la biodynamie depuis 1997 et en tire un excellent 2016, d'emblée séduisant avec ses parfums de fruits tropicaux, de fleur d'oranger et d'abricots. En bouche, l'acidité fraîche est doublée d'une chair fruitée gourmande et d'un cœur minéral qui porte le vin en longueur, vers une finale complexe, profonde et pourtant si fine, si subtile. Un vin qu'on peut apprécier maintenant en prenant soin de le laisser respirer quelques heures en carafe, mais qui devrait séjourner au moins cinq ou six ans en cave avant d'atteindre son apogée.

739813   49,25$ ☆☆☆→☆ ③ 🗨

3 760047 090682

OSTERTAG
Riesling 2016, Muenchberg Grand cru, Alsace

DOMAINE OSTERTAG
MUENCHBERG
Riesling

Au pied des montagnes de Vosges, les vignes de riesling plongent leurs racines dans des sédiments volcaniques et du grès rose, bercées par le soleil qui plombe sur le grand cru Muenchberg, exposé plein sud, dans la commune de Nothalten. Par définition, un terroir de grande envergure, qu'André Ostertag parvient à livrer en toute sobriété en 2016. Dégusté sur deux jours, le vin brillait par son intensité et sa puissance contenues; vibrant, gras et tendu à la fois, mais surtout riche d'une multitude de détails aromatiques qui se succèdent en une finale minérale longue et profonde. Arrivée en décembre 2018. On devrait le laisser reposer jusqu'en 2023-2027.

739821   60,25$ ☆☆☆☆→? ③ 🗨

3 760047 090729

TRIMBACH
Riesling 2015, Alsace

Le riesling de la famille Trimbach est très sec, comme toujours; franc, droit et délicatement parfumé, avec des accents de fleurs blanches, de lime et de pomme verte. Très bel exemple de vin blanc d'Alsace qu'on boira à l'apéro ou avec un sauté de légumes verts parfumé de gingembre.

11305547   24,15$ ☆☆☆ ②

3 760105 300715

BEYER, LÉON
Pinot gris 2016, Alsace

Bien qu'il soit archisec, comme tous les vins de table de la famille Beyer, ce pinot gris ne manque pas de chair ni de volume en bouche. Le fruit se mêle à des parfums de caramel au beurre et le vin tapisse le palais d'une texture grasse, qui prendra sa pleine mesure à table, avec des fromages. Une valeur sûre à ce prix.

968214   23,35$ ☆☆☆ ½ ② ♥

JOSMEYER
Pinot gris 2014, Fromenteau, Alsace

Tout comme pour le riesling Kottabe, commenté dans les pages précédentes, les raisins de pinot gris de cette cuvée proviennent du lieu-dit Herrenweg, dans les communes de Turckheim et Wintzenheim, et sont cultivés selon les principes de la biodynamie. Le 2014 est ample, vineux et pourtant léger comme une plume, aérien. Bien sec, avec un parfum raffiné de fleurs des champs et des saveurs mûres de fruits jaunes et de fruits tropicaux, ponctuées d'une touche végétale qui évoque le thé wulong. Savoureux!

13200600   36,25$ ☆☆☆☆ ② ♥ ▼ 💬

OSTERTAG
Pinot gris 2016, Fronholz

Au sommet de la colline d'Epfig, le terroir de Fronholz est un terrain de jeu rêvé pour le pinot gris, où il profite d'une exposition sud-ouest, un fait rare en Alsace. Cultivé en biodynamie depuis 20 ans maintenant, il donne un 2016 mûr et concentré, mais aussi marqué d'une certaine austérité. Le vin ne se livre pas à la première gorgée, il faut être patient, le laisser respirer. Une fois passée la timidité initiale, le vin se déploie avec générosité, gras et minéral à la fois, relevé de fines notes de beurre et de caramel, qui se mêlent aux fruits jaunes et aux accents minéraux. Un vin de plaisir à siroter lentement, longuement, pour mieux le voir s'ouvrir au fil des verres. On pourra aussi le laisser en cave jusqu'en 2025, au moins. Arrivée prévue en décembre 2018.

12392777   53$ ☆☆☆☆ ② 💬

OSTERTAG
Gewurztraminer 2016, Les Jardins, Alsace

La qualité de tout bon gewurztraminer repose sur un élément : l'équilibre. C'est vrai de tous les vins direz-vous. Oui, mais particulièrement avec ce cépage qui, par son exubérance naturelle, verse facilement dans l'excès. Or, celui-ci, bien qu'arrondi d'un reste perceptible de sucre (37 g/l selon SAQ.com) n'accuse aucune lourdeur. Au contraire, le vin est tout frais, tout aérien et pourtant doté d'une texture grasse ; porté par des saveurs précises et complexes, qui persistent en finale. Un excellent *gewurz,* à servir avec un cari végétarien, délicatement relevé.

12392751   40,50 $ ☆☆☆☆ ② 💬

OSTERTAG
Pinot gris 2016, Les Jardins, Alsace

Cette cuvée jadis nommée Barriques change de nom en 2016. André Ostertag entrevoit le vigneron comme un jardinier. Son jardin à lui se partage en 88 parcelles et 5 villages. Ce pinot gris provient de quatre jardins, cultivés dans les communes d'Epfig, d'Itterswiller et d'Albé, sur des sols d'argile, de grès, de loess et de schiste. Un portrait complexe pour un vin qui l'est tout autant, avec des strates de couches fruitées, mises en relief par une délicate amertume et portées par une texture soyeuse. Il sera intéressant de le voir évoluer jusqu'en 2023.

866681   35,50 $ ☆☆☆☆ ② 💬

PFAFF
Pinot gris 2012, Steinert Grand Cru, Alsace

La sucrosité n'est pas un trait impardonnable dans les vins alsaciens (le vin précédent en est la preuve), à condition de se présenter dans des proportions harmonieuses. Ainsi, même si ce 2012 s'avère séduisant par sa rondeur (29 g/l de sucre) et par ses riches saveurs de fruits compotés et d'épices douces, j'aurais malgré tout souhaité y trouver un peu plus de tonus et de fraîcheur.

729616   27,90 $ ☆☆ ½ ②

TRIMBACH
Pinot blanc 2016, Alsace

Le pinot blanc que produit la famille Trimbach dans son domaine de Ribeauvillé mise à fond sur la délicatesse de cette variété moins populaire que le pinot gris et plus rarement vinifiée seule. Des saveurs discrètes de poire et d'ananas et une jolie finale crayeuse. À servir avec un poisson à chair fine.

089292   21,05 $ ☆☆☆ ②

VAL DE LOIRE

ANJOU

Coteaux-d'Ancenis

Muscadet-Ctx-de-la-Loire

Muscadet

Muscadet

Anjou-Villages

Anjou

Ctx de la Loire

Ctx de l'Aubance

Anjou

Bourgueil
et
Saint-Nicol

Ctx du Layon

Muscadet-Sèvre et Maine

Gros-Plant

Anjou

Saumur   Chino

Jasnièr

Coteau
du Loi

Muscadet-Côtes-de-Grandlieu

Quarts-de-Chaume

Bonnezeaux

Haut-Poito

PAYS NANTAIS

Fiefs vendéens

Laval

Le Mans

la Flèche

Angers

Nantes

Cholet

La Roche-sur-Yon

Niort

La Rochelle

Rochefort

Saintes

Cognac

Angoulê

Poitiers

Entre le massif Central et l'océan Atlantique, de part et d'autre du long fleuve auquel il doit son nom, le vignoble du val de Loire est le plus diversifié de France. Le vin s'y décline en plusieurs temps : rouge, rosé, blanc, sec, moelleux, liquoreux, tranquille, mousseux. On a souvent dit de ses crus qu'ils étaient les plus français de tout l'Hexagone.

Le caractère hautement digeste des vins rouges et blancs de la Loire explique sans doute leur popularité croissante. Comment ne pas succomber au charme discret d'un bon cabernet franc, à la légèreté proverbiale d'un muscadet, à la singularité d'un cour-cheverny ou à la minéralité d'un grand vouvray ?

La tentation est d'autant plus grande que la SAQ diversifie maintenant ses sources d'approvisionnement, souvent au profit de vignerons talentueux, dédiés à leurs terroirs, et que les prix, malgré la hausse de l'euro, demeurent accessibles.

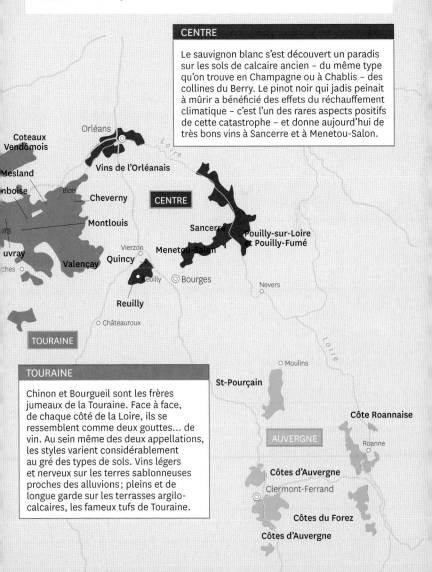

CENTRE

Le sauvignon blanc s'est découvert un paradis sur les sols de calcaire ancien – du même type qu'on trouve en Champagne ou à Chablis – des collines du Berry. Le pinot noir qui jadis peinait à mûrir a bénéficié des effets du réchauffement climatique – c'est l'un des rares aspects positifs de cette catastrophe – et donne aujourd'hui de très bons vins à Sancerre et à Menetou-Salon.

TOURAINE

Chinon et Bourgueil sont les frères jumeaux de la Touraine. Face à face, de chaque côté de la Loire, ils se ressemblent comme deux gouttes... de vin. Au sein même des deux appellations, les styles varient considérablement au gré des types de sols. Vins légers et nerveux sur les terres sablonneuses proches des alluvions ; pleins et de longue garde sur les terrasses argilo-calcaires, les fameux tufs de Touraine.

Coteaux Vendômois
Mesland
Amboise
Blois
Cheverny
Montlouis
Vouvray
Valençay
Quincy
Reuilly
Orléans
Loire
Vins de l'Orléanais
CENTRE
Sancerre
Pouilly-sur-Loire et Pouilly-Fumé
Vierzon
Menetou-Salon
Bourges
Nevers
Reuilly
Châteauroux
TOURAINE
Moulins
St-Pourçain
Côte Roannaise
AUVERGNE
Roanne
Côtes d'Auvergne
Clermont-Ferrand
Côtes du Forez
Côtes d'Auvergne
Loire

LES DERNIERS MILLÉSIMES

2017

Un millésime de très bonne qualité et une quantité en légère hausse, après une année 2016 désastreuse. Les chenins secs sont moins tendus, plus suaves et accessibles en jeunesse. En rouge, le cabernet franc a profité d'une maturation lente à Bourgueil et à Chinon; Saumur-Champigny est plus hétérogène.

2016

Un millésime désastreux avec une récolte amputée du tiers. Vers la fin avril, une vague de gel a compromis la saison de plusieurs vignerons en Touraine et en Centre-Loire (surtout à Menetou). Ensuite, il y a eu les inondations, le mildiou, etc. Sancerre a apparemment été épargné.

2015

Un été chaud et sec, jusqu'aux violents épisodes de pluie de la fin août et de la mi-septembre. Très bonne qualité escomptée, tant en rouge qu'en blanc, excepté pour le Muscadet, qui a souffert des pluies d'août.

2014

Un autre millésime sauvé par une météo plus clémente pendant les mois de septembre et octobre. Résultats exceptionnels dans le Muscadet. Ailleurs, on a pu produire de bons vins blancs secs et amener les cépages rouges à maturité. Rendements en baisse un peu partout, à l'exception du Centre-Loire (Sancerre, Menetou-Salon, etc.).

2013

Un autre petite récolte et un millésime compliqué qui comportait de nombreux défis pour les vignerons: pourriture, taux de sucre faibles et acidité élevée. Peu de vins de longue garde.

2012

Une année très difficile et une petite récolte. De bons résultats en Muscadet, Sancerre et Menetou-Salon. Les variétés tardives comme le cabernet franc et le chenin blanc ont parfois souffert des pluies de la fin de l'été qui ont engendré de la pourriture.

2011

Une année un peu étrange et un millésime de vigneron. Printemps exceptionnellement chaud et floraison hâtive; temps frais en juillet et en août, et vagues de chaleur en septembre et en octobre. Le travail à la vigne a été un facteur déterminant, surtout pour les rouges.

2010

Résultats variables très satisfaisants dans le Muscadet, en Anjou ainsi qu'à Sancerre. De très bons vins rouges de cabernet franc en Touraine. Dans les Coteaux du Layon, à Vouvray et à Montlouis, pluies et pourriture ont compliqué la vie des vignerons.

2009

En dépit d'épisodes de sécheresse en Anjou et en Touraine, la qualité d'ensemble des rouges et des blancs donne satisfaction. Grêle à Sancerre.

CHEVALIER, ERIC
Muscadet Côtes de Grandlieu sur Lies 2016, Clos de la Butte

Eric Chevalier a pris la relève du domaine familial en 2005. En plus de l'excellente cuvée La Noé, vendue elle aussi à la SAQ, il signe ce vin d'une grande pureté, issu d'une parcelle de vignes d'une cinquantaine d'années, élevé sur lies pendant 8 à 10 mois. Dans le contexte du millésime, son 2016 est une belle réussite. Aussi près de la terre que du fruit, avec des accents de coquillages, de pomme russet et de tilleul; juste assez de volume en bouche et une délicate finale iodée.

12886831   20,05$ ☆☆☆☆ ② ♥

DOMAINE LANDRON
Muscadet 2015, Fief du Breil

le **Fief du Breil**
MUSCADET SÈVRE ET MAINE
Jo Landron

Les vins du Muscadet peuvent réserver de belles surprises après quelques années de vieillissement. Ceux de Jo Landron – l'un des vignerons qui ont contribué à redonner au muscadet ses lettres de noblesse – sont d'ailleurs reconnus pour leur habileté à affronter le temps avec grâce. Pour en faire l'expérience, achetez quelques bouteilles de son Fief du Breil et laissez-le dormir en cave jusqu'en 2022-2025. En attendant, ce 2015 est un pur régal de minéralité et de légèreté, bien que la bouche fasse preuve d'un volume digne de mention. Beaucoup de longueur et de caractère. Excellent!

13827277   33,25$ ☆☆☆☆ ② 💬

DOMAINE LANDRON
Muscadet 2016, Amphibolite

Difficile de nier l'influence maritime sur les vignobles du Muscadet quand on plonge le nez dans un verre de la cuvée Amphibolite, issue de la biodynamie. Peu de vins me donnent autant envie de manger des huîtres que le muscadet. Perlant, vif et citronné, avec des notes salines en trame de fond qui rappellent le bord de mer.

12741084   25,50$ ☆☆☆☆ ② ♥ 💬

OLLIVIER PÈRE ET FILS
Muscadet-Sèvre et Maine 2013, Clisson

Le cépage melon de Bourgogne troque sa vitalité juvénile pour une texture grasse, ponctuée de notes de cire d'abeille, dans cette cuvée âgée de maintenant 5 ans, issue des terroirs de granit de Clisson et élevée en cuve pendant près de 42 mois. Un vin ample et riche, qui offre beaucoup de volume en bouche et un registre de saveurs complexes. Assez frais et désaltérant pour être servi à l'apéro, mais aussi assez substantiel pour accompagner le homard ou les poissons à chair grasse. Vraiment excellent!

12259992   21,35$ ☆☆☆☆ ② ♥ ▼

CARÊME, VINCENT
**Vouvray 2017,
Spring Chenin blanc**

Cette cuvée de Tania et Vincent Carême, toute nouvelle à la SAQ, est issue d'un achat de raisins. Un blanc sec, dont l'acidité vive tranche dans les parfums de citron, de poire et de fleurs blanches, tandis qu'une finale crayeuse ajoute du relief et de la complexité à l'ensemble. Laissez-le respirer en carafe une demi-heure, avant de le servir avec une salade de chou de bruxelles rôtis, noix de pin et pomme russet.

13594899   20,95$ ☆☆☆☆ ② ♥

CARÊME, VINCENT
Vouvray sec 2017

Ses parents cultivaient des céréales plutôt que de la vigne, mais Vincent Carême a toujours su qu'il voulait faire du vin. Après ses études en œnologie, il est parti travailler dans quelques vignobles du monde, dont ceux de Swartland, en Afrique du Sud, où il a rencontré sa femme, Tania. Ensemble, ils signent de magnifiques vins, dont cet excellent vouvray sec, qui traduit bien la nature des sols de tuffeau de la région, avec ses accents minéraux évoquant la craie. Vif, tendu comme pas un, citronné et hyper élégant.

11633612   27,75$ ☆☆☆☆ ② ♥ 🗨

CHÂTEAU YVONNE
Saumur 2016

Malgré la vague de gel du printemps, les inondations estivales et le mildiou, Mathieu Vallée a réussi un tour de force et produit un vin blanc impeccable. Rien qu'à sa couleur, on devine qu'on a affaire à un saumur plus riche et mûr que la moyenne. L'impression se confirme au nez, avec des parfums de fruits jaunes et de lanoline, mais surtout en bouche, qui porte le volume et l'intensité caractéristiques de Château Yvonne, autant que sa précision et son équilibre. Chapeau!

10689665   30,75$ ☆☆☆☆ ② ♥

DOMAINE AUX MOINES
Savennière 2015, Roche aux Moines

La Roche aux Moines est un cru de 33 hectares, situé dans la commune de Savennières. Parmi les privilégiés qui se partagent ce lopin de terre prisé: l'inimitable Nicolas Joly, ainsi que la famille Laroche, vigneronnes de mère en fille. Aujourd'hui mené par Tessa, le domaine élabore un 2015 purement somptueux. Un vin à la fois ample, vineux, riche et pourtant si vif, si droit et si frais, comme seul le chenin peut en donner. Le plus beau dans tout cela, c'est qu'il continuera à se bonifier au cours de la prochaine décennie.

11669156 38,50$ ☆☆☆☆→? ③

DOMAINE CATHERINE ET PIERRE BRETON
Vouvray sec 2017, Épaulé Jeté

Les fans de Catherine et de Pierre Breton retrouveront dans la cuvée Épaulé Jeté l'élégance habituelle des vouvrays du domaine. Le citron et le fruit blanc sont soulignés d'une fine minéralité et le vin se dessine avec beaucoup de détails et de nuance, mais tout en subtilité, avec une pointe d'amertume qui ajoute à sa profondeur et à sa longueur. Excellent!

12103411 24,35$ ☆☆☆☆ ② ♥

DOMAINE DE SAINT-JUST
Saumur 2017, Les Perrières

Un très bon blanc, plus explicite en bouche qu'au nez. Encore très jeune, il a beaucoup de fougue et de tenue et porte l'acidité vivifiante du chenin blanc. On peut le laisser mûrir encore quelques années ou l'apprécier maintenant, après l'avoir aéré en carafe pendant une bonne demi-heure. Des parfums de lanoline et de cire d'abeille s'ajoutent alors au fruit, créant un ensemble plus complexe.

13202277 25,80$ ☆☆☆ ½ ② ♥

LAMBERT, ARNAUD
Saumur 2017, Saint-Cyr-en-Bourg

En plus d'élaborer les vins du Domaine de Saint-Just, propriété de sa famille, Arnaud Lambert commercialise sous une étiquette éponyme ce très bon saumur, issu du terroir de Saint-Cyr-en-Bourg. Un blanc sec et vif comme il se doit, doté d'une agréable tenue en bouche, ponctué de bons goûts de pomme verte et de citron. Un très bon chenin vendu sous la barre des 20$. Joie!

13587963 18,60$ ☆☆☆ ½ ② ♥

CHÂTEAU DE SANCERRE
Sancerre 2014, Cuvée du Connetable

Il est plutôt rare de trouver sur le marché des sauvignons au profil boisé si marqué. Ainsi, j'avoue avoir été déstabilisée au premier nez, entre les parfums herbacés du cépage et les accents de cèdre et d'aneth du bois de chêne. L'intérêt de ce vin réside plutôt dans son volume en bouche et dans sa tenue, qui lui donnent des airs de blanc des Graves, avec un supplément d'acidité. Très bien dans l'ensemble, mais pour en profiter pleinement, mieux vaudrait le laisser dormir en cave jusqu'en 2022. Son prix laisse songeur...

13235415   51,75$ ☆☆☆ ③

CHÂTEAU DE SANCERRE
Sancerre 2016

Ce sancerre commenté durement dans la dernière édition du *Guide* me semble plus harmonieux, moins marqué par le soufre en 2016. Le vin reste tout de même court en bouche et offre peu de matière et de relief aromatique, mais il est techniquement réussi.
À ce prix, on peut trouver mieux sur le marché.

164582   25,75$ ☆☆ ½ ②

DOMAINE DELAPORTE
Sancerre 2017, Chavignol

Sur les sols de silex, qui constituent la moitié du vignoble familial, Jean-Yves Delaporte et son fils Matthieu ont produit un bon 2017 aux accents délicatement miellés. On note en bouche une certaine sucrosité, attribuable au travail des lies, mais aussi une salinité qui équilibre l'ensemble, de même qu'une touche d'amertume qui évoque l'écorce blanche du pamplemousse. À apprécier à table avec un céviche de flétan.

11349021   29,95$ ☆☆☆ ½ ②

DOMAINE FOUASSIER
Sancerre 2016, Les Chasseignes

Dès son arrivée en poste, au début des années 2000, la dixième génération de la famille Fouassier a converti le vignoble à l'agriculture biologique, puis biodynamique. Les vignes du lieu-dit Les Chasseignes plongent leur racines dans les calcaires du Buzançais qui, apprend-on sur le site web du domaine, donnent «des vins qui demandent un peu de temps avant de livrer tout leur potentiel aromatique». Ce 2016 s'avérait très agréable à la fin de l'été 2018, déjà ouvert, vineux, moins acide que bien des sancerres, mais très frais grâce à une trame minérale.
L'un de mes favoris, cette année encore.

12582247   29,75$ ☆☆☆☆ ② ♥ 🍷

LES CHASSEIGNES
SANCERRE
DOMAINE FOUASSIER

MELLOT, ALPHONSE
Sancerre 2017, La Moussière

Le vignoble de La Moussière est cultivé en biodynamie sur les sols de caillottes et les kimméridgiens. Alphonse Mellot père et fils y signent un sancerre un peu plus mûr en 2017, avec des goûts généreux de fruits tropicaux, mais gardant toujours cette nervosité, cette sensation générale à la fois ample, fraîche et rassasiante et cette finale délicieusement minérale qui appelle la soif. Un modèle de l'appellation.

33480   31,85$ ☆☆☆☆ ②

NATTER, HENRY
Sancerre 2016

Une agréable découverte pour moi, puisque c'est la première fois que je goûtais les vins de ce domaine de Montigny, commentés très favorablement par Michel Phaneuf il y a une vingtaine d'années dans *Le guide du vin*. Un sancerre au profil très classique, sec, droit, pas du tout herbacé, plutôt tropical même, et laissant en finale une jolie amertume doublée de salinité. Les vins de la famille Natter ont la réputation de se développer en bouteille et de vivre plusieurs années. Nul doute que ce 2016 suivra la règle. À revoir vers 2021-2025.

13657538   27,95$ ☆☆☆→☆ ③

PIERRE CHERRIER ET FILS
Sancerre 2017, Domaine de la Rossignole

Il faudra surveiller le retour en décembre de ce sancerre très droit, sec et tendu comme il se doit, sans caractère végétal, mais ponctué de jolies notes florales, sur un fond crayeux. La bouche est fraîche, de bonne tenue et termine en une finale élégante et citronnée.

872465   28,05$ ☆☆☆ ½ ②

CHÂTEAU DE TRACY
Pouilly Fumé 2016, Mademoiselle T

Cette ancienne propriété demeure une référence à Pouilly et produit un vin fin et très pur, fidèle à son appellation. Beaucoup de substance et de tenue dans ce 2016, une texture quasi tannique, une acidité vivifiante, presque structurante tant elle encadre le fruit et le porte en finale, donnant au vin une allure à la fois rassasiante et aérienne.

13232661   25,90$ ☆☆☆☆ ② ♥

DOMAINE DE REUILLY
Reuilly 2015, Les Pierres Plates

Au même titre que celui de Claude Lafond, le domaine Denis Jamain est une référence à Reuilly, une petite appellation située à l'ouest de Bourges. Le vignoble est conduit selon les principes de la biodynamie. Très sec, vif, plus concentré que le 2014 commenté l'an dernier et faisant preuve d'un cran plus de tenue en bouche, le 2015 est excellent. Un très bel achat pour l'amateur de sauvignon de la Loire qui souhaite explorer de nouveaux terroirs.

11463810   24,75$ ☆☆☆☆ ② ♥ ◖

DOMAINE DES FINES CAILLOTTES
Pouilly-Fumé 2017

Ce domaine bien posé sur les sols argilo-calcaires de l'appellation – d'où le nom du domaine – a produit un 2017 qui « sauvignonne » à souhait, déployant des parfums très expressifs d'agrumes au nez. La bouche est plus discrète, vive et elle aussi relevée de parfums d'agrumes, qui tombent toutefois court en finale.
Bien fait, dans un style classique.

963355   26,40$ ☆☆☆ ②

LAFOND, CLAUDE
Reuilly blanc 2017, Le Clos des Messieurs

Arrivée prévue en janvier 2019 pour ce reuilly encore tout jeune et fringant lorsque goûté à la fin de l'été 2018. Vif, guilleret, mais aussi enrobé d'un gras digne de mention. De délicats accents de cire d'abeille et de safran s'ajoutent aux agrumes, aux fruits tropicaux et aux notes végétales qui évoquent le thé vert. Excellente longueur, belle qualité d'ensemble.

11495272   24,15$ ☆☆☆☆ ② ♥

MAISON, PÈRE & FILS
Cheverny 2016

Un bon blanc de Cheverny, mariant la vivacité et les parfums de pamplemousse du sauvignon (60%), à l'ampleur naturelle du chardonnay. Rien de bien complexe, mais sec, modérément aromatique et équilibré, à apprécier sans se poser trop de questions.

11649201   18,70$ ☆☆☆ ①

PELLÉ, HENRY
**Menetou-Salon 2015,
Les Blanchais**

Monument de l'appellation Menetou-Salon, la famille Pellé est surtout active dans le secteur de Morogues. Cet excellent vin blanc provient d'une petite parcelle de vignes d'une quarantaine d'années, qui plongent leurs racines dans des sols alliant argilo-calcaire et silex. Maintenant âgé de trois ans, le 2015 procure tout le plaisir d'un bon vin blanc dans lequel le caractère variétal s'estompe pour laisser place à l'expression du terroir. Beaucoup de raffinement et d'élégance, du gras et de la minéralité en parfaite harmonie, et une finale qui va crescendo. Tout pour être heureux à table, avec un pavé de morue, un trait de citron et d'huile d'olive

872572   33,50$ ☆☆☆☆ ②

PELLÉ, HENRY
Menetou-Salon 2017, Les Bornés

Bien qu'il n'ait pas la même envergure que les deux autres vins de Henry Pellé, celui-ci offre une interprétation à la fois explicite et distinguée du sauvignon blanc. Vineux et savoureux, avec un fruit frais et croquant. Très bon vin blanc tout-aller dont la netteté et le caractère authentique méritent d'être signalés.

10523366   23,25$ ☆☆☆ ½ ②

PELLÉ, HENRY
Menetou-Salon 2017, Morogues

Dans l'appellation Menetou-Salon, les coteaux escarpés de la commune de Morogues ont la réputation de donner des vins blancs plutôt fins. Le 2017 me semble particulièrement mûr, tant par ses parfums de fruits tropicaux, que par son ampleur en bouche, de toute évidence attribuable à la maturité des raisins, plus qu'à des manipulations dans le chai. Excellente qualité, très bonne longueur.

852434   25,40$ ☆☆☆☆ ② ♥

CHÂTEAU DE POCÉ
Sauvignon blanc 2017, Touraine

Très bon sauvignon blanc de Touraine, dans un style tout ce qu'il y a de plus classique, avec des parfums d'agrumes et de légers accents herbacés qui évoquent le thé vert japonais. Sec, mais pas trop tranchant et plus profond qu'il n'y paraît au premier contact, avec une délicate salinité en fin de bouche. Très bon compagnon de table avec des crevettes arrosées d'un simple trait de citron.

10689606   14,95$ ☆☆☆ ① ♥

DOMAINE DE LA CHARMOISE
Sauvignon blanc 2017, Touraine

D'ordinaire moins exubérant que la plupart des sauvignons de Touraine, celui de la famille Marionnet se fait encore plus discret en 2017. Le fruit joue en sourdine, ponctué de notes de jalapeño et de poivre blanc. Sec et digeste, assez ample pour être servi à table, avec un plat délicat.

12562529   19,20$ ☆☆☆ ①

DOMAINE DE LA RAGOTIÈRE
**Sauvignon blanc 2013,
Val de Loire**

En plus de produire de très bons muscadets, les frères Couillaud commercialisent ce vin blanc de très belle qualité dont le style se situe à mi-chemin entre un sauvignon blanc du Centre-Loire et un muscadet. Sec, léger, nerveux et désaltérant comme pas un.

13587947   16,70$ ☆☆☆ ① ♥

DOMAINE DE LÉVÊQUE
Sauvignon 2017, Touraine

De style fringant, un bon sauvignon fidèle à ses origines. Sa principale qualité est de ne pas tomber dans l'excès parfumé ou dans la sucrosité. Un franc caractère fruité et plaisant, une fraîcheur très agréable, accentuée par une pointe de salinité.

12207009   17,20$ ☆☆☆ ①

DOMAINE DE MONTBENOIT
Coteaux du Giennois 2016

Dans cette petite appellation voisine du Sancerrois, la famille Berthier élabore un bon sauvignon net et parfumé, dont l'étoffe et la tenue n'ont rien à envier à des vins de Reuilly ou de Menetou-Salon. Très sec, avec une acidité qui apporte de la fraîcheur, mais aussi de la structure au vin. Une belle bouteille à apprécier à table avec de la cuisine thaïlandaise.

13589441   20,05$ ☆☆☆ ½ ②

DOMAINE DES BOIS VAUDONS
Sauvignon blanc 2017, Touraine, L'Arpent de Vaudon

Cette année encore, le sauvignon de Jean-François Mérieau est un cran plus mûr que la moyenne de l'appellation, avec de bons goûts de fruits tropicaux. L'acidité est aussi moins marquée et enrobée d'une texture grasse, qui le rend aussi agréable à table qu'à l'apéro.

12564233   21,05$ ☆☆☆ ½ ②

DOMAINE DES GRANDES ESPÉRANCES
Sauvignon blanc 2016, Touraine, La Java des Grandes Espérances

Commenté pour la première fois dans les pages du *Guide,* un sauvignon très sec, pointu et croquant qui plaira aux nombreux *fans* de ce cépage. D'autant plus recommandable qu'il ne verse pas dans la caricature comme tant d'autres vins de cette gamme de prix. Un bon achat.

13087547   15,30$ ☆☆☆ ① ♥

MARTIN, MARCEL
Sauvignon blanc 2017, S. de La Sablette, Vin de France

À petit prix (c'est d'ailleurs la bannière sous laquelle il est vendu à la SAQ) ce vin blanc vendu en vin de table offre le profil aromatique et la vivacité de son cépage. Modeste, mais au moins aussi bon que bien des sauvignons du Nouveau Monde.

12525234   10,25$ ☆☆ ½ ①

AMIRAULT, YANNICK
Bourgueil 2016, La Coudraye

Le bourgueil d'entrée de gamme de Yannick Amirault est une porte d'entrée abordable et accessible pour explorer les vertus du cabernet franc dans la Loire. D'autant plus recommandable qu'il est biologique et qu'il fait preuve d'une bonne constance qualitative. Même en 2016, millésime compliqué dans la Loire, le vin n'accuse aucune verdeur. Le fruit est discret, mais très pur ; le vigneron a eu la sagesse de ne pas trop extraire et de miser plutôt sur la souplesse. À boire d'ici 2020.

10522401 24,05$ ★★★ ② 💬

CHÂTEAU YVONNE
Saumur-Champigny 2016, La Folie

En plus d'un saumur blanc commenté dans ces pages, Mathieu Vallée produit un excellent rouge issu de cabernet franc, qui s'épanouit à merveille sur les sols calcaires de Saumur-Champigny. Ce vin d'ordinaire tout guilleret et plein de vitalité se montrait sous un jour plutôt timide à l'ouverture et ne s'est révélé qu'après deux heures d'aération, déployant des parfums plus près de la terre que du fruit. La bouche est tissée d'un grain tannique mûr, juste assez charnu et vigoureux, porté par une acidité fraîche. Deux arrivages prévus : novembre 2018 et mars 2019.

11665534 27,80$ ★★★ ½ ③ 🜍 💬

DOMAINE DE LA GUILLOTERIE
Saumur 2016, Cuvée Affinité

Sans prétention, un bon vin rouge fruité et poivré, net et juteux. Aucune verdeur, mais toute la vivacité voulue ; franc, typé et facile à boire. Servir jeune et frais avec un plateau de saucissons secs du Québec.

12259984 17,85$ ★★★ ① ♥

LAMBERT, ARNAUD
Saumur-Champigny 2017, Les Terres Rouges

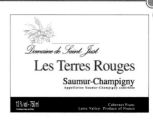

En 2005, Arnaud Lambert a rejoint son père, Yves, au Domaine Saint-Just, qu'ils ont converti à l'agriculture biologique dès 2009, reprenant au même moment les vignes du Château de Brézé. L'an dernier, ils ont décidé de regrouper les vins sous une seule et même étiquette: Domaine Arnaud Lambert. C'est ce qui explique le changement de *look* de la cuvée Les Terres Rouges, autrefois vendue sous l'étiquette du Domaine Saint-Just. Le vin, lui, conserve le même profil juteux et affriolant, avec un haut coefficient de buvabilité. Le fruit est mis en relief par une pointe d'amertume et rehaussé d'un très léger reste de gaz. Un excellent vin dans sa catégorie.

12244774   22,90$ ★★★★ ② ♥ 🍷

LORIEUX, ALAIN ET PASCAL
Chinon 2014, Thélème

Une autre belle réussite pour cette cuvée de Chinon, après un très bon 2012 commenté l'an dernier. Rien de très intense ni puissant, mais très typé d'un bon cabernet franc de Touraine, avec ce que cela implique de légèreté (12,5% d'alcool), de vitalité et de sapidité. Les saveurs sont nettes, le grain tannique et crayeux; le vin procure un plaisir très digeste qui donne envie de passer à table, avec un poulet rôti ou des saucisses grillées. À boire d'ici 2021.

917096   27,75$ ★★★ ½ ②

LORIEUX, ALAIN ET PASCAL
Chinon 2015, Expression

Encore une fois très recommandable en 2015, quoiqu'un peu moins charnu que les millésimes précédents. Le fruit s'exprime timidement et le vin est un peu ténu; la souplesse et la fraîcheur sont ses principaux atouts. À boire jeune, autour de 15 °C.

873257   20,40$ ★★ ½ ①

LORIEUX, ALAIN ET PASCAL
Saint-Nicolas de Bourgueil 2015, Maugueret-Contrie

Le millésime 2015 m'a semblé peut-être un peu plus léger et un peu moins mûr. Cela dit, le vin est bon, posé sur un grain tannique de qualité, avec du fruit et une certaine finesse. À boire jeune.

872580   24,15$ ★★ ½ ①

DOMAINE DES BOIS VAUDONS
Touraine 2017, Le Bois Jacou

L'échantillon de 2017 goûté à la fin de l'été 2018 avait été pris sur cuve. Il ne s'agissait donc pas d'un produit à 100 % achevé, mais on pouvait déjà deviner, à la netteté de son fruit, à ses bons goûts de poivre, à sa mâche gourmande et à son équilibre d'ensemble, que le produit final serait de très belle qualité. Deux arrivages sont prévus cet automne.

12572858 20,95 $ ★★★ ½ ② ♥

DOMAINE DE LA CHARMOISE
Gamay 2016, Touraine, Jean-Sébastien Marionnet

Nouvel habillage, même bon vin juteux et affriolant qui fait le délice des amateurs de vins de soif depuis des années. Le gamay de Marionnet reste l'exemple parfait du bon vin-boisson pur et authentique, qui met en valeur les saveurs affriolantes et la nervosité du gamay. Le 2017 est juste assez charnu et tout aussi guilleret et facile à boire que le 2016, décoré d'une Grappe d'or l'an dernier. À boire dans la prochaine année pour profiter de son fruit.

329532 17,80 $ ★★★ ½ ① ♥

GILBERT, PHILIPPE
Menetou-Salon 2015

Ancien dramaturge, Philippe Gilbert a repris le domaine familial en 1998 et l'a ensuite converti à la culture biologique, puis biodynamique. En 2015, le pinot noir a plutôt bien survécu aux assauts de la météo, notamment aux pluies du mois d'août. Ce rouge de menetou-salon me semble même particulièrement structuré cette année. La couleur est plus foncée et le vin est solide, porté par des tanins compacts qui auront besoin d'encore quelques années avant de se fondre. La qualité du fruit, l'équilibre et la profondeur ne font aucun doute et tout porte à croire qu'il sera excellent dans trois ou quatre ans. D'ici là, la carafe s'impose.

11154988 32 $ ★★★⟶★ ③ ♥ ⚓ 🍾

VIGNOBLES SAINT-VERNY
**Côtes d'Auvergne 2016,
L'Impromptu**

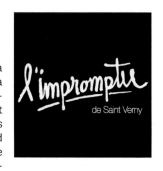

Tout à l'est de la très longue vallée de la Loire, le vignoble de l'Auvergne a déjà été le troisième plus important producteur de vin en France, après l'Hérault et l'Aude. C'était au XIXᵉ siècle, les pentes entourant la ville de Clermont-Ferrand étaient alors couvertes de vignes de gamay, dont on poussait les rendements jusqu'à en produire des vins maigres et dilués. L'Auvergne a ainsi perdu peu à peu sa réputation et n'a guère réussi à se relever suite à la crise du phylloxéra qui ravagea l'ensemble du vignoble français, vers la fin du siècle. Puis, dès 1935, une poignée de vignerons se sont unis pour fonder des caves coopératives, dans une tentative de relancer les plantations et de redorer l'image du vignoble auvergnat. La coopérative de Saint-Verny, créée en 1950, regroupe aujourd'hui 65 viticulteurs et veille sur près de la moitié du vignoble régional. Au moment d'écrire ces lignes, les inventaires du 2016 à la SAQ étaient très limités, mais je ne pouvais passer sous silence la qualité de ce vin composé à 100 % de gamay, cultivé sur des sols volcaniques. La bouche est charnue, compacte, portant la vivacité et les parfums fruités et poivrés caractéristique du cépage. Plein, guilleret et savoureux. Une interprétation singulière du gamay et un excellent achat à ce prix.

13343264   20,40 $ ★★★★ ② ♥

VALLÉE DU RHÔNE

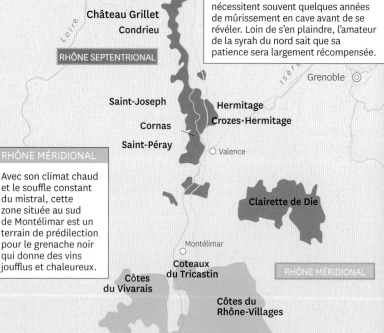

RHÔNE SEPTENTRIONAL

Parfois un peu austères en jeunesse, les vins du nord de la vallée nécessitent souvent quelques années de mûrissement en cave avant de se révéler. Loin de s'en plaindre, l'amateur de la syrah du nord sait que sa patience sera largement récompensée.

Côte Rôtie

Château Grillet

Condrieu

RHÔNE SEPTENTRIONAL

Loire

Isère

Grenoble ◎

Saint-Joseph

Cornas

Saint-Péray

Hermitage

Crozes-Hermitage

○ Valence

RHÔNE MÉRIDIONAL

Avec son climat chaud et le souffle constant du mistral, cette zone située au sud de Montélimar est un terrain de prédilection pour le grenache noir qui donne des vins joufflus et chaleureux.

Clairette de Die

Montélimar ○

Coteaux du Tricastin

RHÔNE MÉRIDIONAL

Côtes du Vivarais

Côtes du Rhône-Villages

Côtes du Rhône

Rasteau

Gigondas

Muscat de Beaumes-de-Venise

Côtes du Rhône-Villages

Vacqueyras

Lirac

Tavel

Avignon ◎

Côtes du Ventoux

Nîmes ◎

RHÔNE

Châteauneuf-du-Pape

Côtes du Luberon

Costières de Nîmes

◎ Montpellier

Le vignoble de la vallée du Rhône est scindé en deux zones distinctes : le sud et le nord. Le sud de la vallée est la source de 90 % de la production vinicole de la région. C'est un jardin fertile où une foule de cépages s'épanouissent sous le soleil. Les paysages sont méditerranéens, avec la garrigue, les oliviers, les terres chaudes et arides.

Le nord, parce qu'il reçoit plus de précipitations, est beaucoup plus vert. Son vignoble est davantage soumis à l'effet du millésime que son voisin du sud. Les vignobles, souvent de petite taille, sont aménagés à flanc de coteaux, profitant d'un climat continental et d'une longue période végétative, favorable à l'élaboration de vins raffinés. Seul cépage autorisé pour les appellations rouges, la syrah trône en reine. Elle a quand même la bonté de partager un peu de son royaume avec quelques sujets : les viognier, roussanne et marsanne, qui donnent vie à des vins blancs à la fois substantiels et raffinés.

LES DERNIERS MILLÉSIMES

2017

Très bon millésime dans le nord, qui a donné des blancs de terroir, parfaits pour la table, et des rouges mûrs et tanniques, plus profonds que les 2016. Le sud a été touché par une période de sécheresse. Dans l'ensemble, on peut prévoir des rouges et des blancs typiquement méridionaux : pleins, riches et mûrs.

2016

Un mois de septembre radieux a permis de produire de bons, voire très bons, vins dans le nord de la vallée. À condition d'avoir pu éviter les attaques de mildiou (un champignon) et d'avoir vendangé plus tard. Sans être un millésime de garde...

2015

De manière générale, un excellent millésime. Les blancs sont parfois capiteux, mais les vins rouges du nord de la vallée sont denses et frais à la fois, et les quelques bouteilles goûtées jusqu'à présent annoncent un avenir très prometteur. Les meilleurs crus de Côte Rôtie, Hermitage et Cornas ont encore 15, sinon 20 belles années devant eux. Le sud a produit des vins rouges et blancs pleins, séduisants et de bonne tenue. Les meilleurs châteauneufs vivront jusqu'en 2025.

2014

Un millésime exceptionnel pour Condrieu a donné des vins blancs à la fois denses et empreints de fraîcheur. En revanche, les cépages rouges ont atteint la maturité de justesse et donneront des vins classiques. Dans le sud de la vallée aussi, une réussite plus convaincante pour les blancs que pour les rouges. À Châteauneuf, d'importants volumes sur le grenache occasionneront peut-être une certaine dilution ; meilleurs résultats pour les syrahs et mourvèdres.

Rhône septentrional

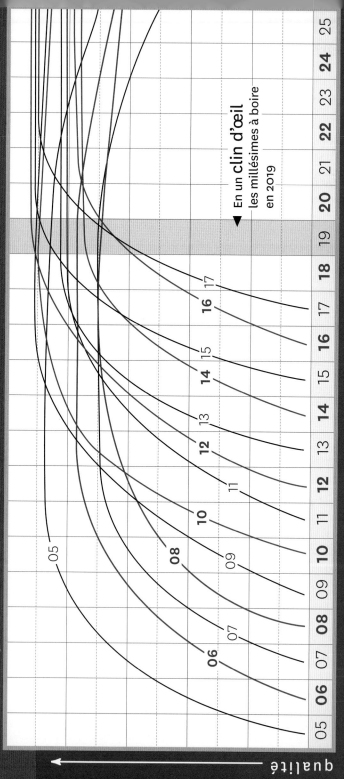

qualité

longévité

En un clin d'œil
les millésimes à boire
en 2019

05 06 07 08 09 10 11 12 13 14 15 16 17 18 19 20 21 22 23 24 25

2013

Une année compliquée dans le nord qui devrait donner des vins rouges assez solides. De belles réussites à Condrieu. Dans le sud, de très faibles rendements pour le grenache et des degrés d'alcool plus modérés.

2012

Un millésime classique dans le nord a donné des vins rouges concentrés, très longs et structurés, qui auront besoin de temps avant de se révéler. Millésime tout aussi favorable aux appellations méridionales ; les rouges sont généralement plus étoffés que les 2011, avec un supplément de tonus. Les vins blancs des deux régions présentent un équilibre irréprochable.

2011

Au nord comme au sud, un millésime qui ne passera pas à l'histoire. Peu de vins de longue garde dans la partie septentrionale. À retenir pour des rouges souples et fruités et de bons vins blancs empreints de fraîcheur.

2010

Une récolte déficitaire et de très bons vins de Côte Rôtie à Châteauneuf-du-Pape. Dans le nord, des rendements faibles ont donné des vins rouges concentrés, mais néanmoins harmonieux ; condrieus très fins et équilibrés. Plusieurs réussites aussi dans le sud : vins rouges nourris et charnus.

2009

Millésime très satisfaisant, en particulier dans le nord où la syrah a donné des vins profonds et de longue garde. Été exceptionnellement sec et récolte déficitaire dans la partie méridionale ; plusieurs vins amples et puissants à Châteauneuf-du-Pape.

2008

Des conditions précaires dans toute la vallée. Au mieux, des vins souples et fruités destinés à être consommés dans leur jeune âge. La qualité des vins blancs est plus homogène.

2007

Qualité variable dans le nord ; au mieux, des vins rouges de qualité satisfaisante et d'évolution rapide. Scénario plus favorable dans le sud où les mois d'été ont été chauds et ensoleillés, et où grenache et mourvèdre ont bénéficié de conditions idéales ; une récolte abondante de vins rouges sphériques, charnus et généreux.

2006

Quatrième succès consécutif. Un mois d'août très sec et une récolte généreuse de vins rouges riches, solides et généralement d'une saine acidité. À Châteauneuf-du-Pape, les vins rouges sont nourris, puissants et bien équilibrés.

CAVE DE TAIN L'HERMITAGE
Crozes-Hermitage blanc 2015, Grand Classique

Un vin blanc de marsanne délicieux, à la hauteur de l'excellente réputation de la Cave de Tain. Au nez, on est saisi par l'intensité et la profondeur aromatique. J'ai d'ailleurs rarement senti de façon aussi nette et précise, les parfums d'amande et de marzipan, souvent associés à ce cépage du Rhône Nord. La bouche est ample, vibrante et tout aussi complexe, à la fois rafraîchissante et enrobée d'une texture grasse qui commande un plat copieux. Bravo!

13387267 26,90$ ☆☆☆☆ ② ♥

3 234783 305909

GAILLARD, PIERRE
Condrieu 2017

Fidèle à ses habitudes, Pierre Gaillard signe un condrieu ample et généreusement parfumé, gorgé de saveurs de pêche, d'abricot, de beurre et d'accents de caramel salé, mais faisant preuve d'une élégance certaine. Un cœur minéral garant de fraîcheur et de tenue, enrobé d'une texture à la fois grasse et très fine. Parfait pour accompagner de gros pétoncles à l'unilatérale.

12423932 64,25$ ☆☆☆☆ ③

3 760088 372808

GAILLARD, PIERRE
Saint-Joseph blanc 2017

Cet autre vin de Pierre Gaillard, composé à 100 % de roussanne, est un bel exemple de la richesse doublée d'élégance que peuvent avoir les blancs du Rhône septentrional. Encore tout jeune, le vin porte les parfums de beurre de la fermentation malolactique et les accents épicés de l'élevage en fûts, sans que cela ne masque le fruit. La fraîcheur du 2017 se trouve davantage dans sa structure que dans l'acidité, plutôt faible. Servir à table, sans faute – ce n'est pas un vin d'apéro – et aérez en carafe une demi-heure, le temps qu'il se réchauffe un peu.

11219606 39,75$ ☆☆☆→☆ ③

3 760088 374093

GUIGAL, E.
Condrieu 2015

Beaucoup de gras et de volume dans ce 2015, sans verser dans la lourdeur, comme trop de condrieu, issus de ce millésime. Des fermentations alcooliques à basses températures et un élevage partiel en fûts neufs – un tiers seulement, le reste se fait en cuves inox – ont permis de conserver une agréable fraîcheur. On peut déjà apprécier son ampleur et ses fins parfums de fleurs qui se marient aux notes de beurre; il restera à son apogée jusqu'en 2020-2022.

13260856   78,50$ ☆☆☆☆ ②

GUIGAL, E.
Crozes-Hermitage blanc 2015

Ce vin brille par sa constance qualitative – comme tous les vins de Guigal, d'ailleurs – et s'avère particulièrement savoureux en 2015. Plein, mûr et riche en goûts de fruits jaunes, qu'une touche d'épices et une agréable amertume viennent équilibrer. Gras et doté d'une tenue appréciable. Un blanc à servir à table, plutôt qu'à l'apéro, et à boire d'ici 2021.

10520755   35,25$ ☆☆☆ ½ ②

GUIGAL, E.
Hermitage blanc 2013

Un hermitage blanc de forme très classique, qui profite d'un élevage de 24 mois en fûts de chêne partiellement neufs. Au nez, les effluves d'un boisé de qualité rappellent de grands blancs de la Côte de Beaune. La bouche, par contre, nous ramène sur la colline de l'Hermitage – où le millésime 2013 a donné des blancs d'excellente qualité – avec sa richesse doublée de salinité, et ses délicieux goûts d'amande amère, sur fond de fleurs blanches. Long, large et profond. À boire idéalement entre 2021 et 2024.

12585886   69$ ☆☆☆→☆ ③

VINS DE VIENNE
Crozes-Hermitage blanc 2016

Peut-être traversait-il une phase ingrate lorsque goûté en août 2018, mais ce crozes blanc m'a paru un peu moins complet en 2016. Des odeurs de réduction sur fond d'aneth et de fruit jaune, un creux en milieu de bouche et une finale diffuse. Pas très convaincant pour le moment.

12034275   36,50$ ☆☆ ½→? ③

COURBIS
Saint-Joseph 2016

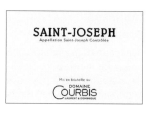

Je n'avais pas goûté ce saint-joseph de la famille Courbis depuis quelques années. Une agréable surprise, dans le contexte d'un millésime pluvieux et plutôt hétérogène à travers l'appellation. Une matière fruitée mûre et généreuse, une mâche tannique solide, bien servie par l'élevage en fûts qui enrichit le vin de notes de torréfaction, sans masquer les subtilités de la syrah. Un très bon vin qu'on devrait laisser mûrir en cave jusqu'en 2022.

10919117   30,25$ ★★★ ½ ③

FARGE, GUY
Saint-Joseph 2016, Terroir de Granit

Dans les années 1960, l'aire d'appellation Saint-Joseph était limitée à moins d'une centaine d'hectares, répartis dans six communes, dont Saint-Jean-de-Muzols, où Guy Farge commercialise de superbes vins de terroir. Le vigneron a plutôt bien tiré son épingle du jeu en 2016, malgré un été difficile, marqué par des attaques de mildiou (un champignon). Le vin n'a pas l'étoffe ni la profondeur des deux derniers millésimes, mais s'avère agréable avec son fruit noir, qui se mêle aux accents de safran; équilibré et déjà prêt à boire.

12474158   33$ ★★★ ②

GAILLARD, PIERRE
Côte Rôtie 2016

Pour un côte rôtie puissant et bâti pour la longue garde, il faudra chercher ailleurs. Celui de Pierre Gaillard s'inscrit dans la relative légèreté qui caractérise le millésime 2016. Le fruit est joli, les saveurs nettes, ponctuées des accents vanillés du chêne. La bouche est tendre en attaque, puis se resserre, enrobée d'une texture quasi crémeuse, attribuable à l'élevage. À boire entre 2020 et 2023, idéalement.

12448179   80,25$ ★★★→? ③

GAILLARD, PIERRE
Saint-Joseph 2016, Clos de Cuminaille

Sur les sols de granit de la commune de Chavanay, tout au nord de Saint-Joseph, Pierre Gaillard signe un excellent vin qui fait exception à la règle selon laquelle les meilleurs rouges de l'appellation sont produits dans le sud. Son 2016 privilégie l'élégance à la puissance, laissant même en bouche une sensation de légèreté. Un léger creux en milieu de bouche, mais une très longue finale compacte et relevée. Il devrait se bonifier encore d'ici 2022.

11231963   43,50$ ★★★→★ ③

GUIGAL, E.

Côte Rôtie 2013, Brune & Blonde

Issu d'une année réputée pour ses rouges fermes, qui mettent du temps à se livrer, le 2013 était encore dans sa coquille en août 2018, mais sa charpente tannique, son équilibre et la qualité de son fruit lui garantissent un bel avenir. Et que dire de sa longue finale fumée et poivrée? On s'en régalera entre 2023 et 2028. Si vous en avez en cave, soyez patient…

13260821   77,75$ ★★★★ ④

VINS DE VIENNE

Cornas 2016, Les Barcillants

Plutôt que de trouver dans ce 2016 le profil sauvage caractéristique de l'appellation, l'amateur de syrah y découvrira une expression très fraîche du cépage, tant par sa texture légère, encadrée de tanins fermes, que par ses notes végétales et épicées, qui rappellent le cari. Ce n'est pas la plus grande réussite des dernières années, mais tout de même un bon vin digeste, à boire d'ici 2021. Arrivée en décembre 2018.

708438   58$ ★★★→? ③

VINS DE VIENNE

Côte Rôtie 2015, Les Essartailles

Contrairement au côte rôtie de Pierre Gaillard, commenté à la page précédente, ce 2015 n'est pas près d'atteindre son apogée. Le vin commençait à peine à s'ouvrir après une quinzaine de minutes dans le verre. À la fois plein, compact, séveux et velouté, il porte les traits caractéristiques de la syrah de la Côte Brune et de la Côte Blonde. Beaucoup de chair, de relief et de complexité aromatique dans ce vin d'envergure, bâti pour affronter les années. À revoir vers 2024-2026.

11600781   75,50$ ★★★★ ④

VINS DE VIENNE

Saint-Joseph 2015

Pierre Gaillard, Yves Cuilleron et François Villard ont développé une activité de négoce haut de gamme dans le nord de la vallée du Rhône, sous l'étiquette Vins de Vienne. Un peu plus compact et riche en extraits que le 2014 commenté l'an dernier, le 2015 s'ouvre sur des accents de café qui se dessinent aussi en bouche. Déjà très rassasiant, malgré un léger creux en milieu de bouche, il devrait tenir la route au moins jusqu'en 2022.

10783310   33,75$ ★★★ ½ ②

CAVE DE TAIN L'HERMITAGE
Crozes-Hermitage 2015, Les Hauts du Fief

Cette cuvée haut de gamme de la coopérative de Tain est issue d'une sélection parcellaire et profite d'un élevage soutenu en fûts neufs, qui se perçoit au nez et en bouche, par un fini tannique encore un peu carré. Le fruit est cependant bien présent et l'équilibre en bouche porte à croire que le vin évoluera en beauté. À revoir dans quatre ou cinq ans.

13470482 41,50$ ★★★→? ③

CHAPOUTIER, M.
Crozes-Hermitage 2015, Les Meysonniers

Il y avait un moment que j'avais autant apprécié ce crozes-hermitage de Chapoutier, vendu à la SAQ depuis au moins 25 ans. Les parfums de viande grillée, de cerise noire et de poivre trouvent écho en bouche, encadrés de tanins polis et bien mûrs, mais juste assez vigoureux pour titiller le palais, apporter de la fraîcheur en finale et rehausser ses goûts d'espresso. Très bon rapport qualité-prix.

10259876 27,15$ ★★★ ½ ②

COMBIER, LAURENT
Crozes-Hermitage 2016

En 2019, le vignoble de la famille Combier célébrera le 50ᵉ anniversaire de sa conversion en bio. Le 2016 qu'a produit Laurent Combier est à la hauteur de la réputation du domaine et semble à peine moins concentré que d'habitude. Les saveurs sont nettes et précises; le fruit est gourmand et il se dessine en bouche avec beaucoup de détail. Un peu moins plein et charnu que dans les meilleures années, mais une très belle qualité d'ensemble et une jolie persistance aromatique. Arrivée prévue en décembre 2018.

11154890 35,50$ ★★★★ ②

CUILLERON, YVES
Crozes-Hermitage 2016, Laya

Un excellent vin provenant d'un domaine très réputé – à juste titre – de Chavanay. Aucune maigreur, des notes aromatiques à la fois grillées et très mûres; avec la densité tannique habituelle de la syrah et ce caractère presque séveux qui rend le cépage si séduisant. Bel équilibre d'ensemble et finale fort distinguée aux accents de violette. Prêt à boire.

12535491   31,75$ ★★★★ ②

DOMAINE BELLE PÈRE ET FILS
Crozes-Hermitage 2014, Cuvée Louis Belle

Ce vin fait autant honneur à la réputation du millésime qu'à celle de la famille Belle. Cette cuvée qui rend hommage à l'aïeul de Philippe Belle provient d'un vignoble de 6,5 hectares planté de vignes de syrah d'une cinquantaine d'années et s'avère plein, charnu et savoureux en 2014. Beaucoup de mâche dans ce vin qui continuera de gagner en profondeur d'ici 2022.

917484   33,25$ ★★★→★ ③

GUIGAL, E.
Crozes-Hermitage 2015

La famille Guigal produit chaque année environ 450 000 bouteilles de ce crozes-hermitage de facture classique et de qualité irréprochable. Juste assez concentré et posé sur un tissu tannique dense; le fruit noir se mêle au notes de fumée et de poivre, qui persistent en finale. Équilibré, digeste et prêt à boire.

739243   28,50$ ★★★ ½ ②

MICHELAS – ST-JEMMS
Crozes-Hermitage 2016, La Chasselière

J'avais déjà dégusté les vins de la famille Michelas à quelques reprises en visite dans le Rhône, mais, sauf erreur, c'est la première fois qu'on les trouve au Québec. Une belle addition au répertoire de la SAQ. La Chasselière résulte d'un assemblage des vins de différentes parcelles, dans les trois communes de l'appellation crozes-hermitage, élevés pendant 12 mois en cuve tronconique et en fûts. Cela donne un bon vin de facture moderne, misant à fond sur le fruit et sur la rondeur d'une syrah mûrie à point. À boire sans se presser jusqu'en 2023.

11896631   30,25$ ★★★→? ③

CAVE DE TAIN L'HERMITAGE
Crozes-Hermitage 2015,
Grand Classique

La cave coopérative de Tain l'Hermitage propose un crozes-hermitage bien typé de son appellation. Un vin noir et poivré, dont les parfums évoquent la viande fumée. Des tanins fermes et un peu stricts lui confèrent une rusticité de bon aloi, mais il a tout le fruit et la chair pour faire contrepoids. Très satisfaisant.

10678237   21,60$ ★★★ ②

COMBIER, LAURENT
Crozes-Hermitage 2016, Cuvée Laurent Combier

En 1999, Laurent Combier a créé cette cuvée issue d'un achat de raisins chez ses voisins, ainsi que des jeunes vignes du domaine. Le vin est vinifié et élevé en cuves de béton, et mise à fond sur le caractère croquant et fruité de la syrah. Le 2016 est d'emblée affriolant, avec son nez de violette; la bouche est gorgée de bons goûts de bleuets et de camerise, mais toute légère (12,5% d'alcool) et si digeste qu'on sifflerait la bouteille en un rien de temps. Attention, danger!

11895065   29,50$ ★★★★ ② ♥ 🗨

CUILLERON, YVES
Syrah 2016, Les Vignes d'à Côté,
Collines Rhodaniennes

Cette syrah n'a évidemment pas l'envergure d'un crozes-hermitage ou d'un saint-joseph – à 20$, il faut rester réaliste –, mais elle impressionne tout de même par sa précision et sa netteté aromatique, autant que par ses tanins granuleux, sa fraîcheur et sa longue finale poivrée. Beaucoup de qualité dans ce vin. Et un plaisir assuré à table. Tout compte fait, il est excellent dans sa catégorie.

13619478   19,70$ ★★★★ ② ♥

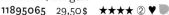

DOMAINE BELLE PÈRE ET FILS
Crozes-Hermitage 2016, Les Pierrelles

Très belle réussite pour la famille Belle qui signe ici un très bon crozes aux tanins enrobés d'un fruit mûr et bien servi par l'élevage en fûts qui apporte une certaine onctuosité à sa texture. Bon équilibre entre le fruit et les parfums de vanille, la rondeur et les tanins.
Arrivée prévue en début d'année 2019.

863795   25,95$ ★★★ ½ ③

VILLARD, FRANÇOIS
Syrah 2016, L'appel des Sereines, Vin de France

Cette syrah que François Villard commercialise en Vin de France provient essentiellement de vignobles du nord de la vallée, près des zones de Condrieu et de Saint-Joseph. Le 2016 est explosif, ses parfums de cumin et de poivre noir se mêlent aux fruits noirs et sont portés par une bouche vibrante d'acidité, tandis que des tanins granuleux donnent au vin un relief admirable pour le prix. À boire d'ici 2020 pour profiter de la jeunesse du fruit.

12292670   20,60$ ★★★★ ① ♥

VINS DE VIENNE
Crozes-Hermitage 2016

Particulièrement aromatique en 2016, ce vin embaume la violette. La bouche est peut-être un peu moins mûre et pleine, mais ne manque pas d'extraits tanniques, laissant même une sensation un peu austère en finale, avec une amertume qui rappelle la peau blanche du pamplemousse. À revoir dans un an.

10678229   26,95$ ★★ ½→? ③

CHÂTEAU DE NAGES
Costières de Nîmes blanc 2015, Cuvée Joseph Torrès

Ce 2015 me semble plus achevé et plus harmonieux que le 2014 goûté il y a quelques mois, présentant un très bel équilibre entre le gras et la minéralité, entre la pêche et l'ananas bien mûrs et une amertume noble qui s'apparente à la peau d'une poire Anjou. Du relief, de la tenue et de la longueur. L'amateur de roussanne du sud en aura pour son argent!

895839   25,95$ ☆☆☆☆ ② ♥ 💬

CHÂTEAU DE NAGES
Costières de Nîmes blanc 2016, Vieilles vignes

Comme j'aime les blancs du sud! Ça se confirme chaque fois que je goûte un vin de la trempe de cette cuvée Vieilles vignes, produite sur les sols de galets roulés du nord des Costières de Nîmes. Minéral, salin et hyper frais, mais pourtant bien sudiste avec sa trame grasse et ses goûts de fruits gorgés de soleil. Le vin semble presque tannique tant il a de la tenue. Complexe et taillé pour les fruits de mer.

12764921   19,95$ ☆☆☆☆ ② ♥ 💬

CHÂTEAU MOURGUES DU GRÈS
Costières de Nîmes 2017, Les Galets Dorés

Ce blanc biologique du Rhône est délicieusement vivifiant en 2017, tant par son profil aromatique, qui marie l'écorce de citron, les fines herbes et le thé vert, que par son acidité fraîche et ses extraits qui titillent le palais et laisse en bouche une sensation très rassasiante. Avec des pétoncles poêlés, déglacés au jus de citron et au vin blanc... Miam!

11095877   19$ ☆☆☆ ½ ② ♥ 💬

CHÂTEAU MOURGUES DU GRÈS
Terre d'Argence blanc 2016, Pont du Gard

Issu de raisins cultivés à l'intérieur de la zone des Costières de Nîmes, mais commercialisé sous IGP Pont du Gard, en raison d'un assemblage inusité de viognier, de roussanne et de petit manseng, un cépage du Sud-Ouest. L'acidité naturelle de ce dernier sert d'ailleurs très bien le vin en 2016, apportant une tension qui rehausse les goûts de fruits jaunes et d'amandes et le rend d'autant plus digeste et agréable à boire. Un excellent vin!

11874264   24,20$ ☆☆☆☆ ② ♥ 💬

GASSIER, MICHEL
Lou Coucardié blanc
Costières de Nîmes 2014

Le nez plein, intense et gorgé de soleil
pourrait faire croire à un vin chaleureux.
Or, je ne sais pas si on peut y voir un effet
de l'agriculture biologique, celui des sols

argilo-calcaires ou du millésime 2014, mais le Lou Coucardié affiche
une fraîcheur inégalée cette année. On goûte toute la profondeur des
bons terroirs à blancs du sud, comme en témoi-
gnent sa salinité, sa trame minérale, sa densité et
sa structure.

12445365   35,50$ ☆☆☆☆ ② 🗨

GUIGAL, E.
Côtes du Rhône blanc 2016

Impeccable, comme toujours, ce côtes du rhône blanc offrira à l'amateur de blanc ample, mais dépourvu de parfums boisés, le volume habituel en bouche et de bons goûts de pêche et de fleurs blanches. L'archétype du blanc du sud, généreux, de bonne
longueur et taillé pour la table.

290296   20,40$ ☆☆☆ ½ ②

MARRENON
Grand Marrenon 2015, Luberon

Cette coopérative dynamique du Luberon regroupe plus de 2000 viticulteurs
qui cultivent ensemble 8000 hectares
de vignes. Leur blanc, fruit d'un assemblage de vermentino et de grenache,
déploie au nez comme en bouche des

parfums de beurre sur un fond floral et s'avère assez gras pour accompagner une cuisine riche,
comme une blanquette ou un gratin de légumes.

13466512   19$ ☆☆☆ ½ ②

PERRIN, FAMILLE
Côtes du Rhône blanc 2016, Coudoulet de Beaucastel

Le « petit » blanc de Beaucastel est en grande forme en 2016. Plein,
ample et vineux, mais aussi doté d'une structure toute méridionale, qui
encadre le fruit et rend le vin particulièrement savoureux à table. Sa
palette aromatique tend à se révéler davantage après l'aération et à une
température fraîche, plutôt que froide. N'hésitez donc pas à laisser la
carafe hors du frigo pendant une petite demi-
heure avant de le servir.

449983   30,75$ ☆☆☆ ½ ②

CLOS DU MONT-OLIVET
Châteauneuf-du-Pape 2016

Après un 2014 très fin, commenté l'an dernier, la famille Sabon passe à l'opposé du spectre, avec un 2016 puissant, caractéristique d'un millésime qui a donné des vins riches, qu'on pourra oublier en cave pendant une dizaine d'années. Des arômes de kirsch, de cerise confite et de chocolat noir, une bouche juteuse, débordant de jeunesse et animée d'un léger reste de gaz, mais aussi capiteuse en finale, faisant bien sentir ses 16 % d'alcool. Équilibré dans sa puissance, il devrait vieillir en beauté jusqu'en 2025-2027. Premier arrivage en novembre, second en avril 2019.

11726691 54,25$ ★★★→★ ③

DOMAINE CHARVIN
Châteauneuf-du-Pape 2016

Bien établi dans la commune d'Orange, au nord de l'appellation Châteauneuf-du-Pape, Laurent Charvin a la réputation de produire des vins de terroir à forte personnalité, privilégiant notamment les vinifications à grappe entière

(avec la râfle). L'intégrité du travail du vigneron se reconnaît dès la première gorgée, par sa texture charnue, pleine, mûre, rassasiante et pourtant si fraîche, si élégante. Les couches de saveurs montent en finale, vaporeuses et nuancées, avec des arômes herbacés, qui accentuent la fraîcheur. Quel excellent vin!

12440687 76$ ★★★★→? ③

DOMAINE DE BEAURENARD
Châteauneuf-du-Pape 2012, Gran Partita

À compter de 1998, les frères Daniel et Frédéric Coulon ont sélectionné les meilleurs ceps au sein de leurs vieilles vignes, afin de créer un nouveau vignoble, qui serait planté selon la méthode ancestrale. C'est-à-dire de façon aléatoire, en mêlant l'ensemble des 13 cépages autorisés dans l'appellation Châteauneuf-du-Pape. Le vin qu'ils tirent de cette nouvelle parcelle a été produit pour la première fois en 2012. La première bouteille ouverte était imparfaite, malmenée par le transport; la seconde, sublime! Un châteauneuf qui semble issu d'une autre époque, avant la ruée vers le grenache et la puissance alcoolique à tout prix. Complexe, remarquablement équilibré et déjà agréable à boire. Les 15 caisses commandées par la SAQ devraient être mises en vente sous peu dans les succursales Signature.

13353008 135,25$ ★★★★ ② ⑤ ▪

DOMAINE DE BEAURENARD
Châteauneuf-du-Pape 2015

Les frères Coulon pratiquent la biodynamie (certifiée Demeter) sur leurs vignes de Châteauneuf-du-Pape, où ils élaborent des vins rouges et blancs somptueux, qui tiennent admirablement le temps. Le 2015 s'inscrit dans la veine des belles années, déployant un large spectre de saveurs épicées, poivrées et herbacées, tiré en longueur par une chair fruitée pleine, mais jamais lourde. De l'éclat et une présence en bouche vibrante d'énergie. Il a l'étoffe et l'équilibre pour se bonifier en cave d'ici 2024.

13364381 49,75$ ★★★★ ③ 🗨

3 368881 113026

DOMAINE DE BEAURENARD
Châteauneuf-du-Pape 2015, Boisrenard

Très jeune lorsque goûté à la fin de l'été 2018, ce 2015 n'avait pas encore « digéré » son bois, mais la qualité de ses tanins, la profondeur de ses arômes et son équilibre d'ensemble ne faisaient aucun doute. Le Boisrenard est issu d'une parcelle de très vieilles vignes complantées (13 cépages, avec dominante de grenache), soumises à de très faibles rendements naturels. Un vin racé, dont la forte personnalité ne transparaîtra vraiment qu'après sept ou huit années de repos en cave, et encore…

12440222 79,25$ ★★★★→? ④ 🗨

3 368885 114616

DOMAINE DE LA VIEILLE JULIENNE
Châteauneuf-du-Pape 2014, Les Trois Sources

Jean-Paul Daumen conduit son vignoble selon les principes de la biodynamie depuis plus de cinq ans. En 2014, cette cuvée provenant d'une parcelle de vieilles vignes exposées au nord, donne un vin aux arômes très fins, frais et poivrés, avec des accents de viande fumée et de lilas. Une texture soyeuse le rend déjà étonnamment agréable et accessible, malgré son jeune âge, mais vue sa profondeur et sa longueur, l'amateur de châteauneuf plus évolué peut le laisser dormir sans craindre jusqu'en 2023. Arrivée prévue avant les fêtes.

13039393 76$ ★★★★ ②

3 760169 470706

DOMAINE DU VIEUX LAZARET
Châteauneuf-du-Pape 2015, Cuvée Exceptionnelle

Rarement exceptionnel, ce vin fait preuve d'un charme particulier en 2015. Les parfums de l'élevage sont encore bien présents au nez, comme en bouche, où on note aussi une certaine sécheresse qui décevra sans doute les *fans* de châteauneuf moderne et gourmand, mais qui plaira à l'amateur de vins classiques de l'appellation. À boire d'ici 2021.

10676881 63,75$ ★★★→? ③

3 345122 000758

BROTTE
Châteauneuf-du-Pape NM, La Fiole du Pape, Père Anselme

Le célébrissime flacon tordu et poussiéreux est vendu depuis plus de 40 ans au répertoire général de la SAQ. Dans la bouteille, un châteauneuf (non millésimé) d'envergure moyenne, sans réelle profondeur, mais assez frais, relevé de notes de poivre et doté d'une certaine mâche. En toute honnêteté, un vin très correct. Son prix, par contre, me laisse songeuse…

12286   38,85$ ★★ ½ ②

CHÂTEAU DE LA GARDINE
Châteauneuf-du-Pape 2015

Le châteauneuf de Patrick Brunel fait preuve d'une constance sans faille depuis des décennies et ce 2015 n'y fait pas exception. Les *fans* de La Gardine y trouveront le même bon rouge corsé, compact et poivré, sans excès de concentration, élaboré avec un souci manifeste d'équilibre, afin de procurer du plaisir à table. À boire au cours des cinq prochaines années.

22889   36,60$ ★★★ ½ ②

CHÂTEAU MONT-REDON
Châteauneuf-du-Pape 2014

Les vins des familles Abeille et Fabre n'ont jamais rien d'excessif. C'est particulièrement vrai en 2014, millésime qui ne passera pas à l'histoire pour sa concentration. En revanche, on ne peut qu'être séduit par la précision aromatique et la grande sensation de fraîcheur que laisse en bouche ce vin. Net, franc, poivré, plein de vitalité et taillé pour la table, comme toujours chez Mont-Redon. À boire d'ici 2022.

856666   46,25$ ★★★ ½ ②

CLOS DE L'ORATOIRE DES PAPES
Châteauneuf-du-Pape 2015

Ce domaine ancien était tombé en désuétude avant son rachat par Jeanjean au courant des années 1990; une démarche de conversion à l'agriculture biologique a été entamée il y a quelques années. L'échantillon brut de cuve du 2015 goûté m'avait paru très prometteur en août 2017. Un an plus tard, le vin est toujours aussi intense, chaleureux, solide et de bonne longueur, avec des accents de viande fumée et de griotte. Il pourrait encore se bonifier d'ici 2024.

11407990   49$ ★★★ ½ ③ 🍷

CLOS DE L'ORATOIRE DES PAPES
Châteauneuf-du-Pape 2016

Plus concentré que le 2015 commenté à la page précédente, mais doté d'un bon équilibre entre les notes animales et terreuses, qui enveloppent le fruit et ajoutent à la complexité du vin. La texture est ferme et nerveuse en attaque, mais le vin se fond en bouche et laisse en finale une sensation suave et chaleureuse. Un très beau châteauneuf qui aura besoin d'encore au moins quatre ou cinq ans de repos avant d'atteindre son apogée.

11407990 49$ ★★★→★ ③ 🍷

DOMAINE DU PÈRE CABOCHE
Châteauneuf-du-Pape 2016, Tradition

À l'aveugle on ne s'y trompe pas, du moins, sachant qu'il s'agit d'un vin de France : avec son attaque en bouche pleine, capiteuse et quasi sucrée, ce vin crie haut et fort ses origines méditerranéennes. À l'image du millésime, le vin manque peut-être un peu de finesse et de définition aromatique, mais séduira les amateurs de sensations fortes. À revoir vers 2022, quand le temps aura dompté la bête.

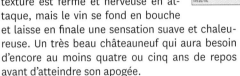

13638231 44$ ★★★→? ③

DOMAINE DU VIEUX LAZARET
Châteauneuf-du-Pape 2015

Une expression franche, vigoureuse et un peu rustique de Châteauneuf. Bien servi par le millésime 2015, le vin est un peu plus complet que d'habitude, le grain est mûr et les tanins bien présents en finale. À ce prix, je lui préfère de loin La Gardine. Prêt à boire.

11808822 37,85$ ★★ ½ ②

BRUNEL, PÈRE & FILS
Rasteau 2016, Benjamin Brunel

Appellation somme toute récente (2009), Rasteau est reconnue pour ses rouges pleins et poivrés, issus de l'assemblage « GSM » (grenache, syrah, mourvèdre), classique du Rhône méridional. Je n'avais pas goûté celui de Patrick Brunel depuis deux ans et j'y retrouve la même enveloppe tannique de qualité, ferme, mais sans rudesse ni rusticité et relevée de saveurs mûres, ponctuées d'épices indiennes et de fines herbes séchées. Un classique, avec raison.

123778   19,80$ ★★★ ②

3 760168 120008

CHÂTEAU MONT-REDON
Lirac 2016

En plus de leur châteauneuf, les familles Abeille et Fabre signent un très bon vin rouge de Lirac qui profite d'un élevage partiel (le tiers) en pièces bourguignonnes de 228 litres. Le 2016 était encore vigoureux, plein de vitalité et affriolant lorsque goûté à la fin de l'été 2018. On croque dans le fruit et on se laisse porter par le pouvoir d'attraction du grenache et les bons goûts d'épices des syrah et mourvèdre.
Très belle bouteille vendue à prix juste.

11293970   25,05$ ★★★ ½ ②

3 379935 115316

DOMAINE DE BEAURENARD
Rasteau 2015, Les Argiles Bleues, Beaurenard

Outre de somptueux châteauneufs-du-pape, les frères Coulon élaborent, dans cette propriété de Rasteau, deux rouges sérieux. Le potentiel de garde de celui-ci ne fait aucun doute : tanins fermes et très compacts, saveurs pleines et concentrées qui commencent à peine à s'ouvrir dans le verre et qui font preuve d'un équilibre impeccable entre les éléments. Sa longue finale poivrée et riche d'une foule de détails aromatiques est un gage de longévité. À revoir dans cinq ou six ans.

13039414   32,25$ ★★★⟶★ ③

3 368882 115210

DOMAINE DE BEAURENARD
Rasteau 2016

Si vous doutez encore que les vins du sud du Rhône peuvent être à la fois fins et généreux, goûtez ce Rasteau des frères Coulon. Le 2016 porte toute la suavité du grenache, sa chaleur et ses saveurs vaporeuses, aussi, mais tout cela repose sur une trame saline, un fil de minéralité qui élève le vin en bouche et laisse une sensation presque aérienne en finale. Difficile d'imaginer mieux dans le genre.

706903   27,45$ ★★★★ ② ♥ 💬

3 368882 116019

DOMAINE LES GRANDS BOIS
Cairanne 2015, Cuvée Maximilien

Le vignoble de ce domaine de Sainte-Cécile-les-Vignes (j'adore ce nom!) est conduit en agriculture biologique par la famille Besnardeau qui a produit un 2015 très typé par la concentration de son fruit et par sa charge tannique, doublée d'une acidité fraîche. De bons goûts de cerise mûre, mais pas confite, et un grain serré qui rappelle la barbera piémontaise et donne envie de passer à table, avec un carré d'agneau aux fines herbes. Bonne longueur.

11167375   24,35$ ★★★★ ② ♥ 💬

DOMAINE LES HAUTES-CANCES
Côtes du Rhône-Villages Cairanne 2015, Tradition

Anne-Marie Astart a troqué la médecine pour la viticulture en 1992 lorsqu'elle a repris une partie du vignoble appartenant à sa famille. Avec l'aide de son conjoint Jean-Marie, elle en a doublé la superficie. Le 2015 est tout aussi bon et plus solide que le 2014, décoré d'une Grappe d'or dans la dernière édition du *Guide*. Un vin riche et poivré, aux notes de cacao et de cassis. Tonique et chaleureux. Difficile de trouver mieux à ce prix.

11194711   23,85$ ★★★★ ② ♥

ORTAS CAVE DE RASTEAU
Rasteau 2012, Prestige

Un vin parfaitement mûr et ouvert, élaboré par la cave coopérative de Rasteau. Pas très profond, mais typé de son appellation, avec ses goûts de poivre et son profil à la fois chaleureux et vigoureux. On devrait le boire idéalement au cours de la prochaine année.

952705   22,85$ ★★ ½ ①

PERRIN, FAMILLE
Cairanne 2015, Peyre Blanche

Cairanne, autrefois dénomination au sein des Côtes du Rhône-Villages, est un cru à part entière, comme Rasteau, depuis 2015. À prix abordable, un exemple modeste de cairanne, mais bien exécuté et techniquement impeccable. Les tanins sont souples et mûrs, l'acidité et l'alcool sont en équilibre et le vin déploie des saveurs nettes de fruits noirs et de poivre. À boire d'ici 2021.

13137250   19,95$ ★★★ ②

CLOS DU BOIS DE MENGE
Gigondas 2015

Gigondas est reconnu pour ses vins robustes, aux arômes fumés caractéristiques, mais ce superbe terroir situé à l'est de la ville d'Orange est aussi la source de vins fins et séduisants en jeunesse. Difficile de ne pas être d'emblée séduit par le tapis de tanins tendres et veloutés que ce vin déroule en bouche. Les parfums de violette se développent sur un fond de réglisse noire, de prune et d'olive Kalamata, et forment un ensemble harmonieux. Pas très long, mais on lui pardonne.

11573912   30,75$ ★★★ ②

DOMAINE DE LONGUE TOQUE
Gigondas 2014

Un gigondas au profil ambitieux, généreusement servi par un élevage en fûts. Le grenache et la syrah donnent respectivement au vin son volume et sa structure, ses goûts de cerise et de viande fumée, empreints des senteurs *toastées* et vanillées du bois de chêne. Ample et flatteur, plus généreux que complexe et vendu à prix élevé.

13470589   42$ ★★★→? ③

FERME DU MONT, LA
Gigondas 2016, Jugunda

LA FERME
DU MONT
GIGONDAS
APPELLATION D'ORIGINE PROTÉGÉE
" Jugunda "
VIN NON FILTRÉ
PRODUIT DE FRANCE

Stéphane Vedeau (Clos Bellane, à Valréas) produit des vins de fine mouture dans le sud de la vallée du Rhône. Issu d'un assemblage de grenache (80 %), de syrah et de mourvèdre cultivés dans le secteur des Dentelles de Montmirail, son Jugunda 2016 ne déçoit pas. Mariage exquis de la chaleur du sud, qui donne une matière première mûre et généreuse, travaillée en finesse par un vigneron privilégiant la finesse à la force brute. Le vin, non filtré, a même de petits airs de très bons pinots noirs de Santa Barbara, en Californie, avec son cœur fruité très tendre, sa texture charnue, mais hyper délicate et fraîche. Un excellent gigondas!

13280777   32,75$ ★★★★ ② ♥

GUIGAL, E.
Gigondas 2013

Gigondas de facture classique, sobre et épicé, empreint d'une fraîcheur très attrayante. Il y a également dans ce vin des accents aromatiques qui évoquent davantage le salé que le sucré, avec des saveurs de tomate confite, d'olive noire et de fines herbes. Tout le contraire d'une bombe de fruit, ce vin invite plutôt à passer un bon moment à table.

334615   42$ ★★★ ½ ②

LAVAU
Gigondas 2013

Cette importante maison de négoce signe un très bon gigondas de style traditionnel, maintenant ouvert et prêt à boire. À défaut d'étoffe et de puissance, on appréciera sa patine tannique et sa finale saline, qui ouvre la soif. À servir avec une viande rouge délicate ou une fricassée de légumes relevée d'épices indiennes comme le *garam masala*.

12896810   32,75$ ★★★ ②

MONTIRIUS
Vacqueyras 2015, Le Village

Le vignoble de Christine et Eric Saurel est conduit en agriculture biodynamique depuis une vingtaine d'années. Un peu austère et dans sa coquille lorsque goûté en août 2018 – la phase ingrate des deux ou trois ans – sans toutefois manquer de relief, de profondeur ou de fruit, le 2015 est l'exemple même du vin qui s'impose par la richesse et la force naturelles de son terroir, sans que le vigneron n'en fasse trop. Du volume en bouche, des tanins de qualité, juste assez polis, et des saveurs précises restent en finale. Miam!

872796   22,95$ ★★★★ ② ♥ 💬

VINS DE VIENNE
Gigondas 2016, Les Pimpignoles

Le millésime 2016 a donné des rouges solides et bâtis pour la garde, comme ce gigondas à la générosité et aux parfums tout méditerranéens, mais frais et éminemment digeste. Une trame tannique compacte et soyeuse, et beaucoup de relief, avec des arômes de lavande et de sauge, sur un fond de caroube et de bonbons à la violette. On pourra le laisser dormir jusqu'en 2022-2025.

13211878   37$ ★★★→★ ③

CHÂTEAU SIGNAC
Côtes du Rhône-Villages Chusclan 2015, Combe D'Enfer

J'avais perdu de vue le vin de Jean-Marc Amez-Droz depuis quelques années. Quelle joie de le retrouver en grande forme dans sa version 2015. Beaucoup d'étoffe, de matière, de fraîcheur et des couches de saveurs fruitées, florales et épicées qui se succèdent en bouche et rendent le vin très rassasiant et très digeste. À moins de 20 $, un très bon achat!

917823 18,55 $ ★★★★ ② ♥

CLOS DU CAILLOU
Côtes du Rhône 2015, Bouquet des Garrigues

Retour à des formes un peu plus méridionales, après un 2014 d'une grande élégance. Cela dit, même s'il est un cran plus charnu, le 2015 s'inscrit dans le même esprit de finesse et de pureté, avec une profondeur fruitée et une définition aromatique qui n'ont rien à envier à des appellations plus prestigieuses du Rhône. Et que dire de cette finale minérale qui va crescendo… Un régal!

12249348 29 $ ★★★★ ② ♥

DOMAINE CHARVIN
Côtes du Rhône-Villages 2016

La propriété de Laurent Charvin s'étend sur le nord de l'appellation Châteauneuf-du-Pape, mais l'essentiel des vignobles est classé en Côtes du Rhône. Son 2016 se situe nettement au-dessus de la moyenne de l'appellation par son volume en bouche, son intensité aromatique et sa qualité d'ensemble. Non filtré, plein, charnu et hautement rassasiant avec sa mâche tannique doublée d'un fruit mûr et sa longue finale épicée, florale, vaporeuse. Excellent!

11766618 26,50 $ ★★★★ ② ♥

DOMAINE DE BOISSAN
Côtes du Rhône-Villages Sablet 2015, Cuvée Clémence

Une autre très belle réussite pour Christian Bonfils qui signe un très bon 2015 faisant bien sentir la forte proportion de syrah (50 %) dans l'assemblage, avec des parfums de viande fumée et un grain compact. Pour le reste, le vin est fidèle au terroir de Sablet, souple et tendre en attaque, velouté et très élégant en finale.

712521 22,05 $ ★★★ ½ ②

DUPÉRÉ BARRERA
Côtes du Rhône-Villages 2017

Ce 2017 mise sur le grenache, la syrah et la counoise, une variété moins connue, relativement faible en alcool et souvent utilisée pour apporter une touche d'acidité et de fraîcheur à l'assemblage. C'est peut-être ce qui explique, en partie, le caractère si digeste de ce vin; très agréable à boire dès maintenant.

10783088   19,45$ ★★★ ½ ② ♥ 🍷

3 760144 930058

MAS DES FLAUZIÈRES, LE
Côtes du Rhône Séguret 2016, Cuvée Julien

Les parfums des vins issus du cépage grenache évoquent souvent, le cacao. Celui-ci, produit dans le secteur de Séguret, goûte carrément le chocolat noir 90 %, sans le sucre. Une trame tannique juste assez granuleuse et veloutée à la fois, une sensation de plénitude en milieu de bouche, une amertume élégante et une pointe saline. Original et savoureux.

13387355   20,60$ ★★★★ ② ♥

3 760168 260056

MEFFRE, GABRIEL
Côtes Du Rhône-Villages Plan De Dieu 2016, Saint-Mapalis

Au pied des Dentelles de Montmirail, l'appellation Plan de Dieu est la source d'un bon vin rouge intense et relevé de goûts de réglisse noire et de cassis. La bouche coule, dépourvue d'aspérité tannique, mûre et agréable à boire dès maintenant.

13286829   19,35$ ★★★ ②

3 142920 024401

VIEILLE JULIENNE
Côtes du Rhône 2015, Lieu-dit Clavin

Issu d'une petite parcelle plantée de vieilles vignes de grenache, le vin de Jean-Paul Daumen est toujours à retenir parmi les plus complets des côtes du rhône génériques. Son 2015 est riche, charnu et assez large d'épaules, nourri de goûts intenses de fruits noirs, d'herbes et d'épices. Sa matière dense et sa finale vaporeuse aux parfums de kirsch lui confèrent déjà un charme indéniable.

10919133   29,40$ ★★★★ ② ♥

3 760169 470782

VIGNERONS D'ESTÉZARGUES (LES)
Côtes du Rhône-Villages Signargues 2017, Montagnette

Avec son nez affriolant, sa bouche vibrante de fraîcheur, animée d'un très léger reste de gaz qui donne un élan irrésistible au fruit, la Montagnette me semble plus que jamais une valeur sûre en 2017. Non filtré, le vin tapisse la bouche d'une matière charnue et donne l'impression de croquer dans des cerises juteuses et bien mûres. À ce prix, on peut en faire provision pour les fêtes.

11095949   17,40$ ★★★★ ② ♥

3 760038 251214

BONPAS
Côtes du Rhône 2016, Grande Réserve Des Challières

Ce vin a toute la fraîcheur et l'élan de la jeunesse, mais aussi le fruit et la juste carrure tannique pour plaire, surtout à moins de 15$. Un rapport qualité-prix digne de mention.

12383352   13,65$ ★★★ ② ♥

CHÂTEAU PESQUIÉ
Ventoux 2016, Prestige, Édition 1912M

Le Ventoux bénéficie d'un climat tempéré à la fois par la Méditerranée et par la proximité du mont Ventoux. Ce 2016 déjà commenté dans la dernière édition du *Guide* m'a semblé encore meilleur après un an de repos. Un nez affriolant; une attaque en bouche joufflue et toute la mâche tannique voulue. Rien de profond, mais une expression gourmande et croquante du grenache et de la syrah.

743922   15,55$ ★★★ ½ ② ♥

CHÂTEAU PESQUIÉ
Ventoux 2016, Terrasses

Sur un mode toujours un peu plus fougueux, pour ne pas dire *funky*, la cuvée Terrasses est tout aussi croquante et fruitée en bouche, charnue et posée sur des tanins sphériques, qui la rendent séduisante et accessible en jeunesse. Une valeur sûre inscrite au registre de la SAQ depuis plusieurs années.

10255939   17,35$ ★★★ ②

CHAVE, J.L. SÉLECTION
Côtes du Rhône 2015, Mon cœur

Commenté l'an dernier dans le *Guide*, ce 2015 ne semble pas avoir souffert d'une année de plus en bouteille. Une forte proportion de syrah dans l'assemblage de ce côtes du rhône n'est pas étrangère au profil aromatique un peu animal et sanguin de ce 2015, de même qu'à sa densité tannique. L'attaque est souple, mais les tanins se resserrent en milieu de bouche et le vin offre une très bonne longueur, avec une finale poivrée. Excellent!

10330433   24,80$ ★★★★ ② ♥

GUIGAL, E.
Côtes du Rhône 2015

Je continue d'être impressionnée par le sérieux que porte la famille Guigal à ses cuvées d'entrée de gamme, particulièrement à ce rouge, produit à raison de 4 millions de bouteilles par année! Le 2015 a un profil aromatique un peu plus animal, avec des accents de viande fumée et de cuir, qui sont portés en bouche par une trame souple et bien mûre, ponctuée de bons goûts de cacao en finale. Facile de comprendre qu'il soit si populaire.

259721   20,40$ ★★★ ½ ②

HALOS DE JUPITER, LES
Côtes du Rhône 2016

Le prix a été allégé (le 2014 coûtait 21 $), le vin aussi : plus leste et surtout moins lourd, il me semble. On note même une sensation saline et toute fraîche dans ce 2016, même s'il est issu d'un millésime de concentration. Beaucoup de fruit et des tanins assez denses, mais un très bel équilibre d'ensemble. Finale savoureuse aux accents d'espresso, de violette et de cacao. Amateur de vins du Rhône, faites vos réserves.

11903619   17,90 $ ★★★★ ② ♥

OGIER
Côtes du Rhône 2017, Héritages

Un bon 2017 qui mise à fond sur la rondeur et le profil séduisant du grenache. Cerise mûre et cacao, tanins tendres et sphériques ; rien de compliqué, mais à moins de 15 $, c'est un très bon achat pour qui aime le style.

535849   14,45 $ ★★★ ① ♥

PERRIN, FAMILLE
Côtes du Rhône 2015, Coudoulet de Beaucastel

On a souvent dit du Coudoulet qu'il était un petit Châteauneuf-du-pape. Autant j'essaie d'éviter ce genre de comparaison, autant ça me semble plutôt juste en 2015. Le vin n'a pas l'étoffe du grand vin du Château de Beaucastel – à 30 $, ce serait trop beau –, mais il en a le profil aromatique, entre les notes animales, épicées et herbacées. Un vin mûr et compact, pas très long, mais assez solide pour vieillir encore jusqu'en 2021-2023.

973222   28,55 $ ★★★ ½ ②

VINS DE VIENNE
Côtes du Rhône 2016, Les Cranilles

Un classique au répertoire de la SAQ, Les Cranilles de Pierre Gaillard, Yves Cuilleron et François Villard s'inscrit tout à fait dans le profil gourmand et charnu des 2016. Un vin coloré, aux senteurs invitantes de confiture de framboise et de réglisse, mûr et soutenu par une chair tannique très veloutée. Un régal gourmand.

722991   20,70 $ ★★★ ½ ②

Les Costières de Nîmes s'étendent au nord de la Camargue et forment l'appellation la plus méridionale de la vallée du Rhône. Les vignobles jouissent d'un climat méditerranéen, baignés de soleil et bercés par le Mistral, qui souffle fort et favorise une récolte saine. Ce n'est pas un hasard si ces pages comportent un tel nombre de vins biologiques...

CHÂTEAU DE NAGES
Costières de Nîmes 2015, Vieilles vignes

Michel Gassier et son frère ont hérité du vignoble familial du Château de Nages et en ont fait un fleuron des Costières de Nîmes, puis l'ont converti à l'agriculture biologique il y a 12 ans. Fruit d'un millésime réputé pour ses vins riches, le 2015 demeure frais et digeste ; le nez embaume la violette et suggère un pourcentage nettement plus élevé de syrah, qui ne compte pourtant que pour 10 % de l'assemblage. La bouche est ronde, suave et charnue ; le fruit est précis et juste assez exubérant, traduisant ses origines méditerranéennes, avec une finale savoureuse aux accents d'anis et de garrigue. Un excellent rapport qualité-prix !

12268231   18,60$ ★★★ ½ ② ♥ 💬

0 690604 000133

CHÂTEAU LA TOUR DE BÉRAUD
Costières de Nîmes 2016

Cet assemblage de carignan, de marselan, de grenache et de syrah est en quelque sorte une étiquette parallèle du Château Mourgues du Grès. On retrouve en 2016 le même nez affriolant de bonbon à la violette et la bouche gourmande, potelée et chargée de fruits noirs, qu'une délicate salinité souligne, donnant au vin un caractère très désaltérant. Un achat avisé, comme toujours.

12102629   19,10$ ★★★ ½ ② ♥ 💬

3 760087 400106

CHÂTEAU MOURGUES DU GRÈS
Costières de Nîmes 2015, Terre d'Argence rouge

Fruit d'une sélection de vieilles vignes de syrah, complétées de grenache et, selon le millésime, de mourvèdre ou de carignan. Le 2015 a donné un vin au fruité si succulent, qu'on en oublie presque l'étoffe tannique ferme et compacte qui tient lieu de véhicule aux saveurs pleines, mûres et chaleureuses. Encore jeune, il aura besoin de trois ou quatre ans avant de révéler son plein potentiel.

11659927   23,65$ ★★★→★ ③ ♥ 💬

3 760087 400076

CHÂTEAU MOURGUES DU GRÈS
Costières de Nîmes 2017, Les Galets Rouges

Tout jeune, animé d'une acidité fraîche, plein de vigueur tannique et gorgé des parfums exubérants de violette, de petits fruits noirs et de poivre de la syrah, ce 2017 est, il me semble, l'une des plus belles réussites des dernières années pour Les Galets Rouges. Beaucoup de relief, de vitalité et de longueur pour le prix.

10259753   18,55$ ★★★★ ② ♥ 🗩

GASSIER, MICHEL
Costières de Nîmes 2014, Lou Coucardié

Le fleuron de la marque Michel Gassier est un vin élaboré avec sérieux et beaucoup d'ambitions, misant sur l'expression des cépage mourvèdre (40 %), syrah et grenache, sur les sols à dominante calcaire de la région. Beaucoup de mâche et de fruit à l'attaque, des parfums boisés aussi, un léger creux en milieu de bouche et des tanins plutôt carrés qui mériteraient de se fondre pendant quelques années encore. Soyez patient.

10678261   35,50$ ★★★→? ③ 🗩

GASSIER, MICHEL
Costières de Nîmes 2015, Nostre Païs

Le propriétaire du Château de Nages produit aussi, sous une étiquette éponyme, une très belle gamme de vins, eux aussi, certifiés biologique. Cet assemblage classique du sud (grenache noir, carignan, syrah, mourvèdre et cinsault) a beaucoup d'envergure et s'impose autant par son étoffe que par sa vaste palette de saveurs qui marie le fruit confit au cacao et à la réglisse, avec une jolie pointe florale et herbacée en fin de bouche. Ample, long et très rassasiant.

12854097   23,95$ ★★★★ ② ♥ 🗩

COTEAUX DU LANGUEDOC

Au fur et à mesure que leur style se précise, les différents secteurs des Coteaux du Languedoc gagnent en reconnaissance. En septembre 2016, Pic-Saint-Loup a été promu au rang d'appellation d'origine, au même titre que Saint-Chinian, Faugères et les Terrasses du Larzac. Cette dernière, située tout au nord du Languedoc, est l'une des étoiles montantes du vignoble français.

Aveyron

○ Albi

Côtes de Millau

Montpeyroux

Terrasses du Larzac
Coteaux du Languedoc

Pic-Saint-Loup

Saint-Drézéry

○ NÎMES

Muscat de Lun

La Méjanelle
MONTPELLIER

Faugères

Saint-Chinian

Picpoul-
de-Pinet

BÉZIERS

Cabardès   Minervois

○ CARCASSONNE

NARBONNE ○

La Clape

COTEAUX DU LANGUEDOC

MER
MÉDITERRANÉE

Limoux

Corbières

Fitou

Maury

Côtes du
Roussillon-Villages

PERPIGNAN ○

Côtes du Roussillon

Rivesaltes

Collioure
et Banyuls

ROUSSILLON

ROUSSILLON

On associe d'emblée le Roussillon aux somptueux vins rouges de grenache noir, mais on y produit aussi d'excellents carignans empreints de fraîcheur et de superbes vins blancs issus de grenaches blancs et gris, cultivés sur les sols de schiste.

BIO

Choyés par un climat sec et par les nombreux vents qui soufflent sur la région, plusieurs vignerons ont opté pour la viticulture biologique.

L'automne dernier, je suis allée me balader dans le Languedoc-Roussillon, histoire de faire le plein d'effluves de thym, de romarin, de ciste, de lavande sauvage et autres plantes aromatiques qui composent la garrigue, la végétation locale qui confère, dit-on, ces parfums enivrants à certains vins de la région. La vigne était aussi au rendez-vous, magnifique avec ses feuilles tournant peu à peu au orange, enracinée depuis l'Antiquité dans ces paysages à couper le souffle, entre mer et montagnes. C'est d'ailleurs le plus ancien et le plus vaste vignoble de France.

Longtemps regardés de haut et considérés comme inaptes à produire des vins de qualité, les appellations de cet immense croissant qui s'étend le long de la Méditerranée, de la frontière espagnole à la vallée du Rhône, connaissent un dynamisme sans précédent. Misant désormais à fond sur les multiples facettes de leurs terroirs, les vignerons du Languedoc et du Roussillon redécouvrent les qualités des cépages carignan et cinsault, autrefois considérés comme «roturiers», mais qui peuvent donner des vins racés et étonnamment frais, particulièrement les vieilles vignes. La course à la puissance et à la concentration semble d'ailleurs chose du passé. La plupart des domaines en vue cherchent avant tout à produire des vins – rouges, comme blancs – authentiques et originaux.

La Provence, elle, mise plus que jamais sur la popularité du rosé, qui représentait 89% de la production régionale en 2018. Bien que marginale, la palette de rouges et de blancs produits entre Marseille et Nice, est loin d'être banale.

LES DERNIERS MILLÉSIMES

2017
Le sud n'a pas été épargné par les épisodes de gel du printemps et a connu un été de sécheresse. Résultat: vendange hâtive et petite récolte de raisins d'excellente qualité. Les blancs semblent particulièrement prometteurs.

2016
Une saison estivale très sèche s'est traduite par une faible récolte, dont la qualité s'annonce toutefois satisfaisante. Quelques vins accuseront peut-être une certaine lourdeur en alcool, mais ceux du Roussillon s'annoncent sensationnels.

2015
Une année classique, avec juste ce qu'il faut de pluie au printemps pour renflouer les réserves et permettre à la vigne de s'épanouir pendant la saison estivale. Une récolte de très beaux fruits qui devrait donner des vins plus élégants que puissants.

2014
Dure année pour le midi de la France. Le secteur de La Clape et le Minervois ont été touchés par des épisodes de grêle. Ceux qui ont réussi à vendanger avant les pluies torrentielles de septembre ont pu sauver la mise. La Provence a connu 65 jours de précipitation, contre 50 sur une année normale. On peut anticiper une certaine dilution.

CAZES

Muscat-Viognier 2017, Le Canon du Maréchal, Côtes catalanes

Muscat et viognier. L'assemblage, en théorie, promet d'être explosif, mais en pratique, le résultat est concluant dans le verre. Très aromatique certes, mais loin d'être pommadé ou racoleur. Animé d'un léger reste de gaz, le vin comporte une bonne dose d'extraits, qui contribuent à son tonus. Un bon achat pour l'amateur de muscat sec. D'autant plus qu'ils sont assez rares sur le marché.

10894811 17,05$ ☆☆☆ ½ ② ♥ 🗩

CHÂTEAU COUPE-ROSES

Minervois 2016, Schiste

Le vin blanc de Françoise Calvez est le fruit d'un assemblage de roussanne et de marsanne biologiques, cultivés en altitude et exposés au nord et nord-ouest. Un ensemble de détails qui contribuent à produire un superbe 2016, que j'avais jugé sévèrement l'an dernier, le trouvant un peu lourd. Les mois de repos lui ont été favorables et permettent aujourd'hui de mieux apprécier la minéralité sous-jacente, qui fait contrepoids à la maturité du fruit. Beaucoup de tenue et d'intensité ; il devrait continuer de se bonifier jusqu'en 2023. Amateur de blanc de caractère, à ce prix, faites des réserves.

894519 23,20$ ☆☆☆☆ ② ♥ 🗩

DOMAINE DE LA RECTORIE

Collioure 2016, L'Argile

Le vignoble de la famille Parcé s'étend sur 35 hectares, répartis sur une cinquantaine de parcelles. Jean-Emmanuel Parcé me disait qu'aujourd'hui, les terroirs d'argile ne représentent plus que 5% de l'assemblage ; le nom, lui, est resté. Fruit d'un millésime précoce à Collioure – les raisins ont été récoltés deux semaines plus tôt –, le 2016 est absolument superbe! Sec, riche d'une vaste palette de saveurs et juste assez gras; plus concentré, avec une certaine structure phénolique, mais toujours aussi désaltérant, grâce à une finale saline. Surveillez de près l'arrivée du 2017 à l'automne.

11860111 41$ ☆☆☆☆ ② ♥ ▼ △

DOMAINE DE MOUSCAILLO
Limoux 2015

Limoux se situe au confluent des climats méditerranéen et océanique. Le vignoble de Marie-Claire Fort appartient au terroir de la Haute-Vallée, le plus froid et le plus humide de l'appellation, perché à 400 m d'altitude, sur les sols argilo-calcaires de Roquetaillade.  La vigneronne en tire un blanc d'une exquise minéralité. C'est particulièrement vrai en 2015, alors que le vin me semble plus salin que jamais. Ample et volumineux en bouche, mais plus tendu et désaltérant que bien des vins du Mâconnais. Amateurs de vins blancs de Bourgogne, sortez donc des sentiers battus!

10897851   23,90$ ☆☆☆☆ ② ♥

DOMAINE LA VILLA ANGELI
Corse 2017, Cuvée Initiale, Vermentinu

Le vermentinu est le cépage blanc le plus planté en Corse. Bon vin au caractère salin; frais et empreint d'une certaine élégance en bouche et des parfums d'amande amère en finale, à défaut de profondeur. Bon équilibre, mais un peu trop neutre à mon goût. À ce prix, je m'attendais à mieux.

13185008   21,95$ ☆☆ ½ ①

LA TOUR VIEILLE
Collioure 2016, Les Canadells

En plus d'un très bon rouge commenté plus loin dans ces pages, Vincent Candié signe, dans sa propriété de Collioure, un blanc de grande envergure, mis en vente plus tôt cette année. Composé de grenaches blanc et gris, de macabeu et de vermentino, partiellement fermentés en fûts de chêne, Les Canadells s'apprécie pour sa texture, beaucoup plus que pour ses arômes. Et quelle texture! Riche en extraits, juste assez grasse, avec de délicats accents de beurre et surtout – surtout (!) – la minéralité proverbiale des vins blancs de Collioure. À découvrir sans faute et à laisser reposer en cave quelques années, si vous en êtes capable.

13665474   27,75$ ☆☆☆☆ ② ♥ ▼

MIQUEL, LAURENT
Albarino 2016, Solas, Pays d'Oc

Amateur de curiosités, vous voudrez goûter cette expression languedocienne du cépage albariño, originaire de Galice, au nord-ouest de l'Espagne. Bien qu'il n'ait pas la salinité caractéristique des vins de Rias Baixas, ce 2016 porte les parfums de pêche et d'écorce de citron, propres au cépage et s'avère harmonieux et équilibré. Rien de profond, mais intéressant.

13660315   19,95$ ☆☆☆ ②

CAVE DE ROQUEBRUN
Saint-Chinian 2016, Terrasses de Mayline

Des parfums invitants d'anis et de fruits noirs séduisent d'emblée et rendent ce « petit » saint-chinian succulent et savoureux. Il regorge de saveurs de prunes et d'épices, mettant en valeur l'intensité des syrah, grenache, mourvèdre, carignan et cinsault. Parfait pour accompagner une viande braisée ou la tourtière du temps des fêtes.

3 379430 000674

552505   13,60$ ★★★ ① ♥

CAVE DE ROQUEBRUN
Saint-Chinian – Roquebrun 2015, Granges des Combes

L'appellation Saint-Chinian est géologiquement scindée en deux : à l'est, des sols argilo-calcaires, à l'ouest, des schistes. C'est dans cette dernière zone qu'est située Roquebrun, où la cave coopérative produit cette année encore un rouge hyper affriolant de syrah, de grenache et de mourvèdre. Bien servi par une vinification en macération carbonique (comme dans le Beaujolais), qui rehausse le fruit et les bons goûts de bonbon à la violette, le vin est porté par des tanins sphériques et s'avère très charmeur, mais pas du tout racoleur. Un vin à retenir pour l'amateur de syrah du sud.

3 379431 111942

11661023   19,75$ ★★★★ ② ♥

CLOS BAGATELLE
Saint-Chinian 2015, Au fil de soi

Sauf erreur, c'est la première fois que je goûte cette cuvée du Clos Bagatelle, domaine admirablement tenu par Christine Deleuze. Encore jeune et un peu strict lorsque goûté au courant de l'été, le 2015 portait néanmoins les jolis arômes de fruits noirs et de violette de la syrah et tapissait le palais d'une mâche tannique bien charnue, sans lourdeur. Déjà savoureux, il gagnera cependant à reposer en cave jusqu'en 2022. D'ici là, privilégiez la carafe.

0 659264 115618

13298029   21,75$ ★★★→? ③ △

DOMAINE CANET-VALETTE
Saint-Chinian 2017, Antonyme

Ce vin biologique repose sur un assemblage peu fréquent de mourvèdre et de cinsault, qui s'accompagnent habituellement de grenache et/ou de syrah. Inusité, mais réussi et très original. Le mourvèdre apporte de la structure et des parfums de cuir, de réglisse et d'iode; le cinsault de la légèreté, de la fraîcheur et du fruit. L'équilibre dans le verre est impeccable. Rassasiant, savoureux et d'une longueur appréciable. Un deuxième arrivage du 2017 est prévu en février 2019.

11013317   19,90$ ★★★ ½ ② ♥ ▪

GAILLARD, PIERRE
Faugères 2015, Transhumance

J'ignore s'il s'agit d'une caractéristique des terroirs de Cabrerolles ou de Caussiniojouls, mais je remarque dans presque chaque millésime du Faugères de Pierre Gaillard (aussi vigneron à Malleval, dans le nord du Rhône) les mêmes parfums de cassis. Les fruits noirs se retrouvent aussi en bouche, posés sur des tanins solides et compacts, mais bien enrobés, qui résument les vertus complémentaires des cépages grenache (50%), syrah et mourvèdre. À la fois nerveux en attaque, plein et savoureux en milieu de bouche et chaleureux en finale, avec ses goûts de kirsch et de cacao. À boire sans se presser jusqu'en 2024.

10507307   25,60$ ★★★→★ ③ ♥

LA MADURA
Saint-Chinian 2015

Nadia et Cyril Bourgne ont fait de La Madura l'une des propriétés les plus qualitatives de Saint-Chinian. Leurs vignobles sont morcelés et s'étendent sur les sols de schiste, d'argilo-calcaire et de grès, qui participent à la complexité des assemblages. Depuis son arrivée sur le marché québécois au début des années 2000, leur cuvée Classic fait preuve d'une constance irréprochable. Comme d'habitude, le 2015 ne subit aucun collage ni filtration et déroule un tapis de tanins velouté en bouche, riche d'une foule de saveurs fruitées, florales et poivrées, mais aussi herbacées, lesquelles apportent une agréable fraîcheur aromatique. Beaucoup de plaisir pour le prix.

10682615   20,40$ ★★★★ ② ♥ ⚗

CHÂTEAU L'ARGENTIER
Languedoc – Grès de Montpellier 2015

Ne vous laissez pas tromper par la couleur translucide de ce 2015: ce vin de grenache, de syrah et de carignan est rempli de saveurs. Leste et juteux en attaque, avec des fruits rouges acidulés, des épices et du thé noir; puis, le grain se resserre et fait place à des notes terreuses et herbacées. En somme, un vin élégant qui se mariera bien à de la pintade ou à des cailles. Servir autour de 15 °C et à boire jusqu'en 2021.

12797521 19,75$ ★★★ ½ ②

CHÂTEAU ROUQUETTE SUR MER
**Cuvée Amarante 2015,
Languedoc – La Clape**

À l'est de Narbonne, dans le prolongement des Corbières maritimes, le secteur de La Clape a accédé au statut d'appellation à part entière il y a trois ans. D'emblée séduisant avec son nez intense et concentré, le 2015 de la famille Boscary est une autre grande réussite. Encore un peu marqué par l'élevage à l'automne dernier, le vin était plus harmonieux après quelques mois de repos en bouteille; le fruit et le bois faisant corps. Une expression classique du sud de la France, avec ce que ça implique de suavité, de rondeur fruitée et de délicieux parfums de la garrigue. À moins de 20 $, la question ne se pose même pas. On achète!

713263 19,95$ ★★★★ ② ♥

DOMAINE CLAVEL
Languedoc 2016, Les Garrigues

À quelques kilomètres à l'est de Montpellier, le terroir de la Méjanelle est à plus basse altitude que le reste des Coteaux du Languedoc. Le vin qu'y produit Pierre Clavel ne voit pas de bois et mise à fond sur l'expression fruitée des syrah, carignan et grenache noir, cultivés en bio. Au-delà du fruit, on trouve aussi une profusion d'arômes qui évoquent la garrigue (thym, lavande, romarin, etc.) et qui invitent à passer à table. Une finale minérale, aux accents de graphite, ajoute à sa dimension et à sa profondeur.

874941 22,45$ ★★★ ½ ② 🍷

DOMAINE CLAVEL
Pic-Saint-Loup 2016, La Bonne Pioche

En plus des vins qu'il produit sur le terroir de La Méjanelle, Pierre Clavel signe un excellent rouge composé de syrah (65%), de mourvèdre et de grenache, conduits en agriculture biologique, sur les sols calcaires de Pic-Saint-Loup. Le 2016 se distingue par sa puissance contenue et l'élégance de son fruit. Des notes de fines herbes et d'épices encadrent les cerises acidulées, tandis que les tanins, fins et serrés, ajoutent une tension appétissante au vin. Chaleureux, mais assez délicat et nuancé pour être servi avec un poulet aux fines herbes. Très belle bouteille!

11925658   26,70$ ★★★★ ② ♥ 💬

DOMAINE D'AUPILHAC
Montpeyroux – Languedoc 2015

Lorsque Sylvain Fadat s'est installé à Montpeyroux en 1989, son vignoble se limitait aux alentours du lieu-dit d'Aupilhac et faisait la part belle au carignan, un cépage qu'on avait plutôt tendance à arracher qu'à replanter à l'époque, sous prétexte qu'il donnait des vins rustiques. Son Montpeyroux 2015 en est composé pour le quart. Solide, voire un peu austère lorsque goûté au domaine, l'automne dernier, le vin avait déjà un très beau potentiel, mais il était encore plus harmonieux en septembre 2018. Concentré, riche en parfums de poivre, attribuables au mourvèdre selon le vigneron, et doté d'une force contenue, offrant relief et longueur. Vraiment bon! Il pourrait soutenir la comparaison avec bien des crus de France vendus deux fois plus cher.

856070   23,25$ ★★★★ ② ♥ 💬

JOURDAN, ÉLISABETH & FRANÇOIS
Carignan 2014, Vieilles vignes, Pays du Gard

Ce vin puise son caractère dans de vieilles vignes de carignan, plantées en 1935. Un nez de cassis et de poivre, une attaque en bouche ample et fraîche, riche en goûts de fruits, mais qui porte avant tout la fougue et la poigne tannique propres au cépage carignan. Le vin idéal pour accompagner une pièce d'agneau braisée par une froide journée d'automne.

11587927   20,40$ ★★★ ②

VIGNOBLES JEANJEAN
Languedoc 2016, Devois des Agneaux d'Aumelas

Un vin coloré et robuste, dont l'enveloppe tannique s'accompagne d'une chair fruitée généreuse; les parfums de cassis et de framboise se mêlent aux accents de café et de réglisse. Peut-être le plus complet et le plus satisfaisant des derniers millésimes dégustés. Les fans du Devois seront conquis.

912311   19,45$ ★★★ ②

CHÂTEAU COUPE-ROSES
Minervois 2014, Granaxa

Au cœur du Minervois, dans la commune de La Caunette, Françoise Le Calvez produit d'année en année un très bon minervois. Cette cuvée est composée à 100 % de grenache, cultivé sur des sols argilo-calcaires recouverts de gros galets. Le nez du 2014 déploie de jolies odeurs de fruits noirs et de cacao ; la bouche est vibrante, minérale et riche d'une foule de détails aromatiques, qui rappellent les parfums de la garrigue, tirés en finale par une saine amertume. Excellent !

862326   25,35 $ ★★★★ ② ♥ 🗨

CHÂTEAU COUPE-ROSES
Minervois 2016, Les Plots

Ce minervois, vendu depuis près d'une vingtaine d'années à la SAQ, est devenu une valeur sûre pour plusieurs amateurs de vin rouge du sud. Déjà commenté dans *Le guide du vin 2018*, le 2016 était un peu bourru l'an dernier à pareille date. Bien que les tanins se soient un peu déliés depuis, la cuvée Les Plots demeure quand même plus ferme que d'habitude, sans doute en raison d'un été de sécheresse qui a donné des vins plus concentrés. L'armature tannique est cependant enrobée d'une chair fruitée généreuse, qui harmonise le tout. À boire entre 2019 (après une heure de carafe) et 2024.

914275   21,20 $ ★★★ ½ ② 🍷 🗨

CHÂTEAU DU GRAND CAUMONT
Corbières 2016, Cuvée Impatience

Cette cuvée haut de gamme mise sur la sève de vignes de carignan âgées de plus de 75 ans, complétées de syrah et de grenache. Un cran plus solide en 2016, mais toujours aussi velouté, flatteur et savoureux, avec ses bons goûts de bonbon à la violette sur fond de cuir et de cassis. En finale, une amertume de bon ton coupe dans le fruit et ajoute à son relief et à son caractère. Bon dès maintenant.

978189   18,60 $ ★★★ ②

CHÂTEAU SAINTE-EULALIE
Minervois 2016, Plaisir d'Eulalie

Le vin courant de Sainte-Eulalie est une fois de plus un modèle de bon rouge du sud : charnu, velouté et truffé de goûts de fruits noirs mûris à la perfection. Pas de bois ; les vinifications et l'élevage se font en cuves de béton. Le carignan joue un rôle de premier plan (40 %), ajoutant aux syrah et grenache une agréable fermeté qui encadre le fruit et préserve la fraîcheur. Très joli vin !

488171   18,40 $ ★★★ ½ ② ♥

CHÂTEAU SAINTE-EULALIE
Minervois La Livinière 2015, La Cantilène

Dans le secteur de La Livinière, sur le flanc sud de la montagne Noire, la vigneronne Isabelle Coustal mène son domaine avec une rigueur qui impose le respect. Sa cuvée La Cantilène profite d'un élevage partiel en fûts (dont seulement un quart de chêne neuf), qui nourrit le milieu de bouche d'une matière pleine et étoffée, sans masquer outre mesure les parfums de fruits noirs et de garrigue. Déjà long et profond; il n'atteindra son apogée que vers 2022-2025.

917948   24,40$ ★★★→★ ③ ♥

DOMAINE LERYS
Fitou 2015, Prestige

Le Fitou d'Alban Izard est composé de carignan et de syrah vinifiés en macération carbonique pour aller chercher un maximum de fruit; le grenache est vinifié de manière traditionnelle. Dans l'ensemble, un très bon vin fringant et un brin rustique (au sens positif du terme), qu'on boira vers 2023, avec une viande de gibier.

976852   18,95$ ★★★→★ ③ ♥

DOMAINE ST-JEAN DE LA GINESTE
Corbières 2016, Carte Blanche

Dominique et Marie-Hélène Bacave sont établis près de Narbonne, où ils produisent de très bons corbières. L'assemblage de celui-ci repose sur une forte proportion de carignan (50 %) et donne un vin étonnamment accessible, dense et juteux tout à la fois, gorgé de bons goûts de confiture de petits fruits rouges, avec des accents de fines herbes séchées et de réglisse qui montent en fin de bouche. Bonne longueur, excellent rapport qualité-prix!

875252   18,35$ ★★★ ½ ② ♥

VIGNOBLE DU LOUP BLANC
Minervois 2017, Le Régal

Au pied de la montagne Noire, dans le secteur des Causses, au nord-est du Minervois, Alain Rochard et Nicolas Gaignon ont acquis la propriété qui allait devenir le Vignoble du Loup Blanc en 2002. Les associés ont converti le vignoble à l'agriculture biologique, puis à la biodynamie. Tout juste arrivé sur le marché lorsque goûté en septembre 2018, leur minervois 2017 était dans une forme éblouissante. Pimpant de jeunesse, hyper rassasiant avec son fruit pur et croquant, auquel des accents de menthe et de sauge apportent une délicieuse fraîcheur aromatique. L'étiquette dit vrai : c'est un régal!

10405010   22,60$ ★★★★ ② ♥ 🗨

CAZES
Côtes du Roussillon 2017, Marie-Gabrielle

Cette cuvée de syrah (50 %), de grenache et de mourvèdre – cultivés selon les principes de la biodynamie et certifiés biologiques – est exclusive au marché canadien. Les parfums d'olive noire et de cuir du 2017 pourraient faire croire à un vin plus solaire. Or, la bouche est droite et pleine de vigueur, ponctuée des accents de violette et de poivre qui évoquent plutôt une syrah du nord. À la fois strict et affriolant, chaleureux et doté d'une agréable tension. Un très bon compagnon pour des côtelettes d'agneau. Servir frais autour de 16 °C.

851600   18,45$ ★★★ ½ ② ♥ 🗨

CHAPOUTIER, M.
Côtes du Roussillon-Villages 2016, Les Vignes de Bila-Haut

L'appellation Côtes du Roussillon-Villages englobe les terroirs de la partie nord du Roussillon, adossés au massif des Corbières, à l'exception du terroir des Aspres, situé au sud-ouest de Perpignan. Michel Chapoutier en tire un bon rouge friand et gourmand, qui allie la rondeur, la texture velouté et les saveurs de cacao du grenache, à la vigueur tannique du carignan. Un bon vin de tous les jours.

11314970   15,55$ ★★★ ②

CHÂTEAU DONA BAISSAS
Côtes du Roussillon-Villages 2014

Ce vin offert depuis des décennies à la SAQ est toujours un rendez-vous avec la suavité des bons rouges du sud. Maintenant parfaitement à point, le vin est chaleureux et tissé de tanins fins, polis par l'élevage en fûts et par quatre années de repos. Pas spécialement complexe, mais séduisant dans un style classique et dépouillé.

966135   20,70$ ★★★ ②

DOMAINE DE MAJAS
Côtes Catalanes 2017

Issu de l'agriculture biologique et vinifié avec peu d'intrants – ça se sent –, le vin gagne beaucoup en nuances après une demi-heure d'aération. Il s'ouvre alors sur des arômes attrayants de fraise des bois, de thé vert et d'écorce d'orange qui lui confèrent une grande fraîcheur aromatique. Juteux, plein de vitalité et juste assez *funky*. Le rouge de soif idéal pour l'apéro.

13105910   19,80$ ★★★★ ① ♥

DOMAINE DU CLOS DES FÉES
Côtes du Roussillon 2017, Les Sorcières

Tout au nord du Roussillon, à Vingrau, Hervé Bizeul signe chaque année un très bon vin abordable et bourré de fruit, issu d'une sélection de vieilles vignes de grenache et de carignan âgées de 40 à 80 ans, ainsi que de jeunes vignes de syrah. Ce 2017 marque un retour à des formes un peu plus « normales » après un 2016 particulièrement gourmand. On y trouve la même précision aromatique, avec des accents de réglisse et de poivre qui ponctuent le fruit, mais surtout une bouche plus leste et coulante qui le rend agréable à boire dès maintenant.

11016016   19,70$ ★★★ ½ ②

DOMAINE LAFAGE
Grenache noir 2016, Cuvée Nicolas, Côtes catalanes

Un cran plus solide que le 2015 commenté l'an dernier, mais accentué de parfums d'herbes séchées qui accentuent sa fraîcheur, ce vin livre une belle interprétation du grenache, au pied des Pyrénées. Chaleureux, voire capiteux, avec sa bouche ronde qui traduit une richesse alcoolique (15 %), mais pas du tout brûlant, à condition de le servir autour de 15 °C.

12211366   19,10$ ★★★ ②

FERRER-RIBIÈRE
Côtes du Roussillon 2016, Tradition

La cuvée Tradition que signent Denis Ferrer et Bruno Ribière au sud-ouest de Perpignan, dans la vallée de l'Aspres, nous a habitués à un caractère un peu plus juteux, guilleret et facile à boire. En 2016, elle se présente sous un jour plus dense et plus concentré, mais dans des proportions très harmonieuses. La

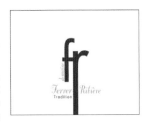

charpente tannique est enrobée d'un fruit bien dodu et l'ensemble est souligné par une acidité fraîche qui met en relief les arômes de fleurs, de fruits noirs et d'aromates. Excellente longueur, super rapport qualité-prix!

11096271   20$ ★★★★ ② ♥

DOMAINE BOUCABEILLE
Côtes du Roussillon-Villages 2015, Les Orris

Jean Boucabeille, ancien banquier, a quitté Paris en 2001 pour rejoindre le vignoble familial, qu'il a converti à l'agriculture biologique dès 2008. J'ai eu un coup de cœur l'automne dernier pour cette cuvée composée majoritairement de syrah (ainsi que de mourvèdre et de grenache) et provenant des sols de schiste de la colline de Força Real. Avec ses accents rôtis et sa bouche pleine et généreuse, mais aussi élégante et empreinte de fraîcheur, le 2015 m'a rappelé certains vins de la Côte Brune, à Côte Rôtie. La syrah offre son grain tannique serré, le grenache, son fruit velouté et ses accents de cacao, et le mourvèdre apporte sa touche poivrée en finale. Un vin très substantiel, promis à un bel avenir.

12680613   45,25$ ★★★→★ ③ 🗨

DOMAINE DE LA RECTORIE
Collioure 2016, L'Oriental

Les appellations Collioure et Banyuls partagent le même territoire et reposent essentiellement sur le grenache noir. Cette cuvée en est issue à 90%, complétée de carignan. Les raisins sont vendangés à la maturité des vins de Banyuls, sans passer par l'étape du mutage (voir l'introduction de la section Vins fortifiés). Il n'est donc pas étonnant de retrouver dans ce 2016 l'expression aromatique hyper généreuse, la robustesse et le fini chaleureux d'un vin doux naturel de Banyuls. Du kirsch, des cerises confites, du chocolat noir et des herbes séchées, des tanins potelés et une finale saline qui tranche dans le fruit et confère une sensation étonnamment digeste à l'ensemble. Un gros vin à faire vieillir en cave au minimum de sept ou huit ans. Excellent et unique en son genre.

En primeur

13836915   34,50$ ★★★★ ③

DOMAINE GAUBY
Muntada 2016

Le millésime 2016 dans le Roussillon a été marqué par la sécheresse, qui a produit des raisins concentrés, mais portant aussi un très bel équilibre entre la charge tannique, l'acidité et le fruit. Résultat: dans l'ensemble, des vins exquis dont il faudra mettre quelques bouteilles de côté pour la longue garde. Goûté sur fûts lors d'une visite au domaine en octobre dernier, la Muntada 2016 de Gérard Gauby est un monument de puissance et d'élégance, tout à la fois. Plein, riche, savoureux et pourtant si digeste, avec une finale toute en dentelle, leste, ouverte. Dans une classe à part...

13159002   125$ ★★★★ ② ♥

DOMAINE LA TOUR VIEILLE
Collioures 2016, La Pinède

Sur les schistes de la côte Vermeille, la vigne doit développer des racines profondes et robustes, pour aller puiser les éléments du sous-sol et pour survivre aux assauts de la tramontane, un vent puissant du nord-ouest. En 2016, ce vin composé majoritairement de grenache noir se révèle d'abord léger et facile à boire, avec un fruit noir très expressif, relevé de notes d'eucalyptus; puis, il se raffermit en un noyau ferme et minéral, avant de terminer sur une finale vaporeuse aux goûts de cerise à l'eau-de-vie et de garrigue. Pas très long, mais savoureux.

13638513   26,15$ ★★★ ½ ②

FERRER-RIBIÈRE
Carignan 2015, Côtes Catalanes

Cette cuvée issue de vignes centenaires de carignan est d'abord vinifiée en macération carbonique – afin d'extraire un maximum de fruit – et termine avec une vinification traditionnelle. C'est sans doute ce qui explique la buvabilité de ce vin, année après année. Aucune dureté dans le grain tannique, mais une matière solide et juteuse, teintée de notes minérales, salines et herbacées, porteuses d'une grande sensation de fraîcheur. Arrivée prévue avant le temps des fêtes. Excellent!

12212182   22,85$ ★★★★ ② ♥ 💬

PITHON, OLIVIER
Côtes du Roussillon 2016, Cuvée Laïs

En 2001, Olivier Pithon a quitté sa Loire natale pour s'installer à Calce, à un jet de pierre du mythique Domaine Gauby. Ses vignes, bien enracinées dans les schistes bruns et gris, sont certifiées biologiques. La cuvée Laïs est nommée en l'honneur... d'une vache! Une belle vache Jersey, originaire du nord, qui s'est acclimatée au terroir du sud, comme le vigneron. Même issu d'un millésime de grande concentration dans le Roussillon, le 2016 conserve un profil très digeste; des tanins serrés encadrent le fruit noir et la finale est juteuse, relevée de notes poivrées. À boire d'ici 2021.

11925720   29,25$ ★★★★ ② 💬

CAZES
Cap au Sud 2017, Pays d'Oc

Ce vin est le fruit d'un assemblage des raisins de la propriété Cazes (Côtes Catalanes) et d'achat de raisins d'appellation Pays d'Oc, aussi cultivés en biodynamie. Un rouge méridional classique : souple, chaleureux, gorgé de fruit et facile à boire. Très bon vin bio de tous les jours.

12829051   14,95$ ★★★ ① ♥ 💬

3 248847 699354

CHAPOUTIER, M.
Grenache-Syrah 2016, Marius, Pays d'Oc

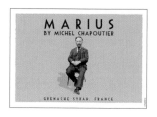

En appellation Pays d'Oc, Michel Chapoutier produit aussi ce bon vin courant, inscrit au répertoire général de la SAQ. D'emblée, on ne peut qu'être ravi de ne trouver dans ce rouge aucune trace de sucre résiduel, ni parfums de bois, ni rusticité. Plutôt une expression mûre et charnue des cépages grenache et syrah, avec tout ce qu'il faut d'acidité pour rester frais et désaltérant. À ce prix, faites-en donc provision pour les soirs de semaine et les réunions du temps des fêtes.

11975196   13,55$ ★★★ ② ♥

3 391180 003255

CHAPOUTIER, M.
Vermentino-Terret 2016, Marius, Pays d'Oc

Tout nouveau à la SAQ, le blanc de la gamme Marius (le rouge est commenté ci-dessus) est le fruit d'un assemblage de vermentino et de terret. Le premier est aussi connu en Provence sous le nom de rolle ; le second est un ancien cépage du Languedoc, qui se décline en trois couleurs (noir, gris et blanc), comme le pinot et le grenache. Aucun de ces deux cépages n'a le lustre de la roussanne, de la marsanne ou du viognier, les trois stars du Rhône, mais ils donnent ici un blanc tout à fait charmant, original, juste assez texturé et plein de fraîcheur, dont la finale saline se mariera bien aux huîtres et aux palourdes.

12561024   15$ ☆☆☆ ① ♥

3 391182 601534

DOMAINE DE CIBADIÈS
Chardonnay 2017, Pays d'Oc

Cultivé à l'ouest de Béziers, sous un climat méditerranéen, le chardonnay adopte une allure un peu plus ample, avec des accents de fruits tropicaux évoquant l'ananas, tout en conservant une acidité fraîche. Un bon vin blanc gras, à servir avec un poulet rôti ou des pâtes carbonara.

12284741   15,35$ ☆☆☆ ①

3 443660 001722

DOMAINE DE TAVERNEL
Pont Neuf 2017, Vin de Pays du Gard

Cette année encore, cet assemblage de merlot, de marselan, de cabernet sauvignon et de syrah, tous issus de l'agriculture biologique est un très bel exemple d'un bon vin du sud, gorgé de soleil et fidèle à ses origines. Rassasiant et charnu, on croque dans le fruit mûr et on se régale de sa finale chaleureuse aux accents de garrigue et de réglisse.

896233   16,25$ ★★★ ½ ① ♥ ◗

DOMAINE LES SALICES
Viognier 2016, Pays d'Oc

Dans le Minervois, au pied de la montagne Noire, le Bordelais François Lurton produit deux vins issus de cépages rhodaniens, dont ce très bon viognier, qui évite les pièges d'exubérance et de mollesse, souvent associés à cette variété aromatique, mais capricieuse. À apprécier pour la netteté de ses arômes floraux et sa fraîcheur.

10265061   14,65$ ☆☆☆ ① ♥

DUPÉRÉ BARRERA
Terres de Méditerranée 2016, Pays d'Oc

Un peu fermé au premier nez, avec des relents poussiéreux, le 2016 met quelque de temps avant de se révéler. Les arômes d'anis, de violette, de cuir et de poivre apparaissent à l'aération. La bouche est solide et les tanins sont assez denses pour satisfaire l'amateur de rouge charnu, mais le vin est avant tout séduisant et taillé pour la table. À boire d'ici 2020.

10507104   15,40$ ★★★ ½ ① ♥

PAUL MAS
Côté Mas Blanc Méditerranée 2017, Pays d'Oc

Bien qu'il comporte une petite proportion de sauvignon blanc (15%) et de chardonnay, ce blanc du Pays d'Oc porte avant tout les traits aromatiques, la texture et la fraîcheur saline des cépages grenache blanc et vermentino. Pour pas cher, un très bon vin blanc sec plutôt original; net, précis et désaltérant. On achète les yeux fermés.

13289510   11,45$ ☆☆☆ ① ♥

CHÂTEAU REVELETTE
Coteaux d'Aix-en-Provence 2015

D'ordinaire fruité, floral et affriolant, le 2015 était plutôt sévère et sauvage, lorsque goûté à la fin août 2018. Un exemple assez typique de syrah du sud, avec son tissu tannique très compact et ses accents ferreux qui rappellent une viande rouge. Un peu dur d'approche pour le moment, mais son excellente feuille de route depuis une quinzaine d'années me donne envie de lui accorder le bénéfice du doute. À revoir dans six ou sept mois.

10259737   24,30$ ★★★→? ③ 💬

CHÂTEAU REVELETTE
Coteaux d'Aix-en-Provence 2016, Le Grand Rouge

L'année 2016 a été aussi aride en Provence qu'ailleurs dans le midi de la France, mais les vignes du Château Revelette ne semblent pas en avoir souffert. Au contraire, le Grand Rouge fait même preuve d'une étonnante buvabilité, qui nous font oublier ses 14 % d'alcool. Le nez est plutôt discret, mais les couches de saveurs se succèdent en bouche, tirées en finale par un grain tannique soyeux, frais et élégant, très bien servi par l'élevage. Le premier arrivage de 2016 est prévu en novembre, le second en avril 2019.

10259745   42$ ★★★★ ③ ♥ 💬

CHÂTEAU VANNIÈRES
Bandol 2010

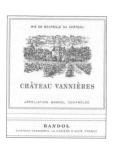

Au moment de conclure cette 38ᵉ édition du *Guide*, on trouvait encore dans une vingtaine de succursales cet excellent bandol, arrivé à maturité. Ce 2010 reflète pour moi toutes les vertus d'élégance et de fraîcheur de ce terroir provençal à la forte personnalité. Un nez de champignon et de feuille morte annonce un vin à point; les tanins du mourvèdre sont fondus par huit années d'élevage et déroulent en bouche un tissu tannique soyeux, mais encore bien présent. Et ses effluves de cuir, d'iode et de réglisse qui montent en finale et invitent à passer à table… J'aime le Bandol!

13637254   49,25$ ★★★★ ①

DOMAINE DE LA BÉGUDE
Bandol 2015

Au nez, on reconnaît les senteurs particulières du cépage mourvèdre, qui évoquent le cuir et le poivre frais moulu. La bouche est un peu stricte et nerveuse en attaque, mais l'ossature propre aux vins de Bandol est enrobée d'une chair fruitée, mûre et suave qui tapisse le palais. Un vin encore jeune qu'il faudra laisser dormir quelques années avant de pouvoir l'apprécier à sa juste valeur.

13622626   31,50$ ★★★→★ ③ Ⓢ 💬

DOMAINE LES BÉATES
Coteaux d'Aix-en-Provence 2015, Les Béates

Le vignoble de Pierre-François Terrat est certifié biologique et il y applique les principes de la biodynamie pour renforcer la fertilité et la santé des sols. Son 2015 est purement délicieux et très provençal par sa carrure, enrobée d'une chair généreuse et par son registre de saveurs à la fois animales, herbacées et épicées, avec le fruit en trame de fond. Une grande profondeur aromatique et beaucoup de relief dans ce vin fort en caractère et encore vibrant de fraîcheur, qu'on pourra boire sans se presser au cours des six ou sept prochaines années. Si vous avez manqué l'arrivage de septembre, vous pourrez toujours vous reprendre avec la nouvelle commande, prévue pour février 2019.

11358260   29,75$ ★★★★ ② ♥ 🍵

3 591161 071130

DOMAINE LES BÉATES
Coteaux d'Aix-en-Provence 2016, Les Béatines

Gorgé de fruit, gourmand et juteux en attaque, cet assemblage de syrah, de grenache et de carignan surprend en fin de bouche par sa poigne tannique. Beaucoup de vin dans le verre pour le prix. Parfait pour les côtelettes d'agneau parfumées aux herbes de Provence.

13027886   20,70$ ★★★★ ② ♥ 🍵

3 591161 081337

GROS NORÉ
Bandol 2014

Après une réussite triomphale – rien de moins (!) – en 2013, Alain Pascal récidive et signe un 2014 tout aussi savoureux et harmonieux, en dépit des conditions météorologiques peu favorables, marquées par la pluie. Encore jeune et animé d'un léger reste de gaz en août 2018, le vin marie la poigne tannique du mourvèdre à la légèreté du cinsault, la rondeur du grenache et la fougue du carignan. Un vin sombre aux parfums de terre, de fruits noirs et de poivre, ferme et bâti pour vivre au moins jusqu'en 2024; avant cela, mieux vaudrait le laisser respirer en carafe au moins une heure avant de le servir. Si vous manquez l'arrivage d'octobre de ce délicieux 2014, vous pourrez vous reprendre avec la deuxième commande, prévue pour février 2019.

12930926   44,50$ ★★★★ ② 🍷

3 760109 875141

SUD-OUEST

PAYS BASQUE

Le cabernet franc est originaire du Pays basque espagnol. On raconte qu'il aurait migré de l'autre côté des Pyrénées grâce à l'initiative de quelques pèlerins, sur le chemin du retour de Saint-Jacques-de-Compostelle. Moins tannique et coloré que d'autres cépages du Sud-Ouest, il s'adapte bien aux terroirs frais, comme celui de Chinon dans la Loire. Il est également le père du cabernet sauvignon et du merlot.

JURANÇON

Les nombreux vins liquoreux du Sud-Ouest – jurançon, pacherenc du vic-bilh, gaillac, monbazillac – sont autant de solutions de rechange abordables au sauternes.

○ Sa

Cogn

Gironde

Lesparre
○

Bordeaux ◎

○
Arcachon

Lango

Adou

Tursan

○ Bayonne

PAYS BASQUE

Béarn

Pau
○

JURANÇON

Les vins du Sud-Ouest n'ont jamais été aussi connus et appréciés. Ceux de Jurançon, de Gaillac, de Fronton, d'Irouléguy et de Marcillac piquent la curiosité des amateurs à la recherche de goûts différents. Et ceux de Cahors et de Madiran sont maintenant réhabilités, après un long passage du côté obscur de la force.

On trouve bien quelques ceps de merlot, de cabernet et de sauvignon blanc dans certaines zones, mais le Sud-Ouest est avant tout un jardin ampélographique dédié à des variétés anciennes, le plus souvent uniques à cette vaste région. Plantés sur les terroirs appropriés, les cépages négrette, mauzac, duras, manseng, courbu, auxerrois, fer servadou, tannat, malbec et autre abouriou sont les cartes maîtresses qui préservent l'originalité des vins du Sud-Ouest. Ça et le travail des vignerons, évidemment.

Limoges ⊙

CAHORS

Les meilleurs vins rouges de Cahors peuvent vivre plusieurs années, mais il n'est plus nécessaire d'attendre une décennie avant de les boire. Plusieurs vignerons de cette appellation du Lot signent aujourd'hui de très bons vins, qui misent avant tout sur la fraîcheur et l'expression fruitée du cépage malbec.

Rosette
Dordogne
ourne
Bergerac
Côtes de Duras
CAHORS
Lot
Côtes du
Marmandais
Aveyron
Marcillac
○
Rodez
Coteaux
du Quercy
ôtes du Brulhois   Montauban ○
Gaillac
Albi
○
Fronton
int-Mont

Toulouse ⊙

MADIRAN

Même si quelques rares vins rouges rudes et abrasifs sévissent encore, la plupart des vignerons réussissent à maîtriser la force tannique du tannat pour en tirer des vins plus harmonieux.

MADIRAN /
PACHERENC DU VIC-BILH
Garonne

CAHORS ET MADIRAN

LES DERNIERS MILLÉSIMES

2017

Un vrai désastre pour les vignerons du Sud-Ouest : les gelées d'avril ont amputé la récolte à hauteur de 25 % à 100 %, selon les secteurs. Une vague de chaleur pendant l'été a accéléré le mûrissement. Le peu de vin produit devrait être de très belle qualité.

2016

L'hiver dans le Sud-Ouest a été doux, mais très humide, tout comme le printemps. Ces conditions ont retardé la floraison et les vignerons ont dû composer avec des maladies, en plus d'averses de grêle. Quantités en baisse, malgré un été chaud et sec.

2015

À part quelques vignerons malchanceux, touchés par la grêle et les orages, un excellent millésime en perspective, qui devrait rivaliser avec 2014 pour les vins de Cahors et de Madiran.

2014

Contre toute attente, un excellent millésime qui a donné des vins de facture classique à Cahors et à Madiran. Une belle fin de saison aura permis de récupérer le retard occasionné par un été en dents de scie. Qualité exceptionnelle pour les liquoreux.

2013

Autre année de disette, avec un été parsemé de grêle, de problèmes de pourriture. Seul note positive : des vendanges sous le soleil.

2012

Du gel, de la grêle et un temps généralement froid et pluvieux. 2012 aura été l'année de toutes les intempéries dans le Sud-Ouest. La récolte fut petite, mais de qualité satisfaisante, grâce, entre autres, à de bonnes conditions météorologiques à compter du 15 septembre.

2011

Grande réussite pour les vins blancs ! Le meilleur millésime depuis 2005. Des vins rouges concentrés à Madiran et à Cahors, certains affichant un degré alcoolique relativement élevé.

2010

Des conditions misérables au printemps ont entraîné de fréquents problèmes de coulure. Résultat : une récolte réduite de vins parfois sauvés par une fin de saison favorable.

2009

L'un des bons millésimes des dernières années. Dans les deux appellations, les vins s'annoncent solides et structurés.

CLOS UROULAT
Jurançon 2015

Je fréquente les vins liquoreux sur une base professionnelle, mais j'en bois très peu et j'en achète très rarement. Je fais cependant une exception pour le jurançon de Charles et Marie Hours. Chaque année, quand je le vois sur les tablettes de la SAQ, c'est plus fort que moi. Que je le boive en jeunesse ou après une longue sieste en cave, je ne suis jamais déçue. Issu de petit manseng, comme c'est la coutume dans le Sud-Ouest, ce vin semble à peine sucré, tant il est structuré et soutenu par une acidité vive. Presque tannique, riche d'un éventail de saveurs de fruits compotés, séchés et confits, de notes organiques qui évoquent la terre, les feuilles mortes, le tabac. Hyper complexe et vendu à un prix abordable. À redécouvrir!

709261   19,15$ (375 ml)   ☆☆☆☆ ② ♥

CRU BARRÉJATS
Sauternes 2004

Au terme d'une longue bataille juridique, Mireille Daret a finalement pu reprendre les parcelles de cette propriété du Haut-Barsac, située non loin de Château Climens. À compter du millésime 2010, les vins – toujours élaborés sans chaptalisation – porteront le nom de Cru Barréjats-Daret. Le 2004 est très fin et parfaitement équilibré. Sa richesse en sucre ne fait pas obstacle à la fraîcheur ressentie en bouche ni à la subtilité de ses arômes qui se déroulent avec beaucoup de nuances. Compte tenu de sa qualité et de son âge, son prix me paraît on ne peut plus justifié.

12958881   51,25$ (500 ml)   ☆☆☆☆ ½ ②

DOMAINE DU TARIQUET
Côtes de Gascogne 2016, Premières Grives

Au pays de l'Armagnac, la famille Grassa produit un sympathique vin blanc moelleux et plein de fraîcheur. Le cépage gros manseng apporte des arômes fort originaux de fruits tropicaux et de pâte de coing, en plus de lui assurer une poigne d'enfer, grâce à son acidité naturelle. Fruité, tendre et facile à boire. Un bon vin authentique, à prix abordable.

561274   18,60$ ☆☆☆ ②

CAMIN LARREDYA
Jurançon sec 2016, La Part Davant

Ancien joueur professionnel de rugby devenu vigneron, Jean-Marc Grussaute veille sur le vignoble familial qu'il conduit selon les principes de la biodynamie. À première vue et au premier nez, on serait presque porté à douter de la mention «sec» sur l'étiquette tant la couleur de son vin est dorée et son nez riche. La bouche est pourtant parfaitement droite, tendue, minérale et structurée. Les parfums de poire et d'amande fraîche se dessinent avec élégance et sobriété, portés par une matière juste assez grasse pour enrober l'acidité. On pourra le boire sans se presser jusqu'en 2025. D'ici là, laissez-le s'ouvrir en carafe pendant une heure.

12233434   32$ ☆☆☆☆ ② ♥ ⚗ 🗨

CAUSSE MARINES
Gaillac 2017, Les Greilles

Virginie Magnien et Patrice Lescarret tire le meilleur du terroir de la commune de Vieux et des cépages len de l'el, mauzac, ondenc et muscadelle pour produire un blanc fort en caractère. Pour la banalité et le petit blanc passe-partout, il faudra chercher à une autre adresse. Des vinifications avec les levures indigènes et un apport limité en soufre (25 mg de SO_2 total, ce qui est infime) donnent à ce blanc un profil nature, les défauts en moins. Le fruit s'exprime avec beaucoup d'éclat, leste et volubile; la texture est nourrie, presque tannique, et le vin distille une grande fraîcheur, malgré une acidité relativement faible. Si vous pensez encore que tous les vins blancs se ressemblent, vous aurez là matière à réflexion.

860387   24$ ☆☆☆☆ ② ♥ 🗨

DOMAINE DU TARIQUET
Côté 2016, Côtes de Gascogne

Le domaine de la famille Grassa a été parmi les premiers à élaborer (à une échelle commerciale) des vins blancs secs au cœur du pays de l'Armagnac, une région où les vins de table n'ont jamais eu une grande réputation. Cet assemblage unit le gras du chardonnay et l'expression aromatique du sauvignon blanc. La vivacité est enrobée d'un reste perceptible de sucre, mais l'ensemble demeure harmonieux. Bon vin grand public, techniquement correct.

561316   17,60$ ☆☆ ½ ①

HOURS, CHARLES
Jurançon sec 2015, Cuvée Marie

La cuvée Marie est excellente, même dans les millésimes jugés ingrats. Elle n'allait donc pas décevoir en 2015, une année qui a été particulièrement favorable à Jurançon. Le nez est si riche en parfums de fruits jaunes qu'on pourrait craindre une certaine sucrosité. Ce serait mal connaître le style de Marie et Charles Hours, et le naturel tranchant du cépage gros manseng. Dans le verre, un vin exquis par la maturité de son fruit et sa tenue de bouche exemplaire; vibrant, salin et porté par un équilibre classique. À moins de 25$, il demeure une aubaine au rayon des blancs de terroir.

896704   24$ ☆☆☆☆ ½ ② ▼ ♥

OSMIN, LIONEL
Jurançon sec 2016, Cami Salié

En plus de deux très bons vins blancs commentés dans les pages suivantes et vendus à moins de 15$, Lionel Osmin commercialise sous une marque éponyme ce bon vin de Jurançon. Très sec et très vif, mais bien équilibré, avec des senteurs originales mêlant le citron, le céleri et la cire d'abeille. Ce genre de vin s'apprécie autant en jeunesse, qu'après six ou sept ans de repos en cave.

13402316   25,30$ ☆☆☆ ②

DOMAINE LA HITAIRE
Chardonnay 2017, Côtes de Gascogne

Si vous craignez la lourdeur et les parfums beurrés de certains chardon-nays, alors vous voudrez goûter celui produit par la famille Grassa dans les Côtes de Gascogne. Sec et vivifiant, avec des goûts d'agrumes et de pomme verte, et une acidité tranchante qui vous ouvre l'appétit, à l'heure de l'apéro.

12395185   17,25$ ☆☆☆ ①

DOMAINE LA HITAIRE
Les Tours 2017, Côtes de Gascogne

Un bon vin blanc vif et sec, composé d'ugni blanc, de colombard et de gros manseng. Aromatique, simple, facile à boire et encore vendu sous la barre des 10 $ après toutes ces années.

567891   9,30$ ☆☆ ½ ① ♥

LURTON, FRANÇOIS
**Sauvignon blanc 2017,
Les Fumées blanches,
Côtes de Gascogne**

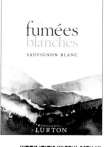

L'un des premiers vins blancs des Côtes de Gascogne à avoir misé à fond sur le pouvoir de séduction du sauvignon, lequel se présente sous un jour plus sobre depuis quelques an-nées. Moins de parfums de pamplemousse, mais toujours cette même sensation rafraîchis-sante, accentuée par un léger reste de gaz. Aussi offert en format 3 litres – vin en boîte (vinier) à la SAQ (**11714181** : 46,40 $).

643700   13,95$ ☆☆☆ ① ♥

PYRÈNE
**Beau manseng 2017,
Côtes de Gascogne**

Dans sa version 2017, ce vin composé à 100 % de gros manseng – d'où son nom – regorge de fraîcheur et de bons goûts de fruits blancs, au point où il donne l'im-pression de croquer dans une poire. Sec et soutenu par une acidité tranchante, caractéristique du gros manseng, mais tout à fait harmonieux et doté d'une longueur étonnante pour un blanc vendu sous la barre des 15 $. De beaux accords en perspective avec un céviche ou des sushis.

13188778   14,95$ ☆☆☆ ½ ②

PYRÈNE
Cuvée Marine 2017,
Côtes de Gascogne

Habillé d'une jolie étiquette rétro et coiffé d'une capsule aux allures d'une enseigne de salon de barbier, ce vin de colombard, de sauvignon blanc et de gros manseng est particulièrement aromatique en 2017. Des saveurs intenses de pamplemousse rose, auquel il emprunte aussi l'acidité et l'amertume. Un très bon achat pour l'amateur de blanc vif et parfumé.

11253564   12,95$ ☆☆☆ ① ♥

RÉSERVE DE L'HERRÉ
Sauvignon blanc 2017,
Vin de France

En plus d'un très bon vin rouge du Douro commenté dans la section Portugal, le Québécois André Tremblay et ses deux associés français élaborent un très bon blanc sec, désormais commercialisé comme Vin de France (autrefois Vin de Table) et conséquemment vendu à un prix encore plus attrayant. Le 2017 a tout le fruit et la vigueur souhaités ; vif, mais sans dureté, net, franc et bien satisfaisant.

13361438   13,50$ ☆☆☆ ① ♥

VIGNERONS DE BRULHOIS (LES)
Carrelot des Amants 2016,
Côtes de Gascogne

Ce vin est élaboré par une cave coopérative, qui regroupe une quarantaine de vignerons au nord-ouest de Toulouse. Composé de sauvignon et de gros manseng, le 2016 offre beaucoup de plaisir pour un prix dérisoire. Les saveurs sont nettes et le vin est sec et vif, ce qui n'exclut pas le volume en bouche. Dans cette catégorie, difficile de trouver mieux.

11675871   10,40$ ☆☆☆ ① ♥

France

CHÂTEAU EUGÉNIE
Cahors 2015

La famille Couture est profondément enracinée dans les terroirs du Causse, où elle produit, entre autres, cette cuvée d'entrée de gamme, composée de malbec et de merlot (20 %). Le 2015 me paraît plus solide que d'habitude et porte la marque d'un élevage partiel en fûts, avec des arômes prononcés d'aneth. Des tanins de belle qualité, tricotés très serrés, donnent en finale une sensation astringente. Un bon vin à laisser reposer idéalement un an ou deux en cave.

721282   16,45$ ★★★ ②

CHÂTEAU HAUTE-SERRE
Cahors 2000, Georges Vigouroux

Au moment d'écrire ces lignes, on trouvait encore quelques bouteilles de cet excellent 2000; un vin parfaitement ouvert, qui caresse le palais d'une texture soyeuse, affinée par 18 années d'élevage. Une couleur très avancée, grenat clair; un nez de champignons et de terre humide et une finale un peu relâchée, tournant court. Ce n'est pas le plus profond des cahors, mais à moins de 30$, voici une belle occasion de goûter un vin à point. À boire sans trop tarder.

11555618   29,95$ ★★★ ①

CLOS DE GAMOT
Cahors 2014

La famille Jouffreau veille depuis trois siècles sur ce vignoble qui compte de très vieilles vignes de malbec, âgées de 40 à 120 ans. Sauf erreur, c'est la première fois que je goûte ce vin, pourtant distribué depuis longtemps à la SAQ, si je me fie à son code à six chiffres. Un excellent cahors au profil classique, droit et distingué, qui confirme tout le bien que je pense des vins de cette appellation. Rien d'exubérant, au contraire, on a plutôt ici un vin au profil dépouillé et authentique, qui n'est pas sans rappeler certains crus bourgeois du Médoc, produits dans les années 1980. Charmant et bâti pour tenir jusqu'en 2024, au moins.

913418   26,40$ ★★★★ ③ ♥

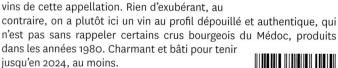

CLOS LA COUTALE
Cahors 2016

Ce domaine d'une cinquantaine d'hectares situé dans la partie occidentale de l'appellation produit un cahors d'excellente qualité en 2016. Le millésime, marqué par une mauvaise floraison, a donné des rendements naturellement plus faibles, ce qui se traduit ici par un vin dense et riche en saveurs de violette, de confiture de bleuets et de poivre. Plein, charnu et soutenu par une saine acidité qui le rend particulièrement agréable à table avec des saucisses grillées. Pour le prix, impeccable!

857177 15,45$ ★★★★ ② ♥

CLOS TRIGUEDINA
Cahors 2009, Probus

Cette cuvée haut de gamme de la famille Baldès est un bel exemple du vin de Cahors dans sa forme traditionnelle et authentique. Plein et nourri, le 2009 arbore une couleur sombre et déploie des saveurs élégantes de fruits noirs, de fleurs séchées et de tabac blond; les tanins sont polis par les années, mais encore compacts et porteurs d'une agréable fraîcheur. Déjà ouvert, il montre assez de matière en réserve pour vivre jusqu'en 2021. Excellent!

12450287 42$ ★★★★ ②

COSSE-MAISONNEUVE
Cahors 2015, La Fage

La Fage est toujours le plus ouvert et le plus gourmand des trois vins du domaine offerts à la SAQ. Issu de vignes de malbec âgées d'une trentaine d'années et cultivées en bio sur les troisièmes terrasses du Lot, le vin est tissé de tanins ronds et regorge de saveurs affriolantes de fruits noirs, de violette et de poivre. Ample, complexe, élégant et plein de vitalité. Servir frais autour de 15 °C.

10783491 27,20$ ★★★★ ② ♥ 🗨

COSSE-MAISONNEUVE
Cahors 2015, Le Combal

Chaque millésime, depuis une dizaine d'années, les vins de ce domaine de Cahors, certifié biologique, me donnent l'impression d'être toujours plus achevés. Un peu réduit à l'ouverture, le Combal affiche la concentration d'un millésime de petits rendements. Solide, structuré, presque austère aux premiers abords, mais aussi hyper élégant et riche d'une foule de nuances aromatiques qui se dessinent en bouche au fur et à mesure que le vin s'ouvre et qui persistent en finale pour notre plus grand plaisir. Un vin authentique et digeste qui en offre beaucoup pour le prix.

10675001 20,90$ ★★★★ ② ♥

CHÂTEAU LAFFITTE-TESTON
Madiran 2015, Vieilles vignes

Par leur équilibre et leur juste sens des proportions, les vins de la famille Laffitte font partie des classiques de Madiran. Le 2015 est strict et solide, sans être brutalement tannique, et bien servi par un élevage en fûts de chêne. Un peu austère en fin de bouche avec ses tanins secs et une pointe d'amertume, mais son harmonie d'ensemble laisse présager un bel avenir. À boire entre 2020 et 2024.

747816 24,40$ ★★★ ½ ②

CHÂTEAU PEYROS
Madiran 2010, Greenwich 43N

Je n'ai jamais eu trop d'affinités avec les vins de ce domaine que je trouve souvent un peu massifs et asséchants. Ce 2010, par exemple, est noir comme de l'encre et aussi loin du fruit que puisse l'être une boisson issue de jus de raisins. L'attaque en bouche est ferme au point d'être austère, les tanins semblent dénués de tout enrobage et les parfums s'apparentent à tout (anis, réglisse, truffe, herbes séchées, crayon de plomb), sauf au fruit. Cela dit, ce vin est tout de même charmant à sa manière, par la qualité de ses tanins et par son caractère dépouillé. À apprécier à table avec une viande saignante et bien persillée, histoire de mettre un peu de chair dans votre repas. À point, mais on pourra l'apprécier jusqu'en 2021.

11095279 32,25$ ★★★ ½ ②

CHÂTEAU PEYROS
Madiran 2013, Vieilles vignes

En théorie, l'apport de 20% de cabernet franc au tannat (80%) devrait conférer à ce vin une finesse aromatique et une certaine souplesse. À défaut de cela, l'amateur de vin musclé appréciera ses goûts de réglisse sur fond de vanille et d'épices douces. Encore plus s'il est servi avec des plats copieux de gibier.

488742 23,10$ ★★ ½ →? ③

DOMAINE BERTHOUMIEU
Madiran 2014, Charles de Batz

Tant par son nez habilement boisé que par sa fermeté doublée d'élégance, en bouche, ce madiran me rappelle certains très bons crus bourgeois du Médoc. Un superbe vin à la couleur sombre et au nez profond. Velouté, ce qui n'exclut pas la poigne et la tenue; tout en nuances et très long en bouche. Impeccable et vendu à un prix accessible. Comment ne pas aimer?

715516   28,45$ ★★★★ ③ ♥

DOMAINE BERTHOUMIEU
Madiran 2015, Constance

Ne vous fiez pas à son prix, ce vin, c'est du sérieux! Le tannat sous un jour dense, compact et trapu; noir comme de l'encre et déployant en bouche une volée de tanins fermes. Imposant sans être brutal, ce colosse affiche encore une grande jeunesse et n'a pas fini de se développer. Amateur de vin corsé, sautez là-dessus!
À boire entre 2020 et 2024.

10778975   18,40$ ★★★ ½ ③

PRODUCTEURS PLAIMONT
Madiran 2014, Maestria

Cette cave dirigée par Olivier Bourdet-Pees mène parallèlement des recherches visant la restauration de vieux cépages locaux. Le Maestria est un peu austère dans sa mouture 2014. On a au moins eu la sagesse de ne pas gommer la nature du cépage tannat avec du bois. Cela dit, le vin pourrait prendre un peu plus de chair autour de l'os.

10675271   18,50$ ★★★ ②

CAUSSE MARINES
Gaillac 2017, Les Peyrouzelles

Virginie Maignien et Patrice Lescarret optent pour des vinifications sans ajout de levures ni de soufre et une mise en bouteille sans collage ni filtration. Leur vin est toujours fort en caractère et s'avère particulièrement digeste et juteux en 2017, au point d'avoir des airs de fleurie, dans le Beaujolais. Sa finale aux bons goûts de fruits rouges et de poivre, soutenue par une acidité qui vous pince les joues, appelle un autre verre. Et un autre. Et un autre...

709931   24,75$ ★★★★ ② ♥

CHÂTEAU TOUR DES GENDRES
Bergerac 2015, La Gloire de Mon Père

Passablement marqué par l'élevage à l'ouverture, ce 2015 se montrait sous un jour plus harmonieux après une longue aération en carafe. Beaucoup d'étoffe et de chair fruitée dans cet assemblage de cabernet sauvignon, de malbec et de merlot, mais aucun excès et un bel équilibre d'ensemble. On gagnera à le laisser reposer en cave jusqu'en 2020-2022, le temps que les éléments se fondent.

10268887   25,20 $ ★★★→★ ③ ⚗

CLOS DU MOULIN
Bergerac 2012

Déjà prêt à boire, mais pas du tout fatigué, ce 2012 est encore nerveux en attaque et enrobé par la rondeur fruitée du merlot, dont il est composé à 65%. Issu d'une parcelle en conversion à l'agriculture biologique; droit, net et relativement léger en alcool (12,5%). Idéal pour les soirs de semaine.

12859728   15,95$ ★★★ ②

DA ROS, ELIAN
Côtes du Marmandais 2014, Chante Coucou

Élian Da Ros a rejoint le domaine familial de Cocumont après un passage en Alsace, au domaine Zind-Humbrecht. Quelques années lui ont suffi pour insuffler un dynamisme sans précédent aux Côtes du Marmandais. Son Chante Coucou 2014 est purement savoureux et porte la signature habituelle d'élégance et de sobriété du vigneron. La cerise noire, la menthe, le poivron rouge grillé et le tabac se succèdent en bouche, tirés en finale par un grain tannique dont l'exquise finesse s'apparente plus à un vin de Bourgogne que du Sud-Ouest. Déjà excellent, mais il tiendra la route jusqu'en 2024, au moins.
Retour en succursales prévu avant Noël.

12723142   36,50$ ★★★★ ③

DA ROS, ELIAN
Côtes du Marmandais 2016, Le vin est une Fête

Chaque année, en dégustant ce vin et en regardant son étiquette, je me fais le même commentaire : « tu parles, que le vin est une fête ! » Ce rouge composé de merlot, de cabernet franc et d'abouriou offre tout à la fois un fruit gouleyant, une certaine étoffe tannique, une profondeur aromatique et une immense buvabilité. Aérien, guilleret, mais bien ancré dans le terroir du Marmandais. Un pur régal ! Retour en succursales vers la mi-novembre 2018.

11793211   22,30 $ ★★★★ ② ♥

DOMAINE VAYSSETTE
Gaillac 2014, Cuvée Léa

Si, pour vous, l'expression du terroir de Gaillac se résume aux vins de Causse Marines et de Plageoles, alors vous serez sans doute dérouté par ce vin rouge plutôt musclé et marqué par un élevage d'un an en fûts de chêne. L'identité des cépages braucol et syrah se mesure davantage en bouche qu'au nez, avec des parfums de fruits noirs et de poivre, et une certaine vigueur tannique. Charnu et bien tourné, dans un style conventionnel.

12395193   24,55 $ ★★★ ②

OSMIN, LIONEL
Bergerac 2016

Lionel Osmin s'approvisionne chez une foule de viticulteurs et vignerons du Sud-Ouest pour produire les vins de cette marque éponyme. Il tire de raisins de merlot et de cabernet, cultivés dans le secteur de Bergerac, un très bon vin rouge dont l'étoffe tannique doublée de rondeur fruitée n'est pas sans rappeler certains rouges de la rive droite de Bordeaux. Un vin très polyvalent à table, qu'on pourra boire maintenant ou remiser en cave pendant quelques années.

12687364   18,80 $ ★★★→? ③

OSMIN, LIONEL
Marcillac 2016, Mansois

Ce vin encore tout jeune et coloré met à contribution l'œnologie moderne, qui atténue la fougue naturelle du cépage mansois – aussi nommé fer servadou dans d'autres appellations du Sud-Ouest. Fruité et épicé, plus souple et facile à boire que le sont habituellement les vins de cette appellation située aux portes du Massif Central, mais doté d'aspérités tanniques qui lui assurent une certaine vigueur. À boire d'ici 2021.

11154558   17,20 $ ★★★ ②

ITALIE

Entre la fraîcheur des montagnes au nord et les régions chaudes et arides au sud, en passant par les Apennins au centre, le pays regroupe une multitude de sols et de climats, et bénéficie également d'une immense diversité biologique, avec près de 400 cépages indigènes! Depuis le début des années 1980, l'Italie a vécu les années les plus fertiles de sa longue histoire viticole. Après des décennies de viticulture *all'improvviso*, le pays est entré dans la modernité, aussi bien en matière d'ampélographie que d'agriculture et d'œnologie. Cette grande révolution donne aujourd'hui de très beaux fruits.

Les chianti, barolo et barbaresco n'ont jamais été aussi bons et de partout surgissent des vins délicieux, d'appellations et de cépages obscurs dont on ignorait jusqu'alors l'existence. Et avec les projets de délimitation et de classification de terroirs qui se poursuivent en ce moment dans les appellations Barolo, Barbaresco, Montalcino et maintenant Chianti Classico et Vino Nobile di Montepulciano, parions que l'avenir sera tout aussi captivant.

Bien sûr, tout n'est pas parfait. Le manque de constance et d'hétérogénéité qualitative au sein d'une même appellation est l'un des défis auxquels les consommateurs doivent faire face lorsque vient le moment d'acheter un vin italien. Prenez les vins de Soave, par exemple. De vraies montagnes russes! Un monde de différences sépare les petits blancs industriels vifs et dilués des meilleurs blancs, fins et minéraux, élaborés par des vignerons sérieux. Pourtant, le meilleur et le pire portent tous deux le nom Soave. Comment s'y retrouver?

C'est là tout l'intérêt de ce livre: vous guider et épargner au passage vos portefeuilles... et vos papilles. Heureusement, les pages suivantes foisonnent de bonnes bouteilles, vendues à des prix souvent avantageux. La route des vins italiens est hyper riche. Partez à sa découverte.

PIÉMONT

La profondeur des vins de Barolo et Barbaresco réside, entre autres, dans les coteaux escarpés et vallonnés, qui fournissent au vignoble une multitude de microclimats. Mais les locaux vous diront que le mystère du vin est dans la terre d'Alba, également mère de la fameuse truffe blanche.

SUISSE

AUTRICHE

Lac Léman

Trentin-
Haut-Adige

Frioul-Vénétie
Julienne

Val-d'Aoste

SLOVÉNIE

CROATIE

Vénétie
Vérone
Venise

TOSCANE

La Toscane est le royaume du sangiovese. Des plus légers (chianti classico, chianti colli senesi, etc.) aux plus costauds et boisés (chianti classico riserva, brunello di Montalcino), tous font de merveilleux compagnons de table.

PIÉMONT

Parme

Émilie-Romagne

Ligurie

Bologne

RANCE

SAINT-MARIN

Florence

TOSCANE

Marches

Ombrie

Corse
(FRANCE)

ROME
Latium

Abruzzes

Molise

Pouilles

Naples

Basilicate

Campanie

Golfe
de
Tarente

SARDAIGNE

MER
TYRRHÉNIENNE

Calabre

SARDAIGNE

La Sardaigne était sous la juridiction du royaume d'Aragon pendant près de quatre siècles (1323 à 1720). Les cépages de l'île sont donc en majorité originaires d'Espagne.

MER
IONIENNE

SICILE

SICILE

Bien qu'elle soit avant tout connue pour ses vins corsés et chaleureux, la Sicile produit aussi d'excellents rouges souples et délicats – ceux de Cerasuolo di Vittoria et de l'Etna, par exemple – ainsi que très bons vins blancs.

TUNISIE

Italie Piémont

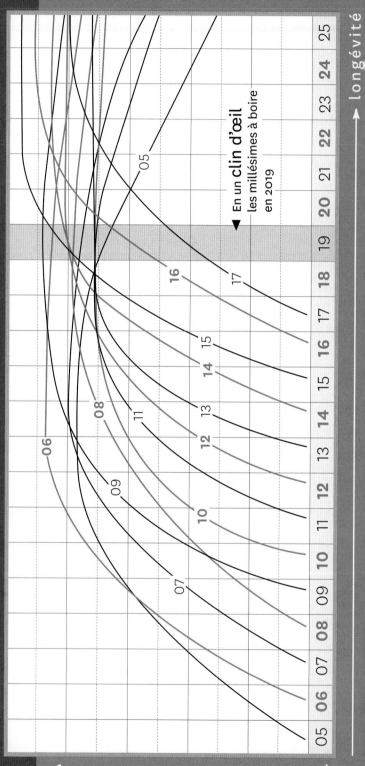

En un **clin d'œil**
les millésimes à boire
en 2019

longévité

qualité

LES DERNIERS MILLÉSIMES

2017

Récolte hyper précoce dans le Piémont ; faible production, belle qualité. L'un des pires millésimes de mémoire d'homme pour la Vénétie et le Frioul, qui ont connu un été très pluvieux. Tout aussi difficile en Toscane, où la canicule a été suivie d'une vague de froid et de pluie. Dans les Marches et les Abruzzes, la sécheresse a donné des rouges aux tanins durs et des blancs plutôt lourds.

2016

Qualité aussi satisfaisante que la quantité dans le Piémont ; potentiellement un très bon millésime pour toute la région. En Vénétie, une vague de chaleur a donné de gros rouges puissants et des blancs parfois un peu mous. Top qualité aussi en Toscane, tant au centre que sur la côte ; les chiantis et les brunellos devraient bien vieillir. Les Marches et les Abruzzes ont été moins choyés, le froid et la pluie ayant donné des résultats hétérogènes. Un printemps froid a retardé la floraison en Campanie et dans le Basilicate, mais un été chaud a sauvé la donne.

2015

Grande année pour les vins rouges du Piémont. Les barolos et barbarescos devraient vivre longtemps. En attendant, on pourra boire les dolcettos et barberas, eux aussi, très bien réussis. Qualité en hausse pour l'amarone après le désastreux millésime 2014. En Toscane, le printemps pluvieux a permis à la vigne de faire ses réserves avant un été chaud et sec. La qualité s'annonce excellente pour les vins de Chianti et de Montalcino. Tout comme pour les vins rouges des Marches, des Abruzzes et des régions du sud du pays.

2014

Un été humide et très frais, voire froid dans certains secteurs, a donné du fil à retordre aux vignerons du nord de l'Italie. Un millésime à oublier pour l'amarone. En revanche, dans le Piémont, les variétés tardives comme le nebbiolo pourraient donner des vins d'un équilibre classique. Récolte assez abondante en Toscane, mais qualité incertaine. Dans les Abruzzes, les vignobles d'altitude ont connu un meilleur sort, tout comme les vins blancs des Marches.

2013

Floraison et récolte tardives dans le Piémont ; peu de vins de longue garde. Très bonne année pour les vins de Soave. En Toscane, un mois de septembre ensoleillé a permis de sauver la récolte. Peu de grandes réussites, mais quelques bonnes bouteilles de consommation rapide.

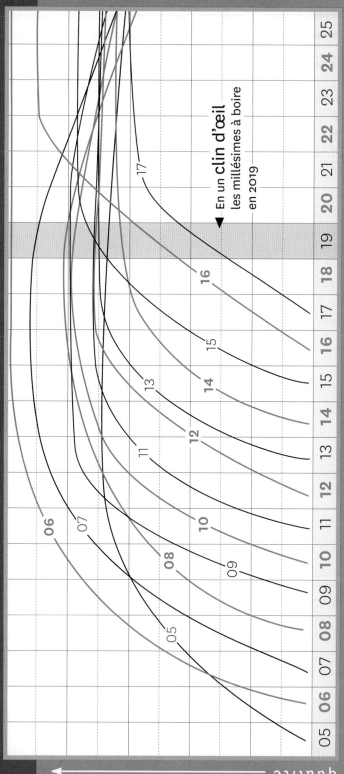

Italie Toscane

longévité

qualité

En un **clin d'œil**
les millésimes à boire
en 2019

2012

Une petite récolte et des vins de très bonne qualité dans le Piémont. Sécheresse et canicule en Vénétie et en Toscane. Quelques Valpolicella accusent une certaine lourdeur et un excès d'alcool. En Toscane, un mois de septembre plus frais a néanmoins permis de maintenir un équilibre classique. Les cépages du Sud – l'aglianico en particulier – ont mieux supporté les excès de température.

2011

Un millésime de chaleur dans le Piémont et en Toscane a donné des vins parfois capiteux. Qualité variable, surtout en Toscane où certains vins de sangiovese ont souffert d'un stress hydrique, occasionnant des saveurs végétales. La réputation du producteur fait toute la différence. Grande année pour l'amarone.

2010

Récolte déficitaire et qualité hétérogène dans le Piémont; la signature du producteur sera un critère de choix. Même scénario en Toscane – y compris Bolgheri – où des problèmes de pourriture ont causé des soucis à plusieurs. La région de Montalcino semble avoir profité de conditions plus propices. En Vénétie, les vins rouges de Valpolicella joueront – à défaut de puissance – la carte de la légèreté et de l'équilibre; les bons amarones seront rares.

2009

Dans l'ensemble, bon millésime dans tout le nord du pays. Été très chaud dans le Piémont et récolte très satisfaisante de nebbiolo ayant donné beaucoup de bons vins. Grand succès annoncé dans le Valpolicella. Très belle fin de saison en Toscane; qualité générale prometteuse.

2008

Un été chaud et sec dans le Piémont; des barolos et des barbarescos apparemment de fort belle qualité. Chaleur et sécheresse en Toscane ont aussi conduit à un troisième succès d'affilée, après 2007 et 2006. En Vénétie, des conditions idéales pour le valpolicella et l'amarone.

2007

Grand succès dans le Piémont; une récolte de vins structurés, déficitaire d'environ 25 % (grêle à Barolo). Dolcetto et barbera ont aussi donné des vins très satisfaisants. Excellent millésime en Toscane, que plusieurs comparent à 2004 et à 2001. Grand succès aussi à Bolgheri, où le cabernet sauvignon semble avoir eu le meilleur sur le merlot. Bonne qualité en Vénétie, surtout chez les producteurs patients qui ont attendu le beau temps.

2006

Excellent millésime dans le Piémont en dépit de conditions climatiques parfois extrêmes. Grande année en Toscane. Remarquable en Vénétie, en particulier pour les amarones.

BENI DI BATASIOLO
Barolo Riserva 2007

Maintenant à point, ce bon vin chaleureux, qui a mûri avec élégance, présente les notes de fenouil, de champignon et de fumée typiques d'un vieux barolo. Les tanins sont fondus par 10 ans de repos et l'ensemble est tout à fait harmonieux, à défaut de profondeur.

11599231 37,25$ ★★★ ②

FONTANAFREDDA
Barolo 2014

Dans un millésime difficile qui a malgré tout bien réussi au nebbiolo, le barolo «de base» de Fontanafredda mise avant tout sur la pureté et la vitalité du fruit, avec une certaine poigne tannique qui rappelle ses origines. Moins complexe que certains nebbiolos (Alba ou Langhe) sur le marché, mais recommandable et disponible en importante quantité, dans l'ensemble du réseau SAQ. Trois étoiles dans sa catégorie.

20214 29,85$ ★★★ ②

GRASSO, SILVIO
Barolo 2013

La famille Grasso produit du vin depuis 1927, mais elle n'a commencé à embouteiller qu'au milieu des années 1980, au moment où Alessio Federico a succédé à son père, Silvio. Issu d'une parcelle plantée il y a une trentaine d'années dans la commune de La Morra, ce barolo «tout court» est droit, presque strict en raison de sa fermeté tannique. Un nez très typé de nebbiolo, des saveurs profondes qui évoquent le salé autant que le fruit et une juxtaposition d'amertume et d'acidité qui fait saliver. Excellent!

12287782 47,25$ ★★★★ ②

GRASSO, SILVIO
Barolo 2013, Annunziata Vigna Plicotti

Sur une parcelle d'un hectare, plantée en 1982, la famille Grasso a produit un barolo à l'image des vins du millésime 2013: ferme, costaud et taillé pour la longue garde. Trame compacte, tissée de tanins fermes; saveurs de cerise fraîche sur fond de cuir, de liqueur amère, de kirsch et de graphite. Ses accents minéraux et sa vigueur portent d'ailleurs une très agréable fraîcheur. Aucun doute, il gagnera à reposer en cave au moins jusqu'en 2022.

13616285 77,25$ ★★★→★ ③

PODERI COLLA
Barolo 2012, Bussia Dardi Le Rose

Fruit d'un millésime marqué par une faible récolte, le Bussia 2012 est déjà ouvert, accessible et sent bon les fleurs séchées et le fruit rouge. La bouche est élégante à l'attaque, avec des effluves de bonbons à la violette et de terre humide. La mâche tannique est serrée, mais fine à la fois ; une amertume noble tire en finale des saveurs de champignons porcini séchés. Très bon !

10816775   59,75$ ★★★★ ②

PODERI COLLA
Barolo 2013, Bussia Dardi Le Rose

Tout le contraire du 2012 commenté précédemment, le Bussia 2013 est l'exemple même du barolo qui aura besoin de quelques années pour «se faire». Cela dit, le vin est déjà excellent avec son grain tannique dense et ferme, caractéristique du nebbiolo, et ses saveurs fraîches, qui se livrent avec retenue. Son intensité contenue, son équilibre d'ensemble et sa finale complexe aux accents de cerise, de fleurs et d'herbes séchées sont autant de gages d'un bel avenir. À laisser reposer de quatre à cinq ans, au moins. Arrivée au début de janvier 2019.

10816775   59,75$ ★★★★→? ③

PRINCIPIANO FERDINANDO
Barolo 2014, Del Comune di Serralunga d'Alba

Dans le Piémont, les conditions de l'été et de l'automne 2014 n'ont vraiment été favorables qu'aux cépages tardifs, comme le nebbiolo. Âgé d'à peine 4 ans, ce vin a le tempérament droit et strict, typique de l'appellation, avec ses arômes de cerise acidulée et de terre humide, qui rappellent le thé pu'er. Très bonne qualité.

11387301   46,75$ ★★★ ½ ③

PRUNOTTO
Barolo 2014

Le barolo en mode enrobé, velouté et accessible, à défaut de profondeur réelle. Agréable avec ses saveurs florales, fruitées et mentholées, qui évoquent la pastille à la cerise, mais n'y cherchez pas l'étoffe réelle d'un bon barolo. Arrivée prévue en décembre 2018.

11563423   44,75$ ★★ ½ ②

BENI DI BATASIOLO

Barbaresco 2014

Le 2014 est ferme et anguleux et dégage des senteurs de cuir et de viande qui lui confèrent un petit côté sauvage. Une solide charpente tannique lui donne davantage de vigueur que de charme, pour le moment, du moins. Correct, pour un barbaresco d'entrée de gamme.

13111842 27,10$ ★★ ½→? ③

BORGOGNO

Nebbiolo Langhe 2013, No Name

Un nez de champignon, de sous-bois et de fruits secs annonce un nebbiolo bien évolué. L'attaque en bouche ronde et mûre est d'abord charmante, mais l'acidité, les tanins et l'alcool semblent dissociés de l'ensemble et font paraître le vin bancal, pointu et presque osseux. À ce prix, je passe mon tour.

12024245 38,50$ ★★ ½ ②

PODERI COLLA

Barbaresco 2015, Roncaglie

Certains vins vous donnent envie de vous mettre à table et de vous y poser pendant de longues heures à manger, à converser, à profiter de la vie, simplement. C'est précisément l'effet que me fait ce barbaresco. Par son grain soyeux et granuleux tout à la fois, par son fruité pur, juteux et ciselé, qui fait place en finale à un bouquet d'herbes séchées, ce vin fait preuve d'une sincérité rare. Pas d'artifice. Juste le plaisir réconfortant d'un terroir qui parle et nous invite à l'écouter. Arrivée prévue au début de janvier 2019.

11100120 49,75$ ★★★★ ③

PODERI COLLA

Nebbiolo d'Alba 2015

Le nez embaume la confiture de framboise et annonce un nebbiolo en mode juteux et gourmand. La bouche suit, mûre et nourrie d'une chair fruitée dodue, dans laquelle tranche une amertume en finale. Rien de négatif cependant, puisque ça met le fruit en relief et ajoute une certaine profondeur à l'ensemble. À boire entre 2019 et 2022.

10860346 25,95$ ★★★ ½ ②

PRODUTTORI DEL BARBARESCO
Barbaresco 2015

Cette cave fondée en 1958 est l'une des coopératives les plus dynamiques du pays et demeure une excellente adresse où trouver des vins piémontais de facture classique, à prix abordables. Le barbaresco «tout court» du domaine est un archétype de son appellation, tant par ses arômes nets de griotte et d'herbes séchées, que par sa vigueur tannique, doublée d'une chair mûre. Encore jeune, il témoigne de l'excellente qualité de 2015, qui s'annonce comme un millésime de grande garde.

12558909   41,10 $ ★★★★ ②

PRODUTTORI DEL BARBARESCO
Nebbiolo Langhe 2016

Le millésime 2016 marque un autre grand succès pour ce nebbiolo qui est vite devenu une référence pour les amateurs de rouges du Piémont. Tout l'élégance et le caractère éminemment digeste du cépage, la robustesse en moins. En prime, un éventail de saveurs fruitées, florales et herbacées qui culminent en une longue finale vaporeuse. Même goûté côte à côte avec des barolos et barbarescos, il faisait bonne figure... Délicieux!

11383617   27,20 $ ★★★★ ② ♥

SANDRONE, LUCIANO
Nebbiolo d'Alba 2016, Valmaggiore

Le vignoble de Valmaggiore (66 hectarres – pente de 65 %, en amphithéâtre) est situé dans l'un des rares secteurs de Roero (plutôt réputé pour ses blancs) propices à la culture de nebbiolo, grâce à des sols sableux très filtrants. Ce nebbiolo qui complète ses «malos» en fûts de chêne de 500 litres, où il est ensuite élevé pendant 12 mois, est tout le contraire du rouge d'apéro. L'attaque en bouche a la densité tannique d'un bon nebbiolo d'envergure, son astringence et ses goûts caractéristiques de griotte et d'amaro, aussi. On n'a pas tenté d'enrober le tout avec le crémeux du bois neuf et c'est tant mieux. Déjà excellent, il restera au sommet jusqu'en 2023, au moins.

12042582   41,50 $ ★★★★ ③

CHIARLO, MICHELE
Barbera d'Asti 2015, Cipressi

Ce 2015, commenté l'an passé, m'avait semblé plus ou moins satisfaisant l'an dernier à pareille date. Le vin a depuis gagné en profondeur, au nez, comme en bouche. Une pointe d'acidité volatile, toute la vivacité et la vigueur tannique du cépage et de bons goûts de cerise et d'herbes séchées qui rappellent les liqueurs amères.

12383934 15,95$ ★★★ ② ♥

GRASSO, SILVIO
Dolcetto 2016, Langhe

Un nez affriolant de framboise et de thé noir met la table pour un dolcetto croquant et gourmand. Tout guilleret et tout frais en bouche, avec une attaque vigoureuse. Puis, le vin se fond en une trame juteuse et leste, plutôt que dense et corsée, comme tant de dolcettos ambitieux qui se donnent des airs de nebbiolos. L'exemple même de vin qu'on sirote sans trop se poser de question, mais avec beaucoup de plaisir.

12062081 20$ ★★★★ ② ♥

MARCHESI ALFIERI
Barbera d'Asti 2016, La Tota

Souple à l'attaque, le grain tannique se contracte en milieu de bouche et témoigne d'un bon usage du bois. Herbes séchées, amertume élégante et bonne longueur. L'une des belles réussites des derniers millésimes pour ce domaine familial de San Martino Alfieri, entre Asti et Alba.

12102389 26$ ★★★ ½ ②

PODERI COLLA
Barbera d'Alba 2015, Costa Bruna

Cette barbera conjugue dans des proportions exemplaires la maturité du fruit et la fraîcheur. Les tanins souples encadrent le tout en une finale persistante. Dans l'immédiat, on voudra l'aérer en carafe au moins une demi-heure, mais le mieux serait de l'attendre jusqu'en 2021.

13674371 25$ ★★★★ ③ ♥

PODERI COLLA
Bricco del Drago 2012, Langhe

Créé en 1969 par le docteur Degiacomi, cette cuvée, fruit d'un assemblage de dolcetto et de nebbiolo, distille toujours le même charme avec son grain tannique soyeux et son élégance classique. Le 2012 est jeune et aura besoin d'encore quelques années avant de «se faire», mais il a déjà toutes les vertus de fraîcheur et de droiture recherchées dans un bon compagnon de table. Arrivée en succursales en décembre 2018.

927590 29,95$ ★★★→★ ③ ♥

PODERI COLLA

Dolcetto d'Alba 2016, Pian Balbo

À 18 $, ce dolcetto offrira un plaisir garanti à l'amateur de rouge italien. Tout léger aux premiers abords, avec un nez de petits fruits et une attaque en bouche juteuse, le vin se resserre en une trame charnue qui encadre le fruit de tanins granuleux et laisse en finale une sensation drôlement fraîche et vigoureuse. Pour l'apprécier à sa juste valeur, laissez-le reposer une demi-heure au frigo avant de le servir avec des charcuteries ou des pâtes aux tomates cerises confites.

13674362   18 $ ★★★ ½ ② ♥

0 836951 000635

SANDRONE, LUCIANO

Barbera d'Alba 2016

À vue de nez, une barbera «ambitieuse». Les malos et l'élevage ont été réalisés en barriques de 500 litres. Encore jeune, le vin se présente d'un seul bloc. Tout y est (structure tannique, fruit compact, vivacité et longueur), mais les éléments ont encore besoin de quelques mois, voire de quelques années en cave, pour se fondre. Il sera intéressant de le revisiter vers 2021.

13622263   38,25 $ ★★★→? ③

8 022534 415756

SANDRONE, LUCIANO

Dolcetto d'Alba 2016

Déjà plus ouvert que son cousin issu de Barbera, il demeure tout de même concentré au nez, avec des odeurs animales, sur fond de cerise, de mûre et de fleurs. La bouche est tout aussi complexe et se présente en une mâche tannique bien serrée, néanmoins soyeuse en attaque. Ne lui manquait qu'un peu de longueur pour mériter quatre étoiles.

10456440   25,35 $ ★★★ ½ ②

8 022534 516750

TRINCHERO, EZIO GIACOMO

Barbera d'Asti Superiore 2013, Terra del Noce

La famille Trinchero est dédiée à la culture biologique de vieilles vignes de barbera. Les vins sont fermentés et élevés en vieux foudre de chêne de Slavonie, une région du nord-est de la Croatie. Au nez, on retrouve l'ADN d'une bonne barbera: acidité volatile, réduction, petits fruits noirs. La bouche est franche et vive, posée sur des tanins fins et elle est aussi marquée par un caractère animal, avec des accents de fruits cuits et de réduction, qui se mêlent aux goûts de cerise fraîche. Une longue finale, avec des couches de saveurs complexes, appelle une viande longuement braisée. Miam!

12517710   27,50 $ ★★★★ ② ♥

0 815541 005007

FORADORI
Teroldego 2016, Vigneti delle Dolomiti

Elisabetta Foradori est à l'origine de la renaissance du cépage teroldego, dans les collines du Trentin. Le vignoble est conduit selon les principes de la biodynamie depuis 2002. Son teroldego 2016, qui arrivera sur le marché en novembre, est encore jeune, très coloré et revigorant comme l'air frais des montagnes avec son attaque en bouche nerveuse, animée d'un léger reste de gaz. Pour le reste, quel éclat, quelle vibrance dans ce vin à la fois souple, coulant, tout léger et riche d'un éventail de saveurs fruitées, florales, poivrées et animales. On pourra l'apprécier dès maintenant, en prenant soin de le laisser respirer une bonne demi-heure en carafe. Excellent!

12825835   32$ ★★★★ ② ♥ ⚱

8 029627 152147

LAGEDER, ALOIS
Cabernet Riserva 2014, Alto Adige

Même s'il est encore un peu fermé, ce vin qui s'appuie sur un assemblage de cabernet sauvignon et de cabernet franc n'en est pas moins séduisant. Saveurs franches et mûres, trame tannique souple et polie, sur un fond compact. Bon équilibre et tout le tonus espéré dans un rouge de région septentrionale.

12400896   28,15$ ★★★→? ③

8 000395 165003

LAGEDER, ALOIS
Pinot bianco 2017, Alto Adige

Dans les montagnes qui tiennent lieu de frontière avec l'Autriche, la famille Lageder pratique l'agriculture biologique et biodynamique et excelle dans l'élaboration de vins blancs cristallins et racés. Ce pinot blanc issu d'achat de raisins s'inscrit dans le même esprit de pureté que les vins du domaine; ses parfums de pomme et de poivre blanc sont soulignés d'une délicate amertume qui prolonge le plaisir en bouche. Un super achat à moins de 20 $.

12057004   19,80$ ☆☆☆☆ ① ♥

8 000395 102008

MEZZACORONA

Pinot grigio 2017, Trentino

Cette cave maintient une constance exemplaire malgré un volume annuel de 25 millions de bouteilles. On ne refera pas le monde autour de ce pinot grigio vendu à moins de 15$, mais on pourra apprécier sa légèreté (12,5% d'alcool), la délicatesse de ses parfums fruités et le fait qu'il soit parfaitement sec. Bouteille coiffée d'une capsule vissée, pratique pour un pique-nique.

302380   14,55$ ☆☆ ½ ①

MEZZACORONA

Pinot noir 2016, Vigneti delle Dolomiti

La force de Mezzacorona réside dans la production de bons vins rouges et blancs abordables, comme ce pinot noir. Avant tout une expression simple, facile et fruitée du cépage bourguignon; couleur pâle, parfums de fraise cuite et légers accents d'oxydation. L'amateur de rouge léger y trouvera son compte pour pas cher.

10780311   14,55$ ★★★ ①

MEZZACORONA

Teroldego Rotaliano Riserva 2014

Ce teroldego assez charnu a été élevé pendant 12 mois en fûts de chêne de l'Allier et du Tronçais, dans le centre de la France, donnant au vin un supplément de matière en bouche, mais aussi des notes vanillées, qui s'harmonisent relativement bien aux goûts de fruits noirs. Rien de complexe, mais le teroldego lui confère une certaine originalité.

964593   17,55$ ★★★ ②

ATTEMS
Pinot grigio 2017, Friuli

La famille Frescobaldi s'est aventurée hors de sa Toscane natale et a acquis la propriété historique du comte Douglas Attems, dans le Frioul. En plus d'avoir la fraîcheur caractéristique des bons blancs de cette région du nord-est de l'Italie, ce grigio offre un minimum de personnalité et de substance, grâce, entre autres, à un travail sur lies fines qui apporte du gras. À boire jeune.

11472409 18,60$ ☆☆☆ ①

BAROLLO
Chardonnay 2015, Barrique, Piave

Ce chardonnay de Vénétie me semble nettement plus complet en 2015, que le 2014 goûté l'an dernier à pareille date. Rien de bien original – pas évident avec un chardonnay élevé en barriques –, mais un bon équilibre entre la texture grasse et l'acidité, le fruit et les parfums toastés et beurrés. À boire jeune ou à laisser reposer jusqu'en 2022.

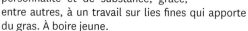

12805201 26$ ☆☆☆ ②

CAMPAGNOLA, GIUSEPPE
Chardonnay 2017, Veneto

Cette année encore, ce chardonnay de la maison véronaise Campagnola offre un rapport qualité-prix quasi inégalable à l'amateur de blanc gras – mais pas beurré ni boisé. On appréciera plutôt ses saveurs pures de poire et son équilibre d'ensemble. Idéal pour accompagner les poissons et sautés de légumes des soirs de semaine.

12382851 13,05$ ☆☆☆ ① ♥

NESPOLI
Pinot bianco 2017, Rubicone, Dogheria

Une petite proportion de sauvignon donne à ce pinot blanc des allures de... malvoisie. Allez comprendre. N'empêche, à moins de 15$, ce vin offre beaucoup de matière et d'intensité aromatique, sans excès. Une texture serrée laisse en bouche une sensation presque phénolique et les saveurs persistent en finale. Une très bonne note pour son originalité et sa qualité d'ensemble.

13425972 14,55$ ☆☆☆ ½ ② ♥

PERLAGE

Pinot grigio delle Venezie 2017, Terra Viva

Un pinot grigio léger, tant en goût qu'en alcool (12%), certifié biologique. Un travail soutenu des lies apporte une certaine richesse en milieu de bouche et le vin offre de délicates saveurs de bonbon à la pomme verte et d'ananas confit. Net et tout à fait correct.

13710811   16,10$ ☆☆ ½ ①

PODERI COLLA

Riesling 2016, Cascine Drago, Langhe

Plutôt que d'ajouter à la liste des chardonnays interchangeables sur le marché, la famille Colla a plutôt misé sur le grand cépage allemand pour l'élaboration de leurs vins blancs. Les raisins proviennent de parcelles plantées en 1987 dans la commune d'Alba, avec une exposition est-nord-est. Ce dernier détail n'est sans doute pas étranger à l'acidité ressentie dans le vin, par ailleurs sec et tranchant, et ponctué de bons goûts de pomme verte et des notes pétrolées caractéristiques du cépage. Beaucoup d'extraits secs, et par conséquent, de tenue, dans ce riesling harmonieux et distingué. Très belle réussite et prix attrayant.

13674266   25$ ☆☆☆☆ ② ♥

FILIPPI
Soave Colli Scaligeri 2016, Castelcerino

Ce vin blanc issu de vignes de 80 ans – cultivées de façon biologique et en pergola, sur les sols d'origine volcanique de Castelcerino – est non filtré et vinifié avec un minimum de soufre. L'âge des vignes – et des rendements conséquemment plus faibles – contribue sans doute à la concentration de ce 2016. Rien à voir avec les petits vins vifs et nerveux qui nuisent à la réputation de cette appellation vénitienne. On a plutôt ici un vin blanc de terroir, sec, structuré et couronné par une longue finale saline et minérale. À découvrir sans faute!

12129119   22,60$ ☆☆☆☆ ② ♥ ▼

FILIPPI
Soave Colli Scaligeri 2016, Vigne della Brà

De toutes les méthodes utilisées par l'homme pour «domestiquer» la vigne, celle qui s'apparente le plus à son comportement naturel est la pergola. Cette technique employée depuis l'Antiquité consiste à conduire la vigne en hauteur et à la faire courir sur un fil de fer ou sur une construction en bois. Délaissée depuis les années 1980 parce que difficilement mécanisable, la pergola est encore largement employée à Soave, où une foule de producteurs, comme Filippo Filippi, prouvent qu'elle peut donner des vins de grande envergure. Celui-ci puise sa complexité dans des sols à la fois argilo-calcaires et volcaniques, sur un vignoble perché à 380 m d'altitude. Très volubile et profond au nez, avec ses odeurs de poire, de fleurs et d'épices, avec une texture presque huileuse et pourtant hyper franche, droite, saline et hautement rafraîchissante. On pourra le boire sans se presser jusqu'en 2024-2028. Le 2017 prenait peu à peu le relais au moment d'écrire ces lignes, mais on trouvait encore beaucoup de 2016 dans le réseau.

13587710   31,25$ ☆☆☆☆ ½ ② ♥

INAMA
Soave Classico 2017

Le soave «tout court» de Stefano Inama reste un modèle du genre: une interprétation franche, nette et fruitée (mais sec) du cépage garganega, avec juste ce qu'il faut de gras et de vitalité. En prime, la salinité proverbiale des soaves de la zone classico. Simple et pas très long, mais savoureux.

908004   20,30$ ☆☆☆ ½ ①

I STEFANINI
Soave 2016, Il Selese

Le soave est longtemps passé sous le radar des amateurs de vins fins. Avec raison sans doute, puisque les quelques vins de terroir qui se frayaient un chemin sur les marchés d'export étaient plus ou moins noyés dans un océan de vins médiocres. Or, cette appellation qui traîne sa mauvaise réputation depuis la vague industrielle des années 1950 est pourtant l'une des régions européennes qui offrent parmi les meilleurs rapports qualité-prix en matière de blanc sec et minéral. Ce soave tout nouveau à la SAQ, par exemple, s'avère hyper digeste et brille par la pureté de ses arômes de citron, de pêche blanche et d'épices, le tout porté par une délicieuse salinité. À ce prix, on croit rêver.

13841431   16,90$ ☆☆☆ ½ ② ♥

I STEFANINI
Soave Superiore Classico 2016, Monte di Fice

Cette cuvée parcellaire de Francesco Tessari provient d'une terrasse située à l'intérieur de la zone classico, mais caractérisée par ses sols de basalte et de tuf (tous deux volcaniques). En 2016, cela donne un blanc de couleur dorée, dont le nez porte des odeurs de coquille d'huîtres et le bord de mer. Beaucoup de volume en bouche, une texture grasse, presque huileuse, mais aussi une solide structure qui encadre le tout et laisse un fini presque tannique en finale. Un blanc de caractère à apprécier impérativement à table et à laisser reposer en cave sans crainte, jusqu'en 2023-2026.

13841440   27,95$ ☆☆☆☆ ③ ♥

PRÀ
Soave Classico 2017, Otto

La famille Prà fait partie d'un noyau de vignerons dédiés à l'élaboration de vins sérieux dans l'appellation Soave. Si ce n'était de l'acidité relativement faible de ce vin, on serait tenté, à l'aveugle, de croire qu'il s'agit d'un chablis. L'exemple même du blanc dans lequel le fruit joue en second plan pour laisser toute la place à la texture et aux accents minéraux. Très bonne longueur pour le prix.

11587134   20$ ☆☆☆ ½ ② ♥

ALLEGRINI
Valpolicella 2017, Corte Giara

Souple, fruité, facile et arrondi par un reste perceptible de sucre (7,2 g/l, selon le site de la SAQ) qui lui donne une allure plutôt flatteuse et commerciale.
13190317   15,65$ ★★ ½ ①

CAMPAGNOLA, GIUSEPPE
Corvina 2015, Corte Agnella, Veronese

Pour les soirs de semaine, ce vin offre une expression nerveuse et flatteuse du cépage corvina. Un peu facile et arrondi de 6,9 g/l de sucre, bourré de fruit et soutenu par une acidité vive, qui le rendra bien agréable, avec une lasagne et une pizza.
11028295   17,65$ ★★★ ② ♥

LE FRAGHE
Bardolino Classico 2015, Brol Grande

Sur les rives du lac de Garde, en Vénétie, la petite appellation Bardolino est surtout connue pour son chiaretto (le meilleur rosé d'Italie), mais elle produit aussi de très bons rouges légers et fruités. Parmi la centaine de vins dégustés à l'automne 2017, lors d'un séjour dans la région, ceux de Matilde Poggi m'ont semblé les plus achevés. Convertie à l'agriculture biologique dès 2009, la vigneronne élabore ce vin tout nouvellement arrivé à la SAQ. Bien qu'il soit plus ferme que la moyenne des rouges de Bardolino, avec des aspérités tanniques qui rappellent des rouges souples du Piémont, ce 2015 brille surtout par sa légèreté (12,5 % d'alcool) et son profil aérien, doublé d'un fruit gourmand, d'une délicate astringence et d'une finale aux accents de poivre, de vanille et d'herbes séchées.
13740577   31$ ★★★★ ② ♥ 🗨

MASI
Valpolicella Classico Superiore 2013, Monte Piazzo Serego Alighieri

Avec une production annuelle de près de sept millions de bouteilles, l'entreprise de la famille Boscaini est l'une des locomotives de la Vénétie et elle s'est toujours farouchement opposée à l'introduction de cépages internationaux sur ses terres. Cette cuvée anniversaire lancée en 2003 est élevée en fûts de cerisier plutôt que de chêne, ce qui contribue peut-être à son expression fruitée. Déjà ouvert, les tanins sont assouplis par cinq années de vieillissement, mais encore vigoureux. Très bien, quoique j'aurais aimé y trouver plus d'étoffe et de longueur.
10543404   23,55$ ★★★ ②

MASI
Valpolicella Classico Superiore 2014, Toar

Ce vin créé il y a une vingtaine d'années met en valeur les vertus complémentaires des cépages corvina et oseleta – restauré dans les années 1970 et popularisé par Masi – cultivés sur les sols volcaniques de la région. Le premier cépage est reconnu pour son fruit et son acidité fraîche ; le second, pour son potentiel tannique. On trouve donc dans le Toar une chair fruitée croquante et acidulée, encadré de tanins robustes, et ponctuée de notes terreuses et subtilement torréfiées. L'exercice de style est ambitieux, mais très bien exécuté.

10749736   22,95$ ★★★ ½ ②

PRÀ
Valpolicella 2017, Morandina

Si vous êtes séduit par la sobriété et la finesse des soave de Prà, vous apprécierez tout autant leur délicieux rouge de la Valpolicella. À des lieues des vins rouges épais, douceureux et rudimentaires qui sont tristement devenus la norme dans la région, celui-ci se veut une interprétation très digeste de cette spécialité véronaise. Le 2017 mise à fond sur la jeunesse du fruit, à mi-chemin entre un morgon et un poulsard : frais, croquant et tout simplement délicieux.

12131964   23,45$ ★★★★ ② ♥

TOMMASI
Valpolicella 2017

Même s'il est arrondi d'un reste de sucre (6,3 g/l), ce valpolicella ne verse pas dans l'excès et conserve un bon équilibre, grâce à une importante acidité. Du fruit, de la rondeur et une finale aigrelette qui met en appétit. Convient bien aux charcuteries.

560797   15,20$ ★★★ ①

MASI

Amarone della Valpolicella Classico 2012, Costasera

Pour produire l'amarone, on étale les grappes fraîchement cueillies de raisins corvina, rondinella et molinara sur de larges treillis. Ces treillis seront ensuite empilés dans une grande pièce aérée afin que les baies se dessèchent graduellement et perdent jusqu'à 40 % de leur poids. À la mi-janvier, les raisins déshydratés seront pressés et de ce jus épais, concentré et gorgé de sucre, naîtra l'amarone, un vin capiteux, titrant facilement 15 % d'alcool. Fruit d'un millésime de sécheresse et de grande chaleur en Vénétie, ce 2012 en impose par son attaque puissante et très mûre, au point de paraître sucrée. L'élevage en fûts apporte un enrobage supplémentaire et un fini crémeux en bouche, en plus de parfums de vanille. Pour la subtilité et la nuance, il faudra aller voir ailleurs, mais je n'ai aucun doute qu'il plaira à l'amateur d'amarone classique.

317057   39,60 $ ★★★ ②

NICOLIS

Valpolicella Ripasso Classico Superiore 2015, Seccal

Le Seccal offre en bouche cette vigueur tannique doublée d'acidité qui manque cruellement à tant de ripassos. Pour le reste, les saveurs sont pleines, la bouche joufflue et gourmande, sans la moindre mollesse. Un très bel exemple de ripasso conçu pour être apprécié à table, plutôt que pour s'imposer dans les concours. Authentique et vendu à prix honnête.

11027807   25,35 $ ★★★ ½ ②

SANT'ANTONIO

Amarone 2013, Selezione Antonio Castagnedi

Depuis qu'ils ont pris les rênes de la petite entreprise familiale, les frères Castagnedi en ont quadruplé la superficie et porté la production annuelle à 600 000 bouteilles. Des notes florales apportent un peu de lumière à cet amarone par ailleurs sombre, avec ses goûts compacts de moka, de mûre et de cannelle qui saturent le palais. Riche et épicé, ses tanins granuleux encadrent la masse fruitée. Amateur de *short rib* ou de rôti de palette à la bière noire, vous avez là un bon accompagnement.

10704984   39,75 $ ★★★ ③

SARTORI

Amarone della Valpolicella 2013

Bien que de facture plus modeste, cet amarone possède un certain charme avec son nez de fruits confits et de liqueur amère. La bouche est puissante, riche en fruit – et en alcool : 15 % – et relevée d'une pointe d'acidité volatile qui donne un éclat aux saveurs de cerise. Tout de même bien chaleureux, mais sans être brûlant.

11035882   39,10 $ ★★★ ②

TEDESCHI

Amarone della Valpolicella 2014

Chaque année, le marathon de dégustations du *Guide du vin* me mène au même constat : la réputation de l'amarone est largement surfaite ; peu sont réellement le *vino da meditazione* que l'on encense. Parmi les rares exceptions dégustées en août 2018, celui de la maison Tedeschi. Même s'il est issu d'un millésime moyen (été frais et pluvieux), le 2014 fait preuve d'une dimension et d'une complexité supérieures à la moyenne. La bouche est concentrée, mais pas puissante outre mesure, et les saveurs se dessinent en bouche avec une grande précision, entre la cerise confite, la violette et le thé noir. Beaucoup de relief et de nerf dans ce vin, auquel une salinité, couplée à des tanins juste assez astringents, confère une sapidité rare dans l'appellation. Pour toutes ces raisons, une Grappe d'or.

522763   41,35$ ★★★★ ③

TEDESCHI

Valpolicella Ripasso Superiore 2016, Capitel San Rocco

Autant j'ai peu d'affinités avec le style ripasso – un ancien procédé qui consiste à faire refermenter le valpolicella sur des lies d'amarone –, autant je retrouve avec plaisir celui de Tedeschi, d'année en année. Le 2016 embaume la crème de cassis et le cuir, mais il s'avère plus sobre et discret en bouche, où des tanins fins tissent une trame veloutée et animée d'une acidité fraîche. Beaucoup de fruit, du corps et de bons goûts de liqueur amère en finale.

972216   21$ ★★★ ½ ② ♥

ZONIN

Valpolicella Superiore 2015, Ripasso

Quoique je m'explique toujours mal la médaille de platine – et la note de 96 (!) – décernée à ce ripasso au Decanter World Wine Awards, je reconnais que le vin est nettement « moins pire » que je ne l'aurais imaginé. Certes flatteur par sa richesse fruitée et son attaque en bouche sphérique, mais pas racoleur ni épais, comme tant de ripassos sur le marché. Une bonne note pour son équilibre d'ensemble.

13358992   18,90$ ★★ ½ ②

ANTINORI
Chianti Classico 2015, Pèppoli

Ce Chianti Classico mise avant tout sur la souplesse et la rondeur, sans basculer dans la mollesse. Élevé en grands foudres de Slavonie plutôt qu'en barriques, le vin n'est pas maquillé par le bois et laisse s'exprimer le sangiovese, avec des parfums de cerise confite, de cuir et de liqueur amère. La bouche est acidulée et enrobée d'un fruit mûr. Simple, mais réussi dans un style moderne et flatteur.

10270928   20$ ★★★ ②

BARONE RICASOLI
Chianti Classico 2016, Brolio

La vaste propriété (1400 hectares) des barons Ricasoli est le berceau historique du chianti. Le domaine a été repris par Francesco Ricasoli en 1993 après une vingtaine d'années de production industrielle sous l'empire Seagram. Même s'il est produit à grand volume – 800 000 bouteilles par an –, ce vin brille par sa constance. Rien de profond, mais un bel exemple de chianti de style classique: franc, porté par des tanins ronds et laissant en finale de bons goûts de framboise et de fumée. À boire d'ici 2022.

3962   23,60$ ★★★ ②

BRANCAIA
Chianti Classico 2015

Les fruits qui composent cette cuvée proviennent de vignobles situés entre 350 et 420 m d'altitude, dans la commune de Radda in Chianti. Ce facteur explique peut-être la fraîcheur relative de ce 2015 qui, du reste, porte bien les traits d'un millésime de chaleur. Au nez comme en bouche, l'olive noire et le cuir dominent; l'attaque est enrobée d'une chair ronde, avec au cœur, des tanins fermes et carrés. Aucun bois, mais une finale tomatée qui appelle encore plus le plat de pasta. À boire jusqu'en 2022.

12895104   27,25$ ★★★ ½ ②

CARPINETA FONTALPINO
Chianti Classico 2015, Fontalpino

À la faveur d'un millésime chaleureux en Toscane, Gioia Cresti et son frère Filippo signent un chianti classico particulièrement solide et concentré, avec des notes animales et une trame mûre et dodue, pleine et tissée serrée en milieu, chaleureuse et plus leste, en fin de bouche. Bien qu'il ne titre que 13,5% d'alcool, le vin m'a paru plutôt capiteux, avec ses vapeurs de kirsch et de liqueur de café qui persistent en finale.

10969747   25,35$ ★★★→? ③

CARPINETA FONTALPINO
Chianti Colli Senesi 2017

Juste en dehors de la zone du Chianti Classico, dans les collines de Sienne, la famille Cresti produit aussi un excellent sangiovese qui mise à fond sur la jeunesse du fruit. Des parfums de cerise fraîche, de thé vert et de fleurs débordent du verre et mettent d'emblée en appétit. La bouche suit, hyper friande, souple et juteuse, ce qui n'exclut pas une vigueur tannique et une profondeur aromatique. Digeste et agréable à boire dès maintenant. Issu de l'agriculture biologique.

10854085   21,40$ ★★★★ ② ♥ 🍷

MAZZEI
Chianti Classico 2016, Fonterutoli

Le chianti classico «tout court» de Mazzei profite d'un élevage de 12 mois en fûts de chêne français de 225 litres, neufs à 40%. Il n'est donc pas étonnant de trouver dans ce vin encore jeune, des parfums boisés qui évoquent la torréfaction et le tabac. Un sangiovese musclé, plein et chaleureux, très bien exécuté dans un style moderne. À boire idéalement entre 2020 et 2024.

856484   23,95$ ★★★→★ ③

SAN FELICE
Chianti Classico 2016

Un chianti en mode souple et accessible, avec des tanins ronds en attaque, mais plutôt fermes en milieu de bouche et accentués d'une certaine amertume en finale, qui met en relief ses arômes de cuir et de cerise. Tout à fait satisfaisant à moins de 20$. À boire jeune.

245241   18,70$ ★★★ ②

VOLPAIA
Chianti Classico 2015

Perché tout en haut d'une colline, dans le petit village médiéval de Volpaia. La famille Mascheroni Stianti signe un chianti un peu plus riche et enrobé que d'habitude, qui conserve cependant la droiture et la fraîcheur propres aux bons vins de l'appellation. L'attaque est nerveuse, le milieu de bouche plein et ample, et le vin laisse en finale une impression quelque peu austère (tanins fermes, accents de graphite) qui ajoute à son charme et à sa buvabilité. À savourer avec une *ribolita*, le plat typique de la région, en prenant soin d'y ajouter une bonne dose de parmesan et d'huile d'olive. Un pur régal automnal!

10858262   27,10$ ★★★★ ② ♥ 🍷

ANTINORI
Chianti Classico Gran Selezione 2012, Badia a Passignano

Le vignoble de Badia a Passignano est perché à plus de 300 m et profite d'une double exposition (sud-est et sud-ouest), les vignes étant disposées en forme de «V». L'attaque est mûre, veloutée et presque crémeuse, chargée de goûts de cassis, mais une acidité sous-jacente permet de conserver une saine fraîcheur. Pas le plus complexe des Gran Selezione, mais très bien tourné. Prêt à boire.

403980 54,25$ ★★★ ②

8 001935 064503

ANTINORI
Chianti Classico Riserva 2015, Marchese Antinori

Les raisins qui entrent dans ce riserva proviennent de trois différents vignobles (Tenuta Tignanello, Badia a Passignano et Pèppoli) situés dans le secteur de Val di Pesa, au sein de la zone du chianti classico. Ce n'est peut-être pas un hasard si on trouve en bouche le même profil que le tignanello, sans l'envergure et la profondeur.

Quoi qu'il en soit, ce vin dense et gorgé de soleil a beaucoup de caractère, offre une excellente tenue et un joli spectre de saveurs fruitées, sur un fond de tabac et de cèdre. À revoir dans quatre ou cinq ans.

11421281 45$ ★★★ ½→? ③

8 001935 115403

BARONE RICASOLI
Chianti Classico Riserva 2015, Rocca Guicciarda

À son nez compact de cuir et à ses odeurs de tannerie, on devine bien qu'il s'agit d'un sangiovese. La bouche est à l'avenant : ferme, presque anguleuse, mais en rien rustique. Au contraire, le vin se dessine plutôt avec fraîcheur et élégance. Pas très profond, mais digeste ; il pourrait encore se bonifier d'ici 2021.

10253440 24,40$ ★★★→? ③

0 618109 777510

LE MICCINE
Chianti Classico Riserva 2014

L'œnologue d'origine québécoise Paula Papini Cook signe un bon 2014 à la fois nerveux, acidulé et posé sur des tanins mûrs, étonnamment ronds pour du sangiovese. Pas le plus étoffé ni le plus complet des derniers millésimes, mais digeste et agréable à boire dès maintenant et jusqu'en 2021.

11580135 31,50$ ★★★ ②

0 805534 970016

MAZZEI
Chianti Classico Riserva 2015, Ser Lapo

À prix attrayant, un très bon vin qui offre à la fois l'attaque en bouche nerveuse, tonique et vibrante du sangiovese et la chair fruitée gourmande propre aux 2015. Sans avoir la complexité des meilleurs riserva sur le marché, le vin fait preuve d'une étoffe et d'une tenue plus que appréciables pour 20$ et des poussières. À boire sans se presser, d'ici 2022.

13485959   22,95$ ★★★ ½ ②

RUFFINO
Chianti Classico Gran Selezione 2012, Riserva Ducale Oro

On retrouve dans ce gran selezione les parfums et les tanins granuleux du sangiovese, ainsi qu'une certaine profondeur, mais l'ensemble laisse en bouche une impression plutôt banale. Tout y est, mais le vin manque de relief, d'éclat et de vie. À ce prix, on trouve sur le marché des vins de Toscane nettement plus achevés et profonds.

11517380   47$ ★★★ ②

SAN FELICE
Chianti Classico Riserva 2015, Il Grigio da San Felice

Comme d'habitude, le riserva de San Felice semble avoir profité des largesses d'un été chaud. Aucun excès ni fini capiteux dans ce 2015. Si vous aimez le profil classique du sangiovese de Toscane, vous ne serez certainement pas déçu par la densité et la plénitude de celui-ci. Un vin très digeste, juste assez corsé et long en bouche. L'exemple même du rouge qui prend toute sa valeur à table.

703363   26,55$ ★★★★ ② ♥

VOLPAIA
Chianti Classico Riserva 2015

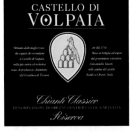

Un excellent riserva de facture classique, vieilli pendant deux ans dans de grands foudres de chêne de France et de Slavonie, une région du nord-est de la Croatie. Le vin est plus enrobé et ses goûts de cerise confite contrastent avec le profil aromatique habituel, mais une attaque saline apporte d'emblée une agréable sensation de fraîcheur, tandis que les tanins vigoureux du sangiovese encadrent la masse fruitée qui culmine en une longue finale vaporeuse aux accents de kirsch et d'herbes séchées. Encore jeune et promis à un bel avenir. À boire entre 2021 et 2026.

730416   35,75$ ★★★→★ ③ ♥ 💬

ANTINORI

Vino Nobile di Montepulciano 2015, La Braccesca

Loin du tapage médiatique de sa voisine, Montalcino, la zone de Montepulciano recèle de belles aubaines pour l'amateur de rouge toscan. Le sangiovese – nommé ici prugnolo gentile – prend les traits aromatiques d'un excellent grenache dans ce 2015, avec de chaleureux arômes de cerise compotée et de chocolat noir. Tout en fruit et en rondeur, avec un fini tannique suave et juste assez granuleux, qui chatouille le palais, apporte de la fraîcheur et appelle un second verre. Arrivée prévue en mars 2019.

11324895   25,95$ ★★★ ½ ② ♥

8 001935 001133

ARGIANO

Rosso di Montalcino 2016

Ce domaine situé juste à côté de Banfi et appartenant à la comtesse Noemi Marone Cinzano, a produit un 2016 particulièrement mûr. L'attaque en bouche est dodue, quasi sucrée, et le vin tapisse la langue d'une texture veloutée, dont il émane tout de même une certaine fraîcheur, grâce à des tanins serrés et granuleux. Bien tourné dans un style moderne et fruité.

10252869   26,70$ ★★★ ②

8 022931 504169

COL D'ORCIA

Rosso di Montalcino 2014, Banditella

L'idée même du rosso di Montalcino est d'offrir un vin accessible en jeunesse, en attendant que les brunellos n'arrivent à leur apogée. Or, celui-ci est concentré, costaud et taillé d'un seul bloc, au point où il faudra au moins cinq ou six ans avant de pouvoir l'apprécier. Rassasiant, il est vrai, par sa mâche et sa puissance. N'empêche qu'à ce compte, je préfère investir dans un bon vin de Chianti Classico.

13501146   34,50$ ★★★ ② 🗨

8 016760 000688

FANTI

Rosso di Montalcino 2015

Sauf erreur, c'est la première fois que je goûte ce rosso di Montalcino, auquel des arômes de cerise confite et des accents de menthol confèrent un caractère presque médicamenteux. La bouche est aussi marquée par une certaine sensation de chaleur, faisant bien sentir ses 14,5% d'alcool, mais elle s'appuie sur des tanins assez fermes qui gardent le vin de la mollesse.

13442801   27,65$ ★★★ ②

8 032793 561262

FATTORIA DEI BARBI
Rosso di Montalcino 2016

Arrivé sur le marché en septembre 2018, juste à temps pour la saison des corvées de conserves, ce rosso se veut l'expression même du sangiovese de soif qui donne envie de passer à table. Nez invitant de petits fruits rouges, de fleurs, de cuir; attaque en bouche nerveuse et fringante; le vin est soyeux et déborde de fraîcheur. À 25$, on lui reprochera peut-être de manquer un peu d'étoffe. En revanche, il ne manque vraiment pas de longueur et procure un plaisir gourmand grâce à son haut coefficient de buvabilité.

En primeur

13668552   25$ ★★★★ ② ♥

FRESCOBALDI
Rosso di Montalcino 2016, Campo ai Sassi

Le rosso di Montalcino de Frescobaldi est l'un des plus abordables sur le marché, mais il n'en est pas moins complet et rassasiant. Au contraire! Le nez de fruit et de fleurs qui se dessine sur un fond de cuir s'avère d'emblée agréable. Le grain tannique serré laisse en bouche une sensation fraîche et nerveuse. Pas spécialement long, mais authentique et tout à fait recommandable.

201855   21,55$ ★★★ ½ ②

8 002366 009408

NESPOLI
Sangiovese Superiore 2016, Prugneto, Romagna

Une fois de plus, le Prugneto se veut une expression mûre et généreuse du sangiovese. Gourmand et riche en goûts de fruits noirs et de violette, au point d'avoir de petits airs de syrah, mais portant la nervosité habituelle du cépage emblématique de la Toscane. À moins de 20$, on achète sans hésiter.

11298404   18,55$ ★★★★ ② ♥

9 004854 000019

SAN VALENTINO
Sangiovese Superiore 2016, Scabi, Romagna Sangiovese

Chaque année, je m'étonne de l'étonnante intensité et de la mâche tannique de cet excellent sangiovese d'Émilie-Romagne. Des goûts concentrés de cerise et d'aromates et des tanins fermes, qui encadrent un cœur fruité tendre et croquant. À moins de 20$, il est au moins aussi complet et rassasiant que bien des vins de Toscane vendus plus cher.

11019831   18,45$ ★★★★ ② ♥ 🗨

8 032869 822020

ANTINORI

Solaia 2014, Toscana

Le millésime 2014, en Toscane, a été caractérisé par de la pluie et des températures plutôt fraîches. Aucun excès donc, mais une longue saison végétative, particulièrement favorable au cabernet sauvignon, dernier cépage à être vendangé. C'est peut-être ce qui explique l'écart qualitatif plutôt marqué en 2014, entre le Tignanello (80 % sangiovese) et le Solaia (75 % cabernets). Le premier étant dans la moyenne basse des derniers millésimes ; le second, sublime, et peut-être l'un des millésimes de Solaia les plus élégants et les plus achevés que j'aie goûté à ce jour. Le grain tannique est soyeux, raffiné ; le bois joue son rôle de faire-valoir en arrière-scène et la longueur est exceptionnelle, porteuse de couches de saveurs fruitées, herbales (sans verdeur) et d'une trame saline. Loin d'être le plus imposant des derniers millésimes, mais d'une plénitude et d'une classe indéniables. Arrivée prévue en décembre 2018.

12274885   247 $ ★★★★ ½ ③

ANTINORI

Tignanello 2014, Toscana

Restée indépendante depuis sa création, en 1385, Antinori occupe le 10ᵉ rang des entreprises familiales les plus anciennes dans le monde. Piero Antinori et ses trois filles dirigent aujourd'hui un véritable empire qui s'étend du nord au sud de l'Italie, jusqu'au Chili, en passant par la côte Ouest américaine et la Hongrie. Comme d'habitude, ce supertoscan se distingue par sa concentration doublée d'élégance. Manifestement issu de raisins bien mûrs, le 2014 déploie en bouche une texture ample et veloutée, sans la vigueur tannique souvent associée au sangiovese. Le bois était déjà bien intégré lorsque goûté de nouveau en juin 2018. Cela dit, on gagnera quand même à le laisser dormir en cave jusqu'en 2023.

10820900   104 $ ★★★→? ③

ANTINORI

Tignanello 2015, Toscana

Issu d'un excellent millésime, le 2015 est une brillante réussite d'équilibre et de densité. Un vin tricoté serré qui conjugue la maturité du fruit et la vigueur tannique du sangiovese dans des proportions harmonieuses. Même s'il est déjà savoureux, ce vin charnu et solide ne donnera le meilleur de lui-même que dans cinq ou six ans.

10820900   104 $ ★★★→★ ③

FATTORIA DEI BARBI
Brunello di Montalcino 2012, Vigna del Fiore

La famille Colombini est imperméable au vent de modernisme qui a gagné Montalcino depuis une dizaine d'années et continue de produire des brunellos dans un esprit traditionnel et dépouillé.

Cette cuvée parcellaire est à la fois ample et harmonieuse, large en bouche et offrant une longue finale chaleureuse, propre aux meilleurs brunellos. D'autres sont plus flamboyants, mais j'aime beaucoup le classicisme de ce 2012. Déjà ouvert et bon au moins jusqu'en 2022. Arrivée prévue en décembre 2018.

10217300   79,75$ ★★★★ ②

FATTORIA DEI BARBI
Brunello di Montalcino 2013

Dans le même esprit que le vin commenté ci-haut ce 2013 semble sorti d'une autre époque avec ses senteurs de sous-bois, de terre humide et de tannerie. Les tanins sont fondus par cinq ans d'élevage, mais encore nerveux et vigoureux. Un très bon vin doté de cet équilibre classique des meilleurs vins d'Italie et qui a tout le tonus pour vivre plusieurs années. À boire entre 2019 et 2023.

11213343   48,60$ ★★★ ½ ②

PIAN DELLE VIGNE
Brunello di Montalcino 2012, Vignaferrovia

Le millésime 2012 a donné un vin chaud et puissant, subtilement rôti et arrivant doucement à maturité. Bien que structuré et solide en bouche, le vin m'a paru carré et même un peu dru cette année. Un peu plus de chair autour de l'os aurait été bienvenu. Les inconditionnels de la maison se régaleront de ses parfums élégants de sous-bois, de cigare et de cerise séchée jusqu'en 2022.

12986129   150$ ★★★ ②

PIAN DELLE VIGNE
Brunello di Montalcino 2013

Dans un millésime en dents de scie, cette propriété acquise par Antinori en 1995 a produit un bon brunello dense et coloré, s'exprimant avec beaucoup de nerf. Pas très profond, mais élégant, bien tourné dans un style classique et relevé d'une longue finale vaporeuse aux accents de kirsch et de cuir.

12008288   60,75$ ★★★ ②

ARGENTIERA
Bolgheri 2016, Poggio ai Ginepri

Cet assemblage de cabernet, de merlot, de syrah et de petit verdot porte les traits d'un été chaud en Toscane. Plus solaire et gourmand que le 2015 par son profil de saveurs bien méditerranéennes, entre l'anis, le fruit confit, la réglisse et la garrigue, le fruit est encadré de tanins solides et le vin conserve un bon équilibre d'ensemble. Très rassasiant, très réussi et accessible. Je ne demande pas mieux.

11161299   23,35$ ★★★★ ② ♥

ARGENTIERA
Bolgheri 2016, Villa Donoratico

Une interprétation solide et élégante des cabernet sauvignon, de cabernet franc, de merlot et de petit verdot en terre toscane, mise en valeur par un apport boisé subtil. Beaucoup de concentration et de relief, mais aucun artifice inutile. Juste un excellent vin taillé pour une pièce de viande rouge. À boire entre 2020 et 2025, en attendant que les cuvées haut de gamme du domaine atteignent leur apogée.

12936471   34$ ★★★★ ②

ARGENTIERA
Bolgheri Superiore 2015, Argentiera

Alors que les vignes plantées au tournant des années 2000 prennent de l'âge, ce vin de Bolgheri est de plus en plus étoffé. Le grain tannique gagne en finesse, compact et nourri par un élevage bien dosé en fûts de chêne. Évidemment, le vin est jeune et difficile à apprécier à sa pleine valeur pour le moment, mais vu son équilibre et sa longueur en bouche, cela ne fait aucun doute: il vieillira bien. Arrivée prévue en décembre. À boire idéalement entre 2024 et 2029.

11547378   75,25$ ★★★→★ ④

ARGENTIERA
Giorgio Bartholomaus 2012, Toscana

Plus qu'une bombe de concentration et de bois de chêne, ce vin porte l'empreinte de son lieu d'origine, avec un profil bien méditerranéen. Le 2012 traversait une phase un peu ingrate lorsque goûté de nouveau en août 2018. N'empêche qu'avec un peu de temps, j'y ai trouvé la même profondeur et le même grain tannique de qualité. À revoir vers 2023-2025. Retour prévu en décembre 2018.

13745626   204,25$ ★★★★ ④

En primeur

GUADO AL TASSO

Bolgheri Rosso 2016, Il Bruciato

Chaque année, Guado al Tasso produit 900 000 bouteilles de cette cuvée d'entrée de gamme, composée de cabernet sauvignon, de merlot et de syrah. Je reconnais que le volume n'est pas toujours inversement proportionnel à la qualité, mais dans le cas présent, l'équation se vérifie. Ce vin de facture commerciale aux relents de vanille, de noix de coco et de chocolat, souple et rond au point de presque paraître sucré, n'est d'aucun intérêt pour l'amateur de vin fin. Surtout à ce prix.

8 001935 002079

11347018   24,95$ ★★ ½ ②

GUADO AL TASSO

Bolgheri Superiore 2014

Techniquement très bien construit, comme toujours. Un bon vin d'inspiration bordelaise par son assemblage, ample et généreusement fruité, encadré de tanins dodus et compacts ; le tout est mis en valeur par un usage calculé de la barrique, qui laisse en bouche un fini légèrement crémeux. Séduisant et taillé pour plaire.

8 001935 714507

12741498   99,75$ ★★★ ②

GUADO AL TASSO

Bolgheri Superiore 2015

Le 2015, qui prendra le relais en janvier 2019, témoigne de raisins plus mûrs et plus concentrés. Le vin est plein, compact et étoffé, nourri par des fermentations et un élevage de 18 mois en fûts neufs, qui apportent une texture presque crémeuse et de jolis parfums de cèdre et d'épices. Bonne longueur. À boire idéalement entre 2021 et 2026.

8 001935 714507

12741498   99,75$ ★★★→? ③

SAPAIO

Bolgheri 2016, Volpolo

Les millésimes se succèdent et je retrouve toujours avec le même plaisir cet assemblage bordelais, produit sur la côte toscane, à Bolgheri. Le 2016 a le même profil à la fois strict et généreux, imposant par sa charpente très droite et clairement marqué par l'empreinte aromatique du cabernet sauvignon. Encore jeune, il devrait mûrir au moins deux ou trois ans. D'ici là, une heure en carafe lui fera du bien. Excellent rapport qualité-prix.

8 033315 791204

12488605   29,10$ ★★★★ ③ ♥ ⚗

BELGUARDO

Serrata 2015, Maremma Toscana

La famille Mazzei (Fonterutoli) a elle aussi son antenne dans Maremma depuis les années 1990, où elle produit cet assemblage original et harmonieux de sangiovese et d'alicante. Un élevage d'un an en petits fûts de chêne nourrit la texture sans masquer les accents de cuir du sangiovese ni dépouiller le vin de ses bons goûts fruités. Encore jeune et nerveux; on pourra le boire jusqu'en 2023.

10843394   21,55$ ★★★ ½ ② ♥

BERRETTA

Maremma Toscana 2016

Le sangiovese en mode fraîcheur, assemblé à du cabernet sauvignon et cultivé dans le petit village de Cinigiano, à mi-chemin entre Grosseto et Montalcino. Nerveux et un peu bourru à l'ouverture, en raison d'un léger reste de gaz, le vin égrène les arômes d'épices douces, de griotte, de cuir et de fleurs. Un relief de saveurs plutôt complexe et une longueur appréciable pour le prix. Très bon achat!

12054217   18,80$ ★★★ ½ ② ♥

BRANCAIA

Tre 2015, Toscana

Version résolument moderne du vin de Toscane, au sens positif du terme. Cette cuvée est issue de trois cépages (sangiovese, merlot et cabernet sauvignon), cultivés dans trois propriétés, deux situées dans la zone du Chianti Classico (Radda et Castellina), l'autre dans Maremma. Le vin s'articule autour de tanins vigoureux, mais bien enrobés, le fruit fait corps avec les parfums boisés et l'ensemble est tonifié par un léger reste de gaz. On pourra le boire d'ici 2023.

10503963   23,55$ ★★★ ½ ②

COLLEMASSARI

Rigoleto 2015, Montecucco Rosso

Ce vignoble biologique situé au pied du mont Amiata – un volcan éteint de la chaîne des Apennins, tout au sud de la Toscane – produit un très bon rouge misant à fond sur le côté fruité des cépages sangiovese (70%) ciliegiolo et montepulciano. Le vin est souple et laisse en bouche une sensation très fraîche, malgré ses 14%. Une bonne note pour son originalité et sa buvabilité, plus que pour sa profondeur.

13622407   20,05$ ★★★ ½ ② ♥

COLTIBUONO

Cancelli 2016, Toscana

Encore pimpant de jeunesse, ce 2016 présente un léger reste de gaz qui accentue sa vigueur tannique et met en relief le fruit et les épices. Simple, mais juteux et juste assez charnu pour être apprécié à table, avec une pizza marguerita. Bon rouge des soirs de semaine.

12277138   17,65$ ★★★ ½ ① ♥ ⚗

8 008483 000106

GRILLESINO

Ciliegiolo 2016, Toscana

Une rare expression monovariétale du ciliegiolo, un cépage autochtone de Toscane, reconnu comme l'un des deux parents du sangiovese et qui tient son nom de l'italien «ciliegia»: cerise. Rien de bien profond, mais pour pas cher, l'amateur de vin de soif y trouvera un passeport vers le dépaysement. En prime: une finale chaleureuse qui évoque le goût d'un negroni. Sympathique!

8 032771 760137

12280695   17,90$ ★★★ ½ ① ♥

GRILLESINO

Morellino di Scansano Riserva 2013, Battiferro

Dans le secteur de Scansano, au sud de Grosseto, le sangiovese porte le nom de «morellino». Pour avoir droit à la mention Riserva, le vin doit avoir au minimum deux ans d'élevage, incluant un séjour d'au moins un an en fûts (ou foudre) de chêne. Par son nez de tannerie, cette cuvée tout juste mise en vente à la SAQ me rappelle de bons rossos di Montalcino, mais elle s'avère plus généreuse en bouche, portée par des tanins mûrs et enrobés. Beaucoup de mâche et de substance dans ce vin déjà accessible, qui tiendra aisément la route jusqu'en 2021.

En primeur

13626109   28$ ★★★→? ③

RUFFINO

Modus 2015, Toscana

Ce vin de sangiovese, complété de cabernet et de merlot exerce un charme quasi instantané. Le nez est plutôt discret, mais sitôt le vin en bouche, on est séduit par son attaque sphérique et sa texture veloutée, très caressante. Peut-être pas le plus complexe, mais généreux, avec un joli spectre de saveurs fruitées et torréfiées et un fini tannique très rassasiant.

8 001660 104758

11442664   28,55$ ★★★ ½ ②

CARPINETO
Cabernet sauvignon 2012, Farnito, Toscana

Ce cabernet inscrit au répertoire général de la SAQ me donne l'impression d'un bordeaux d'une autre époque avec ses tanins secs et son fruit sur la réserve, qui lui donnent une allure un peu caustique. Certains apprécieront sa droiture et son profil dépouillé. À près de 30$, un peu plus de chair autour de l'os aurait été bienvenue…
À boire sans trop tarder.

963389   28,85$ ★★ ½ ①

FRESCOBALDI DI CASTIGLIONI
Toscana 2015

Aucun excès dans ce vin, certes international par son assemblage (cabernet sauvignon, merlot, sangiovese et cabernet franc), mais bien toscan par sa droiture et son caractère digeste. De bons goûts de petits fruits rouges, sur un fond de coquille d'huîtres et une touche herbacée (sans verdeur) en fin de bouche, qui accentue la sensation de fraîcheur.

11380951   25,50$ ★★★ ②

LA MASSA
Toscana 2015

Variation sur un thème bien connu du vigneron napolitain Giampaolo Motta, celui de la rondeur et de la générosité. Un assemblage de sangiovese, de merlot et de cabernet sauvignon lui donne un style moderne, riche en fruit et en tanins, mais sans excès ni dureté, avec un savoureux goût de tomate confite et de réglisse.
On comprend pourquoi les consommateurs l'ont adopté.

En primeur

10517759   29,10$ ★★★ ½ ②

LE MORTELLE
Maremma Toscana 2015, Botrosecco

L'amateur d'assemblage d'inspiration bordelaise voudra surveiller de près l'arrivée, en janvier 2019, de ce très bon vin de cabernet sauvignon et de cabernet franc, produit dans le secteur de Castiglione della Pescaia, dans la province de Grosseto. Le premier apporte la structure, le dernier, des parfums élégants. Pas très profond, mais son étoffe tannique veloutée, son fruité riche et ses saveurs vaporeuses lui confèrent un charme certain.

12025344   23,60$ ★★★ ½ ②

MONTETI

Caburnio 2014, Toscana

Très original par son profil aromatique mi-atlantique, mi-méditerranéen, cet assemblage de cabernet sauvignon, d'alicante bouschet et de merlot, élevé pendant 12 mois en fûts de chêne français, me semble plus poli en 2014. Encore jeune et fougueux, charnu et croquant, avec une finale savoureuse aux goûts de fruits noirs, de cèdre et de tabac qui plaira à l'amateur de supertoscan. Excellent rapport qualité-prix!

11305580   22,75$ ★★★★ ② ♥

ORNELLAIA (TENUTA DELL')

Le Volte 2015, Toscana

Cet assemblage de merlot, de sangiovese et de cabernet sauvignon possède un certain charme avec sa bouche mûre et pleine, servie par un usage calculé du bois de chêne. Je continue tout de même de croire qu'on trouve sur le marché des dizaines de vins qui offrent plus de plaisir et de sincérité, à prix moindre.

10938684   28,60$ ★★★ ②

VOLPAIA

Cabernet sauvignon 2016, Prelius, Maremma Toscana

Dans son domaine de Maremma, la famille Mascheroni Stianti pratique une agriculture biologique et tire de ses vignes de cabernet, plantées sur des sols sableux, un vin croquant et affriolant, qui contraste avec l'offre habituelle. La charpente tannique propre au cépage est enrobée d'un fruit juteux et généreux, exempt de tout parfum boisé, malgré un élevage de neuf mois en foudres de chêne français. Délicieux et vendu à prix très attrayant!

13706627   21,30$ ★★★★ ② ♥ ▨

En primeur

ARGENTIERA
Poggio ai Ginepri bianco 2016, Toscana

Très bon blanc au profil méditerranéen, issu de vermentino, de viognier et de sauvignon blanc. L'assemblage est inusité et se traduit dans le verre par des parfums de fruits tropicaux et de cire d'abeille, portés par une acidité modérée, sans pour autant manquer de fraîcheur. Assez de volume et de tenue pour être apprécié à table, avec une pissaladière ou une quiche aux poireaux.

11952015   21,60$ ☆☆☆ ½ ②

BANFI
Vermentino 2017, La Pettegola, Toscana

Le vermentino est un autre de ces cépages plutôt neutres, à la personnalité effacée. N'empêche, la maison Banfi a réussi à en tirer un très bon blanc original, très sec et doté d'une tenue de bouche très satisfaisante. Jolis arômes d'écorce de citron, de bergamote et d'origan, qui persistent en une finale chaleureuse.

12725130   18,95$ ☆☆☆ ½ ① ♥

CASALE DEL GIGLIO
Bellone 2016, Anthium, Lazio

Même s'il produit du vin depuis l'Antiquité, le Latium, au sud de Rome, est avant tout connu pour ces vins blancs demi-secs de piètre qualité (frascati et Est! Est!! Est!!!). Mais tout récemment, sous l'impulsion de quelques vignerons dédiés à la qualité et au terroir, la région voit naître de plus en plus de vins dignes d'intérêt comme cette curiosité issue à 100 % de bellone, un cépage autochtone rarement vinifié seul. La bouche est fraîche, assez vineuse, et le fruit s'exprime avec netteté, déployant de jolies saveurs de miel, de noix et d'odeurs végétales qui rappellent la mirepoix. Un très bon blanc sec, à boire d'ici 2022.

13626037   23,85$ ☆☆☆ ½ ②

CASTELLO DELLA SALA
Cervaro 2016, Umbria

Cette cuvée est le haut de gamme de ce domaine d'Ombrie appartenant à la famille Antinori. Parfois un peu gros et monolithique dans le passé, le Cervaro s'est affiné depuis quelques années. Le nez du 2016 est plus discret et la bouche présente une vivacité et une fraîcheur qui lui ont souvent fait défaut dans les dernières années. Nerveux et salin, avec des notes de beurre et de caramel qui se fondent au fruit. Encore jeune et marqué par des parfums de réduction; la carafe est de rigueur.

191049   59,75$ ☆☆☆→? ③ ⌂

COLLEFRISIO
Pecorino 2016, Vignaquadra, Terre di Chieti, Abruzzes

Ce cépage des Marches italiennes est aussi cultivé un peu plus au sud, dans la région des Abruzzes, où il adopte un caractère plus aromatique, relevé de parfums de fruits tropicaux et porté par une matière vineuse, qui rappellent le viognier. Un bon blanc original à apprécier à table, avec une cuisine goûteuse.

13226551   19,20$ ☆☆☆ ½ ②

COLLEMASSARI
Vermentino 2016, Melacce, Montecucco

Issu de jeunes vignes de vermentino plantées à 300 m d'altitude, au pied du mont Amiata, un ancien volcan éteint, la cuvée Melacce est vinifiée et élevée en cuve d'acier inoxydable, sans bois. Le nez sent bon les amandes fraîches et la mie de pain. La bouche est nette, pas très vive, mais tout de même fraîche, grâce à une trame saline. Équilibré et taillé sur mesure pour les fruits de mer. Biologique. Une très belle addition au répertoire de la SAQ.

13574370   18,90$ ☆☆☆☆ ② ♥ ◗

MASCIARELLI
Trebbiano d'Abruzzo 2017

Cette année encore, j'aime beaucoup ce vin blanc des Abruzzes qui a la texture mûre et généreuse d'un blanc bien méditerranéen, mais qui présente à la fois une fraîcheur aromatique tout à fait séduisante, entre l'écorce de citron et les notes végétales qui rappellent le thé vert et la citronnelle. À moins de 15$, faites-en provision pour les apéros improvisés.

12635097   14,50$ ☆☆☆ ½ ① ♥

VAL DELLE ROSSO
Vermentino 2017, Litorale, Maremma Toscana

Ce domaine de Maremma fait partie du groupe viticole de la famille Cecchi, qui y produit un blanc très aromatique, aux accents d'agrumes et de fruits tropicaux. La bouche est astringente en finale, offrant une excellente tenue et nettement plus de caractère que la moyenne des vermentinos sur le marché.

En primeur

13755437   16,95$ ☆☆☆ ①

GALASSO, ETTORE
Montepulciano d'Abruzzo Riserva 2015, Corno Grande

Vendu pour la première fois à la SAQ à compter de décembre 2018, ce riserva affiche la couleur foncée et le nez concentré d'un vin bien costaud, nourri par le soleil. Un peu rustique, robuste et en même temps fruité et acidulé. Pas le genre de vin à servir avec de la cuisine raffinée, mais avec un plat de pasta à la saucisse italienne piquante, *perché no*?

En primeur

13911794   16,95$ ★★★ ②

ILLUMINATI
Montepulciano d'Abruzzo 2016, Riparosso

Le cépage montepulciano – à ne pas confondre avec la petite ville de Toscane qui porte le même nom et où on produit le vino nobile di Montepulciano – est cultivé un peu partout dans le centre de l'Italie. Cette cuvée largement distribuée dans le réseau de la SAQ fait preuve d'une richesse fruitée et d'une mâche tannique considérables. Beaucoup de plaisir en perspective – pour pas cher (!) – pour l'amateur de rouge corsé. À boire au courant des trois prochaines années. Quatre étoiles dans sa catégorie.

10669787   13,50$ ★★★★ ② ♥

MASCIARELLI
Montepulciano d'Abruzzo 2015

Très bon rouge d'entrée de gamme qui offre un joli relief de saveurs en bouche. Les notes fumées se mêlent aux goûts de fruits sauvages et de terre humide ; l'ensemble repose sur une trame tannique compacte, garante d'une sensation de fraîcheur. Maintenant ouvert ; à boire d'ici 2020.

10863774   16,55$ ★★★ ½ ① ♥

MASCIARELLI
Montepulciano d'Abruzzo 2015, Gianni Masciarelli

Disparu prématurément il y a déjà 10 ans, Gianni Masciarelli était l'un des hommes forts des Abruzzes. Cette cuvée éponyme est à la hauteur de sa stature et de sa prestance. Un rouge relevé et assez solide aux premiers abords, mais à la fois élégant, sobre et plutôt chaleureux en finale. On peut l'apprécier dès maintenant ou le laisser reposer en cave jusqu'en 2021.

13526298   20,50$ ★★★ ½ ②

MASCIARELLI
Montepulciano d'Abruzzo 2015, Marina Cvetic

Maintenant épaulée de ses enfants, Marina Cvetic garde le cap sur la qualité et signe, entre autres, cet excellent vin que son défunt époux lui avait dédié. Une interprétation très raffinée du montepulciano, plus souvent rustique qu'élégant. L'élevage apporte une patine suave et veloutée sans trop marquer les arômes, et le vin semble véritablement traduire le goût de son lieu d'origine. Finale austère et profonde, aux accents de noyau de cerise et de graphite; beaucoup de relief et de longueur. Au moins aussi complexe que bien des supertoscans vendus pour le double du prix.

10863766   30,50$ ★★★★ ③ ♥ △

ZACCAGNINI
Montepulciano d'Abruzzo 2016, La Cuvée dell'Abate

Parfois exagérément boisé dans les derniers millésimes, ce montepulciano m'a paru plus harmonieux en 2016. On mise plutôt à fond sur le naturel fougueux et «rustico-sympathique» du cépage montepulciano et sur une chair fruitée dodue et juste assez compacte pour satisfaire l'amateur de rouge corsé. À boire d'ici 2022, avec une pièce de viande rouge ou des aubergines grillées, assaisonnées d'épices à bifteck de Montréal.

908954   17,50$ ★★★ ②

COSIMO TAURINO
Notarpanaro 2010, Salento

Cet assemblage de negroamaro et de malvasia nera est en grande forme dans sa version 2010. Parfums d'encens, de poivre et d'herbes séchées; bouche nettement plus près de la terre que du fruit, hyper fraîche et digeste, assise sur des tanins fins, juste assez granuleux pour donner du mouvement et du tonus. Longue finale vaporeuse et distinguée. À moins de 20$, on peut en faire des réserves, à condition de le boire au courant de la prochaine année.

709451   21,05$ ★★★★ ① ♥

COSIMO TAURINO
Salice Salentino 2010, Rosso Riserva

Toujours le même bon vin authentique et sincère. Un peu rustique avec ses angles tanniques et ses parfums terreux, sans que ce ne soit un défaut. Au contraire, cela lui donne un supplément de caractère. Très bon rapport qualité-prix-plaisir.

411892   17,15$ ★★★ ①

GRIFALCO
Aglianico del Vulture 2015, Grifalco, Basilicate

Cet aglianico produit sur les pentes du Monte Vulture, un ancien volcan éteint, a toutes les qualités qui ont valu à l'aglianico le surnom de «barolo du sud». Un grain tannique d'une grande finesse, qui tisse une trame serrée, dont il émane une délicieuse sensation de fraîcheur. Et pour cause: même s'il est issu de raisins cultivés sous le chaud soleil du Basilicate, ce 2015 ne pèse pas plus de 13% d'alcool. Déjà succulent, surtout si on le laisse s'ouvrir en carafe pendant une heure, il pourra se bonifier d'ici 2023. Quel excellent vin!

13227896   24,25$ ★★★★ ② ♥ ⏳

TOMMASI

Primitivo 2017, Masseria Surani, Atlas, Puglia

La famille Tommasi, bien connue au Québec pour ses vins de la Valpolicella, a aussi développé un vaste vignoble dans la région des Pouilles. Un bon primitivo biologique, abordable et gorgé de bons goûts de raisins mûris comme il se doit sous le chaud soleil des Pouilles, au point de sembler presque sucré. Le vin est toutefois porté par une saine acidité qui lui donne du nerf et le rend plus digeste.

13366546   15,95$ ★★★ ②

TORMARESCA

Castel del Monte 2016, Trentangeli

Même s'il arbore une allure un peu internationale par ses tanins polis et ses goûts vanillés, ce vin d'aglianico (70%), de cabernet et de syrah issu de l'agriculture biologique fait néanmoins preuve d'une certaine originalité. Arrivée prévue en février 2019.

12756420   19,95$ ★★ ½ ②

TORMARESCA

Torcicoda 2015, Salento

Depuis 1998, la famille florentine Antinori a développé un vaste domaine de 600 hectares dans les Pouilles. Ce vin me laisse une impression plus authentique, moins travaillée, que les autres cuvées du domaine. Un peu moins strict que l'an dernier à pareille date, ce primitivo bien méridional me paraît aussi un peu plus marqué par le bois, étrangement. Rien de profond, mais séduisant à sa manière.

11331631   19,95$ ★★★ ②

DI BARTOLI, MARCO
Lucido 2017, Terre Siciliane

Les frères Renato et Sebastiano de Bartoli sont les rois du marsala (grand vin fortifié d'Italie), mais signent aussi des vins blancs secs très originaux au nord-ouest de la Sicile. Parmi eux, cet excellent catarratto, second cépage blanc le plus planté en Italie, derrière le trebbiano. Le 2017 éblouit par sa profondeur, sa densité et sa droiture, entre les agrumes, l'aneth, la poire pochée, les fleurs, quelques accents de caramel au beurre et une touche finale délicatement iodée. La bouche est dynamique et encadrée d'une matière presque tannique, sans doute attribuable à un élevage de sept mois sur lies. Un excellent blanc de gastronomie vendu à un prix dérisoire. Une note presque parfaite pour saluer sa singularité et sa complexité.

12640603 21,15$ ☆☆☆☆ ② ♥

0 895958 000253

DI BARTOLI, MARCO
Vignaverde 2016, Terre Siciliane

Le grillo demeure l'ingrédient clé du marsala, produit dans le nord-ouest de la Sicile. Vinifié en sec, il donne ici un blanc plutôt déconcertant par ses arômes végétaux et par sa matière compacte, qui semble riche en extraits secs. Une très heureuse combinaison de vivacité, de structure, de vinosité et de fraîcheur aromatique. À boire avec des *pasta alla vongole* ou des poireaux vinaigrette.

13111228 28,45$ ☆☆☆☆ ②

0 895958 000680

DISISA
Chara 2017

Entre de bonnes mains, le cépage catarratto – assemblé ici à parts égales à de l'insolia – peut donner des blancs d'envergure, qui sont quasi tanniques. C'est le cas de celui-ci, solide et minéral, avec un goût iodé très net en finale, un très joli spectre de saveurs fruitées et florales et une acidité structurante qui encadre le vin et le porte en longueur. Excellent!

13304011 20,40$ ☆☆☆☆ ② ♥

8 031047 002001

DONNAFUGATA
Anthìlia 2017, Sicilia

Assemblage de catarratto, d'ansonica et de grillo, ce vin présente un heureux mariage d'arômes sucrés et salés, entre les olives vertes, l'abricot et la pomme. Un bon blanc aromatique pour l'apéro, dont la richesse siéra aussi très bien à une viande blanche.

10542137 17,60$ ☆☆☆ ①

8 000852 000113

PLANETA
La Segreta blanc 2017, Sicilia

Issu de l'assemblage habituel de grecanico (50%), de chardonnay, de fiano et de viognier. La «recette» est éprouvée et donne une fois de plus un blanc tout à fait agréable à boire. Parfumé certes, mais aussi plein de fraîcheur et nettement plus structuré que la moyenne des blancs italiens de cette gamme de prix. Particulièrement complet en 2017. Allez! Dans sa catégorie, il mérite bien quatre étoiles.

741264   15,55$ ☆☆☆☆ ② ♥

FEUDO MACCARI
Nero d'Avola 2014, Saia, Sicilia

Cette cuvée issue à 100% de nero d'avola est passablement concentrée, tannique et enrichie d'une présence perceptible de bois, qui ajoute une touche d'épices et de vanille aux goûts de fruits confits et de réglisse. Même si à ce prix, je lui préfère un rouge de l'Etna, je suis persuadée qu'il donnera pleine satisfaction à l'amateur de vin corsé.

13478741   29,75$ ★★★→? ③

FEUDO MACCARI
Nero d'Avola 2016, Terre Siciliane

Un vin nero d'avola coloré, très riche en fruit mûr, au point de sembler quasi sucré en attaque, et animé d'une saine acidité qui accentue les angles tanniques et harmonise le tout. Finale savoureuse aux goûts de confiture de framboise.

11791995   17,70$ ★★★ ②

SELLA & MOSCA
Alghero Rosso 2014, Corallo

Cabernet sauvignon à 75% complété de cannonau. Un nez animal qui rappelle un peu la ferme, une bouche pulpeuse, riche en fruit, mais aussi en arômes de terre humide et de cuir, avec des accents d'épices douces. Beaucoup de relief et de couches de saveurs. Un bel ajout au répertoire de vins italiens à la SAQ.

13626328   19,15$ ★★★ ½ ② ♥

SELLA & MOSCA
Carignano del Sulcis 2014, Terre Rare Riserva

Ce carignan s'inscrit dans le style classique, un peu rustique, des autres cuvées de Sella & Mosca. Déjà passablement ouvert et évolué, comme en font foi ses parfums de cuir, de fruits secs et de fleurs séchées, mais il a encore de la chair fruitée en réserve et ne me semble pas près de s'assécher. Finale vaporeuse aux accents de kirsch et personnalité affirmée.

10675431   23$ ★★★ ½ ②

ESPAGNE

GALICE

Rias Baixas

Ribeira Sacra

Bierzo

Valdeorras

Monterrei

CATALOGNE

Navarre

Rioja

Campo de Borja

Calatayud

Penedès

CASTILLE ET LÉON

○ SARAGOSSE

○ BARCELO

Toro

Ribera del Duero

Cariñena

Prior

Rueda

ARAGON

Monts

★ MADRID

PORTUGAL

Valence

CASTILLE LA MANCHE

○ VALENCE

Jumilla

Yecla

Utiel Requena

Valdepeñas

Alicante

○ ALICANTE

MURCIE

SÉVILLE ○

Montilla Moriles

Xérèz

○ CADIX

ANDALOUSIE

◉ GIBRALTAR

Détroit de Gibraltar

MER MÉDITERRANÉE

ÎLES CANARIES

À quelques centaines de kilomètres au large du Maroc et du Sahara Occidental, les Îles Canaries regroupent une foule de microclimats, propices à la viticulture. Pas étonnant que chaque île possède sa propre dénomination d'origine et qu'à elle seule, l'île de Tenerife en regroupe cinq, toutes pertinentes.

ÎLES CANARIES

La Palma

Lanzarote

Tenerife

Fuerteventura

La Gomera

El Hierro

Gran Canaria

La morosité économique des dernières années a forcé les vignerons espagnols à parcourir le monde à la recherche de nouveaux marchés. Ils en ont aussi profité pour prendre le pouls d'une nouvelle génération de buveurs et adapter leurs vins en conséquence. Résultat: de manière générale, on observe une diminution significative des goûts boisés et de l'alcool, au profit du fruit et de la fraîcheur.

On voit ressurgir une foule de vieux cépages qui avaient été délaissés au profit du tempranillo et de variétés internationales. Plusieurs régions viticoles historiques sont aussi remises au goût du jour grâce à l'arrivée de jeunes vignerons qui repensent les méthodes de production et se tournent vers l'agriculture biologique. L'impact se fait sentir jusque dans la région très traditionnelle de la Rioja qui ajoute ainsi un nouveau chapitre à son histoire. Plusieurs grandes entreprises de la région cherchent encore leur style, oscillant entre tradition et hyper modernisme, mais on trouve de moins en moins de vins rustiques et maladroits sur le marché. L'offre à la SAQ continue de se diversifier et les pages suivantes font état de plusieurs nouveaux vins de grande qualité.

||||||||||||||||||||||||||||||||||||||||||||||||||||||||||||||||||||||||||||||||||||||||||||||||

Située tout au nord de l'Espagne, en Galice et en Castille et Léon, les appellations Bierzo et Valdeorras misent toutes deux sur le cépage rouge mencía et elles ont le vent dans les voiles depuis une dizaine d'années.

Avant de s'appeler grenache en France, la *garnacha* fleurissait déjà dans la région d'Aragon depuis le xvie siècle. En Espagne, il est présent partout et couvre environ 7 % du vignoble national, derrière le tempranillo et le bobal. Il est aussi répandu dans le midi de la France, où il nourrit la charpente du Châteauneuf-du-Pape et joue un rôle primordial dans la profondeur des vins (secs ou liquoreux) du Roussillon. Il est aussi abondamment cultivé en Australie depuis une centaine d'années, de même qu'en Californie et en Sardaigne, où il est connu sous le nom de cannonau.

||||||||||||||||||||||||||||||||||||||||||||||||||||||||||||||||||||||||||||||||||||||||||||||||||||

LES DERNIERS MILLÉSIMES

2017

Même situé plus au sud, le nord de l'Espagne n'a pas été épargné par la vague de froid qui a frappé l'Europe. Ensemble, les gelées printanières et la sécheresse estivale ont amputé la récolte à hauteur de 17 % en Catalogne et de 25 % dans la Rioja et Ribera del Duero. La chaleur et la sécheresse ont engendré des raisins particulièrement concentrés. Méfiez-vous toutefois des vins lourds et déséquilibrés.

2016

Dans la Rioja, l'année a débuté avec un printemps compliqué, un été de grande chaleur et des vendanges sous la pluie. Difficile à ce stade précoce de prévoir comment les vins tiendront dans le temps, mais les quelques joven 2016 goûtés au cours des derniers mois étaient joliment fruités et harmonieux.

2015

Du nord au sud et de l'est à l'ouest du pays, un printemps chaud et sec a permis une bonne floraison. Et juillet 2015 passera à l'histoire comme le mois le plus chaud depuis 1880. Cette vague de canicule et de sécheresse de 26 jours a engendré un retard des maturités. Heureusement, plusieurs régions (la Rioja en particulier) ont bénéficié des mois d'août et septembre plus tempérés, avec des épisodes providentiels de pluie. Bon millésime pour les régions du nord du pays, mais il faudra s'attendre à des vins concentrés et riches en alcool.

2014

Dans la Rioja, un retour à des formes et à des quantités normales, après deux années de petites récoltes. La saison végétative a été longue, mais des pluies pendant les vendanges ont compliqué la donne dans certains secteurs.

2013

Un gel tardif en début de saison a engendré une petite récolte, puis les vendanges ont été parsemées d'épisodes de grêle et de pluie. Au mieux, on peut espérer des vins plus frais et légers en alcool.

2012

Récolte exceptionnellement faible dans la Rioja. L'une des plus petites des deux dernières décennies. Heureusement, le peu qui a été produit promet d'être excellent.

2011

Un été chaud dans la Rioja a engendré de plus faibles rendements et des vins plus concentrés qu'en 2010. L'été 2011 a été marqué par une sécheresse générale et certaines régions viticoles ont commencé la vendange dès la fin du mois de juillet !

DESCENDIENTES DE J. PALACIOS
Bierzo 2015, Pétalos

Au sein du portfolio de Descendientes de J. Palacios, qui comporte plusieurs cuvées parcellaires, le Pétalos offre plutôt une interprétation régionale de Bierzo. Un peu comme un bourgogne générique... Un mencía au nez délicat de coquille d'huîtres et aux goûts généreux de mûre et de poivre. Un grain tannique velouté, quoique compact et un peu asséchant en finale. La carafe est ici un atout.

10551471   24$ ★★★→? ③ ⚗

RONSEL DO SIL
Ribeira Sacra 2015, Vel'uveyra Mencia

Dégusté par une journée de chaleur humide, ce vin de mencía s'est présenté comme une bouffée d'air frais. Une trame tannique d'abord souple, puis vigoureuse, serrée et garante de fraîcheur; un fruit qui danse, relevé d'accents d'épices et de fines herbes, et une sensation de bord de mer, saline et désaltérante. L'exemple même du vin qui traduit le goût d'un lieu et offre ce petit je-ne-sais-quoi qui vous accroche un sourire.

12474991   24$ ★★★★ ② ♥

TAJINASTE
Valle de La Orotava 2017, Tradicional

À quelques centaines de kilomètres au large du Maroc et du Sahara Occidental, les Îles Canaries regroupent une foule de microclimats, propices à la viticulture. Pas étonnant que chaque île possède sa propre dénomination d'origine et qu'à elle seule, l'île de Tenerife en regroupe cinq, dont la vallée de La Orotava, où Agustín García Farrais produit un excellent rouge, issu de listan negro. Ce cépage aux origines génétiques encore incertaines donne ici un vin très singulier, aussi près de la terre que du fruit. La mâche tannique est compacte, les couches de saveurs se succèdent en bouche et une trame minérale et fumée – qui rappelle la nature volcanique des sols – apporte beaucoup de complexité en finale.
Vibrant, vivant et très long.

13619321   24,25$ ★★★★ ② ♥

ALTOLANDON
Manchuela 2015, Doña Leo

Tout au nord de l'appellation Manchuela, dans la région de Castille la Manche, les vignes de Rosalía Molina et Manolo Garrote sont juchées à plus de 1000 m d'altitude et balayées par des vents forts, qui limitent les maladies fongiques et facilitent leur travail en bio. Leur Doña Leo, vendu pour la première fois à la SAQ, est un vin très singulier. Il est composé à 100% de muscat à petits grains, dont les peaux ont été mises à macérer dans les jus pendant 12 heures, puis vinifié avec un minimum de manipulations et un apport limité en soufre. Par sa couleur dorée et par son nez, ce blanc évoque presque un vin de dessert. Or, la bouche est franche, dépourvue de sucre résiduel et déborde de bons goûts de pêche et de clémentine, mais aussi de poivre, de zeste de citron et de fleurs, sur un fond minéral. Beaucoup de plaisir et de discussions en vue. À découvrir!

13622319   18,90$ ☆☆☆☆ ② ♥

8 437006 339308

BORSAO
Campo de Borja 2016, Macabeo-Chardonnay

En plus de très bons rouges de garnacha, cette bodega d'Aragon produit un blanc original, composé de macabeu et de chardonnay. Nez de fines herbes, de pomme et de cire d'abeille; profusion de fruits tropicaux en bouche, de la tenue et un bon équilibre.

10856161   12,70$ ☆☆☆ ① ♥

8 412423 120746

HARO-BILBAO
Rioja 2015, Monopole Clasico Blanco Seco

Bon vin sec composé de viura, dont le style est tout à l'opposé du petit blanc moderne d'Espagne. Assez original avec ses notes d'herbes fraîches, de cire d'abeille et de noix, nourri par un élevage bien maîtrisé en fûts de chêne neutre, qui lui confère un goût d'une autre époque. À point maintenant, mais certainement capable de vivre jusqu'en 2022.

13280646   25,50$ ☆☆☆ ②

8 410591 305040

MUGA
Rioja 2017, Blanco

En plus d'une vaste gamme de vins rouges de facture moderne, cette importante cave de la Rioja Alta commercialise un blanc frais et guilleret mettant en valeur le cépage viura; sec et animé d'un poil de gaz carbonique. Désaltérant, sans prétention et suffisamment net. À boire jeune.

860189   17,50$ ☆☆☆ ②

8 414542 040134

RECTORAL DO UMIA
Rias Baixas 2016, Abellio, Albariño

Une touche de miel s'ajoute aux nuances de fruits blancs tropicaux et de pêche de cet albariño. La texture est marquée par une acidité tranchante, qui lui donne une allure un peu austère. Modeste, mais abordable.

13565385   16,30$ ☆☆ ½ ①

SUMARROCA
Penedès 2016, Tuvi (or not Tuvi)

À un jet de pierre de Barcelone, la région de Penedès est connue pour sa production de cava, l'effervescent espagnol, mais certaines maison, comme Sumarroca, élaborent aussi des vins «tranquilles» – lire ici sans bulles. À bon prix, le Tuvi 2016 conjugue la vivacité et les notes salines caractéristiques du xarello, aux parfums des cépages gewurztraminer, viognier et riesling. Une belle texture en bouche, des saveurs nettes et expressives de fleurs et de fruits tropicaux, sans excès.

13574687   16,40$ ☆☆☆ ½ ② ♥

TORRES
Penedès 2016, Gran Viña Sol, Chardonnay

Je n'avais pas goûté ce blanc composé de chardonnay et de parellada (15%) depuis quelques années. J'y retrouve le même bon blanc moderne, pas très original – difficile avec le chardonnay –, mais débordant de vitalité avec son attaque perlante et ses goûts d'agrumes. Une très bonne note pour sa constance.

64774   16,95$ ☆☆☆ ①

ZARATE
Rías Baixas 2017, Albariño, Val do Salnés

Cette *bodega* respectée de Val do Salnés, en Galice, au nord-ouest de l'Espagne est reconnue pour ses longs élevages sur lies. Alors que tant de vins blancs de facture moderne de la région de Rías Baixas misent sur l'exubérance fruitée et les parfums de pêche du cépage albariño, cette cuvée tout juste mise en vente à la SAQ et issue de vignes de 35 ans n'est que texture et minéralité. Le nez est infiniment élégant et rappelle cette odeur de pierre à fusil qu'on associe souvent aux vins de Chablis. La bouche est tendue, hyper saline et dotée d'une tenue et d'une longueur rares dans les vins blancs de cette gamme de prix. Un excellent achat!

13529202   22,70$ ☆☆☆☆ ② ♥

BERONIA
Rueda de Verdejo 2016

Provenant d'une maison plus connue pour ses rouges de la Rioja et vendu pour la première fois au Québec, un bon vin misant avant tout sur la vivacité aromatique; rond en bouche tout en étant sec; des notes de litchi le teintent d'une touche d'exotisme. Agréable sans être l'aubaine du siècle.

13546037   15,95 $ ☆☆ ½ ①

BONHOMME, LES VINS
Rueda 2016, El Petit Bonhomme Blanco

Une interprétation vigoureuse et aromatique du verdejo et un très bon blanc rafraîchissant, misant sur le fruit et non sur le bois. Un travail des lies enrichit sa matière et son caractère guilleret est plutôt charmant. Un bon passe-partout à prix abordable pour les apéros improvisés.

12533541   15,50 $ ☆☆☆ ① ♥

COMENGE
Rueda Verdejo 2016

Encore une fois très réussi dans sa version 2016, ce verdejo est l'un des meilleurs spécimens du genre et l'un des bons blancs espagnols à moins de 20 $. Frais, modérément aromatique et très invitant avec ses parfums d'agrumes, de thé vert et d'herbe fraîchement coupée. Excellent vin sec qui se détache du style hyper exubérant qu'arborent tant de vins de Rueda. Longue finale offrant de la poire mûre et des fleurs. À boire sans se casser la tête par un bel après-midi d'été.

12432601   17,70 $ ☆☆☆☆ ② ♥

CUATRO RAYAS
Rueda Verdejo 2016, Vinedos centenario Sobre lias

Rien de complexe, mais un bon vin moderne, sec, frais et net en bouche, ponctué de notes de buis, de sapin et de citron. Plus de corps et de gras que la moyenne de l'appellation – l'âge des vignes et le travail des lies doivent y être pour quelque chose – quoique plutôt anonyme. À ce prix, on souhaiterait y trouver un peu plus de caractère.

13623080   17,20 $ ☆☆ ½ ①

HERMANOS LURTON
Rueda Verdejo 2016

Le vigneron français François Lurton élabore ce verdejo dans la région de Castille et Léon, au nord de l'Espagne, Dans toute sa jeunesse, il se présente comme un vin frais et délicatement aromatique, suffisamment bien équilibré pour être désaltérant à souhait. Pas de bois, mais des fruits tropicaux, du citron et du poivre à revendre et une bonne tenue. Très plaisant.

727198   15,75$ ☆☆☆ ½ ① ♥

MAQUINA & TABLA
Rueda 2016, Paramos de Nicasia

J'ai découvert ce blanc en juin 2018 grâce à une amie. Le lendemain, j'ai couru à la SAQ en acheter une caisse! Jamais je n'avais goûté un vin de verdejo si complet, si singulier, que celui de ce petit domaine familial de Castille et Léon, dont les vignes sont conduites en biodynamie. En plongeant le nez dans le verre, on trouve des notes d'eau de mer et de pâte miso qui contrastent avec les parfums fruités habituels des blancs d'Espagne. La bouche est tout aussi particulière: à la fois ample, nourrie et débordante de fraîcheur, avec des accents iodés, qui laissent en finale une sensation saline et délicieusement désaltérante. Hâtez-vous de mettre la main sur une bouteille lors du prochain arrivage!

13608752   19,15$ ☆☆☆☆ ② ♥

MARQUÉS DE CÁCERES
Rueda Verdejo 2016

Les vins portant la mention «Rueda Verdejo» en contre-étiquette sont issus à 100% de verdejo. Ceux commercialisés sous la simple appellation «Rueda» peuvent être issus d'un assemblage de verdejo et de viura ou de sauvignon blanc. Ce Verdejo affiche un nez typé d'agrumes et d'herbes, mais aussi un petit caractère empyreumatique. Le vin est frais, pimpant et relevé, perlant à l'attaque, et s'avère plutôt complet en bouche. Compte tenu du prix, c'est un achat avisé.

12861609   12,90$ ☆☆☆ ① ♥

CAN BLAU
Montsant 2016

Si vous parvenez à faire abstraction des odeurs omniprésentes de café et de fumée, vous serez sans doute séduit par la générosité et la mâche tannique assez dense de cet assemblage de mazuelo (carignan), de grenache et de syrah. Le noyau tannique est enrobé d'une chair fruitée dodue et une certaine acidité équilibre le tout. À boire dès maintenant si vous aimez les sensations fortes; à laisser reposer jusqu'en 2022 pour l'apprécier sous un jour plus nuancé.

12658627   25,65$ ★★★→? ③

CAN BLAU
Montsant 2016, Blau

Un élevage de chêne confère à ce vin de carignan, de garnacha et de syrah un profil aromatique d'une autre époque. La charpente est solide et carrée, donnant au 2016 une allure presque austère, beaucoup moins facile et flatteur que par le passé. Recommandable, en dépit d'un léger creux en milieu de bouche.

11962897   18,95$ ★★★ ②

COMBIER – FISCHER – GERIN (L'INFERNAL)
Priorat 2014, RIU

Les vignerons français Laurent Combier, Peter Fischer (Château Revelette) et Jean-Michel Gerin sont maintenant bien acclimatés aux conditions extrêmes du Priorat, dont les coteaux atteignent jusqu'à 78% d'inclinaison (!). Le deuxième vin du domaine évoque, par son nez de viande fumée et d'épices, certains carignans du Roussillon, de l'autre côté des Pyrénées. La bouche est chaleureuse, voire capiteuse, mais portée par une vigueur tannique qui laisse en finale une impression générale de fraîcheur et met en relief sa palette de saveurs complexes à la fois animales, fruitées, florales et herbacées. Un vin de soleil, taillé pour la table.

12134170   34,25$ ★★★★ ② ♥

PALACIOS, ÁLVARO
Priorat 2015, Les Terrasses

Le vigneron espagnol le plus célèbre de sa génération a quitté sa Rioja natale en 1989, pour trouver son eldorado dans les montagnes catalanes du Priorat, où il a participé à la renaissance de vignobles historiques « endormis », aux côtés de René Barbier, Daphne Glorian et José Luis Pérez. Bien qu'il soit encore tout jeune, ce 2015 s'avère déjà très agréable, avec une bouche suave et veloutée, caractéristique de la garnacha, dont il est composé à 90%. Gourmand, avec ses arômes de cerise confite, d'espresso et de chocolat noir, et cette élégante finale florale qui se dessine, vaporeuse, éthérée, presque irrésistible. Délicieux!

12853115   48$ ★★★★ ②

PALACIOS, ÁLVARO
Priorat 2016, Camins del Priorat

Situé à peine à 20 km de la mer, le vignoble du Priorat est baigné de soleil plus de 4000 heures par année et ne reçoit, en moyenne, que 475 mm de pluie. Au nez, la concentration aromatique de ce 2016 annonce un rouge solide. La bouche suit, ferme et assise sur des tanins denses, néanmoins très fine, profonde et riche d'un large spectre de saveurs bien méditerranéennes, entre l'anis, les olives noires et la garrigue. Beaucoup de relief et de profondeur dans ce vin encore très jeune et promis à une belle garde. Une introduction abordable aux vins du Priorat.

11180351 28,45$ ★★★★ ③ ♥

PARÉS BALTÀ
Penedès 2014, Mas Elena

Une fois de plus en 2014, cet assemblage de merlot, de cabernet sauvignon et de cabernet franc, tous issus de l'agriculture biologique, propose une interprétation sincère des cépages bordelais en sol catalan. Une attaque en bouche franche et droite, un bel enrobage fruité, une juste dose d'acidité et une finale originale aux accents fumés.

10985763 19,85$ ★★★ ② 🗨

PARÉS BALTÀ
Penedès 2015, Mas Petit

Le nom laisse présager un vin aux ambitions modestes. C'est ce qu'on retrouve dans le verre: un bon rouge souple, coulant, suffisamment fruité et assis sur des tanins droits, garants d'une certaine tenue en bouche. Digeste et taillé pour la table. Issu de l'agriculture biologique et certifié végan (pour ceux que ça interpelle).

13557828 16,50$ ★★★ ② ♥ 🗨

TORRES
Catalunya 2013, Gran Sangre de Toro Reserva

La constance dont fait preuve ce vin d'année en année impose le respect. Souple, rond et riche en goûts de confiture de framboises, le vin déroule en bouche des tanins mûrs et potelés, et offre la générosité caractéristique de la garnacha. Un classique catalan, avec raison.

928184 17,75$ ★★★ ①

ARTADI
Navarra 2016, Garnacha, Artazuri

Chaque année, je retrouve avec un plaisir gourmand ce garnacha de Navarre et je me régale de ses bons goûts de cerise mûre et juteuse, autant que de son enveloppe tannique veloutée. Un vin parfait pour l'amateur de vins chaleureux comme le sont ceux de Californie, qui souhaite explorer de nouveaux horizons. Séduisant, mais pas racoleur et surtout, non boisé. Une expression pure et délicieuse de la garnacha espagnole.

10902841   16,15$ ★★★ ½ ② ♥

BORSAO
Campo de Borja 2015, Berola

Depuis une dizaines d'années, cette importante coopérative de l'appellation Campo de Borja, exporte au Québec des vins rouges généreux, vendus à prix abordables. À moins de 20$, par exemple, cette cuvée de garnacha et de syrah a tout pour plaire à l'amateur de rouge « aromatique et souple », pour reprendre les fameuses pastilles de goût de la SAQ. Des arômes de cassis et de petits fruits rouges, une mâche tannique juste assez dense et un fruité gourmand.

11962900   18,55$ ★★★ ②

CORONA D'ARAGON
Cariñena 2012, Reserva

Ne jugez pas à son étiquette vieillotte ce vin produit par la même cave coopérative que le Monasterio de las Viñas. Sans rien révolutionner, la bouche est droite, équilibrée et se dessine dans un style espagnol plutôt classique, avec de légers arômes de viande et de fruits secs.

10462778   18,50$ ★★★ ②

HONORO VERA
Calatayud 2016, Garnacha

Deux mois d'élevage en fûts de chêne français nourrissent ce vin de garnacha, sans l'alourdir. Une profusion de goûts de framboise, une touche boisée bien intégrée et une saine fraîcheur. Un peu simple et de facture somme toute commerciale, mais vendu à prix honnête. Un bon vin passe-partout pour les barbecues improvisés.

11462382   13,95$ ★★★ ② ♥

MONASTERIO DE LAS VIÑAS
Cariñena Crianza 2013

Située au sud-est de la Rioja, dans la région d'Aragon, l'appellation Cariñena n'a jamais eu le lustre de ses voisins du nord, mais peut donner de bons vins authentiques et abordables. En voici d'ailleurs un bien complet pour 11,95$. Boisé sans excès, il offre de la matière tannique, du fruit et une certaine longueur. Une mention spéciale pour cette cave apparemment imperméable aux modes, qui offre une belle gamme de vins abordables, sans tomber dans la facilité d'un style commercial.

539528   11,95$ ★★★ ② ♥

MONASTERIO DE LAS VIÑAS
Cariñena Gran Reserva 2010

Le marché a soif de vin et la demande mondiale va toujours crescendo. Le temps est donc un luxe que de moins en moins de domaines peuvent se permettre. Une bonne raison pour souligner le rapport qualité-prix avantageux qu'offre ce vin maintenant âgé de 8 ans. Prêt à boire, avec de bons goûts de cacao, mais soutenu par un cadre tannique serré, porteur d'une agréable fraîcheur.

10359156   20,05$ ★★★ ②

MONASTERIO DE LAS VIÑAS
Cariñena Reserva 2012

Le Monasterio de las Viñas Reserva est l'une des nombreuses cuvées produites par la plus importante coopérative de la région de Cariñena, regroupant près de 700 familles de viticulteurs sur 4000 hectares de vignobles. Les parfums de cuir, de tabac, de fruits secs et de sous-bois annoncent un vin déjà bien ouvert. Le grain tannique fin et leste, assoupli par le temps, rappelle un peu le pinot noir, mais sur un mode rustique, tandis qu'une pointe d'herbes séchées apporte une agréable sensation de fraîcheur en finale. Prix attrayant pour un vin à point.

854422   15,55$ ★★★ ② ♥

PAGO DE CIRSUS
Navarra 2014, Cuvée Especial

Le cinéaste Iñaki Núñez a développé un vaste vignoble d'une centaine d'hectares en Navarre, au nord-ouest de la ville de Saragosse. D'entrée de jeu, on est séduit par ses parfums d'olive noire et de poivron rouge, qui se dessinent sur une trame de fond torréfiée, attribuable à l'élevage en fûts de chêne. Ambitieux sans être excessif; robuste, concentré et doté d'une certaine fraîcheur et d'une belle harmonie d'ensemble. À défaut de complexité, une interprétation moderne et flatteuse des tempranillo, syrah et merlot.

11896615   26,60$ ★★★ ½ ②

HERMANOS HERNÀIS
Rioja 2016, El Pedal Tempranillo

La Rioja, classique du vignoble espagnol, mis au goût du jour : les arômes de fruits frais dominent au nez, la bouche fait preuve d'une agréable fraîcheur ; les tanins sont serrés et la finale joliment poivrée. Rien de complexe, facile à boire et animé d'une pointe de gaz carbonique. Servir autour de 15 °C.

13565406   17,35 $ ★★★ ②

IJALBA
Rioja 2015, Graciano

Une année de repos a été bénéfique à ce rioja 2015, composé à 100 % de graciano, cépage aussi connu sous le nom de bovale, en Sardaigne. Encore tout jeune et plus expressif que la moyenne régionale, comme l'annonce son nez affriolant et gorgé de fruit, avec une pointe de sauge et de lavande. La bouche est gourmande, toute en chair et en fruit croquant, soutenue par une poigne tannique vigoureuse, mais en rien brutale. Tenue impeccable et finale étonnamment relevée et persistante. Excellent rapport qualité-prix-plaisir !

10360261   22,75 $ ★★★★ ② ♥

MARQUÉS DE CÁCERES
Rioja 2014, Excellens Cuvée spéciale

Généralement moins boisés que d'autres, les riojas de Cáceres ont été parmi les premiers riojas à jouer la carte du fruit et de l'harmonie. Attaque fraîche et tonique ; finale chaleureuse aux bons goûts de cerise confite, d'épices et de fleurs séchées. Très bon vin de tous les jours à servir avec une cuisine généreuse.

12383221   16,70 $ ★★★ ½ ② ♥

MORAZA
Rioja 2016, Tempranillo

Cette *bodega* familiale de la Rioja Alta pratique l'agriculture biologique et produit ce très bon tempranillo, exemple même du rioja « nouvelle vague » : zéro bois, une tonne de fruit. Le nez, très expressif et plein de fraîcheur, porte les traits d'une macération carbonique partielle. La bouche est juteuse, gourmande, structurée et de bonne longueur. À apprécier en jeunesse.

12473825   18,80 $ ★★★ ½ ① ♥ ▪

PALACIOS REMONDO
Rioja 2015, La Montesa

Contrairement aux zones Alta et Alavesa de la Rioja, dont le climat continental sied au tempranillo, la Rioja orientale est fortement influencée par la mer Méditerranée et jouit de températures élevées et de conditions plus arides, idéales pour la culture du cépage garnacha. Inutile, donc, de chercher dans La Montesa, les parfums de tabac souvent associés au tempranillo. Les vignes de garnacha, cultivées à 550 m d'altitude, donnent plutôt à ce vin des airs méditerranéens, avec un nez de réglisse, de cacao et de confiture de cerise. La bouche est gourmande et la trame tannique suave et caressante, tandis qu'une sensation minérale et des notes d'herbes séchées apportent une agréable sensation de fraîcheur à sa finale chaleureuse. Encore meilleur s'il est servi frais. Excellent rapport qualité-prix!

10556993   20,95$ ★★★★ ② ♥

PALACIOS REMONDO
Rioja 2016, La Vendimia Palacios Remondo

Un rioja joven – qui signifie «jeune» en espagnol – de facture moderne, au bon sens du terme, avec sa couleur grenat, son nez riche de fruits confits et son attaque en bouche quasi sucrée. De la chaleur, une trame souple et juste assez d'acidité pour maintenir un bel équilibre. À boire d'ici 2020 pour profiter au maximum du fruit.

10360317   18,15$ ★★★ ①

RIVIÈRE, OLIVIER
Rioja 2016, Gabaxo

Établi dans la Rioja Alta depuis 2004, Olivier Rivière réussit, avec peu de moyens techniques, là où bien des *bodegas* dotées d'installations modernes échouent: élaborer des riojas purs, authentiques et fidèles à leur terroir. Le Gabaxo est composé de tempranillo de la Rioja Alavesa (sol graveleux et argilo-calcaire; altitude de 500 m) et de garnacha de la Rioja Alta (sol d'argile rouge; altitude 600 m). À l'ouverture, des parfums de réduction donnent le ton et annoncent un rioja en mode «sauvage», qui plaira aux amateurs de vins nature. Une demi-heure d'aération suffit pour que le fruit se déploie et révèle un large spectre aromatique, qui se dessine avec finesse et sobriété. Le tissu tannique est à la fois soyeux et très compact; juste assez ferme pour lui donner du mordant et procurer beaucoup plaisir à table. Excellent!

13579314   27,35$ ★★★★ ② ♥

BODEGAS PALACIOS
Rioja 2012, Cosme Palacio Reserva

Attention de ne pas confondre avec Palacios Remondo, propriété de la famille d'Alvaro Palacios. Ce rioja arbore un profil sauvage et animal, tant en bouche qu'au nez. Costaud et compact, il offre aussi de bons goûts de fruits frais, mais termine sur une finale anguleuse et asséchante. À près de 30 $, on trouve mieux sur le marché.

11692997 28,75$ ★★ ½ ②

EL COTO
Rioja Crianza 2014

Dans la Rioja, les vins portant la mention *crianza* indiquent un vieillissement d'au moins deux ans. Des reflets grenats et des accents de cuir et de fumée annoncent un début d'évolution. La bouche conserve toutefois une certaine jeunesse, le fruit est frais, les tanins sont serrés et les saveurs persistent en finale. Une proposition tout à fait honnête, à 17 $.

11254188 17,15$ ★★★ ② ♥

IJALBA
Rioja Reserva 2014

Le Reserva de cette cave de Logroño est de nouveau très recommandable en 2014. Le nez présente des arômes de cerise, d'aneth et de banane, sans doute attribuables à un élevage partiel en chêne américain, ce qui n'empêche pas le fruit de s'exprimer. Sa longue finale et son équilibre d'ensemble me font croire qu'il pourrait encore révéler de belles surprises d'ici 2022.

478743 22,45$ ★★★ ½ ③ ♥

LAN
Rioja Crianza 2014

Du haut de ses 4 ans, le vin commence à perdre sa teinte foncée et le nez laisse percevoir des notes d'évolution (cuir, fruits séchés etc.). L'attaque est souple, les tanins sont serrés, mais discrets. À prix correct, un bon rioja encore solide, à boire au cours de deux ou trois prochaines années.

741108 16,95$ ★★ ½ ②

LAN
Rioja Reserva 2011

Sans surprise, ce vin maintenant âgé de 7 ans se révèle tout à fait à point. L'attaque en bouche est quasi sucrée tant le fruit est mûr. Tanins un peu secs, parfums de fruits confits, fruits séchés, cuir et tabac. Bien tourné dans un style conventionnel. Selon sa contre-étiquette – au demeurant très utile pour ceux qui souhaitent mettre du vin en cave –, il serait en ce moment dans sa plénitude. Je suggère de le boire d'ici 2021.

11414145   22,85$ ★★★ ②

MARQUÉS DE CÁCERES
Rioja Reserva 2012

Fondée en 1970, cette maison de la Rioja Alta a toujours façonné des vins classiques et équilibrés; charpentés sans être lourds. Le reserva 2012 en est un parfait exemple avec ses tanins velours qui tapissent la langue et son profil aromatique d'une autre époque, avant le règne du fruit à tout prix. Je trouve, en fait, quelque chose de réconfortant dans ces effluves de tabac, de cuir, de terre humide et de cacao brut. Le vin idéal pour se réchauffer par une froide journée d'automne. Ouvert et savoureux; à boire d'ici 2022.

897983   22,85$ ★★★ ½ ② ♥

MUGA
Rioja Reserva 2014

Par son style, ce vin se situe à mi-chemin entre un rioja conventionnel (boisé et charnu) et un rioja moderne (fruit et souplesse). De la fraîcheur, une bonne structure et un tissu tannique dense. N'empêche que, dans la même gamme de prix, le reserva 2014 de la maison Ijalba, offre, à mon sens, une dimension aromatique et une étoffe supplémentaires.

855007   23,55$ ★★★ ②

VALDEMAR
Rioja Reserva 2011, Conde Valdemar

Membre du groupe familial Martinez Bujanda, cette *bodega* possède 400 hectares de vignes dans la Rioja. On retrouve dans le reserva 2011 le profil aromatique habituel, marqué d'accents de bois de santal et de cèdre, sur un fond de fruits séchés, de vanille, d'anis et de carvi. Les tanins sont fondus par sept années d'élevage, et l'équilibre est plutôt réussi, dans un style classique. Charmant, quoique un peu vieillot.

882761   22,70$ ★★★ ①

COTO DE IMAZ
Rioja Gran Reserva 2011

Même âgé de 7 ans, ce Gran Reserva n'est toujours pas sur la pente descendante. Plus concentré que le millésime 2010 goûté l'an dernier, avec une certaine épaisseur tannique, enrobée d'une chair mûre. Les arômes de fruits confits se déploient en une longue finale vaporeuse, côtoyant les fleurs, le cuir, le kirsch et le tabac. À boire sans se presser d'ici 2022.

11962651   35,75$ ★★★ ½ ②

LOPEZ DE HEREDIA
Rioja Reserva 2005, Viña Tondonia

Depuis sa fondation à Haro, en 1877, cette vénérable maison de la Rioja Alta a bâti sa réputation avec des vins de facture traditionnelle, qui bénéficient d'une très longue période de vieillissement. Le domaine a aussi son propre atelier de tonnellerie. L'un des multiples détails qui font de Lopez de Heredia une *bodega* d'exception. Bien qu'il soit âgé de plus de 12 ans, ce 2005 – excellent millésime dans la Rioja – est loin d'être fatigué. Le temps a permis aux tanins et au bois de se fondre ; la texture est soyeuse, le grain tannique encore vigoureux ; les saveurs de porcini, de cuir et d'espresso, profondes et racées. Quelle élégance !

11667901   52,75$ ★★★★ ½ ①

MARQUES DE RISCAL
Rioja 2014, Reserva

Cette *bodega* fondée en 1860 – célèbre, entre autres, pour son chai ultramoderne et spectaculaire, conçu par l'architecte canadien Frank Gehry – produit des vins de style classique, qui n'ont rien à voir avec les monstres de concentration, nés vers la fin des années 1990 dans la Rioja. Le boisé n'est pas envahissant et le vin coule en bouche, leste et velouté, ponctué de tabac, de fruits secs, de cuir et d'épices. Très « civilisé » et vendu à prix juste.

10270881   25,35$ ★★★ ½ ②

MARQUES DE RISCAL
Rioja Gran Reserva 2007

Fruit d'une année difficile dans la Rioja, un vin maintenant ouvert, dont la patine tannique a été assouplie par le temps. Les notes de bourbon attribuables au chêne américain se marient aux accents de cuir et de fruits secs ; le bois laissant aussi une texture presque crémeuse. Une très bonne longueur dans ce vin déjà à point, mais qui a encore passablement de chair autour de l'os et de matière en réserve. Quatre étoiles bien méritées.

11665729   58,75$ ★★★★ ②

MONTECILLO
Rioja 2009, Gran Reserva

Ce 2009 arbore une finesse classique. Net et vigoureux, porté par des tanins soyeux, le fruit se mêle à la tomate confite et le tout rehaussé d'un saine amertume qui ajoute à sa longueur. Un vin à servir impérativement à table, avec un plat mijoté, de préférence. Prêt à boire.

239277   33,75$ ★★★ ②

MUGA
Rioja 2014, Selecciòn Especial

Muga évolue dans un registre un peu à part, dans la Rioja : pas 100 % moderniste, mais pas vraiment classique non plus. Cette année encore, je reste perplexe devant cette « sélection spéciale » élevée à 50 % dans des fûts de chêne français neufs. Très concentré, dessiné à gros traits et copieusement assaisonné de parfums vanillés. Le vin est jeune, certes, et il faut le projeter dans l'avenir, mais pour l'instant, je n'y vois qu'un exercice de style sur le thème de la puissance brute. Plus de muscle que d'esprit…

12986612   41,75$ ★★ ½→? ③

MUGA
Rioja Gran Reserva 2010, Prado Enea

Les raisins qui composent le Prado Enea sont toujours parmi les derniers vendangés, ce qui se traduit ici par une maturité optimale. Le vin séjourne ensuite pendant 12 mois dans de grands foudres en chêne, avant d'être transféré dans des fûts de 225 litres, où il sera élevé pendant 36 mois, puis embouteillé, pour 36 mois de vieillissement additionnel. Étonnamment, ce 2010 présente encore des accents de réduction malgré son âge. Solide, costaud et bâti pour vivre aisément jusqu'en 2025.

11169670   56$ ★★★→? ③

Espagne

ARZUAGA
Ribera del Duero Crianza 2015

Arzuaga fait partie des nombreuses *bodegas* qui ont vu le jour au début dans années 1990, dans Ribera del Duero. Comme c'est le cas dans plusieurs caves de la région, on met en pratique une œnologie moderne dans le but de produire des vins à la fois percutants et flatteurs. Le 2015 est solidement constitué, s'appuyant sur un grain compact, nourri par un élevage de 26 mois en fûts de chêne français. Vif et un peu pointu en attaque, le vin remplit la bouche d'une matière dense et laisse en finale une sensation capiteuse qui fait bien sentir ses 14,5 % d'alcool. Quelques années supplémentaires de repos en bouteille aideront les éléments à se mettre en place.

10271998 36$ ★★★→? ③

CONDADO DE HAZA
Ribera del Duero Crianza 2014

Maintenant épaulé de ses filles, Alejandro Fernández (Pesquera) est le parrain de Ribera del Duero. Même s'ils n'ont pas l'envergure des meilleurs crus des années 1990 et 2000, ces vins demeurent des références de cette appellation de Castille et Léon. Le crianza 2014 révèle au nez les accents d'aneth du chêne américain. L'attaque en bouche est un peu rustique et anguleuse et l'empreinte boisée est marquée d'arômes de bourbon, mais le vin ne manque vraiment pas de caractère ni de charme avec son profil sauvage et ses tanins qui se fondent en finale. À boire entre 2019 et 2023.

978866 27,85$ ★★★ ½ ②

ESENCIA
Ribera del Duero 2015, Finca No 1 Tempranillo

Séduisant en attaque avec sa trame tannique soyeuse et gorgée de fruits. Hélas, le vin tombe très court et laisse en fin de bouche des notes rustiques de céréales. À près de 20 $, l'amateur de vin charnu restera sur sa soif.

12886849 20,05$ ★★ ½ ②

PROTOS
Ribera del Duero 2011, Reserva

À l'aube de ses 7 ans, le nez affiche une certaine évolution par des arômes de cuir et de fruits secs. La bouche, en revanche, est encore très jeune et vigoureuse, portée par des tanins très serrés, depuis l'attaque jusqu'à la finale. Riche, concentré, mais taillé d'un seul bloc. Quelques années en cave aideront peut-être à dompter la bête.

13321541   36$ ★★★→? ③

QUINTA SARDONIA
Sardòn 2015, Vino de la Tierra de Castilla y Leòn

Ce domaine de Sardòn del Duero appartient au même groupe que Terras Gauda (Rias Baixas) et Pittacum (Bierzo). Majoritairement composé de tempranillo, le Sardòn 2015 est sombre et très coloré Un vin joufflu, riche en matière, plein de fruit mûr et de tanins, et passablement long en bouche. Fringant et savoureux, presque méditerranéen par ses goûts de réglisse et de garrigue. Un peu bâti d'une seule pièce pour le moment; on le boira donc sans se presser jusqu'en 2024.

13581123   21,60$ ★★★ ½ ③

TARDENCUBA
Toro 2017, Roble

Par expérience et pour avoir souffert de leur charge tannique et leur boisé prononcés, j'ai tendance à craindre les vins de Toro. Surtout en jeunesse. Or, bien qu'il soit élevé en barriques pendant six mois, ce tinta de toro ne pèche pas par excès. Un joli fruit et une matière certes charnue, mais tout en équilibre. Un bon rouge substantiel pour les soirs de semaine.

12826096   14,60$ ★★★ ② ♥

ARANLEÒN
Valencia 2016, Blés Crianza

Issu d'un assemblage de mourvèdre, de tempranillo et de cabernet sauvignon, le vin s'annonce costaud au nez, mais s'avère tout à fait harmonieux en bouche. Du fruit noir et de la souplesse en attaque; des tanins serrés et une finale presque austère. Un bon rouge méditerranéen à prix doux.

10856427   14,40$ ★★★ ① ♥ 💬

AZUL Y GARANZA
Jumilla 2016, Altamente, Monastrell

Une expression solaire du monastrell (mourvèdre), cultivé sans pesticides ni désherbants et vinifié majoritairement en cuves de béton, avec les levures naturelles. D'abord gorgé de fruits rouges, le nez laisse ensuite place aux épices et aux fines herbes. La bouche est juste assez solide et charnue; chaleureuse, mais animée par un léger reste de gaz, garant de vitalité. Zéro bois, mais beaucoup de fruit et une matière rassasiante.

13632365   15,35$ ★★★ ½ ② ♥ 💬

BONHOMME, LES VINS
**Jumilla 2016, El Petit
Bonhomme Rouge**

De tous les rouges de la Québécoise Nathalie Bonhomme goûtés au courant de l'année, cet assemblage de monastrell, de garnacha et de syrah est encore une fois celui qui m'a paru le plus complet. Le boisé est sobre et joué de manière harmonieuse, laissant place aux saveurs profondes du mourvèdre, à la rondeur fruitée de la garnacha et aux accents poivrés de la syrah. Un très bon rouge charnu et substantiel pour les soirs de semaine.

12365541   16$ ★★★ ½ ① ♥

BONHOMME, LES VINS
Valencia 2016, El Bonhomme

Ce rouge produit dans la région de Valence est plutôt souple et coulant en attaque, avec un milieu de bouche plein, dense et gourmand. À près de 20 $, un vin très bien ficelé, équilibré et savoureux, avec ses goûts de mûre et d'herbes séchées qui rappellent la garrigue languedocienne.

11157185 19 $ ★★★ ②

JUAN GIL
Jumilla 2015, Monastrell, Étiquette Argent

Cette cuvée a longtemps été taillée dans le bois. Bien qu'encore puissant, capiteux (15,5 % d'alcool) et frôlant la sucrosité, le 2015 témoigne d'un usage plus harmonieux de la barrique que par le passé. Structuré, large d'épaules et intense, mais tout de même un peu creux en milieu de bouche pour valoir pleinement son prix.

10758325 22,85 $ ★★★ ②

JUAN GIL
Jumilla 2016, Monastrell-Shiraz, Pasico

Ce jumilla s'inscrit tout à fait dans la nouvelle vague de vins espagnols priorisant le fruit au détriment du bois. Gourmand, souple et dodu; l'exemple parfait du vin simple et léger, qu'on boit sans trop se casser la tête, mais qui offre tout de même une assez bonne tenue.

12990152 12,60 $ ★★★ ② ♥

JUAN GIL
Jumilla 2017, Monastrell, Étiquette Jaune

L'année dernière, j'avais dit du 2016 qu'il constituait une alternative abordable au zinfandel et autres vins joufflus, bourrés de fruit, capiteux, mais non boisés. Le 2017 poursuit dans la même lignée, généreux, plein, presque sucré en attaque tant le vin est issu de raisins gorgés de soleil. Très bien dans son genre.

10858086 15,20 $ ★★★ ② ♥

LUZON
Jumilla 2014

Maintenant ouvert et prêt à boire, ce 2014 est de toute évidence constitué de raisins gorgés de soleil. Expressif, ample, joufflu, ponctué d'une amertume fine et agrémenté d'un bon goût de kirsch. Généreux, comme tous les vins de l'appellation, sans verser dans l'excès. À boire d'ici 2020.

10858158 12,50 $ ★★★ ① ♥

PORTUGAL

VINHO VERDE

Au sud du fleuve Minho, qui constitue par ailleurs la frontière avec l'Espagne, la région du Vinho Verde est le royaume du vin blanc sec et désaltérant.

DÃO

Écrin de granit entouré de montagnes, la région du Dão peut produire des vins à la fois racés et élégants. Le cépage touriga nacional y donne des vins souvent plus tendres et nuancés que dans le Douro.

BAIRRADA

Au sud de Porto, la région de Bairrada met à profit le cépage baga. Longtemps considéré comme rustique, le baga donne aujourd'hui d'excellents vins, aussi originaux que savoureux.

ALENTEJO

Le vaste vignoble de l'Alentejo, à une centaine de kilomètres à l'est de Lisbonne, donne des vins rouges généreux et chaleureux, mais aussi de bons vins blancs originaux.

LISBOA

Il faudra surveiller de près le vignoble de la région de Lisbonne, pour les vins blancs de l'appellation Bucelas et pour les rouges issus de castelão.

VINHO VERDE

Douro

ESPAGNE

Porto

BAIRRADA

DÃO

PORTUGAL

LISBOA

Tage

ALENTEJO

Lisbonne

Evora

Setúbal

MER MÉDITERRANÉE

Détroit de Gibraltar

Depuis le tournant des années 2000, une nouvelle génération de viticulteurs aux horizons plus élargis a métamorphosé l'image du vin portugais. Aidés par l'œnologie moderne, les producteurs ont réussi à rattraper le temps perdu et à s'adapter aux goûts du marché international, sans sacrifier l'individualité ni le caractère particulier des cépages autochtones. Autrement dit : à faire mieux sans perdre leur identité.

Car, en plus de bénéficier de l'effet tempérant de l'océan Atlantique, sur la côte, et d'être baignés de soleil, à l'intérieur des terres, les vignobles abritent une cinquantaine de cépages autochtones qui assurent aux vignerons de tout le pays la singularité de leurs vins. Du Minho à l'Alentejo, en passant par le Douro, le Dão et Bairrada, le pays foisonne de vins de qualité souvent très distinctifs.

Les vedettes demeurent le touriga nacional pour les vins rouges et l'alvarinho et l'encruzado pour les vins blancs, mais certains cépages comme le bâga, l'alicante bouschet, le vital et même le castelão, longtemps délaissés en raison de leur profil rustique, ont droit à un second souffle grâce au travail de quelques vignerons intrépides et talentueux.

LES DERNIERS MILLÉSIMES

2017
Chaleur et sécheresse dans le Douro et une récolte très précoce, qui a débuté vers la troisième semaine d'août. Rendements inférieurs à la normale, mais qualité élevée chez ceux qui ont bien trié. Les vins seront colorés et concentrés.

2016
Une année compliquée dans le Douro, où les raisins ont mis plus de temps avant d'atteindre la pleine maturité phénolique. Les vignerons qui ont eu la patience, les moyens et le temps d'étaler les vendanges sur plusieurs semaines ont réussi à produire de très bons vins, rouges comme blancs.

2015
Année de rêve! D'abord, un été chaud et sec, puis des nuits fraîches en septembre et quelques gouttes de pluie juste à temps pour la vendange ont donné des vins intenses et parfumés, mais équilibrés.

2014
Un été relativement doux s'est traduit par des vins blancs frais et équilibrés; les rouges seront plus ou moins intenses et concentrés, selon la date de la récolte, le mois de septembre ayant été marqué par de longs épisodes de pluie.

2013
Millésime de qualité hétérogène. Très bons vins blancs; disparité pour les rouges. Ceux ayant récolté avant la pluie ont pu sauver la donne.

ALVES DE SOUSA

Douro 2017, Vale da Raposa blanc

Vale da Raposa est l'une des six étiquettes que commercialise la maison Alves de Sousa. Ce vin blanc du Douro étonne par son fruit exubérant, entre parfums d'ananas, de melon et d'agrumes. La bouche est fraîche, mûre et offre une bonne tenue, laissant place à de légères notes fumées en finale.

12708428   16,65$ ☆☆☆ ②

ANSELMO MENDES

Vinho Verde 2016, Loureiro, Muros Antigos

Pour flirter avec le charme moins connu du cépage loureiro – qui évolue dans l'ombre du célèbre alvarinho –, rien de mieux que cette cuvée élaborée par Anselmo Mendes, vigneron phare du Vinho Verde. Le nez évoque le citron vert et le kiwi, avec de subtiles notes de beurre en trame de fond. Du reste, le vin est rond et mûr, tout en restant tonique. Longue finale aux bon goûts de pêche blanche!

12455088   16,80$ ☆☆☆ ½ ② ♥

ANSELMO MENDES

Vinho Verde 2017, Alvarinho, Muros Antigos

Le Vinho Verde, c'est tellement plus que du sucre et du gaz et les vins d'Anselmo Mendes en font la preuve chaque année. Le nez de cet alvarino évoque d'abord la mer, les fruits, ensuite. Complexe, ample et d'une bonne tenue, ce vin prendra sa pleine valeur à la table, accompagné d'un plateau de fruits de mer. Des notes salines en finale font corps avec une saine amertume et donnent au vin une dimension supplémentaire.

11612555   21,90$ ☆☆☆ ½ ②

CASA FERREIRINHA

Douro 2017, Planalto Reserva

En plus d'une vaste gamme de vins rouges, la maison Ferreirinha commercialise le Planalto, un très bon blanc modérément aromatique, qui met en relief l'originalité des cépages viosinho, codega, gouveio et malvasia fina. Un léger perlant rehausse les notes d'agrumes et de fruits exotiques, et ajoute à la sensation de vivacité en bouche. C'est sec, bien fait et rassasiant. À ce prix, on achète sans gêne.

13189594   11,55$ ☆☆☆ ① ♥

CORTES DE CIMA
Alentejano 2017, Chaminé blanc

Issu d'un assemblage de verdelho, d'alvarinho, de sauvignon blanc et de viognier, ce vin a beaucoup de matière pour cette gamme de prix. La pomme et la poire se mêlent aux notes minérales. Sa vigueur et sa fraîcheur siéront à l'apéro, mais avec sa structure et sa finale relevée, nul doute que le plaisir se poursuivra à table.

11156238   12,80$ ☆☆☆ ½ ① ♥

NIEPOORT
Douro branco 2016, Diálogo

Habillé d'une étiquette amusante sous forme de bande dessinée, le Dialogo blanc invite à l'apéro et au partage. Pas très bavard au nez (c'est souvent le cas des blancs du Douro), le vin prend sa pleine valeur en bouche, avec une texture étonnamment minérale et riche en extraits, pour un vin de ce prix. À savourer en toute saison: l'été, avec des olives et des crudités, sur la terrasse; l'hiver, avec des huîtres.

13074375   16,20$ ☆☆☆☆ ① ♥

QUINTA DA ROSA
Douro blanc 2016, La Rosa

Au risque de me répéter: l'un des points forts du vignoble portugais est d'être resté très fidèle à ses cépages indigènes. Ce sont, en partie, les viosinho, rabigato, gouveio et côdega do larinho qui confèrent à ce blanc son originalité et sa personnalité. Du fruit exotique, des notes de fumée, de thé vert; frais, ample, mûr, il offre une structure et une longueur étonnantes pour le prix. Quatre étoile pour l'un des meilleurs blancs du Douro sur le marché.

13566214   19,25$ ☆☆☆☆ ② ♥

SOGRAPE
Vinho Verde 2016, Morgadio da Torre Alvarinho

Sogrape travaille manifestement avec un souci de qualité. Le nez affiche un profil fruité, accompagné d'une pointe minérale. C'est sec, frais et juteux; le fruit est mûr et déploie au nez comme en bouche des parfums de nectarine. Bonne longueur et finale saline.

13212441   19,95$ ☆☆☆ ①

ALVES DE SOUSA

Douro 2016, Caldas

Un peu déstabilisant au premier nez avec ses parfums de caoutchouc, cet assemblage de touriga nacional (40 %), de tinta barroca et de tinta roriz s'avère pourtant fort agréable en bouche. Chaleureux et épicée, il offre une mâche tannique et fruitée assez dense et beaucoup de matière pour le prix.

10865227   15,20 $ ★★★ ②

BARCO NEGRO (CAP WINE)

Douro 2015

Une autre très belle réussite pour le Québécois André Tremblay et ses associés. Le nez de ce 2015 se déploie à l'aération, entre la cerise, les notes animales et florales, mais tous les arômes se présentent avec subtilité. La bouche est souple et fraîche ; bourrée de fruit et encadrée de tanins solides. Et cette finale savoureuse qui égrène la violette, le poivre, la cerise et les fines herbes… Plus j'y goûte, plus je l'aime. Il mérite bien quatre étoiles dans sa catégorie !

10841188   14,70 $ ★★★★ ② ♥

CASA FERREIRINHA

Douro 2016, Papa Figos

J'ai beaucoup de respect pour cette maison dont la constance qualitative ne connaît aucun fléchissement depuis des dizaines d'années. Cette cuvée commentée pour la première fois dans *Le guide du vin* est une autre preuve concrète de la grande qualité des vins portugais, offrant un registre de saveurs étonnamment complexe ; oscillant entre le bleuet et la pâte de tomate et un très bon rapport qualité-prix-plaisir-authenticité.

13385325   16,95 $ ★★★ ½ ② ♥

CASTELINHO VINHOS

Douro 2013, Reserva

La robe est foncée, laissant apparaître une légère teinte ambrée, et le nez, presque alcooleux, présente de jolis accents de fleurs et de kirsch. Outre une texture un peu poussiéreuse, le vin est somme toute équilibré en bouche, soutenu par une juste dose d'acidité. Charmant, sur un mode rustique et d'une autre époque. Prêt à boire.

11115073   16,75 $ ★★ ½ ②

DOW

Douro 2016, Vale do Bomfim

Très bon rouge composé de touriga franca (40 %), de touriga nacional et d'une foule d'autres cépages classiques du Douro, coplantés, récoltés et vinifiés ensemble. Le vin porte à la fois les traits aromatiques du touriga nacional, avec ses parfums de violette et de bergamote, et la charge tannique habituelle des vins du Douro. Bel exemple de vin de cette région, solide et savoureux, mais pas brutal. Beaucoup de présence dans le verre pour le prix.

10838982   14,55$ ★★★ ½ ② ♥

QUINTA DA ROSA

Douro 2016, Dourosa

Un nez invitant de fleurs, de fruit rouge et de terre humide annonce un vin complexe. La bouche est veloutée et bourrée de cerise, portée par des tanins enrobés, mais aussi dotée d'une certaine vigueur qui rappelle un peu les bons vins de soif issus de barbera, dans le Piémont. Sans doute la plus belle réussite des derniers millésimes. À moins de 20$, on achète sans hésiter !

12640232   19,55$ ★★★★ ② ♥

QUINTA DO PÔPA

Douro 2016, Contos da Terra

Douro nouvelle vague : nez de cerise et fruit des champs ; bouche juteuse et très fraîche, tant par ses arômes que par sa vigueur tannique. En somme, un rouge de soif affriolant, mais aussi doté d'une certaine profondeur et taillé pour la table. À boire au courant de la prochaine année pour apprécier la jeunesse du fruit.

13073065   14,55$ ★★★ ½ ① ♥

VINCENTE FARIA

Douro 2016, Animus

À prix attrayant, un bon vin du Douro de facture conventionnelle, issu d'un assemblage de touriga franca, de tinta roriz et de touriga nacional. Le nez expressif invite à cuisiner, dévoilant des notes épicées et herbacées. La bouche suit, savoureuse, souple et gourmande, sans tomber dans l'excès. À boire d'ici 2020.

11133239   12,55$ ★★★ ② ♥

ALVES DE SOUSA
Douro 2014, Vale da Raposa Reserva

Le vignoble est situé dans la région de Baixo Corgo, à une altitude de 350 m. Un nez profond de violette, caractéristique du touriga nacional, qui représente 40% de l'assemblage; beaucoup de matière et un bel usage du bois (12 mois en fûts de chêne français de deuxième année). Déjà ouvert, mais il a encore beaucoup à offrir. Ne lui manque qu'un peu de longueur pour être pleinement satisfaisant.

11073758   19$ ★★★ ½ ②

CASA FERREIRINHA
Douro 2015, Vinha Grande

Propriété du géant Sogrape depuis 1987, la maison de Porto Ferreira produit aussi une série d'admirables vins de table dans le Douro. Du plus modeste au spectaculaire Barca Velha, tous ont en commun une individualité et une authenticité exemplaires. En 2015, le Vinha Grande s'avère un heureux mariage d'exubérance et d'élégance. La texture est ample et veloutée, mais témoigne d'une certaine retenue dans la générosité, comme toujours avec cette maison, d'ailleurs. Affriolant, séduisant, mais tout en subtilité.

865329   17,95$ ★★★ ½ ② ♥

DUORUM
Douro 2015

Le Duorum 2015 ne plaira sans doute pas à l'amateur de vin charnu et boisé. Il se dessine plutôt dans un profil délicat, compte tenu de la région; cousu de tanins mûrs qui se contractent en finale et laissent la bouche fraîche et désaltérée. Un vin très satisfaisant, ponctué d'accents minéraux (graphite, mine de crayon) et offrant beaucoup de profondeur et de relief pour moins de 20$. À boire entre 2019 et 2023.

11510102   18,80$ ★★★ ½ ② ♥

QUINTA DA ROMANEIRA
Douro 2013, Reserva

Christian Seely et Antonio Agrellos signent un 2013 solide, qui témoigne encore d'une grande jeunesse, malgré ses 5 ans, et met un certain temps à se déployer. Au début, les parfums de cèdre dominent, puis les tanins fermes se délient et font place à une charge fruitée rassasiante, qui occupe la bouche du début à la fin. Une finale saline, rappelant autant le poivre noir frais moulu que les accents fumés du thé noir laisse en bouche une sensation vibrante et racée. Excellent vin qu'on boira jusqu'en 2025.

13090771   30$ ★★★★ ②

QUINTA DA ROSA
Douro 2016, La Rosa

Un cran plus corsé que la cuvée Dourosa, également commentée dans cette section, ce 2016 fait preuve d'une retenue qui me le rend fort séduisant. Austère dans le bon sens du terme, il se révèle un peu plus à chaque gorgée, porté par un grain tannique mûr et compact. Un très bon vin de forme classique, qu'on pourra laisser mûrir quelques années.

928473   22,85$ ★★★→★ ③ ♥

QUINTA DO INFANTADO
Douro 2015

Bien qu'il n'ait pas la définition aromatique des meilleurs vins de table du Douro, on pourra tout de même apprécier la concentration et l'épaisseur tannique de ce 2015, teinté du caractère original des cépages autochtones de la région. Taillé d'un seul bloc pour le moment. À boire entre 2021 et 2025.

10371761   23,70$ ★★★→? ③

QUINTA DO ROMEU
Douro 2015, Moinho do Gato

Tout nouveau à la SAQ, ce douro biologique s'ouvre sur des notes herbacées et un peu sauvages. Plus en souplesse et en légèreté, qu'en robustesse, la bouche présente des accents de menthe et de gazon, garants de fraîcheur, et met en relief l'originalité des cépages tinta barroca, tinta roriz, touriga nacional, touriga franca, tinto cão et sousão. Léger (12,5% d'alcool) et bien agréable à boire par une journée chaude d'été.

13630749   17,30$ ★★★ ½ ②

ADEGA DE PENALVA
Dão 2015

Touriga nacional, tinta roriz (tempranillo) et jaen (mencia) composent ce très bon vin du Dão. L'exemple même du rouge léger, souple et juteux qui se boit sans soif, en toute occasion, avec la cuisine simple du quotidien. Servez-le autour de 15 °C.

13746485 12,25$ ★★★ ① ♥

ADEGA DE PENALVA
Dão Branco 2015, Maceration

Le cépage encruzado a beaucoup de caractère et d'étoffe, lorsqu'il est vinifié dans les règles de l'art. Ce blanc produit par une cave coopérative du Dão, dans la sous-région de Castendo, l'illustre très bien. Assemblé ici à du cerceal et à de la malvasia fina, il donne un vin de couleur dorée, délicieusement aromatique, mais pas trop, et quasi tannique, en raison de l'extraction phénolique obtenue lors de la macération des peaux avec le moût. Longue finale aux accents d'écorce d'orange de séville et de lapsang souchon. Beaucoup de beaux accords en perspective, avec des palourdes au chorizo. Miam!

13844317 23,85$ ☆☆☆☆ ½ ② ♥

En primeur

QUINTA DA PELLADA
Dão 2014, Álvaro Castro Reserva

Le rouge d'Alvaro Castro et de sa fille Maria est à aborder comme un rouge de Bourgogne: tout en finesse, à l'opposé de ce qu'offrent les vins du Douro. Ce 2014 est aussi près de la terre que du fruit, discret, mais complexe, profond et marqué de saveurs qui évoquent le salé, plus que le sucré. Encore jeune, bien qu'il ait déjà 4 ans, il devrait reposer en cave encore un an ou deux.

11902106 28,20$ ★★★→★ ③ ♥

QUINTA DA PELLADA
Dão Branco 2016, Álvaro Castro Reserva

Un blanc du Dão tout en pureté et en finesse, dont les parfums de coquille d'huître, relevés d'une touche fumée, rappellent un peu les vins de chablis, l'acidité mordante en moins. Frais, tonique et juste assez ample; le fruit est discret, mais sa finale saline et minérale s'avère hautement désaltérante à table.

11895364 25,10$ ☆☆☆ ½ ②

QUINTA DA PELLADA
Dão Branco 2017

Très bon blanc nerveux et perlant, auquel les cépages encruzado, bical et cerceal apportent une touche d'originalité et une tenue digne de mention, sans doute attribuable à une courte macération des peaux et à un travail de trois mois sur lies fines. Rien de bien ambitieux, mais un bon blanc minéral qu'on boira avec plaisir à l'apéro ou avec des coquillages.

13115270   16,55$ ☆☆☆ ½ ① ♥

NIEPOORT
Dão 2015, Rótulo

Le Rotulo, produit à la Quinta de Baixo, s'inscrit dans le même esprit de buvabilité que le Dialogo, déjà bien connu des amateurs de vins portugais: juteux, friand, affriolant comme pas un et tissé de tanins granuleux qui lui donnent un panache et un relief admirables, pour le prix. À 15$, on peut acheter les yeux fermés… et à la caisse!

13088030   15,60$ ★★★★ ② ♥

TIAGO TELES
Bairrada 2016, Gilda

Cet assemblage inusité de castelão, d'alfrocheiro et de merlot, cultivés sur les sols calcaires de Bairrada et fermentés sans ajout de levure, plaira à l'amateur de vin rouge «nature». Une interprétation sauvage et inhabituelle du rouge portugais, à mi-chemin entre l'exubérance fruitée et les odeurs de ferme. Les tanins sont pleins de vigueur, un peu asséchants en finale, et contribuent au caractère fougueux de la bête. À aborder avec l'esprit et les papilles – ouverts.

13629001   24,90$ ★★★ ½ ② ♥

VADIO
Bairrada 2014

Luis Patrão est revenu dans son Bairrada natal en 2005, après avoir fait ses classes dans l'Alentejo. Le domaine de la famille Patrão est aujourd'hui l'un des piliers de la renaissance de cette région aux terroirs complexes, longtemps sous-estimés. Cette cuvée est le fruit d'un assemblage de bâga de deux vignobles, dont une parcelle de jeunes vignes de bâga, plantées en 2007 et cultivée en bio, sur des sols argilo-calcaires.

Maintenant à point, le 2014 a encore beaucoup de matière en réserve, riche de saveurs d'herbes séchées, de cèdre et de griotte, et soutenu par des tanins anguleux, qui apporte une touche un peu austère. Assez léger pour l'apéro, mais tout le tonus souhaité à table. Belle découverte!

13620840   22$ ★★★★ ② ♥

CORTES DE CIMA
Alentejano 2013

Déjà ouvert mais encore riche en fruit, le 2013 de Carrie et Hans Kristian Jørgensen offre beaucoup de matière pour moins de 20 $. Le bois est présent, sans empiéter sur les arômes de bleuet et de cerise confite, et le vin fait preuve d'une agréable fraîcheur aromatique. On croque dans le fruit et on se régale de sa mâche et de ses tanins potelés. À boire d'ici 2021.

10944380   18,90 $ ★★★ ½ ② ♥

CORTES DE CIMA
Alentejano 2016, Chaminé

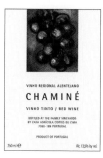

Parti en voilier en quête d'un vignoble, le couple d'aventuriers américano-danois Carrie et Hans Kristian Jørgensen a débarqué dans cette région méridionale du Portugal au terme d'un long périple en mer. Depuis 1988, ils ont transformé la propriété en y introduisant, entre autres, de la syrah et de l'aragonez (tempranillo), dont ils tirent ce très bon vin, misant avant tout sur la générosité du fruit. Souple, juteux... Souple, juteux, suffisamment charnu et vendu à bon prix. Chaque année, c'est l'une des valeurs sûres commentées dans *Le guide du vin*. Une telle constance mérite une mention spéciale.

10403410   13,70 $ ★★★ ½ ♥

FONTE DO NICO
Castelão 2016, Peninsula de Setubal

L'une des rares bouteilles à la SAQ vendues sous la barre des 10 $. Vin issu du cépage castelão, cépage portugais le plus planté au sud du Douro, qui donne généralement de bons vins coulants, guillerets et faciles à boire. Souple et facile, le 2016 goûte presque le jus de raisin ! Servir autour de 13 °C.

12525120   8,15 $ ★★ ½ ① ♥

JOSÉ MARIA DA FONSECA
Alentejano 2016, José de Sousa

Assemblage de grand noir (54 %), de trincadeira et d'aragonez. Vif, tendu, nerveux et tissé de tanins serrés, mais enrobé d'un fruit mûr et relevé de bons goûts de réglisse, de poivre et de confiture de petits fruits rouges qui accentue son caractère solaire. Très bon vin du sud, élaboré avec soin.

396689 18,25$ ★★★ ②

RAMOS, JOÃO PORTUGAL
Alentejano 2016, Reserva

João Portugal Ramos a planté ses premières vignes dans le secteur d'Estremoz, au nord de l'Alentejo, en 1990. Cette cuvée composée d'aragonez, de trincadeira et de syrah ne voit aucun bois et offre plutôt en bouche une explosion de confiture de fruits et de réglisse. Joufflu, gorgé de soleil et très abordable.

12708516 14,95$ ★★★ ② ♥

SERRADINHA
Vinho mesa tinto 2012

Je le confesse, je suis amoureuse du caractère du bâga. Et ce rouge biologique (composé à 50 % de bâga) produit par António Marques da Cruz, à une centaine de kilomètres au nord de Lisbonne, me le confirme. Des notes animales un peu rustiques rebuteront peut-être certains amateurs habitués à des

rouges portugais de style plus classique. Cela dit, il serait dommage de laisser ce menu détail vous dissuader de découvrir ce vin. La bouche est juteuse, à mi-chemin entre le fruit et le végétal, avec une bonne dose d'acidité volatile qui rehausse le fruit et lui donne un élan aromatique digne de mention. Un rouge portugais de grande soif et de forte personnalité.

13286861 25$ ★★★★ ② ♥ 🌑

ALBANIE

NAOUSSA

MACÉDOINE

Drama

THRACE

◎ Thessalonique

Pangée

Epanomi

ÉPIRE

Krania

Rapsani

MER ÉGÉE

THESSALIE

ÎLES
IONIENNES

Nemea

ATTIQUE

✪ Athènes

Markopoulo

MER
IONIENNE

Mantinia

Samos

PÉLOPONNÈSE

PÉLOPONNÈSE

SANTORIN

RHODE

Avec ses 22 000 hectares
en production, la
péninsule du Péloponnèse
abrite près du tiers du
vignoble national. Ses
trois appellations les plus
importantes sont Mantinia,
Nemea et Patra.

MER
DE CRÈTE

CRÈTE

Les vins grecs connaissent une popularité sans précédent. Un véritable triomphe sur les marchés d'exportation. Loin d'être le fruit de quelques âmes charitables qui ont adopté les vins grecs comme une «bonne cause», ce succès est on ne peut plus légitime. Millénaires, mais longtemps méconnus, les vins du Péloponnèse, de Santorin, de l'Attique et de la Macédoine occupent maintenant une place de choix sur les cartes des meilleurs restaurants du monde.

Avec raison, puisque les multiples visages de ce vignoble sont une promesse d'aventures pour le consommateur en quête de saveurs et de sensations nouvelles. Gardienne d'un des plus riches patrimoines ampélographiques de la planète, la Grèce mise résolument sur ses variétés régionales, qui sont autant d'antidotes contre la standardisation du goût. Cette seule raison devrait suffire à vous convaincre d'abandonner vos préjugés à l'endroit des vins grecs, mais sachez qu'en plus, ils offrent un rapport qualité-prix-plaisir presque inégalable: généreux, digestes et parfaitement adaptés aux plaisirs de la table.

TURQUIE

NAOUSSA

Sur le flanc sud-est du mont Vermio, le cépage xinomavro est, de manière imagée, le Nebbiolo de la Grèce. Colonne vertébrale des crus de l'appellation Naoussa, il donne des vins souvent stricts, dotés d'une agréable fermeté tannique et aptes à vieillir longuement.

SANTORIN

L'île volcanique de Santorin abrite l'un des vignobles les plus anciens et les plus individuels de la planète. On y pratiquait la viticulture dès le XVIIᵉ siècle av. J.-C. L'assyrtiko – cépage blanc local – y conserve une acidité digne de mention, malgré un climat très chaud.

ARGYROS

Atlantis 2017, Cyclades

L'Atlantis me semble un peu plus aromatique en 2017, avec des notes florales et citronnées, très invitantes au nez. On retrouve en bouche la tension et la tenue habituelles du cépage assyrtiko, dont il est composé à 90 % – le reste se partageant entre l'athiri et l'aidani. Savoureux, comme toujours, et disponible à l'année.

11097477   17,80$ ☆☆☆ ½ ① ♥

BIBLIA CHORA

Pangeon 2017

La cuvée Estate – assemblage d'assyrtiko et de sauvignon blanc – a de petits airs d'un blanc du centre de la Loire. Une profusion de zeste d'agrumes, de gazon frais coupé et de fruits tropicaux; une bouche vive et hyper droite, dépourvue de tout sucre, et des saveurs qui persistent en finale. Très bien exécuté dans un style moderne et «international».

11901138   20,35$ ☆☆☆ ½ ②

PAPAGIANNAKOS

Savatiano 2017, Vieilles vignes, Markopoulo

J'ai vraiment un faible pour les vins blancs de ce domaine de l'Attique, admirablement tenu par Vassilis Papagiannakos. Une excellente adresse où trouver des vins vibrants, si frais en bouche qu'on les croirait issus de régions septentrionales. Le 2017 est sec, salin et minéral, avec des accents d'ananas et de fleur blanche. Plus mûr et aussi plus complexe qu'avant, il me semble. À ce prix, on peut en faire provision à la caisse.

11097451   16,70$ ☆☆☆☆ ② ♥

SANTO WINES

Assyrtiko 2017, Santorini

Je n'avais pas été emballée par le 2016 de la cave coopérative de l'île de Santorin. Le 2017 me laisse une bien meilleure impression. Un nez assez typé de Santorin, avec des parfums fumés et citronnés; une bouche fraîche, mais aussi plus ample que la moyenne des assyrtikos de cette gamme de prix. En toute justice: un très bon vin, vendu à prix d'aubaine!

13360195   16,35$ ☆☆☆ ② ♥

SIGALAS
Santorini 2017

Composé à 100% d'assyrtiko vinifié en cuves d'acier inoxydable, le 2017 est salin, hyper tendu et doté d'une structure presque tannique, unique à l'assyrtiko de Santorin. Si vous n'avez pas encore eu la chance de *flirter* avec le charme singulier de ces grands vins – l'expression galvaudée est tout à fait appropriée ici –, courez en succursales mettre la main sur une bouteille de ce morceau du patrimoine viticole mondial, pendant qu'ils sont encore relativement abordables.

11034302   30,25$ ☆☆☆☆ ½ ② ♥

TETRAMYTHOS
Roditis 2017, Patras

Plutôt discret au nez, le roditis de ce domaine du nord du Péloponnèse se révèle surtout en bouche, porté par une texture fraîche et une finale iodée qui fait saliver. Ne reste qu'à se fermer les yeux pour se croire en bord de mer… On peut le boire maintenant ou le laisser reposer quelques années en cave sans craindre qu'il ne se fatigue.

12484575   16,10$ ☆☆☆ ½ ② ♥ 💬

TSELEPOS
Mantinia 2017, Moschofilero

Le nez est fin, élégant et délicatement parfumé; la bouche est animée d'un perlant et d'une amertume fine, mettant en relief les notes florales du cépage. Tiens, cette envie soudaine de manger des fleurs de courgettes frites et de la tzaziki…

11097485   18,95$ ☆☆☆☆ ② ♥

ZOINOS
Zitsa 2016, DR Debina, Respect Orange Wine

Amateur de raretés, vous serez servi par ce vin composé de debina, un cépage rarissime du nord-ouest de la Grèce, dont on a laissé la peau au contact du moût de raisin, permettant ainsi d'extraire plus de matière phénolique. Résultat, un vin orange par sa couleur et par son style: structuré, tannique même, peu acide et drôlement original. À apprécier à table, avec du poulet aux morilles ou un cari végétarien.

13593280   25,90$ ☆☆☆☆ ② ♥ 💬

BIBLIA CHORA
Ovilos 2017, VDP Pangée

Si la cuvée « Estate » a des airs d'un blanc de la Loire, le Ovilos serait son pendant des Graves. Le 2017 porte une fois de plus la richesse et la signature aromatique du sémillon, dont il est composé pour moitié et ressemble à s'y méprendre à un blanc de Pessac-Léognan avec sa texture grasse, nourrie par un élevage bien maîtrisé en fûts de chêne, dont les parfums font corps avec les fruits jaunes et le miel. Du reste, l'assyrtiko joue un rôle de soutien et apporte une acidité structurante. Un vin somptueux qu'on pourra laisser reposer en cave jusqu'en 2023-2025. Retour en succursales prévu vers la mi-novembre 2018.

10703594   31,50$ ☆☆☆☆ ②

GEROVASSILIOU
Blanc 2017, Epanomi

Moins parfumé et plus minéral que le 2016 commenté dans la dernière édition du *Guide,* ce 2017 est peut-être l'une des plus belles réussites des derniers millésimes. La bouche est fraîche, la texture serrée et les goûts fruités et floraux sont soulignés d'une amertume fine. Complexité et longueur. Excellent!

10249061   19,90$ ☆☆☆☆ ② ♥

GEROVASSILIOU
Malagousia 2017, Vieilles vignes, Epanomi

Evangelos Gerovassiliou témoigne une fois de plus sa grande maîtrise du cépage malagousia, un cépage qu'il a aidé à sauver de l'extinction dans les années 1980. Rien de trop exubérant dans cette cuvée issue de vieilles vignes, mais une texture vineuse, bien mûre. Un vin sérieux, solide, quasi tannique, relevé de parfums qui évoquent le viognier, la vitalité en prime. Longue finale vaporeuse.

11901120   24,95$ ☆☆☆☆ ② ♥

KIR-YIANNI
Paranga 2017, Macedonia

Sec, mais aussi très exubérant et misant à fond sur la puissance aromatique du malagousia – assemblé à du roditis – au point d'avoir des airs de torrontés argentin. Sympathique pour qui aime les vins blancs bien parfumés. Prix mérité.

13190190   14,35$ ☆☆☆ ①

PAPAGIANNAKOS
Malagouzia 2016, Kalogeri

De tous les vins de malagouzia sur le marché, celui de Papagiannakos est l'un des plus achevés. Un jeu subtil entre la richesse et l'intensité du cépage et la salinité propre aux meilleurs vins grecs; une bouche nourrie, volumineuse et pourtant hyper digeste et une longue finale relevée. Une aubaine à moins de 20$

13110401   20,65$ ☆☆☆☆ ② ♥

SEMELI
Mantinia 2016, Thea

La complexité de ce vin blanc repose sur des vignes de plus de 25 ans, cultivées à 650 m d'altitude, sur le plateau de Mantinia, dans le Péloponnèse. Mais aussi sur des rendements limités et un long élevage sur lies fines, qui nourrit la texture, tout en conférant au vin un profil réducteur (odeurs sulfureuses à l'ouverture). Dégusté à plusieurs reprises pendant une semaine, le 2016 m'a semblé gagner chaque fois en définition aromatique et en profondeur; la bouteille ne montrait d'ailleurs aucun signe de fatigue après cinq jours d'ouverture. Autant de choses qui témoignent d'un blanc d'envergure. Beaucoup de profondeur et de tenue. C'est l'une de mes belles découvertes de l'année.

13581262   27,80$ ☆☆☆☆ ② ♥

TETRAMYTHOS
Malagousia 2016, Patras

Le nez relevé de parfums floraux pourrait faire croire à un vin lourd, mais c'est mal connaître ce producteur de Patras et sa signature élégante. La texture est plutôt aérienne et coule en bouche comme une eau de source, fraîche et minérale. Beaucoup de plaisir dans le verre pour moins de 20$.

12910335   19$ ☆☆☆ ½ ♥ 💬

THYMIOPOULOS
Atma 2017, Epitrapezios Oinos

Issu d'un assemblage improbable, mais réussi de xinomavro – un cépage noir vinifié en blanc – et de malagousia, qui confère au vin ses parfums floraux caractéristiques. Sec, gras et agréable à boire dès maintenant, le 2017 me rappelle de très bons viogniers du nord de la vallée du Rhône. Un vin délicatement parfumé et très original, qu'on pourra servir à l'apéritif ou en accompagnement d'un plat de poisson ou d'un poulet aux fines herbes.

13476201   16,95$ ☆☆☆☆ ② ♥

GEROVASSILIOU
Avaton 2015, Epanomi

Assemblage de trois cépages indigènes qu'Evangelos Gerovassiliou a contribué à sortir des oubliettes – limnio, mavroudi et mavrotragano –, ce vin m'a paru un peu plus près de la terre en 2015, avec au cœur, un fruité bien croquant. Tout aussi concentré et robuste que par le passé, encadré de tanins fermes, qui déroulent toutefois en bouche un fini velouté. Le boisé est aussi mieux intégré à l'ensemble, laissant place à un jeu harmonieux entre les fruits noirs et les épices, entre la réglisse noire, le cèdre et la vanille. Longue finale ponctuée d'une saine astringence. Aucun doute, il aura besoin d'au moins quatre ou cinq ans avant d'atteindre son apogée.

11901111   41,50$ ★★★ ½ →? ③

GEROVASSILIOU
Rouge 2016, Epanomi

Des accents fumés et boisés rappellent la rive droite de Bordeaux. La comparaison s'arrête là puisque du reste, cet assemblage de limnio, de syrah et de merlot a plutôt des airs méditerranéens. En bouche, le vin est souple, rond et velouté en attaque, puis se resserre en une finale élégante et rassasiante.

10248931   28,60$ ★★★ ½ ②

KIR-YIANNI
Paranga 2016, Macedonia

Xinomavro, merlot et syrah. Griotte et prune; vivacité et vigueur tannique, enrobées d'une chair fruitée mûre. Rien de bien complexe, mais un bon rouge tout à fait agréable à boire et qui a nettement plus de caractère et d'originalité que la moyenne des vins à moins de 15$.

11097418   15,25$ ★★★ ② ♥

TETRAMYTHOS
Agiorgitiko 2016, Achaia

L'agiorgitiko, cépage emblématique de Nemea, adopte un style très frais et guilleret sur les flancs du mont Helmos, tout au nord du Péloponnèse. Des accents de réduction s'estompent après quelques minutes dans le verre. Le vin est nerveux et pimpant, avec une certaine astringence en finale qui donne soif et rehausse le fruit et les parfums anisés. À boire d'ici 2020.

12178957   17,25$ ★★★ ½ ② ♥ ◗

TETRAMYTHOS
Noir de Kalavryta 2016, Achaia

Amateur de gamay, vous aimerez certainement la souplesse doublée de vitalité de ce rouge élaboré par Panayiotis Papagiannopoulos sur la péninsule du Péloponnèse, entre Patras et Corinthe. Biologique et composé à 100 % du cépage noir de Kalavryta. Débordant de jeunesse et de fruit, avec une petite pointe d'épices et de fenouil en fin de bouche.
À moins de 20 $, on achète les yeux fermés!
11885457 18,65 $ ★★★★ ② ♥

THYMIOPOULOS
Naoussa 2015, Alta

Cette cuvée de Naoussa nouvellement offerte à la SAQ présente la même trame de fond que la cuvée Jeunes vignes, mais avec un enrobage fruité plus mûr. Généreux, gourmand et savoureux à sa manière, mais arrondi d'un reste perceptible de sucre, qui laisse en finale une sensation un peu racoleuse. Dommage...
13288218 24,45 $ ★★★ ②

THYMIOPOULOS
Naoussa 2016, Jeunes vignes

Fidèle à son habitude, la cuvée Jeunes vignes de Thymiopoulos offre un bel équilibre entre les parfums de cerises du xinomavro et la vigueur tannique propre à ce cépage du nord de la Grèce. Attaque souple et juteuse; finale serrée, fraîche et digeste. Un rouge de soif, taillé pour la table.
12212220 18,55 $ ★★★★ ② ♥

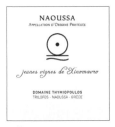

TSANTALI
Rapsani Reserve 2013

Issu d'un assemblage de xinomavro, de krassato et de stavroto, ce vin a profité d'un élevage en fûts qui nourrit sa texture, sans le dépouiller de son allure rustique. Sa finale chaleureuse aux notes d'anis et d'herbes séchées accentue son caractère méditerranéen.
741579 18,15 $ ★★ ½ ②

Autres pays

MOSELLE

Le vignoble de la Moselle est la région de prédilection pour l'amateur de riesling germanique classique.
En général, les vins sont légers, assez aromatiques et plus délicats que ceux des régions voisines.

◎ DÜSSELDORF

◎ COLOGNE

◎ BONN

AHR

Mittelrhein

◎ FRANCFORT-SUR-LE MAIN

MOSELLE

Rheingau

RHEINHESSEN

Franconie

NAHE

PALATINAT

RHEINHESSEN

Longtemps connu pour sa production de Liebfraumilch bas de gamme, le plus vaste vignoble du pays connaît une renaissance depuis les années 1990. On y trouve de très bons blancs abordables, souvent issus de l'agriculture biologique.

PALATINAT

La région du Palatinat (Pfalz en allemand) est bordée au nord par le Rheinhessen et par l'Alsace, au sud. Si la partie centrale est surtout connue pour ses rieslings amples et mûrs, souvent vinifiés en sec (*trocken*), le sud de la vallée donne aussi de bons pinots noirs.

Baden

SUISSE

Peu de pays se résument à un seul cépage. Pourtant, même si l'Allemagne produit aussi des pinots noirs (spätburgunder) de calibre international et de très bons pinots blancs (weissburgunder), le pilier de la viticulture germanique demeure le riesling. De la Moselle au Palatinat, de la Nahe jusqu'au Rheingau, tout tourne inévitablement autour de cette variété. Et tant mieux!

Au même titre que les vins de la Bourgogne, les meilleurs rieslings allemands sont certainement parmi les plus grands vins de terroir sur la planète. Nuancés, complexes, minéraux et aptes au vieillissement. Ne reste qu'à souhaiter que la sélection à la SAQ s'élargisse et que les amateurs québécois puissent enfin saisir le charme exquis de ces vins.

Les rieslings allemands ne sont pas tous sucrés, contrairement à la croyance populaire. Si on en juge par l'offre générale quand on visite l'Allemagne, on pourrait même croire que le riesling demi-sec est une espèce en voie de disparition. En vérité, depuis une bonne trentaine d'années, les Allemands se tournent plutôt vers les vins secs et la survie des rieslings demi-sec tel qu'on les connaît repose maintenant en partie sur la demande étrangère...

LES DERNIERS MILLÉSIMES

2017

Une année de défis. En plus d'avoir souffert du temps froid d'avril, comme une bonne partie de la France et du nord de l'Italie, plusieurs régions viticoles allemandes ont connu un septembre pluvieux. La Moselle fait figure d'exception : les vins sont vifs et structurés ; on a même pu produire des vendanges tardives (BA et TBA).

2016

À l'échelle nationale, des conditions météorologiques médiocres (pluie, grêle), ont sévi pendant le printemps et une bonne partie de l'été. Quantité et qualité en baisse un peu partout, sauf dans la Moselle, où le temps clément de la fin de septembre et du mois d'octobre a permis de produire de bons kabinett et spätlese. Il faudra cependant oublier les auslese.

2015

Une vendange presque idéale : été chaud et sec, septembre humide et octobre sous le soleil. Excellente récolte pour les spätlese et auslese dans la Moselle. Millésime atypique pour le Palatinat ; excellent pour le Rheingau, tant en sec qu'en liquoreux.

2014

Dans la Moselle, le temps ensoleillé du mois de septembre a permis de sauver la récolte. Peu de TBA, mais de bons trocken et une année classique pour les kabinett, spätlese et auslese. Qualité hétérogène, mais correcte pour les régions de Nahe, Rheinhessen, Rheingau et Palatinat.

DIEL (SCHLOSSGUT)
Riesling trocken 2015, Nahe

Caroline Diel a pris la relève de son père, Armin Diel, il y a maintenant quelques années et signe un riesling de facture moderne : hyper sec, vif, tendu et solidement constitué. On note un léger reste de gaz en attaque, sans que ça ne soit gênant. Les parfums fruités donnent la réplique au minéral et le vin laisse de fins arômes de miel et de cire d'abeille en rétro-olfaction. Un peu moins nuancé que ceux de Dönnhoff et Emrich-Schönleber, mais il compense largement par sa matière riche en extraits et son excellente tenue. À boire au cours des cinq ou six prochaines années.

13347919   25,55$ ☆☆☆☆ ② ♥

4 039592 003096

DÖNNHOFF
Riesling Trocken 2016, Nahe

Helmutt Dönnhoff s'est imposé comme l'un des vignerons les plus respectés du pays, notamment en donnant une seconde vie à de vieux vignobles laissés à l'abandon. Son fils Cornelius signe à son tour des vins d'une grande finesse, dont cet excellent trocken aux jolis parfums de citron et de pomme verte, qui se révèlent davantage après une aération en carafe. Vif, aérien et plein de caractère, il titre à peine 11,5% d'alcool. Le prétexte parfait pour commencer l'apéro plus tôt.

13510552   26,20$ ☆☆☆☆ ② ♥ ⚱

4 260031 858308

EMRICH-SCHÖNLEBER
Riesling Trocken 2017, Nahe

En version demi-sec, l'acidité mordante du riesling allemand est tempérée essentiellement par un reste de sucre. Pour les rieslings *trocken*, l'atteinte de l'équilibre se joue différemment. Dans la région de la Nahe, par exemple, la famille Schönleber mise sur de longs élevages sur lies pour enrober l'acidité naturelle du cépage. Dans le verre, ça se traduit par un vin solide, ponctué de délicates notes de réduction qui s'estompent rapidement avec l'aération. La bouche est vive et vibrante, les saveurs ont une pureté exemplaire et persistent en une longue finale minérale, hautement digeste et désaltérante.

12892712   23,40$ ☆☆☆☆ ② ♥

4 260218 281172

REBHOLZ
Weisser Burgunder Trocken 2016, Pfalz

Hansjörg Rebholz fut un acteur majeur de la renaissance qualitative du Palatinat. Le vignoble sur lequel il veille avec sa femme Birgit, dans la partie sud de la région, est certifié biologique depuis 2008. Les conditions de ce secteur voisin de l'Alsace sont particulièrement favorables aux cépages de la famille des pinots, comme en témoigne une fois de plus cet excellent weisser burgunder – pinot blanc, en allemand. Un blanc à la fois très délicat par son registre de saveurs tout en dentelle, et posé sur une texture plutôt solide, attribuable à de longues macérations. À servir à table avec un plat délicat comme des ris de veau ou un carpaccio de pétoncles. Un pur délice!

13350755   25,15$ ☆☆☆☆ ② ♥ 🗨

WITTMANN
Riesling 2016, 100 Hills, Rheinhessen

Sur les terres vallonnées et souvent riches en calcaire de la région de Rheinhessen, le vignoble de la famille Wittmann a été converti à l'agriculture biologique dès 1990, puis à la biodynamie, en 2004. En plus d'excellentes cuvées parcellaires, Philipp Wittmann produit ce riesling d'entrée de gamme, composé à 60 % d'achat de raisins certifiés biologiques. Le vin est fermenté sans ajout de levure et profite d'un élevage partiel dans de vieux foudres, qui nourrit sa texture, sans altérer la pureté aromatique du riesling. Le 2016 laisse en bouche la sensation d'un vin sec, porté par une acidité vive, ponctué de parfums de pomme verte, avec une délicate amertume qui rappelle la peau blanche du pamplemousse. Une très belle introduction aux vins de Rheinhessen.

13109700   20,75$ ☆☆☆☆ ② ♥ 🗨

DÖNNHOFF
Riesling Kabinett 2016, Oberhauser Leistenberg, Nahe

Dans cette région voisine de la Moselle et du Palatinat, les vignes longent les rives abruptes de la rivière Nahe et dessinent des paysages spectaculaires. Sur les sols d'ardoise grise de la commune d'Oberhausen, Cornelius Dönnhoff a produit un excellent riesling, fascinant par la profondeur de sa stature et par ses couches de saveurs qui s'élèvent en bouche. Ce genre de vin que tout *wine geek* passerait des heures à sentir et à déguster, suivant son évolution avec attention, au fur et à mesure que la bouteille se vide. Si vous vous reconnaissez à cette description, un conseil: offrez-vous le luxe de le goûter sur quelques jours. Vous serez étonné de constater à quel point il gagne en complexité avec l'aération. À boire entre 2019 et 2026.

13507329   41,25$ ☆☆☆☆ ② ▼

DR LOOSEN
Riesling Qba 2016, Villa Wolf, Pfalz

Ernst «Dr» Loosen possède aussi un domaine dans le Palatinat. Le vin courant qu'il y produit est léger en alcool, nerveux et arrondi d'un subtil reste de sucre, comme tout bon *halbtrocken* allemand. Le 2016 offre en prime de bons goûts citronnés et floraux. Simple, mais bien ficelé, abordable et très constant d'année en année. Bouteille coiffée d'une capsule vissée: zéro goût de bouchon.

10786115   16,15$ ☆☆☆ ①

DR LOOSEN
Riesling Qba 2017, Mosel

Le riesling d'entrée de gamme du docteur Ernst Loosen s'est vite imposé comme un meneur parmi les vins allemands distribués à la SAQ. Un degré d'alcool limité à 8,5% et une expression simple, mais joliment fruitée du riesling. Vif et facile. À boire à l'apéro ou avec un céviche de poisson bien relevé.

10685251   16,05$ ☆☆ ½ ①

JOH. JOS. PRÜM

Riesling Kabinett 2016, Graacher Himmelreich, Mosel

Entre les mains d'un producteur légen-daire installé dans le petit village de Wehlen – célèbre pour son cru Sonne-nuhr et ses coteaux abrupts – et resté fidèle à une approche très traditionnelle du vin de la Moselle, le riesling touche au sublime. Celui-ci provient du cru Himmelreich, à Graach, la commune voisine, et offre cette juxtaposition quasi parfaite d'acidité et de douceur, de fruit, de fleur et de minéral. Aérien, mais avec les pieds bien ancrés dans les sols d'ardoise de la Moselle. Jeune et fringant, plutôt léger de prime abord, mais déployant beaucoup de poigne et de longueur en bouche. Un vin à laisser mûrir sans crainte pendant au moins 10 ans.

13349703   42,25$ ☆☆☆☆→? ④

SELBACH

Riesling 2016, Qba, Mosel

En plus de veiller sur les vignobles de la propriété familiale (Selbach-Oster), Johannes Selbach dirige une activité de négoce dont les vins sont mis en mar-ché sous la marque Selbach. Un an plus tard, le riesling Qba 2016 reste très frais, bien marqué par l'empreinte aromatique du cépage, qu'un carac-tère nerveux et perlant met en relief. À peine 10,5% d'alcool, des arômes francs et nets de citron, de pomme verte et de tilleul. Digeste et tout en nuances.

11034741   18,20$ ☆☆☆ ½ ② ♥

SELBACH

Riesling Kabinett 2016, Halbtrocken, Zeltinger Himmelreich, Mosel

Ce domaine familial établi à Zeltingen-Rachtig commercialise un excellent vin demi-sec (*halbtrocken*) au nez telle-ment typé que même à l'aveugle, il est presque impossible de s'y tromper : on est au cœur de la Moselle. Un profil cristallin, tant au nez qu'en bouche, laquelle regorge de fraîcheur, tant par son acidité que par ses goûts de citron vert, de pomme russet et de chèvrefeuille. Si frais et équilibré qu'on sent à peine ses 17 g/l de sucre. Le vin d'apéro par excellence ; 10,5% d'alcool.

927962   19,75$ ☆☆☆☆ ② ♥

DOMÄNE WACHAU
Grüner veltliner 2016, Smaragd Terrassen

Ce grüner déploie en bouche une vinosité et des parfums de pêche qu'on associerait davantage à un alvarinho de Galice. La texture est ample et très séduisante, sans la longueur et le relief du vin précédent. Cela dit, à 27$, l'amateur de blanc de caractère sera pleinement satisfait. Arrivée à l'hiver 2019.

13264700   27,20$ ☆☆☆ ½ ②

DOMÄNE WACHAU
Grüner veltliner Smaragd 2016, Kellerberg, Wachau

Dans la vallée de la Wachau, le terme « smaragd » désigne les vins les plus mûrs et donc, les plus riches en alcool. Déjà bien ouvert lorsque goûté en juillet 2018, le 2016 témoignait de raisins cueillis à parfaite maturité, apportant une intensité aromatique supplémentaire, avec des senteurs de poire mûre et de safran, attribuables à une touche de botrytis. Un vin sec, ample, volumineux, et pourtant plein de tonus; à boire entre 2019 et 2025.

13788087   47,25$ ☆☆☆☆ ②

En primeur

DOMÄNE WACHAU
Riesling 2016, Federspiel, Terrassen, Wachau

Le terme «federspiel» désigne des vins un peu plus légers (entre 11,5 et 12,5% d'alcool), conçus pour être appréciés en jeunesse. Sec et minéral, avec des accents fumés qui rappellent les vins de sols volcaniques de Soave, ce riesling est d'abord discret, avec de délicats accents de citron et de camomille. Puis, le vin gagne en volume et la minéralité va crescendo, se faufilant à travers les goûts de mandarine et de miel. Un très bon vin vif et équilibré, du début jusqu'à la fin.

13477625   20,35$ ☆☆☆☆ ② ♥

GEYERHOF
Grüner veltliner 2017, Rosensteig, Kremstal

Difficile de dire s'il y a là un effet direct de ce type de viticulture. Ce grüner veltliner distille une minéralité peu commune dans les vins de cette gamme de prix. Frais et vivifiant comme une brise de bord de mer; à la fois aérien et doté d'un volume en bouche qui témoigne de raisins à parfaite maturité. Arrivée prévue au début de l'année 2019.

12676307   24,90$ ☆☆☆☆ ② ♥ 🗨

GEYERHOF
Riesling 2017, Sprinzenberg, Niederösterreich

Pionnière de la viticulture biologique en Autriche, la famille Maier cultive son vignoble du Kremstal selon les principes de la biodynamie depuis 1988. Il émane des vins de cette maison une élégance quasi princière. Les raisins ont été récoltés vers la mi-octobre et vinifiés en cuve inox, avec un contact prolongé des lies. Ce vin embouteillé en mars 2018 était encore dans sa prime jeunesse lorsque goûté en juillet 2018. Un nez hyper frais, ponctué de notes de crème de citron, de tilleul et de melon exotique. La bouche est nerveuse, presque perlante, soulignée d'une amertume hyper élégante qui met le fruit en relief et tire les saveurs en finale.

9 120008 900483

12131551   28,90$ ☆☆☆☆ ② ♥ 🗨

JURTSCHITSCH
Grüner veltliner 2017, GrüVe, Niederösterreich

Plutôt qu'une expression des terroirs du Kamptal, cette cuvée toute nouvelle à la SAQ offre une expression pure du cépage grüner veltliner. Sec, très aromatique et débordant de bons goûts de poire et de fruits tropicaux, de poivre, de fleurs blanches et de citron. Nerveux, vibrant et rassasiant de fraîcheur. Parfait pour les huîtres!

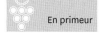 En primeur

13679884   24,15$ ☆☆☆☆ ① ♥

JURTSCHITSCH
Grüner veltliner 2017, Terrassen, Niederösterreich

Depuis qu'ils ont pris la relève de ce vignoble du Kamptal, en 2006, Alwin Jurtschitsch et sa conjointe, Stefanie, en ont fait l'un des domaines les plus dynamiques d'Autriche. Ils signent ici un grüner tout ce qu'il y a de plus typé (grüner signifie «vert», en allemand), avec des senteurs caractéristiques de poivre blanc, de pois sucré et de citron vert. Un blanc de texture et de tenue, sec et citronné en bouche, salin et ponctué de ces mêmes notes de poivre; aérien et bien ancré dans la terre. Excellent!

 En primeur

13681685   27,90$ ☆☆☆☆ ② ♥

LENZ MOSER
Grüner veltliner 2016, Prestige Qualitätswein, Niederösterreich

Bon exemple de grüner abordable, facile à boire et débordant de fraîcheur, avec son attaque en bouche nerveuse, animée d'un reste important de gaz. Des notes lactiques se marient au fruit et forment un ensemble simple, mais joli. À boire au courant de la prochaine année.

9 009500 009828

13625915   18,45$ ☆☆ ½ ③

EDOARDO MIROGLIO
Pinot noir 2015, Soli, Thracian Valley, Bulgarie

Le nez de fraises compotées, sur un fond presque viandeux, annonce un pinot noir bien nourri par le soleil de la vallée de la Thrace, dans le sud de la Bulgarie. Le vin coule en bouche; souple, soyeux, gorgé de fruit et d'une tenue digne de mention. D'autant plus recommandable qu'il ne présente aucune sucrosité, contrairement à nombre de vins dans cette gamme de prix.

11885377   14,40$ ★★★ ½ ① ♥

JOHANNESHOF REINISCH
Pinot noir 2016, Thermenregion, Autriche

Le pinot noir de ce domaine familial situé au sud-est de Vienne et conduit en agriculture biologique par trois frères me semble un cran plus achevé en 2016. Très séduisant d'entrée de jeu, le vin embaume les fleurs, les épices douces et le poivre. Un léger reste de gaz en attaque accroît la sensation de fraîcheur, la trame est souple et gorgée de saveurs pures, tissée de tanins juste assez granuleux qui apportent du relief à l'ensemble. Finale passablement longue aux accents singuliers de patchouli en bouche, de terre humide et de bois de santal. Excellent vin!

13058113   23,90$ ★★★★ ② ♥ 🗨

PITTNAUER
Pitti 2016, Burgenland, Autriche

Assemblage de blaufränkisch et de zweigelt, cultivés en biodynamie, dans le Burgenland autrichien. Un nez de poivre, de cerise et d'herbes séchées; une bouche nerveuse, avec ce caractère vibrant qu'ont en commun les meilleurs vins du nord. Le cépage local blaufränkisch apporte une rondeur fruitée au zweigelt, qui est plus droit, plus vigoureux, et le tout a de petits airs de gamay et de pinot noir qui le rendent franchement irrésistible. Surtout si on le sert frais, autour de 15 °C. Dans sa catégorie, il mérite quatre étoiles.

12411000   18,70$ ★★★★ ② ♥

PITTNAUER
Zweigelt 2016, Heideboden, Burgenland, Autriche

En 1992, lorsque Gerhard Pittnauer a fondé son domaine éponyme en périphérie du lac de Neusiedl, l'Autriche produisait très peu de vins dignes d'intérêt. Pendant que ses collègues vignerons s'efforçaient de produire des vins techniques pour répondre aux standards internationaux, cet autodidacte se laissait guider par son instinct, peaufinant son art un millésime à la fois. Une vingtaine d'années plus tard, porté par ce même esprit intuitif et créatif, il signe un excellent zweigelt, aussi près de la terre que du fruit; juteux et affriolant, mais posé sur une trame minérale qui ajoute à sa profondeur. Encore jeune et nerveux, mais déjà élégant et étonnamment long en bouche.

12677115   21,35$ ★★★★ ② ♥

ROUVINEZ
Pinot noir 2017, Valais, Coteaux de Sierre, Suisse

La robe est brillante et les arômes de petits fruits noirs et de fleurs n'est pas sans rappeler certains gamays. Or, derrière ce nez plein de promesses se cache une bouche au fini mince, dépouillé et anguleux. Y serait-on allé un peu fort avec les filtrations, avec l'ajout de soufre avant la mise en bouteille? Dur à dire. Ne reste qu'à souhaiter que quelques mois de repos lui soient bénéfiques. Arrivée au courant de l'hiver 2019.

11770916   24,10$ ★★ ½→? ③

BÉRES
Tokaji Furmint 2015, Löcse

Je n'avais pas été spécialement charmée par le 2008 goûté il y a quelques années, mais ce 2015 dégusté lors d'un bref passage à Tokaj en avril 2018, puis au Québec au courant de l'été m'a fait nettement meilleure impression. Établie dans le petit village de Erdőbénye, la famille Béres propose une expression mûre et généreuse du furmint, mais le vin conserve en bouche une acidité suffisamment importante qui le garde de toute lourdeur, lui conférant une agréable tenue. Un blanc d'envergure à servir à table, autour de 12 °C.

11766335   26$ ☆☆☆ ½ ②

CHÂTEAU DERESZLA
Tokaji Dry 2016

Le cépage blanc furmint représente environ les deux tiers de la superficie du vignoble hongrois. Il donne ici un blanc sec qui n'a rien d'ambitieux, mais s'avère un bon vin de tous les jours. Ample, nourri de bons goûts de pêche et très original. Un bon achat dans cette gamme de prix.

13479639   15,95$ ☆☆☆ ② ♥

DISZNÓKŐ
Tokaji Furmint 2016

Très bon blanc sec issu de furmint, le cépage qui donne aussi naissance aux grands vins aszù, célèbres liquoreux hongrois. Le 2016 déploie au nez des parfums très nets de poire et de cire d'abeille. La bouche est assez délicate en attaque, mais présente une structure digne de mention pour le prix. Parfait pour ajouter une touche d'originalité à votre apéro.

13440700   19,95$ ☆☆☆ ½ ①

NYAKAS
Irsai Oliver 2017, Budai

Le cépage irsai oliver semble se plaire sur les sols de craie du secteur d'Etyek-Buda, en périphérie de la capitale, Budapest. Délicatement parfumé, avec des accents de fleurs et de citron, tout en fraîcheur, avec une acidité qui chatouille les joues et qui ouvre la soif. Une belle bouteille à servir avec des sushis ou une pissaladière.

11200497   15,80$ ☆☆☆ ① ♥

OREMUS
Tokaji Furmint 2016, Mandolas

Les propriétaires de Vega Sicilia ont été parmi les premiers investisseurs de l'Europe de l'Ouest à s'installer à Tokaj, au début des années 1990. Le Mandolas, seul blanc sec du domaine, est l'un des rares furmints de l'appellation à «compléter ses malos». Notre guide nous apprendra que plusieurs domaines de Tokaj freinent désormais la transformation naturelle de l'acide malique en acide lactique, jugeant les goûts de beurre – caractéristiques de l'acide lactique – trop envahissants. L'effet pervers de cette nouvelle mode? Pour atténuer le caractère mordant, voire agressif, de l'acide malique, nombre de domaines laissent désormais un reste perceptible de sucre dans leur furmint… de moins en moins sec. Cela dit, ce Mandolas 2016 est succulent! Le nez n'est pas très expressif, mais ses parfums de poire sont distingués. Plus éloquent en bouche : texture nourrie, grain serré et proportions idéales. Un très joli vin, racé et élégant. Qualité et équilibre de loin supérieurs à la moyenne de l'appellation.

10756400   30,25$ ☆☆☆☆ ② ♥

5 998835 040160

PAJZOS
Tokaji Furmint 2017

Je suis toujours ravie de constater à quel point certains vins parviennent à nous dépayser, à peu de frais. Sans être spécialement étoffé, ce furmint porte de jolis arômes de pomme mûre et d'épices, enrobés d'une texture juste assez nourrie, et s'avère très rassasiant à moins de 15$.

860668   14,45$ ☆☆☆ ① ♥

5 998830 730431

MAROC

Ce pays d'Afrique du Nord profite d'une grande diversité de climats, avec la chaîne montagneuse de l'Atlas qui occupe sa partie occidentale du nord au sud, et un immense littoral, bordé au nord par la Méditerranée et à l'ouest par l'océan Atlantique, dont l'influence rafraîchissante est bénéfique pour la vigne. Le vignoble moderne a surtout été façonné par les Français au cours des années 1950 et 1960. Le cépage cinsault donne un agréable vin gris sur la côte atlantique, tandis que la région de Meknès est réputée pour ses rouges solaires et corsés. Le Maroc compte aussi d'importantes plantations de chêne-liège (*Quercus suber*).

TURQUIE

La viticulture est pratiquée en Turquie depuis six millénaires, mais le vin a été lourdement marginalisé sous le règne ottoman. Il a connu un souffle nouveau depuis 1925, lorsque le fondateur de la Turquie laïque, Kemal Atatürk, a mis en place son programme d'occidentalisation.

ISRAËL

Les particularités de quelques microclimats d'altitude, conjuguées à l'apport d'une expertise étrangère, ont permis aux entreprises viticoles d'Israël d'accomplir des progrès considérables au cours des 15 dernières années. Les régions du plateau du Golan (Galilée), au nord du pays, ainsi que les montagnes de Judée, dans la partie sud, sont aujourd'hui la source de vins de bonne qualité.

LIBAN

Bien que son histoire remonte au temps des Phéniciens, la viticulture libanaise telle qu'on la connaît aujourd'hui est relativement récente. Plantée essentiellement dans la vallée de la Bekaa, la vigne s'y enracine sur un peu plus de 2000 hectares, soit l'équivalent du vignoble du Jura. Les principaux cépages cultivés sont d'origine méditerranéenne : grenache, cinsault, syrah, carignan, auxquels s'ajoutent le cabernet sauvignon et un peu de merlot.

MEXIQUE

Plus ancien pays producteur de vin des Amériques. Implantées dès la colonisation espagnole, au XVIe siècle, les variétés vitis vinifera ont prospéré au fil des siècles grâce au labeur des missionnaires catholiques qui ont développé les vignobles de la vallée de Guadalupe, en Basse-Californie, dont proviennent les trois quarts de la production nationale.

DOMAINE DES OULEB THALEB
Syrocco 2014, Zenata, Maroc

Il y a quelques années, Alain Graillot – vigneron hautement respecté du nord de la vallée du Rhône – s'est aventuré loin des coteaux de Crozes-Hermitage, sur les flancs du mont Zenata, à une cinquantaine de kilomètres au nord-est de Casablanca. En partenariat avec le marocain Thalvin, il produit cette cuvée, issue de vignes de syrah, dont certaines sont âgées d'une cinquantaine d'années. Le 2014 défend bien la réputation du domaine : un vin croquant, plus animal que fruité, avec des arômes de viande fumée, charnu et plein en bouche ; des tanins fermes lui donnent beaucoup de poigne. Un vin sérieux, à boire au cours des quatre ou cinq prochaines années.

11375561   24,80$ ★★★ ½ ②

KOCABAG
Kapadokya 2016, Turquie

Le domaine familial de Kocabag est situé dans la région volcanique de Cappadoce, à l'est du pays. Composé des cépages locaux öküzgözü et boğazkere, ce vin souple exerce cette année un certain charme avec ses accents poivrés et ses goûts généreux de fruits noirs. Peu d'aspérités tanniques en bouche, mais une matière croquante et juteuse. Servir frais autour de 15 °C.

10703754   14,25$ ★★★ ① ♥

L.A. CETTO
Petite Sirah 2016, Valle de Guadalupe, Mexique

Avec plus de 600 hectares de vignes, ce domaine fondé en 1926 par un immigrant italien est le plus important producteur de vins du Mexique. Difficile pour l'amateur de rouge corsé de trouver un meilleur rapport qualité-prix-plaisir que cette petite sirah. Tout le caractère aromatique du cépage – fruits confits, poivre, viande fumée – avec des tanins solides et granuleux qui lui donnent une allure un peu rustique, mais fort sympathique. D'autant plus charmant qu'on a eu la sagesse de ne pas le surcharger de parfums boisés. À moins de 12$, c'est dur à battre !

429761   11,45$ ★★★ ½ ② ♥

ADIR WINERY
Cabernet sauvignon 2015, Kerem Ben Zimra, Upper Galilee

Tout au nord du pays, les terroirs d'altitude (1200 m.) de Galilée semblent très bien convenir à la culture du cépage cabernet sauvignon. Tirant avantage des températures plus fraîches de la région, Avi Rosenberg en fait un vin proprement délicieux. Sans doute le vin d'Israël le plus fin et de le plus complet que j'aie goûté au cours des dix dernières années. Très bien proportionné, savamment boisé, aux lignes pures; des tanins droits, enrobés d'une chair fruitée mûrie à point, et une bonne longueur. Un excellent vin à apprécier à table.

13570521   33,25$ ★★★★ ②

GALIL MOUNTAIN WINERY
Meron 2014, Upper Galilee

Syrah (80%), cabernet sauvignon et petit verdot; 15% d'alcool. Vin très coloré, noir et épais, mais chaleureux, poivré, relevé à souhait et ponctué d'une certaine amertume qui ajoute de la dimension en finale. Les amateurs de syrah façon californienne seront comblés. À condition de l'aérer longtemps, très longtemps…

12481534   33,50$ ★★★→? ③

GALIL MOUNTAIN WINERY
Yiron 2015, Galilee

Interprétation spectaculaire, mais sans trop de nuances des cépages bordelais. Un vin très explicite avec ses senteurs de café, de cèdre, de fumée et de fruits confits. Des tanins fermes et une finale alcooleuse. Imposant, mais sûrement pas facile à boire.

13266060   46$ ★★→? ③

GOLAN HEIGHTS WINERY
Hermon Indigo 2015, Galilee

Le vignoble de cette entreprise créée en 1983 est planté sur les pentes du plateau du Golan surplombant le lac de Tibériade, là où le climat frais (les vignes sont régulièrement enneigées pendant l'hiver) permet d'obtenir des vins fins et harmonieux. À prix attrayant, cette cuvée de cabernet sauvignon et de syrah s'ouvre sur des parfums de menthe, de fruits confits et d'eucalyptus qui rappellent certains vins de Coonawarra, en Australie. La bouche est dodue, mûre et bourrée de fruit; belle union entre la structure du cabernet et la rondeur de la syrah. Finale généreuse aux goûts de réglisse, de confiture de framboise et de fleurs. À boire avec un plaisir gourmand jusqu'en 2021.

13546061   21,70$ ★★★ ½ ② ♥

GOLAN HEIGHTS WINERY
Hermon Red 2017, Galilee

Golan Heights Winery commercialise annuellement quelque six millions de bouteilles dans le village de Katzrin. Dans le lot, cet assemblage d'inspiration bordelaise (cabernet franc, cabernet sauvignon, malbec, merlot et petit verdot) dans lequel le fruit s'exprime avec vitalité et franchise. Un vin charnu et généreux, sans aucune lourdeur, grâce à un cadre tannique assez solide, qui tonifie le tout. Un peu plus de longueur et c'était quatre étoiles.

10236682 21,70$ ★★★ ½ ② ♥

GOLAN HEIGHTS WINERY
Cabernet sauvignon 2015, Yarden, Galilee

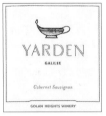

Par son volume et sa puissance, ce 2015 de la gamme Yarden évoque vraiment un cabernet de la vallée de Napa. Un vin d'envergure, boisé et exubérant, large en bouche; à la fois ferme et velouté, très nourri, riche en matière. Finale savoureuse et persistante aux parfums *toastés*. Ce n'est peut-être pas le plus fin, mais son étoffe est incontestable; il a assez de matière en réserve pour tenir la route jusqu'en 2024, au moins.

12211067 48,75$ ★★★→★ ③

GOLAN HEIGHTS WINERY
Syrah 2014, Yarden, Galilee

Produit sous le chaud soleil de Galilée, ce vin porte au nez les traits aromatiques des syrahs du sud, avec des notes rôties et sanguines qui évoquent la viande fumée. Robuste, musclé, joufflu et dessiné à gros traits, il accuse un léger creux en milieu de bouche, mais s'avère somme toute rassasiant pour qui aime cette générosité.

12884481 40$ ★★★ ②

VITKIN
Red Israeli Journey 2015, Galilee

Une proposition originale mariant de vieilles vignes de carignan, à de la syrah, du grenache et du cabernet franc. Peut-être était-il bousculé par le transport ou simplement trop jeune pour être apprécié à sa juste valeur, mais je n'ai pas trouvé dans ce vin les traits du carignan, pourtant si charmant lorsque vinifié avec sobriété. Plutôt un vin musclé et concentré, assez chaud en bouche, et dont le registre aromatique est limité, n'offrant guère que des relents de torréfaction (café moka, créosote) plutôt rustiques. À près de 30$, je passe mon tour.

11885633 28,90$ ★★ ½→? ③

CAVE KOUROUM

Petit Noir 2011, Vallée de la Bekaa

Assemblage de cinsault, de grenache, de carignan et de syrah, taillé dans le moule du vin de soif. Celui qu'on boit au quotidien, sans trop se poser de question, mais avec un certain plaisir. Confiture de framboise et accents anisés, trame souple et bel équilibre. À boire dans la prochaine année.

11097549   12,80$ ★★★ ① ♥

5 285000 952695

CHÂTEAU KSARA

Blanc de blancs 2016, Vallée de la Bekaa

L'assemblage (chardonnay, sauvignon blanc et sémillon) aurait pu donner un vin fort intéressant. Malheureusement, l'apport boisé est si prononcé que les subtilités du fruit sont noyées dans une mer de vanille et de noix de coco. Dommage.

10210677   16,35$ ☆☆ ½ ①

5 281022 512442

CLOS ST-THOMAS

Château St-Thomas 2010, Vallée de la Bekaa

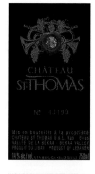

Un autre grand succès pour ce domaine viticole libanais créé en 1997 au pied du Mont Liban, qui a produit un excellent 2010 : coloré, concentré et très marqué par le cabernet sauvignon ; riche en parfums de cèdre, de mûre et de poivron rouge grillé. Passablement d'extraits et de tanins, et une matière longue et savoureuse, à la hauteur de crus bourgeois réputés du Médoc. Bon maintenant et capable de vivre plusieurs années. Un achat judicieux.

927830   25,95$ ★★★★ ② ♥

5 281108 010145

CLOS ST-THOMAS

Les Émirs 2012, Vallée de la Bekaa

Grenache, syrah et cabernet sauvignon sont nourris par les journées chaudes de la vallée de la Bekaa. Le fruit est bien mûr, encadré par les tanins du cabernet. Un peu creux en milieu de bouche, mais bien tourné et tout de même recommandable.

927822   16,95$ ★★★ ②

5 281108 010046

MASSAYA
Le Colombier 2017, Vallée de la Bekaa

Cette année encore, je peux difficilement résister au charme de cet assemblage de cinsault, de grenache noir, de tempranillo et de syrah, cultivés à une altitude variant entre 900 et 1200 m. Le vin sent bon la confiture de framboise, le thym et la lavande. Il offre en bouche un heureux mariage de velours et de charpente. Chaleureux (15 % d'alcool) sans être capiteux outre mesure, et très rassasiant. À ce prix, rien à redire sinon : chapeau!

10700764   18,20 $ ★★★ ½ ② ♥

MASSAYA
Terrasse de Baalbeck 2013, Vallée de la Bekaa

De retour dans leur Liban natal en 1998 après avoir respectivement séjourné aux États-Unis et en France, Sami Ghosn et son frère Ramzi s'y sont associés au Bordelais Dominique Hébrard et aux frères Brunier du Domaine du Vieux-Télégraphe à Châteauneuf-du-Pape. Les vignes de grenache, de mourvèdre et de syrah qui donnent naissance à ce vin s'enracinent dans les sols argilo-calcaires des hauteurs du mont Liban, à plus de 1000 m d'altitude. Une année de repos a certainement été favorable au 2013. Un vin plein et savoureux, riche en arômes d'anis, d'herbes séchées, de kirsch et de chocolat noir, terminant son parcours en bouche sur une longue finale vaporeuse. À 20 $ et des poussières, c'est une aubaine!

904102   22,50 $ ★★★★ ② ♥

AMÉRIQUE DU NORD
CANADA

TERRITOIRES DU
NORD-OUEST

NUNAVUT

COLOMBIE-
BRITANNIQUE

ALBERTA

COLOMBIE-
BRITANNIQUE

VANCOUVER

KELOWNA

OCÉAN
PACIFIQUE

Vallée de l'Okanagan

Vallée de Similkameen

ONTARIO

La qualité des chardonnays ontariens a progressé de façon exponentielle depuis une dizaine d'années. D'abord dans la péninsule de Niagara, mais aussi dans le comté de Prince Edward (PEC), où les sols de calcaire actif du secteur de Hillier peuvent donner des vins blancs d'une grande complexité.

Le pinot noir donne des résultats plus hétérogènes, néanmoins prometteurs, tandis que les gamays et cabernets francs gagnent en précision et en profondeur.

COLOMBIE-BRITANNIQUE

Surtout connue pour ses vins rouges musclés (syrah et cabernet sauvignon en tête), semblables à ceux de l'État de Washington, la Colombie-Britannique a démontré qu'elle a un climat propice à la culture de cépages alsaciens. Surtout sa partie nord, en périphérie de Kelowna, où les riesling, pinot gris, gewurztraminer et pinot blanc donnent des vins blancs aromatiques et originaux.

Les efforts observés d'un océan à l'autre, depuis dix ans permettent plus que jamais d'être confiant quant au potentiel du Canada de devenir un producteur de vins de classe mondiale. Tout n'est pas parfait, mais avec des vignes qui gagnent en maturité et une connaissance viticole et œnologique toujours accrue, les vins ne pourront être que meilleurs.

L'Ontario demeure le numéro un canadien avec un vignoble couvrant un peu plus de 6500 hectares, suivi par la Colombie-Britannique, le Québec et la Nouvelle-Écosse, qui commence à produire des vins effervescents de qualité.

QUÉBEC

Au cours des deux ou trois dernières années, on a vu émerger un certain nombre de vins issus de cépages *vinifera* (par opposition aux hybrides). Dans le verre, les résultats sont déjà très concluants.

Il faut aborder les rouges québécois comme des vins de climat frais. À l'opposé des vins espagnols et américains qui comportent parfois une certaine sucrosité.

LABRADOR

TERRE-NEUVE

QUÉBEC

ÎLE-DU-PRINCE-ÉDOUARD

NOUVEAU-BRUNSWICK

NOUVELLE-ÉCOSSE

Comté de Prince-Édouard

QUÉBEC

ONTARIO

ONTARIO

TORONTO

NOUVELLE-ÉCOSSE

Péninsule du Niagara

NOUVELLE-ÉCOSSE

Le climat hivernal doux et les étés frais de la Nouvelle-Écosse constituent de très bonnes conditions pour la culture de raisins à forte teneur en acidité, nécessaires à l'élaboration de vins effervescents.

CANADA

|||||||||||||||||||||||||||||||||||||||||||||||||||||||||||||||||||||||||||||||||||||||||||||||||||||||||||||||||||||||||||

L'Ontario conserve son rôle de *leader* avec un peu plus de 7000 hectares plantés. Nos voisins sont maintenant reconnus internationalement pour la grande qualité de leurs chardonnays et, dans une moindre mesure, de leurs pinots noirs, gamays et cabernets francs.

En Colombie-Britannique, la vaste vallée de l'Okanagan s'étend sur plus de 250 km du nord au sud et comporte une foule de climats et microclimats. Il n'est donc pas étonnant d'y trouver à la fois des rieslings sveltes et aériens, des cabernets musclés et des syrahs plantureuses.

Seul bémol : ces vins qui suscitent des commentaires élogieux des grands critiques britanniques et américains sont toujours relativement inaccessibles aux amateurs de vins d'ici. Ainsi, aussi ridicule que cela puisse paraître, il est beaucoup plus facile d'avoir accès, au Québec, à des vins américains, qu'à des vins canadiens. Et ce, malgré les efforts du président des États-Unis pour freiner le commerce entre les deux pays.

Sur une note plus positive, la SAQ offre désormais une belle visibilité aux vins du Québec. L'implantation des sections Origine Québec a porté ses fruits et les ventes en succursales continuent de progresser. L'arrivée des vins québécois dans les épiceries et les dépanneurs a aussi insufflé un dynamisme à l'industrie et ouvert de nouveaux horizons commerciaux, particulièrement pour les plus petits producteurs.

Petit à petit, l'industrie du vin au Québec s'organise et se structure. L'amateurisme qui régnait parfois dans quelque projet-de-retraite-déguisé-en-vignoble a fait place à une vague d'entrepreneurs sérieux – très sérieux, même – qui ont bien fait leurs devoirs avant de s'improviser vignerons. Et le changement se perçoit dans le verre. Vraiment !

Au moment d'écrire ces lignes, l'IGP Vin du Québec était sur le point d'être adoptée et reconnue officiellement par l'Assemblée nationale. Cette nouvelle appellation, en vigueur à compter du millésime 2018, appartient au gouvernement du Québec et garantit au consommateur une meilleure traçabilité.

DOMAINE ST-JACQUES
Pinot gris 2017

Yvan Quirion expérimente avec les cépages vinifera depuis 2010 et son pinot gris me paraît chaque année un peu plus achevé. Goûté à quelques reprises au courant de l'été, le 2017 brillait par sa vitalité et sa légèreté, tout en offrant un volume appréciable en bouche. Salin et rassasiant de fraîcheur. Pour l'anecdote, une bouteille ouverte depuis cinq jours et laissée au frais, sans protection autre qu'un simple bouchon, n'accusait aucune fatigue et s'avérait encore très agréable à boire. Un autre signe que les blancs sont souvent beaucoup plus solides qu'on ne le pense...

12981301   21,35$ ☆☆☆ ½ ②

DOMAINE ST-JACQUES
Riesling 2017

Un belle réussite pour ce riesling produit tout au sud du Québec et issu de vignes de seulement cinq ans. Un nez pur et délicat, qui laisse deviner certains parfums variétaux du riesling, entre le citron vert, la menthe et le tilleul. La bouche est vive, dépourvue de tout sucre résiduel et le vin s'avère très agréable à boire à l'apéro, mais aussi à table, avec une salade de légumes ou un carpaccio de poisson.

Disponible
à la propriété

21,95 $ ☆☆☆ ①

VIGNOBLE CAMY
Pinot gris 2017

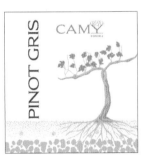

Dès le premier nez, on sait qu'on a affaire à un pinot gris d'inspiration alsacienne, plutôt qu'italienne. En d'autres mots : plutôt gris que grigio. Sous de légers relents de réduction se dessinent des parfums de poire et de pêche, ainsi que des accents de beurre, attribuables à la transformation malolactique. La bouche est franche, mûre (12,1%), animée d'une acidité modérée et ponctuée d'une amertume noble qui tire les saveurs en finale. Bien joué !

Dans les épiceries
spécialisées

25 $ ☆☆☆ ½ ②

> Pour connaître les bonnes adresses où se procurer des vins du Québec, consultez la liste des détaillants à la page 403.

COTEAU ROUGEMONT
Chardonnay 2016, La Côte

Les vignes, maintenant âgées de près de 10 ans, donnent un vin blanc très complet, qui plaira à l'amateur de chardonnay ample, bien gras et mis en valeur par un élevage soutenu en fûts de chêne, tout en conservant une certaine tenue et une acidité vive et fraîche. À servir avec des pâtes au homard ou un risotto aux champignons, au cours des trois ou quatre prochaines années.

13612532   23,95$ ☆☆☆ ½ ②

DOMAINE ST-JACQUES
Chardonnay 2017, Vin du Québec

L'an dernier, je n'avais pas été convaincue par le chardonnay 2015, qui m'avait paru un peu brouillon. Le vin en était à son premier millésime commercial et son identité restait encore à définir. Deux années plus tard, le 2017 joue dans une tout «autre ligue» pour reprendre l'expression consacrée. L'attaque en bouche est fraîche, le milieu ample et gras, la finale serrée, saline et compacte, et l'empreinte boisée on ne peut plus élégante. Excellent!

24 $ ☆☆☆☆ ② ♥

Disponible à la propriété

LA CANTINA
Chardonnay 2017, Vallée d'Oka, Québec

Ce chardonnay produit dans le secteur du lac des Deux-Montagnes est certes vif, mais loin d'être trop tranchant; juste assez vineux, mais dépourvu de parfums beurrés et boisés. Sa finale minérale ajoute à sa dimension aromatique et annonce un bien bel avenir pour ce nouveau vignoble développé par Daniel Lalande, propriétaire du Vignoble de la Rivière du Chêne, à Saint-Eustache.

13835841   23,95$ ☆☆☆☆ ②

Disponible à la propriété

LES PERVENCHES
Chardonnay 2017, Le Couchant

Le chardonnay haut de gamme de ce domaine de Farnham provient d'un vignoble planté en 1991 et certifié biologique par Écocert. Une fois de plus en 2017, un vin d'une profondeur indéniable, encore tout jeune et promis à un bel avenir. Le Couchant n'atteint vraiment son apogée qu'après cinq ou six ans de repos en cave. La matière est ample, grasse et ponctuée de notes salines; une excellente tenue et une amertume noble qui met en relief des saveurs de fruits blancs et jaunes.

35 $ ☆☆☆☆→? ③ ♥

Disponible à la propriété

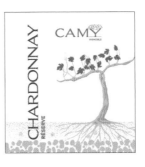

LES PERVENCHES
Chardonnay 2017, Les Rosiers

Plus éloquent en bouche qu'au nez; texture ample, soutenue par une acidité souple et par une trame minérale qui donne la répartie aux goûts francs de poire et de fleurs blanches. Racé et élégant. En toute justice, c'est l'un des meilleurs blancs du Québec. Comme chaque année, les bouteilles produites se sont volatilisées en quelques jours. Pour augmenter vos chances de mettre la main sur une bouteille de 2018, le mieux est de s'inscrire à l'infolettre du vignoble (lespervenches.com).

Disponible à la propriété

27 $ ☆☆☆☆ ½ ♥

VIGNOBLE CAMY
Chardonnay 2017, Réserve

Une interprétation singulière du chardonnay sur les sols de gravillons, de calcaire et de coquillages – datant de la mer de Champlain – de Saint-Bernard-de-Lacolle, en Montérégie. Le 2017 goûté à la fin du mois d'août était salin, minéral en bouche, reléguant presque au second plan les goûts de poire et les notes de beurre de la «malo». Beaucoup de finesse et d'élégance dans ce vin pourtant issu de jeunes vignes. Et quelle longueur! Très très belle découverte!

Dans quelques épiceries fines

28,75 $ ☆☆☆☆ ② ♥

VIGNOBLE DU RUISSEAU
Chardonnay 2016

Depuis 2010, ce domaine situé à Dunham expérimente la viticulture géothermique. Normand Lamoureux a mis sur pied un système de chauffage qui garderait la vigne à une température minimale de -10 °C pendant la saison hivernale et les protégerait pendant les gels tardifs d'avril à juin. Le vignoble s'étend aujourd'hui sur 7,5 hectares et les installations ultramodernes de la cuverie n'ont rien à envier aux domaines de Niagara. Des quelques cuvées goûtées en août 2018, ce chardonnay non boisé issu de vignes de 7 ans m'a paru le plus complet. Misant à fond sur la fraîcheur et sur la pureté du fruit, le vin se déploie avec retenue et élégance, tendu, digeste et équilibré.

Disponible à la propriété

28,75 $ ☆☆☆ ½ ②

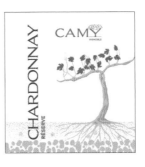

ARTISANS DU TERROIR, LES
Prémices d'Automne 2017

Ce blanc issu d'un assemblage de cayuga, de seyval et de st-pépin déploie au nez des parfums attrayants de concombre et de melon d'eau. La bouche, nette et vive, est arrondie d'un reste perceptible de sucre qui n'apporte aucune lourdeur, mais donne au vin de petits airs de Tidal Bay, la spécialité néo-écossaise. Pimpant de vitalité et vendu à prix très abordable.

742429   13,45$ ☆☆☆ ① ♥

CHAT BOTTÉ, LE
Blanc 2017

Le blanc que produisent Isabelle Ricard et Normand Guénette, à Hemmingford, en Montérégie, me semble atteindre un nouveau sommet en 2017. Ce cocktail original de louise swenson, de swenson white, de frontenac gris et d'adalmiina se révèle en bouche, plus qu'au nez. Le vin repose sur une texture assez nourrie et porte l'empreinte saline et minérale de son lieu d'origine. Authentique et bien fait.

12442498   18,35$ ☆☆☆ ½ ① ♥

COURVILLE, LÉON
Cuvée Charlotte 2017

Pas de bois dans ce vin sec de seyval blanc et de geisenheim qui n'a rien d'exubérant. Plutôt un bon blanc passe-partout qui va droit au but, avec des saveurs nettes et délicates. Servir à l'apéro, avec des sashimi ou un carpaccio de poisson blanc.

11106661   17,20$ ☆☆☆ ①

DOMAINE ST-JACQUES
Classique blanc 2017

Maintenant une référence à la SAQ en matière de vin blanc sec et frais, d'une constance impeccable année après année. Le 2017 m'a semblé avoir un peu plus de volume en bouche, sans sacrifier la vitalité. Cet assemblage de vidal, de seyval et de frontenac blanc n'a rien de compliqué, mais on apprécie ses saveurs nettes de fruits blancs et d'écorce de citron, autant que sa finale saline. Capsule vissée et prix attrayant.

11506120   16$ ☆☆☆ ½ ① ♥

L'ORPAILLEUR
Vin blanc 2017

Élaboré pour la première fois en 1985, le populaire vin blanc de l'Orpailleur reste fidèle au style qui a fait son succès. Composé de vidal et de seyval, le 2017 sent bon le zeste de citron et la menthe ; sec et nerveux, comme d'habitude, avec des notes d'agrumes et de fruits tropicaux en bouche. Un bon blanc d'apéritif.

704221   16,35 $ ☆☆☆ ① ♥

0 827924 004019

VENTS D'ANGES
Catherine 2017

Un assemblage peu commun (kay gray, swenson white, prairie star et castel), mais tout à fait réussi, produit dans les Basses-Laurentides, par la famille Lauzon. Une expression simple, mais franche et nette des cépages hybrides, avec de délicats accents muscatés et une bouche vive et juteuse, qui donne l'impression de croquer dans le fruit.

11833690   14,40 $ ☆☆☆ ①

0 827924 076023

VIGNOBLE DE LA RIVIÈRE DU CHÊNE
Cuvée William 2015

Le vandal-cliche donne une touche originale à ce blanc sec non boisé, lui conférant de délicats parfums de zeste de citron. Sec, vif et bien équilibré ; idéal pour l'apéro.

744169   16 $ ☆☆☆ ①

0 827924 036058

VIGNOBLE DU MARATHONIEN
Cuvée spéciale 2017

Composé de cayuga, de vidal et de frontenac gris, la Cuvée Spéciale de Jean Joly mise sur la pureté du fruit, tout comme le seyval commenté ci-après. Celui-ci est tout de même porté par une texture un peu plus nourrie, qui le rend encore plus rassasiant, et qui contraste agréablement avec sa finale citronnée et herbacée.

13023201   15,05 $ ☆☆☆ ① ♥

0 827924 017033

VIGNOBLE DU MARATHONIEN
Seyval blanc 2017

Le seyval en mode mûr (après tout, on est à Havelock, tout au sud de la province), complété de 14 % de vidal et gorgé de bons goûts de pomme et de citron confit. Le vin est sec, net et sans maquillage inutile ; une agréable amertume en finale lui donne un éclat supplémentaire.

11398325   15,95 $ ☆☆☆ ½ ① ♥

0 827924 017019

CÔTEAU ROUGEMONT
Le Versant blanc 2016

Ce vin conjugue le gras et les parfums de pêche du frontenac gris, à l'élégance et aux goûts de fruits blancs du frontenac blanc. Pas de bois, mais beaucoup d'intensité aromatique et de volume en bouche.

11957051   14,60$ ☆☆☆ ½ ① ♥

0 859670 001226

COURVILLE, LÉON
Vidal 2015

Ce vin produit en périphérie du lac Brome s'avère aussi intense en bouche qu'au nez, révélant des parfums de pêche, de poire asiatique, de fleurs et de poivre blanc. Rond, bien mûr et animé d'une bonne dose d'acidité qui équilibre l'ensemble. Très bon vidal vendu à un prix attrayant.

10522540   18,40$ ☆☆☆ ½ ② ♥

0 827924 059132

DOMAINE LE GRAND ST-CHARLES
La Roche Vidal 2017

Mylène Gaudette et Martin Laroche ont acquis en 2008 ce domaine situé sur le versant est du mont Yamaska, à Saint-Paul-d'Abbotsford. La vingtaine d'hectares de la terre se partagent entre pomiculture et viticulture. Lui aussi découvert – et beaucoup apprécié – lors d'une dégustation à l'aveugle, ce vidal a été fermenté et élevé en cuves de béton ovoïde, avec les levures indigènes, présentes sur les raisins. Le vin charme d'entrée de jeu avec ses notes d'ananas, de fleurs blanches et de pomme verte. La bouche est tout aussi expressive et précise, portée par une acidité fraîche, des accents salins et des amers nobles. Bien sec, savoureux et authentique.

23 $ ☆☆☆☆ ② ♥

Disponible à la propriété

NÉGONDOS
Julep 2017

Le cépage seyval profite ici d'une macération pelliculaire (contact prolongé de la peau du raisin avec le moût), qui lui confère une jolie couleur orangée – d'où son nom – et nourrit sa texture et sa structure, au point où le vin paraît tannique. Un peu fermé et austère à l'ouverture, le vin se révèle après quelques heures d'aération et s'ouvre sur des notes de poivre, d'écorce de clémentine et de pomme blette. Un vin à apprécier à table, de préférence, avec des plats d'inspiration japonaise, riches en goût *umami*. En rupture de stock; surveillez de près la mise en vente des 2018 au printemps prochain.

23 $ ☆☆☆☆ ② ♥

Disponible à la propriété

VAL CAUDALIES

Vidal 2017

Ce domaine de Dunham comporte un verger et un vignoble, planté à 70 % de vidal. Les associés de Val Caudalies ont aussi élaboré deux vermouths, en collaboration avec le bar à cocktail Le Lab, de Montréal. Le vidal 2017 est tout à fait sec, vif et enrobé d'une texture mûre, qui fait écho aux parfums de fruits jaunes, de notes de miel et de fumée, avec une pointe de cire d'abeille et de citron. Le tout est souligné par des accents amers qui ajoutent à son relief et à sa longueur en bouche. Excellent vidal!

Disponible à la propriété

21 $ ☆☆☆ ½ ② ♥

VIGNOBLE 1292

St-Pépin – Swenson 2016

Le vignoble québécois évolue à une telle vitesse qu'il est facile d'en perdre des bouts. Ainsi, j'ai découvert les vins de ce domaine de Saint-Blaise-sur-Richelieu un peu par hasard, lors d'une dégustation à l'aveugle organisée en juillet 2018. Comme plusieurs de mes collègues, j'ai été charmée par cet assemblage de cépages hybrides blancs, cultivés sur des loam sablo-argileux. Léger (12,5 % d'alcool) et modérément aromatique, mais aussi minéral, bien acidulé et très frais en bouche. En finale, de délicates notes de poivre blanc rappellent de bons grüners veltliners de la Wachau, en Autriche. Très belle découverte!

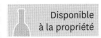
Disponible à la propriété

16 $ ☆☆☆☆ ① ♥

VIGNOBLE STE-ANGÉLIQUE

Argiles Blanches 2017

À Papineauville, Nicholas Carrière et Geneviève Poulin ont trouvé une nouvelle vocation à la ferme familiale en y plantant de la vigne il y a près de 10 ans. Sans doute le plus *umami* de tous les vins du Québec, ce frontenac blanc très original tire sa sève dans les sols d'argile de Papineauville, en Outaouais. Très sec, avec une attaque en bouche vive qui déstabilisera l'amateur de blanc léger et fruité, presque autant que ses parfums singuliers qui évoquent le bouillon de poulet et le céleri. De la structure et une bonne longueur. Hors normes, mais fort intéressant à table, avec un poulet aux morilles ou un tajine aux olives vertes.

Disponible à la propriété

17 $ ☆☆☆ ½ ②

CHÂTEAU DE CARTES
Saint-Pépin 2017

Fruit d'une hybridation réalisée dans les années 1950, au Wisconsin, le st-pepin est reconnu pour sa finesse et son caractère minéral, mais aussi pour sa structure, son volume en bouche et son gras. Produit à Dunham, sur le chemin Bruce, à quelques kilomètres de l'Orpailleur, celui d'Anik Desjardins et Stéphane Lamarre est passablement boisé, mais le vin est jeune et assez étoffé, et les notes vanillées devraient se fondre à l'ensemble d'ici trois ou quatre ans. Du gras, de la vitalité et de jolis goûts de poire et de fleurs, mis en relief par une saine amertume. Ne lui manque qu'un peu de longueur...

Disponible à la propriété

13106912   24$ ☆☆☆ ②

COURVILLE, LÉON
Saint-Pépin 2015

Chez Léon Courville et Anne-Marie Lemire, le st-pépin est fermenté et élevé sur lies pendant 16 mois, en fûts de chêne américain et français, dont 50% de fûts neufs. J'ai dégusté ce 2015 une première fois à l'aveugle et j'ai d'abord cru à un chardonnay. Ce sont vraiment de subtils accents qui ont trahi la présence d'un hybride. Dans l'ensemble, le 2015 me donne l'impression d'un vin plus complet et plus poli, au boisé mieux intégré que par le passé. Pas donné, mais très bon avec sa texture grasse et sa finale minérale.

10919723   29,95$ ☆☆☆ ½ ②

0 827924 059118

COURVILLE, LÉON
Vidal 2015, Réserve

J'ai été moins convaincue par cet autre blanc du domaine Léon Courville. Le vidal peine à s'exprimer sous la profusion de parfums boisés du chêne américain, tant au nez, qu'en bouche. L'attaque est très vive, avec ce qu'il faut de tenue et de texture, et dotée d'un bon équilibre. Dommage que les parfums du vidal soient occultés par tant de maquillage.

10919707   24,50$ ☆☆ ½→? ③

0 827924 059095

LE MAS DES PATRIOTES

La Mansarde, Réserve 2017

Ce vin produit à L'Acadie, en Montéré-gie, est l'un de mes coups de cœur des derniers mois. L'élevage – six mois en fûts de chêne – joue ici son rôle de faire-valoir et ajoute de l'étoffe et de la texture au frontenac blanc, sans en masquer les goûts délicats de poire et de pomme. Longueur, élégance et minéralité. Preuve que les cépages hybrides peuvent donner d'excellents vins!

13530342   25,35$ ☆☆☆☆ ② ♥

L'ORPAILLEUR

Cuvée Natashquan 2016

Produit pour la première fois en 2007, le blanc haut de gamme de l'Orpailleur rend hommage à Gilles Vigneault, lui-même à l'origine du nom du domaine. Le vin, composé de seyval (60%) et de vidal, est fermenté, puis élevé pendant un an en fûts (neufs à 30%) de chêne américain, lequel confère au vin des parfums d'aneth et de noix de coco. Du volume et une texture grasse, mais aussi un fil d'acidité qui ajoute de la structure en bouche. Bel exemple de blanc substantiel issu de cépages hybrides.

12685609   28$ ☆☆☆ ½ ②

DOMAINE BEAUCHEMIN
Pinot noir 2017

Le vignoble de Luc Beauchemin et de son fils David a été planté entre 2010 et 2014 – sur le site d'une ferme biologique depuis 1995 – et inauguré officiellement en 2017. C'est donc une grande première pour ce pinot noir, qui n'avant pas encore été mis en bouteille lorsque goûté à la fin août 2018. Le vin était donc encore très fougueux, animé d'un léger reste de gaz, mais abstraction faite de ce menu détail, quel joli vin! Tant par son grain à la fois fin et tricoté serré, que par ses saveurs pures, à mi-chemin entre la terre humide, la fumée et les petits fruits rouges. Non seulement très prometteur pour un premier millésime, mais un très bon vin, point.

Disponible à la propriété

32 $ ★★★ ½ ②

DOMAINE DU NIVAL
Gamaret 2017

Premier millésime en production pour ce vin issu à 100 % de gamaret, un cépage vinifera de plus en plus populaire en Suisse, issu d'un croisement entre le gamay et le reichensteiner. Une couleur claire aux reflets violets rappelle une parenté avec le gamay, tout comme le nez, duquel émane une profusion de fruits noirs et de poivre. La bouche est celle d'un vrai bon vin de soif: 10,9 % d'alcool, un fruit aigrelet qui vous pince les joues et une matière juteuse qui se croque autant qu'elle se boit. Excellent et combien prometteur! Si je devais planter de la vigne au Québec dans les prochaines années, je miserais gros sur le gamaret…

Disponible à la propriété

30 $ ★★★★ ②

DOMAINE DU NIVAL
Les Entêtés 2017

Matthieu et Denis Beauchemin ont pris le pari audacieux de planter du pinot noir dans leur vignoble de Saint-Louis, en Montérégie, à mi-chemin entre Sorel et Saint-Hyacinthe. Maintenant âgées de 5 ans, les vignes donnent un vin rouge fin, tout léger et pourtant haut en saveurs. La cerise côtoie les notes terreuses du pinot et le vin procure un plaisir certain par ses saveurs franches et sa finale saline. La texture, souple et élégante en attaque, se resserre en finale pour laisser en bouche une sensation très tonique. En le dégustant à l'aveugle aux National Wine Awards of Canada 2018, j'ai noté «j'en boirais maintenant», avant de raturer pour écrire «j'en boirais tout le temps!»

Disponible à la propriété

30 $ ★★★★ ½ ② ♥

DOMAINE ST-JACQUES

Pinot noir 2016

En 2016, les vignes de pinot noir de ce domaine de Montérégie étaient âgées de 7 ans et ont donné un bon rouge au nez discret, qui s'avère assez charmeur en bouche. Rien de complexe, mais fidèle à son cépage d'origine, avec une jolie patine tannique et un fruit juteux, sans la moindre verdeur. L'élevage en fûts de chêne est perceptible, mais très bien maîtrisé, et le vin offre une bonne longueur. À ce prix, il soutiendrait avantageusement la comparaison avec bien des pinots sur le marché.

13023172   25,35$ ★★★ ½ ②

LES PERVENCHES

Zweigelt-Pinot 2017

Au risque de manquer d'originalité, j'oserais dire que ce 2017 est le meilleur millésime de la cuvée zweigelt-pinot que j'aie jamais goûté. Meilleur encore que le 2016, déjà très bien noté dans la dernière édition du *Guide*. Certifié Écocert et travaillé en biodynamie, comme tous les crus du domaine, le vin annonce d'emblée par sa couleur fuchsia clair, une certaine légèreté, qui se vérifie dans le verre. Du laurier, du poivre noir et un bouquet de petits fruits noirs, tous égayés et mis en valeur par une acidité tranchante qui n'a pourtant rien de brutal. Si vous aimez la vigueur et le caractère pimpant des beaujolais, vous vous régalerez. À condition de pouvoir mettre la main sur quelques bouteilles…

Disponible à la propriété

25$ ★★★★ ① ♥

CHÂTEAU DE CARTES

Atout Rouge 2017

Le nez du 2017 annonce un vin guilleret, qui mise à fond sur l'expression du fruit. Des macérations préfermentaires à froid ont permis d'extraire un maximum de parfums de petits fruits rouges sauvages; la bouche est nerveuse, souple, coulante et juste assez charnue pour être rassasiante. Un bon rouge juteux et facile à boire, vendu à prix mérité. À boire au cours des deux prochaines années.

18 $ ★★★ ½ ① ♥

Disponible à la propriété

COURVILLE, LÉON

Cuvée Julien 2017, Vin du Québec

Sans être le plus achevé des derniers millésimes, la Cuvée Julien 2017 s'avère une fois de plus satisfaisante sur un mode guilleret et juteux, bourré de fruits noirs et soutenu par une bonne dose d'acidité qui ouvre l'appétit. Parfait pour un plat de pâtes tomates et saucisses italiennes piquantes.

10680118   15,40 $ ★★★ ① ♥

DOMAINE ST-JACQUES

Sélection rouge 2016

Un cran plus nerveux en 2016, il me semble. Nez frais où on dénote du fruit noir et une pointe florale. Attaque vive, bouche souple et gorgée de petits fruits acidulés. Toujours un bel exemple des bons vins de soif que peuvent donner les cépages hybrides.

11506306   18 $ ★★★ ½ ① ♥

NÉGONDOS

Suroît 2014

Les hybrides maréchal foch, sainte-croix, frontenac et marquette se présentent en mode nature dans cet excellent rouge aux allures de beaujolais. Une macération carbonique a permis d'extraire de très jolis parfums de fruits noirs, tout en conservant le meilleur du caractère *funky* des hybrides. Beaucoup de plaisir à boire ce rouge simple certes, mais au moins aussi bon que bien des vins natures de France et d'ailleurs. D'autant plus à ce prix...!

20 $ ★★★★ ② ♥

Disponible à la propriété

PIGEON HILL
Le Chai 2016

Manon Rousseau et Kevin Shufelt tirent à peine 6000 bouteilles chaque année de leur tout petit vignoble certifié biologique et dédié à la culture de cépages hybrides. Le cépage marquette semble d'ailleurs beaucoup se plaire sur les terres de Pigeon Hill, un hameau du village de Saint-Armand, si je me fie aux quelques cuvées goûtées en août 2018. Celui-ci est élevé en fûts de chêne français pendant 12 mois,

mais porte à peine l'empreinte du bois. Non filtré et vinifié avec un minimum de soufre, le vin offre plutôt en bouche de très jolis arômes de fruits noirs et de violette ; une trame charnue et une finale vaporeuse aux accents anisés. N'hésitez pas à le laisser dormir en cave quelques années.

20 $ ★★★★ ③ ♥

Disponible à la propriété

PIGEON HILL
Le Pigeon 2016

On trouve dans le vin signature du domaine – fruit d'un assemblage de marquette, de frontenac noir et de petite perle – les mêmes parfums d'anis, de violette et de fruits noirs, auxquels s'ajoutent des nuances de thé darjeeling et de feuilles de tomate. La bouche est vive, complexe et minérale, posée sur des tanins charnus et veloutés. Un vin élégant et savoureux qu'on voudra laisser en cave jusqu'en 2020-2022, au moins.

20 $ ★★★→★ ③

Disponible à la propriété

VIGNES DES BACCHANTES, LES
Marquette 2016, Cinquante

J'ai découvert le vin de ce domaine d'Hemmingford lors d'un salon en mai 2018 et je l'ai tout de suite aimé. Sébastien Daoust tire de ses jeunes vignes de marquette un rouge de cou-

leur profonde dont le nez est relevé de parfums floraux qui évoquent les cépages du sud-ouest de la France. La bouche est nette, assise sur des tanins veloutés, qu'une juste dose d'acidité vient resserrer. Assez corsé pour accompagner une pièce de viande rouge, mais avant tout rassasiant de fraîcheur.

16 $ ★★★ ½ ② ♥

Disponible à la propriété

CHAT BOTTÉ, LE
Rouge 2016

Un assemblage de frontenac (60 %), de marquette, de sabrevois et de radisson, mettant à contribution le bois de chêne, comme en font foi ses goûts vanillés et sa texture crémeuse. Encore jeune et plein de vitalité, le 2016 est animé par un léger reste de gaz qui apporte de la fraîcheur et une petite touche *funky* à l'ensemble. L'amateur de vin rouge tendre et boisé y trouvera son compte à moins de 20 $.

12443597   19,15 $ ★★★ ②

CHÂTEAU DE CARTES
Marquette 2017, Réserve

L'an dernier, j'avais déploré la forte empreinte du bois de chêne dans le marquette 2013. En toute justice, je dois admettre qu'on a bien su se reprendre avec ce 2017 certes encore boisé, mais nettement plus harmonieux. Un heureux mariage de vitalité et de générosité, des saveurs de petits fruits noirs acidulés et une pointe vanillée en finale. À boire entre 2019 et 2022.

12357517   18,15 $ ★★★ ②

COURVILLE, LÉON
Baco 2015, Réserve

La couleur rubis aux reflets orangés témoigne d'un baco noir ouvert, ayant atteint son apogée. Et c'est tant mieux! Plutôt que d'y chercher la fougue et la jeunesse du fruit, on appréciera sa souplesse, ses tanins fondus par le temps et ses parfums de cuir, de fleurs séchées et de champignon. Le bois est maintenant intégré et le vin fait preuve d'une certaine élégance. Une très belle surprise qui me donne envie d'ouvrir quelques bouteilles de baco «oubliées» depuis quelques années dans mon cellier. À boire au courant de la prochaine année.

Disponible à la propriété

24,50 $ ★★★ ½ ②

COURVILLE, LÉON
XP Édition 0|6

Un peu moins d'affinités avec cette cuvée issue de raisins de chaunac et de baco, passerillés dans un silo à grains pendant une vingtaine de jours. Le procédé apporte certes plus de matière tannique, mais il semble aussi concentrer l'acidité, ainsi qu'une certaine verdeur, qui laisse en finale une sensation astringente plus ou moins flatteuse. Une expérience moins concluante, cette année.

12685975   27 $ ★★→? ③

DOMAINE ST-JACQUES

Réserve rouge 2016

Peut-être était-il encore secoué par la mise en bouteille lorsque dégusté au courant de l'été 2018, mais cet assemblage de lucy kuhlmann et de maréchal foch m'a paru un peu plus boisé dans sa version 2016. Cela dit, les accents de torréfaction ne masquent pas totalement le fruit et apportent aussi un volume et une mâche appréciables en bouche. L'idéal serait de le laisser reposer encore quelques mois, le temps que les éléments se mettent en place.

11506365 19,45$ ★★★→? ③

0 827924 079079

MAS DES PATRIOTES, LE

Le Sieur Rivard Réserve 2017

Les rouges composés à 100% de lucie kuhlmann ne sont pas légion sur le marché. Pourtant, à goûter ce 2017, on souhaiterait qu'il y en ait davantage. Au nez, le fruit noir se mêle à de délicates notes d'espresso; l'attaque est nerveuse, puis le grain se resserre en milieu de bouche et le vin tapisse le palais d'une matière veloutée et vibrante de fraîcheur. Pas spécialement long, mais son intensité contenue me fait croire qu'il pourrait gagner en profondeur d'ici 2021.

13530326 25,55$ ★★★ ½→? ③

0 827924 112066

MAS DES PATRIOTES, LE

Le Sieur Rivard Sélection 2017

Au nez, on ne peut s'y méprendre : ce rouge est composé de cépages hybrides, avec ce que ça implique d'originalité, de parfums de fruits noirs sauvages et de caractère. En bouche, aucune trace de bois, mais une attaque franche, savoureuse et assez charnue; une pointe d'acidité volatile rehausse le fruit et accentue la sensation de fraîcheur ressentie. Une autre très belle réussite pour France Cliche et Claude Rivard! À boire d'ici 2021 afin de profiter au maximum de la jeunesse du fruit.

12501419 18,10$ ★★★★ ② ♥

0 827924 112011

VIGNOBLE STE-ANGÉLIQUE

Argiles Noires 2016

Conseillé par l'œnologue Jérémie d'Hauteville, ce domaine produit un très bon rouge issu de marquette qui fait preuve d'une certaine profondeur aromatique, avec une attaque nerveuse, des tanins veloutés et une amertume bien soutenue, sans rusticité. Des fruits noirs, des épices et une longue finale aux accents de fleurs séchées. Très agréable à table avec des keftas d'agneau.

20$ ★★★ ½ ②

Disponible à la propriété

CHAT BOTTÉ, LE

Le Vendange Tardive 2017

Très belle expression du frontenac blanc, en surmaturité. En plus de concentrer les saveurs, le léger flétrissement des raisins sur la vigne a permis d'accentuer la sensation tannique, et le cépage a conservé une saine acidité qui équilibre le tout. Original, bien ficelé et vendu à un prix étonnamment abordable. Une aubaine à saisir pour l'amateur de vendanges tardives!

18 $ (375 ml)   ☆☆☆☆ ① ♥

Disponible
à la propriété

CHÂTEAU DE CARTES

Glace noire 2016

Un vin de glace rouge, issu de grappes de raisins noirs, laissées sur les vignes jusqu'à la fin de décembre. Le résultat pourrait être intéressant. Par contre, je vois mal l'intérêt de faire mûrir des raisins si longuement, de les laisser se concentrer sous l'effet du froid, pour ensuite venir masquer les subtilités des saveurs fruitées avec un élevage en fûts de chêne américain dont les parfums torréfiés n'apportent aucune valeur ajoutée. Dommage...

34 $ ★★ ½ ①

Disponible
à la propriété

L'ORPAILLEUR

Vin de glace 2016

Un vin exceptionnel, ne serait-ce que pour les rendements hyper limités produits à la vigne – cinq fois moins élevés que pour un vin de table normal. L'exception se poursuit en bouche, puisque le vin de glace de Charles-Henri de Coussergues est sublime en 2016. Presque tannique tant il est riche en extraits et si finement acidulé que sa teneur en sucre ne laisse aucune lourdeur en bouche. Beaucoup de relief et de complexité aromatique et une très longue finale fumée et épicée. Absolument délicieux!

10220269   32,30 $ (200 ml)   ☆☆☆☆ ②

STRATUS
Riesling 2016, Icewine

Un intrus dans cette sélection 100 % québécoise… Plutôt que d'être issu de vidal, comme la plupart des vins de glace canadiens, celui-ci mise sur la vigueur naturelle du riesling, cépage traditionnellement utilisé pour l'élaboration du eiswein allemand. Par conséquent, le registre aromatique est différent et porte les nuances citronnées et florales du riesling, qui sont enrobées d'une texture moelleuse et soutenues par une juste acidité. Excellent !

10856937   41,75 $ ☆☆☆☆ ②

0 628116 004028

VIGNOBLE DU MARATHONIEN
Vidal Vendanges tardives 2016

Le vendanges tardives de Jean Joly séduit avant même d'y avoir goûté, par sa couleur brillante aux reflets dorés et par l'intensité aromatique qui déborde du verre. L'équilibre en bouche est toujours réussi, mariant une richesse exquise à l'acidité tranchante du vidal, avec une juxtaposition de fruits confits et d'amers nobles qui portent les saveurs très loin en finale. Miam !

12204060   29,15 $ (375 ml)   ☆☆☆☆ ② ♥

0 827924 017057

VIGNOBLE DU MARATHONIEN
Vidal Vin de glace IGP 2016

En décembre 2014, le ministère de l'Agriculture, des Pêcheries et de l'Alimentation du Québec (MAPAQ) a reconnu officiellement les Cidre de glace du Québec et Vin de glace du Québec comme des Indications Géographiques Protégées (IGP), permettant de garantir la traçabilité de la vendange à la bouteille. Bien qu'il me semble un peu moins riche en sucre cette année, le vin de glace de Jean Joly demeure complexe et profond. Peu de vins de glace canadiens conjuguent dans des proportions si harmonieuses la richesse et les parfums uniques du vidal, son acidité mordante et sa concentration phénolique. Pour cette raison, il mérite une note parfaite. Bravo !

11745788   32,55 $ (200 ml)   ☆☆☆☆☆ ②

0 827924 017095

MISSION HILL
Cabernet-Merlot 2015, Five Vineyards, Okanagan Valley

Une fois de plus, une expression simple, mais joliment fruitée, de deux cépages bordelais. Souple, facile et sans prétention. À boire au cours de la prochaine année.

10544749   17,95$ ★★ ½ ①

MISSION HILL
Pinot blanc 2017, Five Vineyards, Okanagan Valley

Le pinot blanc de Mission Hill, un classique au rayon canadien à la SAQ, a tout pour plaire à tout le monde et tout de suite. L'accent est mis sur le fruit, la délicatesse, la fraîcheur et le plaisir immédiat. Simple et léger, mais fort agréable.

300301   16,70$ ☆☆☆ ① ♥

OSOYOOS LAROSE
Grand Vin 2014, Okanagan Valley

Fruit d'un assemblage de merlot (68%), de malbec, de cabernet franc, de cabernet sauvignon, de petit verdot et de malbec, récoltés sur une période de plus d'un mois, le 2014 était encore très robuste lorsque goûté en avril 2018. Un nez quasi bordelais, une texture semblable à celle des meilleurs vins de l'État de Washington. Attaque ronde, mais aussi très charnue, portée par des tanins compacts. Le tout couronné d'une longue finale aux parfums de cèdre. Déjà agréable et harmonieux, il n'atteindra pas son apogée avant 2025, au moins.

10293169   44,60$ ★★★→★ ③

Canada

OSOYOOS LAROSE
Pétales d'Osoyoos 2014, Okanagan Valley

Tout aussi convaincant que le Grand Vin commenté précédemment, au profil plus modeste, mais aussi plus souple, fruité et accessible dès maintenant, ce qui n'exclut pas un minimum de chair et de corps. Beaucoup de plaisir en perspective à table. À boire entre 2019 et 2022.

11166495   28,35$ ★★★ ½ ②

QUAILS' GATE
Pinot noir 2016, Stewart Family Reserve, Okanagan Valley

Cette cuvée haut de gamme de Quail's Gate est issue de quelques parcelles de vieilles vignes, sur les versants de Mount Boucherie, un volcan situé à West Kelowna, sur la rive ouest du lac Okanagan. Le 2016 est à l'image des pinots de la famille Stewart : mûr, riche en extraits et nourri par un élevage intensif en fûts de chêne qui lui confère une texture crémeuse et des parfums de vanille. Encore jeune, le vin se présente pour le moment d'un seul bloc, mais il n'est pas exclu qu'il gagnera en nuances d'ici 2023. Dégusté à l'aveugle aux National Wine Awards of Canada en juin 2018.

11140341   49,75$ ★★★→? ③

TANTALUS
Riesling 2017, Okanagan Valley

Le riesling entrée de gamme produit par David Paterson, dans le secteur de Kelowna est un exemple parfait de riesling de l'Okanagan, avec ses saveurs franches et nettes de citron vert et de pomme russet. Acidulé, vibrant, aérien et doté d'une excellente tenue en bouche. Dégusté à l'aveugle aux National Wine Awards of Canada en juin 2018.

12456726   31$ ☆☆☆☆ ②

BENJAMIN BRIDGE
Tidal Bay 2017

L'acidité est si mordante dans ce blanc qu'on perçoit à peine les quelque 18 g/l de sucre. Tout léger (10 % d'alcool), frais et guilleret ; les cépages l'acadie et ortega apportent une signature aromatique originale. Pour prendre la pleine mesure du talent de Jean-Benoît Deslauriers, vinificateur chez Benjamin Bridge, il faudra plutôt goûter les vins de méthode traditionnelle du domaine, commentés dans la section Effervescents.

13108918   22,95 $ ☆☆☆ ①

CAVE SPRING
Riesling 2015, Niagara Peninsula

Pionnier ontarien en matière de riesling, Cave Spring est une adresse fiable à Niagara. Le riesling entrée de gamme du domaine a des airs de kabinett allemand en 2015 : vif, pur et léger en bouche, arrondi par un reste de sucre, mais très bien équilibré. Des saveurs précises, une belle finale franche et aromatique. Qualité et constance.

10745532   18,45 $ ☆☆☆ ½ ① ♥

GRETZKY, WAYNE
Riesling 2016, Estates No. 99, Niagara Peninsula

Bon blanc demi-sec au nez assez net de riesling, avec les accents caractéristiques de gelée de pétrole. En bouche, des parfums de sucre d'orge et de pomme d'amour exercent un certain charme. Modeste, mais abordable.

13299136   14,95 $ ☆☆ ½ ①

MALIVOIRE
Chardonnay 2016, Beamsville Bench

Du gras, un peu de réduction aussi, mais pas d'abus de bois ni de bâtonnage. Ananas et léger maïs. On n'a pas trop le tranchant ni la structure des grands vins de Beamsville, mais c'est plus qu'honnête à 22 $. Chardonnay du Niagara de très bonne facture, à la fois vif et boisé, sec aussi, et doté d'une texture relativement enrobée. La preuve, encore une fois, que le « chardo » réussit bien, en Ontario.

13497141   22,45 $ ☆☆☆ ②

STRATUS
Riesling 2017, Moyer Road, Niagara Peninsula

Cette cuvée destinée exclusivement à la SAQ est l'un des bons rieslings canadiens offerts au Québec. Demi-sec, mais léger comme une plume avec ses 10,3% d'alcool, sa vitalité et son spectre aromatique débordant de parfums très frais de pomme, de tilleul et de chèvrefeuille. Désaltérant et de bonne tenue. Miam!

13183432 22,15$ ☆☆☆ ½ ① ♥

STRATUS
Sauvignon blanc 2016, Wildass, Niagara Peninsula

Wildass est la seconde étiquette de Stratus. Et comme J. L. Groulx aime bien sortir du cadre habituel de Niagara, il propose ici une interprétation originale du sauvignon blanc. Ne cherchez pas dans ce 2016 l'acidité vive et le caractère herbacé habituel du cépage. Vous trouverez plutôt un blanc ample et mûr, soutenu par une acidité souple, dont les arômes de crème de citron, de fruit de la passion, de poivre et de thé oolong persistent en finale. Un très bon blanc pour les sushis.

12455619 21,50$ ☆☆☆ ½ ② ♥

TAWSE
Chardonnay 2015, Niagara Peninsula

On a presque l'impression de croquer dans une poire fraîchement cueillie en goûtant le chardonnay «tout court» de Paul Pender. Le 2015 a du corps et du volume, mais il se distingue surtout par sa pureté aromatique et sa finale minérale, porteuse d'une certaine complexité. Excellent pour le prix!

11039736 19,95$ ☆☆☆☆ ② ♥

13TH STREET WINERY
Gamay 2016, Niagara Peninsula

Le gamay en mode concentré, dont les notes sauvages et un peu animales rappellent certains vins de Chénas, dans le nord du Beaujolais. Charnu, avec une très belle densité de fruit et une saine acidité qui apporte de l'énergie à l'ensemble et rehausse sa finale florale.

12705631   22,95$ ★★★★ ② ♥

DOMAINE QUEYLUS
Pinot noir 2014, Tradition, Niagara Peninsula

Ce domaine appartient à un groupe d'actionnaires québécois, dont l'ancien restaurateur et grand amateur de vins de Bourgogne, Champlain Charest. Les vins sont élaborés par le Montréalais Thomas Bachelder. Le pinot ne semble pas avoir souffert des conditions météo de 2014. Les saveurs sont mûres et le vin n'accuse aucune verdeur, quoique ses tanins, un peu fermes et austères pour l'heure, bénéficieraient sans doute d'un repos en cave de quelques années.

12470886   31$ ★★★→? ③ ▼

HOUSE WINE CO
Cabernet-Merlot 2016, Red House, Niagara Peninsula

La contre-étiquette énumère les «règles de la maison»: nous ne parlerons pas des arômes de fruits, de l'élevage en fûts, de la longue finale élégante, etc. Peut-on parler de l'emploi des copeaux de bois qui masquent le fruit à grand renfort vanillé? Et de la finale qui tombe court et qui laisse une impression sucrée? Même à 15$, je passe mon tour.

13458580   15,45$ ★★ ①

STRATUS
Cabernet franc 2014, Niagara-on-the-Lake

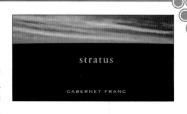

Si vous redoutez la verdeur dans le cabernet franc, vous aimerez à coup sûr ce rouge au profil solaire et généreux. Un peu timide à l'ouverture, le vin se révèle avec beaucoup de caractère et d'élégance après quelques heures de carafe. Un fruit noir concentré, parfaitement mûr, des tanins suaves de très belle qualité et une impression générale très séduisante. Sa longue finale relevée de laurier, d'olive noire, de tomate confite et de tabac me laisse croire qu'il pourrait se bonifier encore d'ici 2022.

13601446   38$ ★★★→★ ③ ⌂

STRATUS
Kabang Red 2015, Niagara-on-the-Lake

Un assemblage d'inspiration bordelaise (merlot, cabernet franc, petit verdot, cabernet sauvignon et tannat), auquel s'ajoute une petite proportion de syrah. Vif et léger en attaque, arrondi par un reste perceptible de sucre (5,4 g/l), sans être spécialement doucereux, le vin a de quoi séduire les amateurs de rouge moderne. Pour la subtilité et les nuances, il faudra chercher ailleurs.

13216943   24,95$ ★★★ ②

STRATUS
Merlot 2016, Wildass, Niagara Peninsula

J'aime bien les vins élaborés par Jean-Laurent Groux, mais j'avoue ne pas comprendre l'intérêt de ce merlot – titrant à 8,6 g/l de sucre résiduel. Rien de spécial à signaler dans ce rouge simpliste et doucereux, qui tombe court en finale.

13216388   19,95$ ★★ ①

STRATUS
Red 2015, Niagara-on-the-Lake

Autant j'ai adoré ce vin dans sa version 2012, autant le 2015 me laisse perplexe. Tout dans ce vin me donne l'impression qu'on a cherché à trop en faire au chai. En plongeant le nez dans le verre, on est assailli par des relents vanillés. La bouche est riche en extraits, mais se présente de façon bancale : d'un côté, un cadre tannique ferme et anguleux ; de l'autre, une texture crémeuse et un fini pataud. On peut toujours espérer que le temps arrange les choses, mais ça me semble peu probable. Arrivée prévue en décembre 2018.

13108862   45$ ★★→? ③

AMÉRIQUE DU NORD
ÉTATS-UNIS

OCÉAN PACIFIQUE

WASHINGTON

MONTANA

OREGON

NORTH COAST

Anderson Valley

Mendocino

Sierra Foothills

Sonoma Coast

NEVADA

Napa Valley
Carneros

Lake Tahoe

Sonoma Valley

Shenandoah Valley
Amador

SAN FRANCISCO

Lodi

Livermore Valley

CENTRAL VALLEY

Santa Cruz Mountains

Santa Clara Valley

Monterey

Santa Lucia Highlands

Arroyo Seco

San Lucas

CENTRAL COAST

Paso Robles

San Luis Obispo

Santa Maria Valley

Santa Barbara

Santa Rita Hills

Santa Ynez Valley

SANTA BARBARA

LOS ANGELES

SAN FRANCISCO

NEVADA

CALIFORNIE

SANTA BARBARA

LOS ANGELES

TEXAS

MEXIQUE

Un géant en éternelle croissance. La superficie du vignoble américain a augmenté de près de 25 % au cours des 20 dernières années. Cela tombe à point, puisque la soif de vin des Américains semble insatiable, tout comme le désir de boire local. On estime que trois bouteilles de vin sur cinq vendues aux États-Unis proviennent de Californie.

Depuis quelques années, on observe un heureux virage vers des vins plus digestes, moins épais et confiturés. Même dans les secteurs plus chauds, où on cultive des variétés rhodaniennes. Dans la vallée de Napa, les intérêts financiers continuent d'entretenir la dictature de la concentration et la quête de hauts scores. Heureusement, il y a des exceptions, dont plusieurs commentées dans les pages qui suivent.

WASHINGTON

L'État le plus septentrional de la côte Ouest américaine est la source de vins toujours plus fins et achevés, qui n'ont déjà rien à envier à leurs pendants californiens.

CANADA

OREGON

L'État de l'Oregon a essentiellement bâti sa réputation sur ses vins rouges issus du pinot noir, même si la qualité des vins demeure hétérogène. Depuis quelques années, les variétés alsaciennes semblent gagner en popularité. On trouve notamment de très bons vins de pinot gris sur le marché.

NEW YORK

NEW YORK

Dans le nord de l'État de New York, à environ cinq heures de voiture au sud-ouest de Montréal, la région des Finger Lakes compte près de 350 domaines viticoles. On y produit entre autres de très bons rieslings.

VIRGINIE

CAROLINE DU NORD

TENNESSEE

OCÉAN ATLANTIQUE

FLORIDE

Californie Cabernet sauvignon

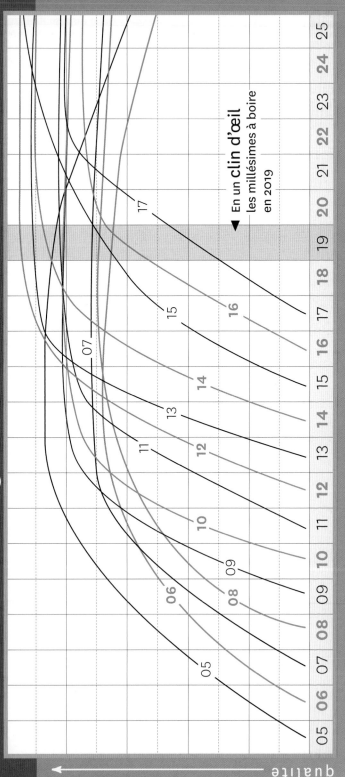

qualité ←

longévité →

05 06 07 08 09 10 11 12 13 14 15 16 17 18 19 20 21 22 23 24 25

05
06
07
08
09
10
11
12
13
14
15
16
17

▼ En un **clin d'œil**
les millésimes à boire
en 2019

LES DERNIERS MILLÉSIMES

2017

2017 passera surtout à l'histoire pour les monstrueux incendies dans Napa et Sonoma, qui ont ravagé certains domaines historiques. Les feux sont toutefois survenus après que la plupart des raisins eurent été récoltés. Il faudra attendre de goûter pour voir si cela se traduira dans le verre par le fameux «*smoke taint*».

2016

Une récolte hâtive, entamée avec le sourire, la qualité et les quantités étant au rendez-vous. Il est encore tôt pour juger du potentiel de garde, mais les vins présentent, dit-on, un bon équilibre.

2015

Une année de sécheresse. Vendange précoce en raison d'un hiver et d'un printemps particulièrement doux. Les quantités sont à la baisse, encore, mais la qualité s'annonce plus que satisfaisante.

2014

Un printemps particulièrement frais, suivi d'un été chaud qui a accéléré la maturation. Les quantités sont à la baisse, encore, mais la qualité s'annonce plus que satisfaisante. On peut s'attendre à des vins un peu moins concentrés et plus accessibles en jeunesse.

2013

Une récolte abondante en Californie. La qualité générale est assez prometteuse.

2012

Retour à des conditions plus normales après deux millésimes de pluie et de froid. Un été très sec et de belles conditions au moment de la vendange ont donné des vins assez concentrés qui pourraient très bien vieillir.

2011

Autre année difficile pour les vignerons californiens. Des conditions météorologiques semblables à celles de 2010, à l'exception d'une heureuse vague de chaleur au moment des vendanges qui a donné un ultime coup de pouce à la vigne et a permis aux raisins d'atteindre leur maturité. Le moment de la récolte a été un facteur décisif dans plusieurs secteurs. Autre année de choix pour les palais en quête de fraîcheur.

2010

De Napa à Santa Barbara en passant par Sonoma, 2010 a été l'année de tous les défis – et de tous les cauchemars! Les vignerons ont dû composer avec un printemps pluvieux, un été frais et des pluies au moment des vendanges. Qualité aléatoire. Il faudra «séparer le bon vin de l'ivraie»… Les vins sont cependant dotés d'une fraîcheur atypique qui les rend particulièrement attrayants pour l'amateur de vins de facture classique.

BONNY DOON VINEYARD
De Proprio Gravitas 2015

Si les vins blancs californiens vous laissent sur votre soif parce que trop souvent lourds et sans personnalité, il vous faut goûter ce vin haut en saveurs et en caractère élaboré par Randall Grahm. Le pendant blanc de sa cuvée A Proper Claret repose sur un assemblage de sémillon (54 %), de sauvignons blanc et musqué, ainsi qu'une pointe de muscat orange – question de rester original. On l'appréciera accessoirement pour les jolis parfums de miel du sémillon, mais surtout pour sa texture vineuse et structurée au point de paraître tannique. Excellent blanc sec ample et plein en bouche et pourtant si digeste, vendu à prix on ne peut plus mérité.

13234287 20$ ☆☆☆☆ ② ♥

BONNY DOON VINEYARD
Le Cigare Blanc 2014

Le Cigare Blanc, créé en 2003, se veut un hommage aux vins blancs de Châteauneuf-du-Pape, d'où sa composition : grenache blanc et roussanne. Et chaque millésime de ce vin blanc délicieux constitue un argument supplémentaire en faveur des cépages du Rhône en Californie. Un vin très complexe, tant en bouche qu'au nez, avec une myriade de saveurs fruitées et végétales, rappelant le fenouil et la sauge. Peu d'acidité, mais une grande sensation de fraîcheur, grâce à sa finale saline. À 35 $, on achète!

10370267 35$ ☆☆☆→☆ ③

CANNONBALL
Sauvignon blanc 2016, Sonoma County

Fruit d'un assemblage de raisins de Dry Creek Valley et de Bennett Valley, ce 2016 porte les traits d'un été jugé atypique dans le comté de Sonoma, en ce qu'il a nécessité une plus longue période de mûrissement. On trouvera ici une expression plutôt rassasiante du sauvignon, avec des accents végétaux rappelant le thé vert et l'asperge, et qui apportent de la fraîcheur à un cœur fruité mûr et gorgé de soleil. Une attaque en bouche nerveuse, des extraits tanniques qui ajoutent à sa tenue et un bel équilibre d'ensemble. Arrivée sur le marché prévue au début de l'année 2019.

13574695 23,55$ ☆☆☆ ①

EASTON
Sauvignon blanc 2014, Natoma, Sierra Foothills

Je goûte le blanc de Bill Easton chaque année depuis 2007. Jamais il ne m'a paru si complet, si achevé, si distingué, qu'en 2014. Le Natoma est habilement vinifié et élevé en fûts de chêne neutre pendant neuf mois, mais sa qualité repose avant tout sur des raisins impeccables, cultivés avec soin, à 760 m d'altitude, dans le secteur de Sacramento. En plongeant le nez dans le verre, il est presque impossible d'échapper à la comparaison avec un bon blanc des Graves, à Bordeaux. Délicat, subtilement parfumé, avec des accents de cire d'abeille et de miel qui ajoutent du relief aromatique, et surtout doté d'une tenue et d'une minéralité peu communes dans un blanc de ce prix. Du beau travail! Déjà ouvert, mais encore capable de vieillir.

882571 26,10$ ☆☆☆☆ ② ♥

0 690171 101011

LIBERTY SCHOOL
Chardonnay 2016, Central Coast

Un blanc vinifié en mode réducteur, sans verser dans les parfums envahissants de maïs en crème. Salinité en attaque, du gras et du volume, mais aucun excès crémeux. Dans la catégorie des chardonnays «abordables» de Californie, il mérite une très bonne note.

719443 19,75$ ☆☆☆ ½ ①

0 657891 700214

STAG'S LEAP WINE CELLARS
Chardonnay 2016, Hands of Time, Napa Valley

Un chardonnay californien dans sa forme classique, ample, mûr et généreux, auquel un élevage sur lies de six mois en fûts de chêne apporte un enrobage supplémentaire et des notes boisées délicates. Pas très original – difficile avec le chardonnay –, mais il offre un bon équilibre entre la vivacité et la maturité du fruit, laissant en finale des parfums de pêche et de fruits tropicaux.

34,75$ ☆☆☆ ②

En primeur

TREANA
Blanc 2015, Central Coast

Poussant un peu plus loin la quête de maturité, Austin Hope élabore un blanc puissant, dont l'intensité plaira sûrement aux amateurs de sensations fortes. Composé de viognier, de marsanne et de roussanne, le vin est partiellement élevé en barriques, ce qui lui confère un caractère épicé et vanillé, mais surtout une texture vineuse, enveloppante et flatteuse. À servir avec des grillades de porc, nappées de chutney de fruits.

875096 29,85$ ☆☆☆ ②

0 657891 716130

BARRA OF MENDOCINO
Pinot noir 2016, Mendocino

Installé dans le secteur de Mendocino depuis les années 1950, Charlie Barra a créé son propre domaine dédié à la culture biologique de vieilles vignes en 1997. Son 2016 est une autre belle réussite: à la fois dodu, bourré d'un fruit mûr qui évoque la confiture de cerise, posé sur des tanins sphériques et animé d'une agréable fraîcheur qui pince les joues et appelle la soif. À ce prix, impeccable!

12237363　27,95$　★★★★ ② ♥

CALERA
Pinot noir 2015, Central Coast

Josh Jensen a annoncé en août 2017 qu'il vendait son domaine à Duckhorn Wine Co, faute de relève. Jensen a été l'un des premiers vignerons de Californie à se consacrer au pinot noir. Référence en la matière, Calera possède d'ailleurs son propre clone et sa propre appellation: Mount Harlan. Il faudra suivre attentivement la suite, mais en attendant, ce 2015 est délicieux. Une attaque en bouche saline, des tanins veloutés, enrobés d'un fruit généreux, sans jamais verser dans les excès crémeux. Excellent!

898320　40,75$　★★★★ ②

CLOUDFALL
Pinot noir 2016, Monterey County

Bien fait, pas trop maquillé et très abordable dans le contexte californien. La robe est rubis clair avec de légers reflets grenat. Le nez est agréable et en finesse. C'est soyeux, délicat et frais, ponctué de saveurs de canneberge. Simple et un peu court, mais bien ficelé. À 22$, la proposition est tout à fait honnête.

13467435　22$　★★★ ②

DOMAINE LOUBEJAC
Pinot noir 2015, Willamette Valley

J'ai découvert sur le tard les vins de ce domaine nommé en l'honneur d'une ville de Dordogne (à Bordeaux), elle aussi située sur le 45e parallèle. Une heureuse surprise puisque, dès le premier nez, on sait qu'on a affaire à un pinot de qualité, tant il s'en dégage une alléchante fraîcheur aromatique. La bouche suit, nerveuse, animée d'un très léger reste de gaz, garant de vitalité, et somme toute pleine de tonus, en dépit d'une finale chaleureuse qui fait bien sentir ses 14,5% d'alcool. Peu importe, à 25$, on ne chipotera pas. C'est un très bon achat.

12875533　25,05$　★★★ ½ ② ♥

ERATH

Pinot noir 2016, Oregon

Un rouge juteux, de facture relativement modeste et accessible, avec un fruité affriolant et une matière ronde et gourmande qui a vite fait de séduire. Il a juste ce qu'il faut de mâche tannique pour accompagner un confit de canard ou une viande braisée. À boire d'ici 2021.

13136249   25,95$ ★★★ ②

LOUIS JADOT ESTATES

Pinot noir 2015, Résonance, Willamette Valley

Ce pinot tout nouveau à la SAQ présente à la fois la chaleur de Willamette et le désir de produire un vin de facture plus sobre, plus «européenne». Le nez, délicat, présente des arômes d'eucalyptus et de terre humide. La bouche est tout aussi proche de la terre; en rien crémeuse ni surdimensionnée, gourmande et fraîche, comme un fruit cueilli à parfaite maturité. Pour le moment, l'alcool semble un peu dissocié du reste et les tanins ont encore besoin de temps pour se fondre, mais dans l'ensemble, il s'agit d'un très bon vin, élaboré avec doigté. Un peu plus de longueur et c'était quatre étoiles.

13586101   49,50$ ★★★ ½ ③

ROOTS WINE COMPANY

Pinot noir 2016, Klee, Willamette Valley

Cette cuvée produite par Chris Berg rend hommage à Paul Klee, un peintre allemand et personnage majeur du courant artistique Bauhaus. L'amateur de pinot plein et chaleureux sera sans doute charmé par les parfums de jujubes à la framboise qui émanent de ce 2016. Personnellement, je trouve l'ensemble dessiné à gros traits et somme toute, un peu mou. À ce prix, la côte Ouest américaine a mieux à offrir.

13118622   26,45$ ★★ ½ ②

VALLEY OF THE MOON

Pinot noir 2016, Carneros

L'an dernier, j'avais eu de bons mots pour ce pinot produit par la famille Stewart, aussi propriétaire de Lake Sonoma Winery et de Quail's Gate, en Colombie-Britannique. Malgré un léger recul en 2016, le vin reste tout à fait recommandable. Cerise noire et notes organiques; souple et agréable à boire. Valley of the Moon est la plus vieille maison (1863) du secteur de Glen Ellen, au sud de la vallée de Sonoma.

12198579   25$ ★★★ ②

DOMINUS

Napa Valley 2013

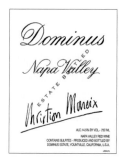

Établi sur l'un des meilleurs sites viticoles de la vallée de Napa (l'un des plus anciens, aussi), le projet californien du Bordelais Christian Moueix a célébré son trentième anniversaire en 2013. Incidemment, 2013 est aussi un excellent millésime pour Dominus, qui fait preuve d'une étoffe et d'une concentration plutôt rares. Un peu austère et dans sa coquille lorsque goûté en février 2018, le vin se distinguait néanmoins par une longue finale vaporeuse, sa puissance contenue et son enveloppe tannique hyper compacte, mais veloutée et toujours gracieuse. À laisser reposer en cave jusqu'en 2026, au moins.

13333488   384$ ★★★★→? ④

0 636595 113759

HEITZ CELLAR

Cabernet sauvignon 2012, Trailside Vineyard, Napa Valley

Encore un peu dans sa coquille en juin 2018, la cuvée Trailside était davantage marquée par l'élevage en chêne neuf et par le caractère variétal du cabernet, que par le terroir. Cela dit, et bien qu'il soit le fruit d'un millésime plus frais à Napa, son équilibre et son étoffe le place tout de même nettement au-dessus de la moyenne régionale. À défaut de l'envergure du 2011 et du 2013, on appréciera son équilibre et le joli relief de saveurs fruitées et minérales qu'il dessine en finale. Arrivée prévue à la mi-novembre.

12186455   142,75$ ★★★→? ③

0 098803 010647

HEITZ CELLAR

Cabernet sauvignon 2013, Napa Valley

Pour son cabernet «tout court», Heitz mise sur des raisins de Howell Mountain, secteur réputé pour la puissance tannique de ses cabs. Ainsi, malgré un millésime particulièrement chaud à Napa, ce vin ne montre aucune mollesse. Les tanins sont veloutés et charnus, le fruit est mûr, mais pas confit, s'exprimant avec retenue et élégance. Finale minérale aux accents presque salés. À boire entre 2020 et 2025.

11898848   84,75$ ★★★★ ③

0 098803 011309

HEITZ CELLAR

Cabernet sauvignon 2013, Martha's Vineyard, Napa Valley

Martha's Vineyard est l'un des cabernets les plus racés de Napa. Cette parcelle située juste au sud de Oakville, au pied des monts Mayacamas, est exposée au soleil levant et bénéficie d'un climat plus frais en fin de journée. Toujours un peu timide en jeunesse, ce vin presque légendaire ne révèle habituellement sa vraie personnalité, de l'aveu de l'œnologue de Heitz, Brittany Sherwood, qu'après 9 à 10 ans. C'est d'ailleurs ce qui est ressorti d'une dégustation verticale (2013, 2010, 2009, 2007, 2006, et 2005) organisée plus tôt cette année – le 2005 commençait alors à peine à s'ouvrir... Et tout porte à croire que le 2013 a devant lui un avenir aussi prometteur. Un vin de grande envergure, éminemment complexe et qui distille une fraîcheur aromatique peu commune à Napa. Sa longue finale voluptueuse n'est qu'un des signes de son excellent potentiel de garde. Arrivée en décembre dans les SAQ Signature.

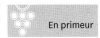
En primeur

11937860 408$ ★★★★→? ③ ⑤

L'AVENTURE

Optimus Estate 2015, Paso Robles – Willow Creek District

Stephan Asseo peaufine son art dans le district de Willow Creek, au sein de Paso Robles. Son Optimus me semble plus abouti que jamais en 2015. Moins de force brute et de chaleur, plus de détails aromatiques, de vigueur tannique et, en somme, de plaisir dans le verre. Des parfums de cerise à l'eau de vie et de fleurs sont portées par un grain soyeux et culminent en une longue finale aux accents de bois de cèdre et d'épices. Le prix est ambitieux, mais la qualité est au rendez-vous et le vin a un bel avenir devant lui. À boire idéalement entre 2021 et 2025.

11359617 73$ ★★★→★ ③

0 829190 191929

STAG'S LEAP WINE CELLARS

Cabernet sauvignon 2015, Artemis, Napa Valley

Ce vin séduira les amateurs de vins plantureux et boisés. De toute évidence, on a copieusement usé de la barrique pour donner à ce vin – déjà concentré par un millésime de sécheresse – une opulence et une puissance supplémentaires. L'exercice de style fonctionne plutôt bien et le bois est proportionnel à la générosité du fruit. Le vin laisse en finale une sensation de chaleur, tout en présentant des odeurs végétales qui laissent croire à un blocage de maturité en cours d'été. Ferme, solide et sans détour. À boire entre 2022 et 2026.

0 088593 700200

13501710 76 $ ★★★→? ③

CHATEAU STE MICHELLE
Cabernet sauvignon 2015, Columbia Valley

Nez attrayant de fruits noirs frais; attaque en bouche vive et droite, tanins enrobés d'une chair fruitée mûre et dodue. L'ensemble séduit et n'est pas «maquillé» outre mesure. Peut-être un peu mince en milieu de bouche, mais à moins de 20 $ l'offre est honnête.

11882221   19,95$ ★★ ½ ①

CHATEAU STE MICHELLE
Cabernet sauvignon 2015, Indian Wells, Columbia Valley

Lui aussi, plein et dodu, avec un supplément de concentration, mais avant tout facile et taillé pour plaire, avec ce caractère crémeux superflu. La finale se resserre et porte une charge tannique importante qui paraît dissociée de l'ensemble. Tout cela laisse l'impression qu'on a voulu trop en faire. Dommage.

En primeur

13882313   26,95$ ★★ ½ ①

COPPOLA, FRANCIS FORD
Cabernet sauvignon 2015, Director's Cut, Alexander Valley

Parmi les vins de ce producteur, dégustés chaque année, le cabernet de la gamme Director's Cut me paraît toujours le plus complet. Le 2015 est coloré, riche en parfums de cèdre et de cassis et marqué par des raisins mûrs et concentrés. La chair fruitée est savoureuse et le cadre tannique serré apporte de la fraîcheur et du tonus. Déjà très bon et capable de vivre plusieurs années. Un bon achat.

11383545   30,60$ ★★★ ½ ②

L'ÉCOLE N° 41
Cabernet sauvignon 2014, Columbia Valley

Ce cabernet, l'un des bons vins de Washington goûtés récemment, est le fruit d'un assemblage de raisins de Walla Walla, Red Mountain et autres AVA (American Viticultural Area) de l'État. Le nez est stylé, franc et attrayant, laissant percevoir des senteurs caractéristiques de crayon de plomb. Du relief et de la tenue en bouche; bien dosé, le bois nourrit les matières et arrondit les angles tanniques, sans masquer les nuances minérales qui se dessinent en finale. À ce prix, on peut en faire provision pour en jouir maintenant et au cours des cinq prochaines années.

10707093   47,75$ ★★★ →★ ③

LIBERTY SCHOOL
Cabernet sauvignon 2015, Paso Robles

Au premier nez, des parfums végétaux qui font place au fruit au fur et à mesure que le vin s'ouvre. Chaleureux et charnu, presque crémeux, mais soutenu par une acidité qui équilibre le tout. L'exemple type d'un cabernet sauvignon californien pas trop maquillé.

856567 20$ ★★★ ②

`0 657891 700207`

RAYMOND
Cabernet sauvignon 2016, California

Une robe claire, moins opaque que la moyenne des cabernets californiens, et un nez pur et dépourvu de parfums vanillés, annonce un cabernet frais et digeste. À la fois juteux, bourré de fruit, mais posé sur des tanins juste assez fermes pour garantir une certaine vitalité. Quel plaisir quand le cabernet sauvignon se profile avec tant de fraîcheur! Pour l'apprécier pleinement, mettez la bouteille au frigo une petite demi-heure avant de la servir.

12502471 18,75$ ★★★ ½ ②

`0 087447 632070`

WENTE VINEYARDS
Cabernet sauvignon 2015, Southern Hills, Livermore Valley

Le nez évoque le fruit frais plutôt que le fruit confit. L'attaque en bouche est saline et déploie de vrais bons parfums de cabernet mûr, sans boisé superflu. On mise plutôt sur la vigueur tannique et la précision des saveurs. Une bonne note pour une interprétation non édulcorée et ô combien rafraîchissante du cabernet californien «de tous les jours».

12521516 19,35$ ★★★ ½ ② ♥

`0 089636 460006`

EASTON
Zinfandel 2014, Amador County

Une fois de plus en 2014, cette cuvée de Bill Easton (Terre Rouge) est l'archétype du zinfandel coulant et désaltérant. Sorte de gamay en vacances à la plage, le vin donne l'impression de mordre une grappe de raisins à pleines dents; gourmand, juteux, guilleret et riche d'une foule de détails aromatiques. Un zinfandel abordable, avec un haut coefficient de buvabilité, qu'on boira au cours des trois ou quatre prochaines années.

897132   24,10$ ★★★★ ② ♥

FRANUS, PETER
Zinfandel 2015, Brandlin 25th Vintage, Mount Veeder

L'étoffe de cette cuvée de Peter Franus repose, entre autres, sur de très vieilles vignes (environ 85 ans) de zinfandel. Lorsque goûté au courant de l'été 2018, le 2015 n'avait pas tout à fait la profondeur habituelle. Un nez chaleureux de cassis marqué par l'alcool, une attaque soyeuse, soutenue par une structure ferme, dont les tanins mériteraient de s'affiner pendant quelques années encore. Les saveurs sont un peu moins précises et complexes que par le passé, mais la profusion de framboise confite et de poivre noir déployée en bouche exerce tout de même un certain charme, dans l'immédiat.

897652   49$ ★★★→? ③

RAVENSWOOD
Zinfandel 2014, Big River, Alexander Valley

En fondant Ravenswood il y a une quarantaine d'années, Joel Peterson a tout de suite mis l'accent sur la valorisation de vieux vignobles plantés de zinfandel. Bien qu'elle ait été rachetée il y a plusieurs années par le géant mondial Constellation, l'entreprise demeure fidèle à sa mission originale. Le Big River, par exemple, provient d'une parcelle de 13 acres de vignes à cheval entre les vallées Alexander et Russian River dont on tire un vin costaud, chargé de confiture de fruits noirs et de réglisse. On peut l'apprécier dès maintenant, mais l'amateur de vin plus nuancé voudra le laisser dormir trois ou quatre ans.

12490385   45,25$ ★★★→? ③

RIDGE VINEYARDS

Geyserville 2016, Sonoma County

L'un des fleurons de Ridge provient du vignoble de la famille Trentadue, dans le secteur de Geyserville, au nord de Sonoma. La portion «Old Patch» de la parcelle comporte certaines vignes âgées de plus de 130 ans. Ce détail, conjugué à des vinifications avec les levures indigènes et à une approche peu interventionniste, confère à cet assemblage de zinfandel, de petite syrah, de carignan et d'alicante bouschet une puissance et une intensité qui se révèlent en bouche, beaucoup plus qu'au nez. Savoureux, riche en nuances fruitées, herbacées, florales et épicées, serties dans un cadre tannique solide et vigoureux, qui aura besoin d'au moins une dizaine d'années avant d'atteindre son sommet. Arrivée vers la mi-novembre 2018.

12986188   67$ ★★★→★ ④

RIDGE VINEYARDS

Lytton Springs 2015, Dry Creek Valley

Des épisodes de pluie au début avril ont nui à la floraison et considérablement rédui les rendements en 2015, permettant un mûrissement très rapide des baies, récoltées à compter du 17 août. Une année record chez Ridge! Il n'y a pourtant aucun excès dans ce vin constitué en majorité de zinfandel. Très frais et hyper invitant au nez; gourmand, charnu et volumineux, mais aussi tellement vibrant en bouche. Aussi large que long, le vin tapisse le palais de tanins à la fois fermes et dodus, tandis qu'une saine acidité vous pince les joues et vous accroche un sourire au passage. Voilà un *zin* qui se concentre sur l'essentiel: donner du plaisir au buveur. On peut facilement le laisser reposer en cave jusqu'en 2025. À condition de savoir y résister d'ici là…

12986196   67$ ★★★★ ③

RIDGE VINEYARDS

Three Valleys 2015, Sonoma County

Comme le mentionne l'étiquette, ce 2015 (composé de zinfandel à 72%, de petite sirah, de carignan et de grenache) porte les traits d'une année atypique pour Sonoma, marquée par de très faibles rendements. Résultat: un mûrissement hâtif et une vendange amorcée trois semaines plus tôt qu'à l'habitude. Autant de facteurs qui expliquent la concentration et les parfums de fruits secs de ce vin, qui s'impose par sa force, plus que pour ses nuances. Très méditerranéen avec ses parfums d'anis, de tapenade et d'herbes séchées; tanins ronds, vigueur en finale. À laisser reposer en cave jusqu'en 2021, le temps que les éléments finissent de se mettre en place.

12328898   45$ ★★★→? ③

BONNY DOON VINEYARD

Grenache 2016, Clos de Gilroy, Monterey

Un grenache hors normes produit par Randall Grahm dans le comté de Monterey. Les clones proviennent de Tablas Creek – la propriété californienne de la famille Perrin (Château de Beaucastel) – et donnent un vin coloré, dont la trame tannique suave et élégante s'apparente davantage à un pinot noir gorgé de soleil qu'à un garnacha du Priorat. De la tenue, mais aucun excès capiteux, des petits fruits rouges, ponctués de notes florales et poivrées, avec une finale saline qui accentue la fraîcheur ressentie. Un excellent vin, à servir autour de 15 °C, avec un tataki de thon.

12268557   29,40$ ★★★★ ② ♥

CHARLES SMITH

Syrah 2015, Boom Boom!, Washington State

Une interprétation moderne et plantureuse de la syrah par l'empire Constellation, qui a racheté la marque Charles Smith au coût de 120 millions de dollars US, en 2016. Des parfums très expressifs de cassis et de tomate compotée annoncent d'emblée un vin chaleureux, cousu de tanins à la fois fermes et veloutés. Les saveurs certes intenses, tombent vite en finale. Charmeur, mais pas donné.

11208561   27,15$ ★★★ ②

EASTON

Syrah-Cabernet sauvignon 2011, House, California

Bon 2011 ouvert et prêt à boire, sans toutefois manquer de vitalité. Le nez évoque la pâte de tomate et les herbes salées; la bouche est mûre, relevée de parfums d'épices et de cèdre et portée par des tanins assouplis par le temps. Un bon vin pour la table, à servir autour de 16 °C.

10744695   23,65$ ★★★ ½ ①

L'ÉCOLE N° 41

Frenchtown 2015, Columbia Valley

Assemblage de merlot, de cabernet sauvignon et de syrah. Nez tout en fruit, gourmand et invitant. L'attaque en bouche saline fait saliver et ouvre la soif; le vin tapisse la langue d'une matière veloutée, ample, gorgée de fruit et rassasiante. Pas très long, mais bien fait, harmonieux et très agréable à table, avec des côtelettes d'agneau grillées ou des aubergines parmigiana.

13234210   29$ ★★★ ½ ②

TERRE ROUGE

Syrah 2009, Sentinel Oak Pyramide Block, Shenandoah Valley

L'âge des vignes – franches de pied et plantées en 1982 – ainsi que la situation géographique du vignoble (altitude de 425 m dans les contreforts de la Sierra Nevada) expliquent sans doute la minéralité et la profondeur de cette syrah. Encore jeune, solide et presque austère lorsque goûté en juillet 2018, le vin commençait à peine à s'ouvrir après deux heures de carafe. Des fleurs séchées, du cuir, du *umami*, des épices et un fruit noir se révèlent alors avec retenue et élégance. Une mâche tannique rassasiante, une force à peine contenue et de longues saveurs vaporeuses qui persistent en bouche. Excellent et construit pour la longue garde ; on le boira entre 2020 et 2025.

13057348   60$ ★★★★ ③ ⚗

TERRE ROUGE

Syrah 2013, Les Côtes de l'Ouest, California

Plus ouvert lorsque goûté de nouveau en juillet 2018, cette syrah se déploie avec retenue et sobriété. Très long et terreux. On sort du registre primaire du fruit et c'est tant mieux. La bouche est un peu timide à l'ouverture, mais se développe beaucoup dans le verre à l'aération. S'expriment alors des parfums de fleurs séchées et de viande fumée, le tout porté par des tanins soyeux. D'autant plus recommandable qu'il ne verse jamais dans la facilité ni les excès crémeux. Si vous n'avez pas la patience de le laisser reposer jusqu'en 2020, mieux vaudrait l'aérer en carafe pendant au moins une heure.

897124   27,95$ ★★★★ ③ ⚗

TERRE ROUGE

Tête-à-Tête 2011, Sierra Foothills

Deuxième vin de la cuvée Noir, le Tête-à-Tête est lui aussi le fruit d'un assemblage de syrah, de mourvèdre et de grenache. Le nez offre une superposition de lavande, de mûres, de bonbon à la violette et d'épices. La bouche est tout aussi profonde et pourtant si légère et digeste qu'on sentirait à peine ses 14,5 % d'alcool, si ce n'était de sa longue finale vaporeuse. Une autre preuve de l'immense intérêt que méritent les cépages rhodaniens en Californie. Beaucoup de vin dans le verre pour moins de 30 $.

10745989   28,65$ ★★★★ ② ♥

TREANA

Red 2015, Paso Robles

Ce vin fait rarement dans la dentelle et la subtilité. Le 2015 conjugue la force tannique du cabernet sauvignon (75 %) et le volume fruité de la syrah, en enrobant le tout à grands renforts de barrique. Une attaque si mûre qu'elle semble sucrée, un milieu de bouche crémeux et une finale lourde et capiteuse, aux effluves de vanille, de café et de confiture. Comme on dit là-bas : « big wine! »

875088   41,35$ ★★→? ③

HÉMISPHÈRE SUD
CHILI ET ARGENTINE

SALTA

En Argentine, dans la province de Salta, la vigne grimpe jusqu'à 3100 m d'altitude, notamment dans le secteur de Cafayate, au sein des vallées Calchaquíes. On y trouve d'excellents torrontés.

BOLIVIE

Elqui

LA SERENA

SALTA

CAFAYATE

Limari

Choapa

La Rioja

LIMARI

Dans la partie nord du Chili, juste au sud du désert d'Atacama, le chardonnay a trouvé un nouvel eldorado sur les sols de calcaire actif de la région de Limari. Les meilleurs vins laissent en bouche une sensation minérale très pure.

Aconcagua

VALLÉE CENTRALE

VALPARAISO
Casablanca
San Antonio/Leyda
Maipo
Rapel (Cachapoal/Colchagua)
Curicó

SANTIAGO

MENDOZA

Lujan de Cuyo

Valle de Uco
San Rafael

MAULE

RÉGION DU SUD

Itata
CONCEPCIÓN
Bío-Bío

La Pampa

Neuquen

Rio Colorado

MAULE ET ITATA

Berceau chilien du vin naturel, les régions de Maule et Itata misent sur des vignes centenaires de carignan, de cinsault et de país, qui y donnent des vins aussi savoureux que singuliers.

CHILI

NEUQUEN

PATAGONIE

Rio Negro

Rio Negro

San Carlos de Bariloche
Puerto Montt

Rio Chubut

Rio Chico

Le Chili a bien plus à offrir que des vins rouges puissants et boisés. Et le vent de renouveau qui gagne le pays depuis quelques années ne semble pas près de s'essouffler. Les vallées fertiles et baignées de soleil situées en périphérie de la capitale, Santiago, demeurent l'épicentre de la production viticole nationale, mais on voit émerger chaque année de nouveaux vignobles dans des zones plus fraîches et toujours plus éloignées. De sorte qu'aujourd'hui, la vigne est cultivée depuis la vallée de l'Elqui, à 500 km au nord de Santiago, et jusque dans la région des Lacs, plus de 800 km au sud de la capitale du pays.

Les vignerons qui ont pris la relève de la garde au début des années 2000 ont repensé les façons de faire, réduit les taux d'alcool et l'utilisation de la barrique. D'abord marginal, le mouvement initié par une poignée de petits domaines axés sur l'expression du terroir a gagné tous les secteurs de l'industrie viticole, jusqu'aux gros producteurs. Vinifications en amphore, développement dans des zones plus fraîches, mise en valeur de vignobles centenaires, etc.

***

L'Argentine jouit d'une longue tradition viticole qui remonte à l'arrivée des colons européens, au XVIe siècle. Jadis marqués par une influence européenne, les vins ont adopté, au tournant des années 2000, un style beaucoup plus moderne, encensé par la presse américaine. Des vins de couleur pourpre, hyper flatteurs, parfois vanillés, riches en alcool et presque sucrés tant ils sont mûrs. La popularité du malbec semble à ce moment avoir occulté le reste de la production nationale. Néanmoins, tout porte à croire que le souffle de renouveau qui a atteint le Chili il y a une quinzaine d'années aurait traversé la chaîne de montagnes des Andes pour s'installer en Argentine. Depuis peu, les vignerons démontrent une volonté de faire des vins plus accessibles, misant davantage sur la fraîcheur, et moins riches en alcool. On assiste, depuis, à une subdivision des zones de production, au développement des terroirs en altitude et à l'exploitation d'une diversité de cépages en dehors du malbec. Car l'Argentine dispose en effet d'autres variétés fort intéressantes, comme le bonarda (douce noire) et le criolla, en rouge, ainsi que le torrontés, cépage indigène qui donne des vins blancs aromatiques. Le sauvignon blanc, le sémillon, le cabernet franc et le pinot noir sont aussi à surveiller.

MENDOZA

Sans irrigation, une bonne partie des vignobles argentins ne seraient que des zones désertiques. Depuis une quinzaine d'années, les nouvelles plantations s'orientent davantage vers les zones d'altitude et il n'est pas rare que la vigne grimpe jusqu'à 1200, voire 1700 m.

PATAGONIE

Région la plus au sud de l'Argentine, la Patagonie bénéficie d'un climat plus frais, permettant une maturation lente du raisin. On y trouve bien sûr du malbec et du cabernet sauvignon, mais aussi d'excellents pinots noirs.

CONCHA Y TORO

Chardonnay 2016, Marques de Casa Concha, Valle de Limari

Les chardonnays de Limari sont parmi les vins les plus intéressants produits au Chili. Particulièrement ceux du vignoble Quebrada Seca, à seulement 19 km de l'océan Pacifique, dont les sols argileux sont riches en carbonate de calcium. Le climat frais, la nature des sols et la quasi-absence de transformation malolactique donnent un chardonnay vibrant de fraîcheur, sec et tendu, mis en valeur par un élevage très bien maîtrisé en fûts de chêne français. Une autre grande réussite pour l'œnologue Marcelo Papa.

11416141   20,25$ ☆☆☆☆ ② ♥

7 804320 411149

CONO SUR

Sauvignon blanc 2017, Valle de San Antonio

Bon blanc «variétal», c'est-à-dire qu'il est représentatif de son cépage d'origine. Accents de piment jalapeño, de fumée et d'agrumes; nerveux, guilleret et juteux. Pas très profond, mais biologique et techniquement sans faille.

13503205   15,85$ ☆☆☆ ① ♥

7 804320 348063

COUSIÑO-MACUL

Chardonnay 2016, Antiguas Reservas, Valle del Maipo

Un chardonnay d'une autre époque, avec des notes de maïs en crème et des relents sulfureux. L'attaque est vive, le milieu de bouche ample et gras, ponctué de goûts de beurre. Conventionnel, sans plus.

962811   17,95$ ☆☆ ½ ②

0 089046 888100

EMILIANA

La Vinilla 2016, Signos de Origen, Valle de Casablanca

Emiliana est un chef de file de l'agriculture biologique et biodynamique au Chili. L'entreprise signe une gamme très complète de vins, dont cet assemblage de chardonnay, de viognier, de marsanne et de roussanne provenant du vignoble La Vinilla, au pied de la chaîne de montagnes qui borde la côte ouest du pays. L'empreinte aromatique du viognier est présente dans ce 2016 encore jeune et savoureux, mais elle ne domine pas. Le tout repose sur une texture serrée et plutôt riche en extraits, qui accentue la fraîcheur ressentie. Beaucoup de personnalité et une profondeur digne de mention pour le prix.

11639037   21,95$ ☆☆☆☆ ② ♥ 🗨

7 804320 280288

EMILIANA
Pinot gris 2017, Novas, Gran Reserva, Valle del Bío-Bío

Beaucoup de fraîcheur et de minéralité dans ce pinot gris biologique, produit à environ 450 km au sud de Santiago, dans le secteur côtier de Bío-Bío. L'attaque est franche; les saveurs de fruits blancs et jaunes, de fleurs et de fines herbes se dessinent avec pureté et précision, et le vin tapisse la bouche d'une texture juste assez nourrie. Dans sa catégorie, il mérite bien quatre étoiles.

13685598   18$ ☆☆☆☆ ② ♥ 🗩

ERRAZURIZ
Chardonnay 2017, Aconcagua Costa

Depuis quelques années, l'œnologue Francesco Baettig tente «d'alléger» les vins d'Errazuriz. Ce chardonnay, par exemple, provient de vignobles situés à 12 km de l'océan Pacifique, où le climat est tempéré par les courants marins venus de l'Antarctique. On a aussi choisi de bloquer en grande partie la transformation malolactique, pour préserver une pointe d'acidité et la pureté aromatique. Cela donne un blanc vif et sec, au profil un peu réducteur, mais bien tourné dans un style moderne, axé sur la fraîcheur.

12531394   21,55$ ☆☆☆ ②

MONTGRAS
Fumé blanc 2017, De Gras Reserva, Valle Centrale

Un sauvignon chilien tout ce qu'il y a de plus typé, avec ses arômes de fines herbes, d'agrumes et de fruits tropicaux. Sec, digeste, très bien fait et vraiment impeccable pour le prix. À 10$, l'amateur de sauvignon peut acheter à la caisse.

13283901   10,20$ ☆☆☆ ① ♥

VENTISQUERO
Chardonnay 2016, Grey Single Block, Valle de Casablanca

Lui aussi produit tout près de la côte, ce chardonnay ne titre que 12,5% d'alcool, mais il ne manque ni d'intensité ni de volume en bouche. Rien de très complexe ici, mais il offre tout ce que l'on espère d'un chardonnay vinifié et élevé avec soin: des saveurs pures, juste assez de gras et une finale saline. Tout à fait recommandable dans sa catégorie.

11948631   19,95$ ☆☆☆ ½ ②

CONO SUR

Pinot noir 2016 Reserva, Valle de Casablanca

L'un des pinots bon marché les plus fiables sur le marché. Le 2016 s'inscrit dans la continuité des derniers millésimes: souple, juteux, riche en fruit, avec des accents floraux et fumés en arrière-plan. Suffisamment charnu, mais pas crémeux, et de longueur tout à fait correcte. L'amateur de pinot voudra en faire provision pour les repas des fêtes.

874891   15,30$ ★★★ ① ♥

EMILIANA

Pinot noir 2017, Signos de Origen, Valle de Casablanca

De plus en plus de pinots noirs chiliens étonnent par leur complexité aromatique, qui va au-delà du simple fruit. Celui d'Emiliana en est un bel exemple. Un peu austère à l'ouverture, il se révèle après quelques heures d'aération. Au nez, des notes ferreuses qui rappellent le sang se dessinent sur de jolis parfums floraux. La bouche est rassasiante avec son cœur fruité bien mûr, presque confit, laissant une sensation chaleureuse. Un peu creux en milieu de bouche, mais il compense par sa finale savoureuse aux goûts de fleurs et de cerise.

13685539   22,05$ ★★★ ½ ② ⚗

MONTGRAS

Pinot noir 2017, Reserva, Valle de Leyda

Ce pinot – tout nouveau à la SAQ – me rappelle l'odeur d'une tarte fraise-rhubarbe, avec ses parfums de fruits rouges compotés, de terre et de fumée. Souple, soyeux et facile à boire, mais pas racoleur du tout. Arrivée en succursales prévue au courant de l'automne 2018. Un bon achat.

En primeur

13713472   17,35$ ★★★ ② ♥

MONTSECANO
Pinot noir 2017, Refugio, Valle de Casablanca

Ce vin élaboré par l'Alsacien André Ostertag et ses associés n'a rien des pinots noirs avant tout fruités qui abondent dans le secteur de Casablanca. Au nez, des notes animales traduisent d'abord une certaine réduction ; viennent ensuite des accents fumés, d'herbes séchées et de terre humide. La bouche poursuit dans la même veine avec un fruit pur, un grain tannique velouté, dense et serré et des notes terreuses qui lui donnent presque des airs bourguignons. Un vin absolument savoureux. À découvrir sans faute si vous doutez encore du potentiel du Chili à offrir des vins fins, vibrants et subtils.

12184839   26,55$ ★★★★ ② ♥

7 804635 970003

VENTISQUERO
Pinot noir 2016, Grey Single Block, Valle de Leyda

Planté sur les sols granitiques de Leyda, à 5 km de la côte Pacifique, et mis en valeur par un élevage plutôt bien maîtrisé en fûts de chêne, ce pinot offre un heureux mariage de fruits rouges, de notes fumées et terreuses. Une dose d'acidité juste resserre les tanins, accentuant ainsi son côté juteux, qui appelle la paëlla cuite sur feu de bois. Un peu boisé et massif à l'ouverture, il gagnera à reposer en cave un an ou deux. Dans l'immédiat, la carafe s'impose.

12687461   19,95$ ★★★ ½ ③ ⚱

7 808725 403853

VENTISQUERO
Pinot noir 2016, Root : 1, Valle de Casablanca

Le nez est simple et présente des arômes de fruits rouges et des notes d'herbes fraîches. La texture est mince. Correct, sans être une aubaine ; même à moins de 15$.

13595576   12,95$ ★★ ½ ①

7 808725 403860

CARMEN
Cabernet sauvignon 2015, Gran reserva, Valle de Maipo

Dans une dégustation à l'aveugle, il est presque impossible de passer à côté du pays et du cépage, tant le nez – cassis, menthe, cendre mouillée et une pointe animale – de ce vin évoque le cabernet sauvignon du Chili. Les mêmes parfums se développent en bouche, portés par des tanins ronds et potelés, sans verser dans la mollesse. Bon vin chilien de facture conventionnelle.

358309   17,50$ ★★★ ②

CLOS DES FOUS
Cabernet sauvignon 2013, Grillos Cantores, Alto Cachapoal

Épaulé par ses quatre partenaires, Pedro Parra, signe de nouveau un délicieux vin rouge qui pourrait réconcilier quiconque avec le cabernet chilien. En misant sur la fraîcheur qu'offrent les vignobles d'altitude, on obtient un vin élégant, tout en équilibre, tissé de tanins de qualité, fins et compacts, qui font corps avec le fruit. Beaucoup de vigueur et d'énergie dans ce cabernet qui a davantage le profil d'un *sprinter* que celui d'un haltérophile. À savourer à table jusqu'en 2022-2024.

11927813   21,15$ ★★★★ ② ♥

COUSIÑO-MACUL
Cabernet sauvignon 2014, Antiguas Reservas, Valle del Maipo

La robe montre un début d'évolution; les tanins sont soyeux, assouplis par quelques années d'élevage. Bel exemple de cabernet chilien qui a du corps, mais aussi de la fraîcheur, de bons goûts de prune et de cerise, avec ce petit caractère vieillot qui me le rend sympathique.

212993   17,10$ ★★★ ②

ERRAZURIZ
Cabernet sauvignon 2015, Aconcagua Alto

Les raisins qui composent cette cuvée proviennent essentiellement des vignobles Max, situés à l'intérieur des terres, dans la vallée de l'Aconcagua. Le 2015 s'avère une expression moderne et très bien tournée du cabernet sauvignon chilien. La bouche est élégante, juteuse et les tanins sont bien intégrés. Chaleureux, mais équilibré et ponctué de notes minérales qui évoquent la mine de crayon. À boire entre 2019 et 2022.

13394766   20,65$ ★★★ ½ ② ♥

ERRAZURIZ

Cabernet sauvignon 2015, Max Reserva, Valle de Aconcagua

L'an dernier, j'avais souligné un changement de style et une sensation accrue de fraîcheur dans le 2014. Peut-être est-ce l'effet du millésime, mais le 2015 marque un léger recul pour ce classique du Chili, vendu depuis de nombreuses années à la SAQ. Le nez regorge de parfums de confiture de cassis, avec un apport boisé bien présent. L'attaque en bouche est saline, l'équilibre plutôt réussi et la longueur correcte, mais on souhaiterait que le vin ait été un peu moins travaillé au chai...

335174   18,65$ ★★★ ②

MONTGRAS

Cabernet sauvignon 2015, Intriga, Valle del Maipo

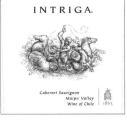

Le nez intense et compact traduit un vin solidement constitué. La bouche ne ment pas: capiteuse, mais sans lourdeur, tissée de tanins veloutés et chargée de goûts de cassis, de mûre, de fleurs, de cuir et d'épices qui persistent en finale et laissent une impression d'ensemble très rassasiante. À moins de 25$, difficile pour l'amateur de cabernet de demander mieux. À boire entre 2019 et 2024.

11766520   22,45$ ★★★★ ② ♥

PEREZ CRUZ

Cabernet sauvignon 2015, Édition limitée, Valle de Maipo

Un exemple représentatif de cabernet de Maipo, issu d'un vignoble situé au pied des Andes, à peine 50 km au sud du centre-ville de Santiago. Des odeurs d'herbes fraîches et de poivrons rouges apportent une agréable fraîcheur aromatique, sans que le vin n'accuse trop de verdeur en bouche. On pourra lui reprocher un léger creux en milieu de bouche, mais la chair fruitée est rassasiante et la longueur satisfaisante.

13554758   21,45$ ★★★ ②

VENTISQUERO

Cabernet sauvignon 2017, Yali, Wild Swan, Valle Centrale

Un nez relevé de parfums intenses de cannelle me laisse croire à l'emploi de copeaux de chêne. Les épices douces sont aussi présentes en bouche et l'extraction des tanins est un peu maladroite, mais dans l'ensemble, le vin est recommandable. Un bon verre de vin riche en fruit et modérément corsé pour les soirs de semaine.

12525437   8,55$ ★★ ½ ①

ARAUCANO
Syrah 2017, Reserva, Valle Centrale

Pour la deuxième année, la syrah de ce domaine appartenant au Bordelais François Lurton s'avère l'une des meilleures aubaines chiliennes à la SAQ. Pas très expressif au nez lorsque dégusté en juillet 2018, mais très satisfaisant en bouche, avec un cœur fruité bien mûr, des tanins souples et un équilibre impeccable. Super rapport qualité-prix!

11975073   9,75$ ★★★ ① ♥

DE MARTINO
Syrah 2016, Legado Reserva, Valle del Choapa

Chaque année, c'est un plaisir de revisiter cette syrah produite sur les sols rocailleux de la vallée de Choapa – située à l'endroit le plus étroit du Chili, là où les Andes et la cordillère littorale se confondent. D'autant plus que le millésime 2016 se profile avec plus de retenue. Un très joli nez de fruits noirs, des tanins de qualité, polis, mais compacts, laissant en bouche une assise à la fois solide et raffinée. Une très bonne longueur et beaucoup de détails aromatiques. C'est l'une des bonnes syrahs chiliennes offertes au Québec.

11998494   19,65$ ★★★★ ② ♥

GARCES SILVA
Syrah 2014, Boya, Valle de Leyda

À l'œil, vue sa couleur foncée aux reflets violacés, rien n'indique que ce vin a déjà 4 ans. Le nez embaume la tapenade d'olive noire et la bouche déborde d'une fraîcheur qu'on est vite tenté d'attribuer à la proximité de la mer et de ses courants glacés en provenance de l'Antarctique. Un tapis de tanins veloutés caresse les papilles, mais la texture se serre en finale, laissant une légère astringence et de délicieuses effluves poivrées. Relief, intensité aromatique et tenue remarquables pour le prix.

13288091   19,50$ ★★★★ ② ♥

MONTGRAS
Ninquén Mountain Vineyard 2015, Valle de Colchagua

Le cabernet sauvignon (50 %) confère à ce vin sa droiture et ses parfums caractéristiques de cassis et de graphite, tandis que la syrah, particulièrement chaleureuse sur les flancs du mont Ninquén, apporte une texture suave et charnue, ainsi que des parfums de viande fumée. Un heureux mariage de puissance et d'onctuosité, de verticalité et de rondeur. Une longue finale vaporeuse qui se développe avec beaucoup de relief et de profondeur après quelques heures d'aération. En somme, un vin certes moderne, mais savoureux, dont on se régalera jusqu'en 2026.

928853   27,65$ ★★★★ ③ ♥ ⏛

7 804407 000105

MONTGRAS
Syrah 2016, Antu, Valle de Colchagua

Cette syrah en mène large au premier coup d'œil et au nez, avec sa couleur violet foncé et ses parfums intenses de cassis. En bouche, le vin s'avère toutefois un peu moins complet. Ample, solide et généreux, mais un peu pataud et taillé d'un seul bloc, pour le moment. Quelques mois de repos l'aideront-ils à gagner en définition et en nuances? À revoir au courant de l'année 2019.

11966370   18,30$ ★★★→? ③ ⏛

7 804407 001102

VENTISQUERO
Syrah 2016, Kalfu Sumpai, Valle de Leyda

Sous l'étiquette Kalfu, le groupe Ventisquero commercialise des vins provenant de vignobles côtiers, dans différentes régions viticoles de la vallée Centrale. Plantée sur les terrasses d'argile, de granit et d'alluvions du secteur de Leyda, la syrah se montre ici sous un jour suave, presque crémeux, sans cependant manquer de vigueur. Frais, guilleret, bourré de fruits noirs et relevé d'épices. Le vin était un peu fermé – mais tout de même savoureux – lorsque dégusté en août 2018. Je serai curieuse de le goûter de nouveau au cours des prochains mois.

12540821   24,95$ ★★★ ½ ②

7 808725 404232

VINA CHOCALAN
Syrah 2016, Gran Reserva Origen, Valle del Maipo

Il est difficile de reconnaître le cépage syrah tant le boisé joue au premier plan, sans trop de finesse, et les tanins laissent en finale une sensation amère. Costaud et, on l'espère, satisfaisant, pour qui aime ce style.

11530795   18,95$ ★★ ½ ②

7 804603 661278

COUSIÑO-MACUL
Cabernet sauvignon-Merlot 2012, Finis Terrae, Valle del Maipo

La cuvée haut de gamme de la famille Cousiño provient, pour les trois quarts, de la plus vieille parcelle de la propriété de Macul, âgée de plus de 80 ans, et elle est l'incarnation même du vin de Maipo dans sa forme classique. L'évolution est présente dans le verre, tant à l'œil qu'au nez, avec des notes de fruits séchés et de kirsch, mais ce 2012, composé de cabernet sauvignon à 75 % et de merlot, ne montre aucun signe de fatigue. Plutôt que de miser sur l'abondance de tanins et de parfums boisés – c'est souvent le cas avec les vins de cette fourchette de prix –, on a fait le pari de la droiture et de l'équilibre. Et c'est réussi! Étoffe tannique de qualité, précision et harmonie. Au moins aussi satisfaisant que bien des «Icon Wines» vendus deux fois plus cher.

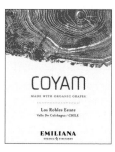 En primeur

962829   40,25$ ★★★★ ②

EMILIANA
Coyam 2014, Los Robles Estate, Valle de Colchagua

Chez Emiliana, la biodynamie est pratiquée dans son sens large, avec au centre, la biodiversité. C'est pourquoi on essaie de maintenir autour des vignobles une superficie équivalente de forêt indigène, afin d'encourager la reproduction de la faune auxiliaire. Lorsqu'on plonge le nez dans le Coyam 2014, la concentration et l'intensité qui s'en dégagent pourraient faire craindre un gros vin monolithique. C'est mal connaître le vin et son auteure, la brillante œnologue d'origine espagnole, Noelia Orts. Fruit d'un assemblage de six cépages (essentiellement syrah et carmenère), cultivé sur les sols graveleux du secteur de Los Robles dans Colchagua, le vin n'est que puissance contenue. Complexe, profond et concentré, avec une foule de saveurs s'apparentant au salé (poivrons rouges grillés, fines herbes, épices indiennes, viande fumée), des tanins soyeux qui tapissent la langue d'un fruit mûr et laissent une longue finale minérale. À boire idéalement entre 2021 et 2025.

13476139   29,95$ ★★★★ ½ ③ ♥ ▢

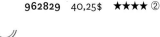

COYAM
MADE WITH ORGANIC GRAPES
Los Robles Estate
Valle De Colchagua / CHILE
EMILIANA
ORGANIC VINEYARDS

7 804320 081496

MONTGRAS

ĀKEL 2017, Grenache-Syrah-Carignan 2017, Valle de Colchagua

Tout nouveau sur le marché, un vin issu d'un assemblage de cépages rhodaniens et qui déploie au nez un caractère solaire semblable à celui de certains vins du pourtour méditerranéen. Des odeurs de cuir et de réglisse, mais aussi de cacao et de cerise confite, trouvent écho en bouche également. Capiteux, mais tout en rondeur et en souplesse, sans trop de charge tannique. Une belle addition au répertoire chilien à la SAQ. Arrivée prévue au courant de l'automne 2018.

7 804407 004738

13730740   15,95$ ★★★ ½ ② ♥

MONTGRAS

Cabernet sauvignon-Carmenère 2016, Antu, Valle de Colchagua

Un cabernet droit et plutôt franc, aux saveurs nettes, mais qui laisse cependant en bouche un fini anguleux. Quelques années de repos aideront peut-être les éléments à se fondre.

7 804407 001829

11386885   18,30$ ★★ ½→? ③

MONTGRAS

De Gras 2017, Reserva, Valle Centrale

Parmi les bons vins rouges du Chili dégustés cette année, je signale cet assemblage de cabernet sauvignon (85%) et de syrah. Un rouge juste assez charnu et gorgé de fruit qui n'a évidemment rien de complexe, mais qui rencontre toutes les attentes. Bon vin de tous les jours, équilibré et savoureux.

7 804407 003021

12698346   10,35$ ★★★ ① ♥

MONTGRAS

Quatro 2017, Valle de Colchagua

Un rouge chilien hyper gourmand reposant sur un assemblage de quatre cépages – cabernet sauvignon, carmenère, malbec et syrah – d'où son nom. Le nez regorge de parfums de fruits confits, d'épices douces et de réglisse noire. Plein et capiteux, mais rassasiant et très réussi dans un style plantureux. Servez-le frais, autour de 15 °C, avec des hamburgers ou des grillades.

7 804407 000143

11331737   17,40$ ★★★ ½ ② ♥

VIÑA CHOCALAN

Carmenère 2017, Reserva, Valle del Maipo

Nez caractéristique d'un carmenère (dont il est composé à 85%), avec des accents de cendre mouillée. En bouche, une profusion de fruits noirs et de cumin, sur un fond de menthe. Les tanins sont mûrs et l'ensemble est harmonieux. Très bel exemple de carmenère moderne, exempt de toute verdeur ou rusticité. Prix attrayant.

7 804603 661209

11156107   17,15$ ★★★ ② ♥

FINCA LAS MORAS
Blanc de blancs 2017, Lady blanc, Argentina

Étrangement, cet assemblage de chenin blanc, de trebbiano, de pinot gris et de sémillon sent plutôt le torrontés. Aurait-on eu recours à quelque enzyme ou levure révélatrice des précurseurs d'arômes? Dur à dire. Du reste, un bon blanc d'apéritif sec et nerveux.

13575524   12,95$ ☆☆ ½ ①

MASI TUPUNGATO
Pinot grigio-Torrontés 2017, Passo Blanco, Valle de Uco

Le pinot grigio – léger et plutôt neutre – fait bon mariage avec le torrontés, d'un naturel exubérant. Bien qu'il soit un peu moins rassasiant que le Passo Doble commenté dans ces pages, ce blanc est impeccable sur le plan technique. Nerveux, guilleret et facile à boire.

12355431   14$ ☆☆☆ ① ♥ 🗨

PIEDRA NEGRA
Pinot gris 2018, Alta Colección, Los Chacayes, Valle de Uco

Cette année encore, François Lurton propose un très bon vin blanc sec. Nommé à juste titre «pinot gris», plutôt que «grigio», le vigneron bordelais traite ce cépage avec respect et en tire un blanc gras, délicatement parfumé, élégant même. À moins de 15$, c'est l'un des bons achats au rayon de l'Argentine.

556746   14,60$ ☆☆☆ ½ ② ♥ 🗨

SANTA JULIA
Chardonnay 2017, Mountain Blend, Valle de Uco, Mendoza

Les raisins de chardonnay qui composent ce vin proviennent de vignobles situés dans les hauteurs de Mendoza, à des altitudes comprises entre 954 m et 1402 m. À défaut de texture et de volume, un bon blanc sec et soutenu par une franche acidité.

13657802   14,95$ ☆☆ ½ ①

SANTA JULIA
Chenin blanc 2017, Mendoza

Un blanc sec et délicatement parfumé, avec des accents d'écorce de citron, de pomme verte et de thé vert. Évidemment, cela n'a rien d'un saumur ou d'un anjou, mais le caractère variétal du chenin est au rendez-vous, à petit prix…

13190034   11,65$ ☆☆☆ ① ♥

TERRAZAS DE LOS ANDES
Chardonnay 2016, Reserva, Valle de Uco

Un chardonnay savamment boisé pour plaire, mais qui a aussi du fruit, du relief, un bon équilibre et une certaine distinction dans les saveurs. Le travail des lies se traduit par un certain volume en milieu de bouche, sans verser dans l'excès. Bon exemple de chardonnay boisé qui évite le piège de la caricature. Surveillez de près l'arrivée du 2017 au courant de l'année.

13030786   19,95$ ☆☆☆ ½ ②

7 790975 001500

TRAPICHE
Chardonnay 2017, Costa & Pampa, Chapadmalal

Depuis 2007, la maison Trapiche exploite un vignoble près du littoral Atlantique. Cette nouvelle région viticole bénéficie d'un climat océanique, apportant de la fraîcheur aux vins. Sous l'indication géographique Chapadmalal, la seule de la région à ce jour, le Costa & Pampa contraste heureusement dans le paysage du chardonnay d'Argentine. Misant essentiellement sur la vigueur et la pureté du fruit, le vin est sec, simple et bien fait. On y trouve des notes de fruits à chair blanche et de craie. Un pas dans la bonne direction. Les vins de cet endroit seront à surveiller !

13688772   24,95 $ ☆☆☆ ②

En primeur

VIÑA COBOS
Chardonnay 2016, Felino, Mendoza

Expression d'un chardonnay moderne, vinifié en mode réducteur, sec, tranchant et semblable à tant d'autres. On a essayé de faire un vin sérieux, pas trop racoleur et, en toute justice, on a plutôt bien réussi. Rien de transcendant, mais une bonne note pour l'effort.

11625727   18,95$ ☆☆☆ ②

0 897941 000677

ZUCCARDI
Chardonnay-Viognier 2016, Série A, Valle de Uco, Mendoza

Un mariage inusité, mais intéressant, entre l'omniprésent chardonnay et le viognier, un cépage un peu moins connu du nord de la vallée du Rhône, caractérisé par son exubérance aromatique et son acidité plutôt faible. Cela donne ici un bon blanc aux parfums de citron, de thé vert japonais, de pomme verte et de fruits tropicaux. Sec, vif et doté d'une certaine tenue. Recommandable.

516443   15,05$ ☆☆☆ ①

7 791728 000900

ALMA NEGRA
M Blend 2016, Mendoza

Cette année encore, un bon malbec joufflu et gorgé de fruit, auquel une petite proportion de bonarda apporte une agréable légèreté et un caractère guilleret. Rien de profond, mais tout à fait agréable à boire, surtout s'il est servi autour de 15 °C.

11156895   19,95$ ★★★ ½ ②

CATENA ZAPATA
Malbec 2015, Mendoza

Nicolas Catena a fait sa marque en confectionnant des vins modernes et structurés, qui ont vite capté l'attention internationale. Sa fille Laura assure maintenant la relève. Le nez du 2015 s'ouvre sur des arômes de bonbon à la framboise. La bouche est à l'avenant, dépourvue de sucrosité, animée d'une saine vivacité et portée par des tanins qui se resserrent en finale. À boire d'ici 2021.

478727   19,95$ ★★★ ②

EL ESTECO
Malbec 2015, Valles Calchaquíes

Un malbec frais, élégant, équilibré et abordable. Hormis quelques odeurs de torréfaction, le vin est très pur, chargé des parfums floraux du malbec et cousu de tanins ronds et gourmands dans lesquels on a l'impression de croquer. Longue finale vaporeuse et beaucoup de plaisir à petit prix.

13554723   15,95$ ★★★ ½ ② ♥

MASI
Passo Doble 2015, Valle de Uco

La famille Boscaini de Vénétie, a exporté son savoir-faire en matière d'appassimento – qui consiste à faire déshydrater les raisins pendant quelques jours avant de les presser – pour produire le même genre de vin dans le secteur de Tupungato, au sud de Mendoza. Le vin, qui repose sur un assemblage de malbec et de corvina n'est absolument pas racoleur et arbore un style presque européen par sa trame tannique compacte et un peu granuleuse, qui s'accompagne d'une juste dose d'acidité. Dans sa catégorie, il mérite une mention spéciale pour son originalité et son étoffe. Allez! Une Grappe d'or!

10395309   15$ ★★★ ½ ② ♥ 🗨

NORTON
Malbec-Cabernet franc 2015, Lote Negro Unique Edition, Valle de Uco

Empreinte boisée bien marquée, entre le cacao et le cèdre. Bouche caressante, tissée de tanins veloutés, riche en saveurs de fruits noirs, sur un fond d'épices et de vanille, attribuables à l'élevage en fûts. Dans l'ensemble un bon rouge structuré qu'on pourra laisser reposer en cave jusqu'en 2021, le temps que le bois et le fruit se fondent.

En primeur

13554660   29,90$ ★★★→? ③

SOPHENIA
Malbec 2016, Altosur, Mendoza

L'amateur de rouge corsé trouvera son compte à bon prix avec ce malbec issu d'un vignoble situé à 1200 m d'altitude, dans la vallée de Uco, à Mendoza. Pas très plein ni charnu, peut-être même un peu austère, mais doté d'une certaine vigueur tannique, garante de plaisir à table.

0 871738 002235

13401639   17,50$ ★★★ ②

TERRAZAS DE LOS ANDES
Malbec 2016, Reserva, Mendoza

Cette maison appartient au groupe de produits de luxe LVMH. La cuvée Reserva rassemble des raisins provenant de six terroirs différents, répartis dans les régions de la vallée de Uco et Lujan de Cuyo. Une expression singulière, souple, fruitée et rassasiante du malbec, qui se termine dans une finale épicée.

7 790975 001487

10399297   21,70$ ★★★ ②

TRAPICHE
Malbec 2016, Broquel, Mendoza

Cette marque bien connue appartient à l'empire viticole Peñaflor (Finca Las Moras, Bodegas Santa Ana, Bodega El Esteco, etc.), qui compte parmi les plus importants producteurs de vin au monde. Bien qu'il ait plus de caractère que la moyenne avec une agréable tenue et de jolies notes florales et épicées, ce vin commenté depuis une bonne dizaine d'années dans *Le guide du vin* a perdu un peu de son charme au fil des ans. Rond et gourmand en attaque, mais des tanins secs laissent en fin de bouche une sensation anguleuse. Malgré tout, à ce prix, la proposition est tout à fait honnête. D'autant plus que le vin n'est pas sucré, contrairement à tant d'autres malbecs dans cette tranche de prix.

7 790240 090154

10318160   15,50$ ★★★ ②

EL ESTECO
Cabernet sauvignon 2015

Les vins de cette marque appartenant au groupe Peñaflor (Trapiche) sont élaborés tout au nord du pays, dans les vallées de Calchaquies, près de Cafayate. Dès le premier nez, les notes végétales de poivrons indiquent que nous sommes bien en présence d'un cabernet sauvignon. L'élevage de 12 mois en barriques est perceptible et le vin repose sur une mâche tannique compacte.

13648324   22,95$ ★★★ ②

En primeur

EL ESTECO
Cabernet sauvignon 2016, Don David Reserve, Valles Calchaquies

Cultivé dans les hauteurs de la province de Salta, le cabernet adopte ici une allure très différente de ce à quoi nous ont habitués les vins de Mendoza. Un très bon vin de dimension moyenne, un peu austère et marqué par le bois à l'ouverture, mais qui révèle de jolies saveurs de poivron rouge, d'herbes et de fruits noirs après une demi-heure d'aération. Aucune rusticité ni dureté; le vin coule, se dessine avec fraîcheur, voire une certaine élégance. Bon achat.

13545886   15,95$ ★★★ ½ ② ♥

EL ESTECO
Syrah 2016, Don David, Reserve, Valles Calchaquies

Le climat frais des vallées de Calchaquies explique sans doute la définition et la précision aromatique de cette syrah. Le nez est floral et riche en nuances. La bouche suit, franche, mais pas très charnue ni complexe. Une bonne syrah d'envergure moyenne.

10894431   15,90$ ★★★ ②

MASCOTA
Cabernet sauvignon 2016, La Mascota, Mendoza

Cette cuvée de cabernet provient d'un vignoble d'une quarantaine d'années situé à Cruz de Piedra, au cœur de Maipú. Le vin profite d'un élevage bien maîtrisé en fûts de chêne français et américain; droit et savoureux, avec des accents sauvages qui se mêlent aux cerises noires, mûres et herbes séchées. Sa texture charnue commande une viande rouge saignante, mais siéra aussi très bien à un chili sans viande délicatement relevé. Prix attrayant.

10895565   15,95$ ★★★ ½ ② ♥

SANTA JULIA
Cabernet sauvignon 2017, Mendoza

La mention «biologique» qui domine l'étiquette me faisait craindre le pire – je me méfie des domaines qui l'utilisent de façon si évidente comme un argument de vente. Cela dit, le vin est bon : saveurs nettes, texture assez charnue et pointe d'acidité volatile qui, plutôt que de nuire à l'expression du fruit, le met en valeur. Simple, mais pas maquillé et bien fait. À 10$ et des poussières, un bon achat.

12284346   10,80$ ★★ ½ ①

TERRAZAS DE LOS ANDES
Cabernet sauvignon 2016, Reserva, Mendoza

Voici un cabernet sauvignon tout en fruit où les notes de framboises mûres s'allient aux arômes fumés et végétaux. La bouche est équilibrée, portée par des tanins ronds. Une proportion de raisins de la vallée de Uco apporte une acidité supplémentaire à l'assemblage et contribue pour beaucoup à la sensation de fraîcheur en finale.

13551371   19,95$ ★★★ ½ ②

TRAPICHE
Cabernet franc 2014, Gran Medalla, Mendoza

Nez tout à fait caractéristique d'un cabernet franc, avec du fruit noir et des accents de poivrons rouges rôtis. L'attaque en bouche est à la fois souple et aigrelette, le milieu est un peu creux, mais tissé de tanins de qualité, veloutés et polis. Pas très long ni profond, mais mis en valeur par un bel usage du bois, et faisant preuve d'une bonne longueur. À apprécier pour sa finesse, plus que pour sa puissance.

En primeur

13675883   24,95 $ ★★★ ½ ② ♥

TRAPICHE
Cabernet sauvignon 2015, Medalla, Mendoza

Comme souvent avec les vins argentins, cette cuvée de gamme supérieure ne donne pas dans le minimalisme. Plus de bois, des saveurs plus intenses et une extraction tannique plus poussée. Le tout est présenté dans un équilibre plutôt réussi, quoique l'acidité laisse en finale une sensation un peu anguleuse. Quelques années de repos aideront-elles ?

10493806   20,95$ ★★ ½ →? ③

ZOLO
Cabernet sauvignon 2016, Valle de Uco, Mendoza

Avant tout fruité ; pas de trace apparente de bois au nez, sinon des accents vanillés en finale, bien qu'il soit élevé en fûts pendant huit mois. Dommage que la finale végétale et un peu brouillon laisse une impression si peu flatteuse.

11373232   17$ ★★ ½ ①

HÉMISPHÈRE SUD
AUSTRALIE

BAROSSA

La vallée de Barossa jouit d'une grande variété de sols et de climats qui sont, certes, la source d'une marée de Shiraz riches et opulents, mais également de vins fins et élégants, dont d'excellents rieslings.

ADELAIDE HILLS

Les gros chardonnays crémeux et hyper boisés ont pratiquement disparu du paysage australien. Ceux produits dans les régions d'Adelaide Hills, de Beechworth ou dans la baie de Port Phillip sont particulièrement intéressants.

Clare Valley

Riverland

BAROSSA

Eden Valley

ADELAIDE

ADELAIDE HILLS

McLaren Valley

Grampians
& Pyrenees

Langhorne Creek

Coonawarra

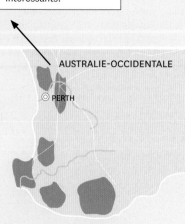

AUSTRALIE-OCCIDENTALE

PERTH

MARGARET RIVER

En Australie Occidentale, les meilleurs cabernets et assemblages bordelais de Margaret River ont déjà prouvé leur aptitude au vieillissement.

L'Australie couvre trois fuseaux horaires et un peu plus de 30 parallèles. Imaginez la diversité de climats et microclimats! Entre les rieslings vifs et tranchants de Clare et d'Eden Valley, les somptueux sémillons de la Hunter Valley, les shiraz aussi intenses que plantureux de la vallée de Barossa, les pinots noirs frais et délicats de la Tasmanie, les cabernets racés de Coonawarra, les syrahs pures, vibrantes et parfumées de Geelong et de Yarra et les assemblages bordelais de facture classique et élégante de Margaret River, l'Australie a un monde de possibilités à offrir.

Hélas, vue l'offre à la SAQ à l'automne 2018, les Québécois ne sont pas près de saisir l'immense potentiel de ce vaste pays. Parmi les quelque 200 produits répertoriés, on dénombre certes une poignée de cuvées intéressantes vendues à bon prix, mais surtout une forte proportion de vins à saveur commerciale et quelques rares vins de terroir, offerts en quantités si limitées qu'ils sont condamnés à rester confidentiels. Les remaniements des derniers mois au sein de l'équipe des acheteurs de la SAQ permettront-ils d'insuffler un vent de fraîcheur et de dynamisme à la catégorie australienne? Gardons espoir…

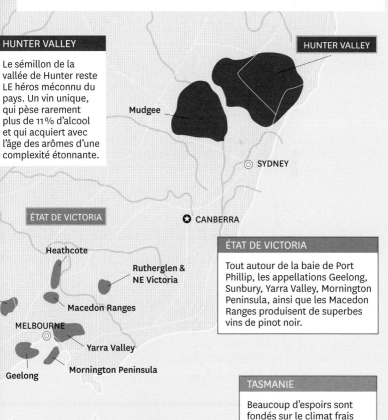

HUNTER VALLEY

Le sémillon de la vallée de Hunter reste LE héros méconnu du pays. Un vin unique, qui pèse rarement plus de 11 % d'alcool et qui acquiert avec l'âge des arômes d'une complexité étonnante.

HUNTER VALLEY

Mudgee

◎ SYDNEY

★ CANBERRA

ÉTAT DE VICTORIA

ÉTAT DE VICTORIA

Tout autour de la baie de Port Phillip, les appellations Geelong, Sunbury, Yarra Valley, Mornington Peninsula, ainsi que les Macedon Ranges produisent de superbes vins de pinot noir.

Heathcote

Rutherglen & NE Victoria

Macedon Ranges

MELBOURNE
◎

Yarra Valley

Mornington Peninsula

Geelong

TASMANIE

Beaucoup d'espoirs sont fondés sur le climat frais de Tasmanie. Les vignes de pinot noir sont encore jeunes, mais donnent déjà de très bons vins mousseux.

LAUNCESTON
◎

TASMANIE

◎ HOBART

BROKENWOOD
Semillon 2016, Hunter Valley

Cultivés sous le climat subtropical de la vallée de Hunter, les raisins de sémillon sont récoltés manuellement assez tôt en saison, fermentés en cuves d'acier inoxydable, sans bois ni transformation malolactique. En jeunesse, cela donne un joli vin, ponctué de notes d'ananas et d'écorce de citron, et doté d'une certaine structure. Correct, mais pas remarquable. L'intérêt réel de ce vin, en fait, ne se perçoit vraiment qu'après sept ou huit années de repos en cave. La texture acquiert alors une dimension tout autre et le vin déploie des parfums complexes d'épices douces, de cire d'abeille, de fumée et de fleurs séchées. Malheureusement, aussi délicieux soit-il, ce sémillon continue d'être commandé au compte-goutte par les acheteurs de la SAQ. Raison de plus pour sauter sur l'une des rares bouteilles encore disponibles dans le réseau.

10342741   23,95$ ☆☆☆→☆☆ ③ ♥

CHAPEL HILL
Verdelho 2017, McLaren Vale

Il y a quelques années, j'avais assisté à une dégustation de vins australiens à Chicago. Ma révélation : des blancs issus de verdelho, un cépage portugais, arrivé en Australie via l'île de Madère, dans les années 1820. Sans être le plus intéressant des verdelhos australiens que j'aie goûté, celui de Chapel Hill s'avère assez original et offre un volume appréciable en bouche. À boire en jeunesse.

13503686   19,95$ ☆☆☆ ①

CHAPOUTIER, M.
Tournon Mathilda Chapoutier 2015, Victoria

Le Rhodanien Michel Chapoutier propose une interprétation australienne de la marsanne et du viognier, deux cépages dont il connaît déjà bien les secrets. Un peu austère et déconcertant aux premiers abords, avec ses parfums de gelée de pétrole qui évoquent davantage le riesling, ce vin gagne en profondeur à l'aération. Pas très vif, mais il compense par sa structure en bouche solide, qui laisse en finale une sensation rassasiante de fraîcheur. Un blanc très original dont les bons goûts de fruits jaunes persistent en bouche. Très bon rapport qualité-prix.

12569157   19,60$ ☆☆☆ ½ ② ♥ ⏚

SOUMAH
Savarro 2016, Yarra Valley

Ce vin blanc composé à 100 % de savagnin – cépage du Jura, en France – provient d'un vignoble en terrasse, sur les
collines de Warramate. Le district de
Soumah, dans la vallée de Yarra, donne
aussi son nom à ce domaine de création récente. Pour la petite histoire,
le savagnin aurait été introduit par erreur en Australie et vendu comme
de l'albariño, un cépage espagnol. Inutile toutefois de chercher dans ce
blanc le caractère d'un vin jurassien. On appréciera plutôt son volume
en bouche, sa vinosité doublée d'une agréable tenue et ses goûts de
fruits bien mûrs. Un très bon blanc à servir frais,
mais pas froid, autour de 10-12 °C.

13529624   23,95 $ ☆☆☆ ½ ②

9 343583 000007

YALUMBA
Viognier 2017, The Y Series, South Australia

Yalumba a été l'un des premiers établissements vinicoles d'Australie à
planter du viognier, en 1980. Louisa Rose, œnologue en chef de l'entreprise depuis 2006, l'utilise aujourd'hui dans huit cuvées. Sa maîtrise de
ce cépage du Rhône se manifeste aussi dans le viognier d'entrée de
gamme de Yalumba. Un blanc délicieusement parfumé, mais très sec et
pourvu d'une bonne tenue. Une saine amertume met le fruit en relief et
apporte une dimension plutôt rare dans les blancs
vendus à moins de 15 $.

11133811   14,25 $ ☆☆☆ ½ ① ♥

9 311789 475974

ALPHA BOX & DICE
Tarot 2016, McLaren Vale

Au premier regard et au premier nez, on comprend vite que ce rouge issu à 100% de grenache n'a rien d'un monstre de puissance. La couleur ressemble plus à celle d'un pinot noir et le nez, bien que gorgé de fruit mûr, s'avère plutôt subtil. Et la bouche suit: délicate, souple et gourmande, mais sans débordement, tout en réserve et en nuances. Une très très belle découverte. Si seulement la SAQ importait plus de vins australiens de ce genre...

13491081   21,95$ ★★★★ ② ♥

CHAPOUTIER, M.
Shiraz 2015, Tournon Mathilda, Victoria

Michel Chapoutier a trouvé dans le secteur de Victoria, au sud-est de l'Australie, un terroir propice à l'élaboration d'un shiraz avant tout caractérisé par la vitalité et la pureté du fruit. Un peu bonbon certes, avec ses goûts de framboise confite, mais vigoureux, serré et bien fait sur un mode modeste. À boire d'ici 2020.

12569157   19,60$ ★★★ ②

CHROMY, JOSEF
Pinot noir 2015, Pepik, Tasmania

Josef Chromy est l'un des trois plus importants producteurs de Tasmanie. De son vignoble situé près de Launceston, il tire entre autres ce bon pinot «de base», dont les reflets orangés et le nez de fraises compotées annoncent un vin déjà un peu oxydé, ce qui contraste avec les odeurs de réduction. Du reste, un bon vin souple et soyeux, un peu léger et creux en milieu de bouche, mais agréable à boire.

12568007   23,45$ ★★★ ②

KILIKANOON
Mulga GSM 2016, Australia

La richesse odorante de ce GSM (grenache-syrah-mourvèdre) avait de quoi faire craindre un vin collant et capiteux, d'autant plus qu'il a été dégusté au plus fort de la canicule de l'été 2018. J'ai donc été agréablement surprise par sa retenue et son caractère digeste. Un peu court en finale, mais bien ficelé et rassasiant, à condition d'être servi autour de 15 °C.

13385317   19$ ★★★ ②

THE LACKEY
Shiraz 2016, Australia

On est vite séduit par le nez de ce shiraz, auquel une pointe de menthe apporte d'emblée une agréable fraîcheur aromatique. La bouche suit dans la même lignée et défait le mythe du gros-rouge-australien-qui-tache, avec son attaque plutôt juteuse, nerveuse et croquante. Longueur tout à fait correcte. Bon rapport qualité-prix.

10959725   18$ ★★★ ½ ② ♥

9 329666 020995

YALUMBA
Grenache 2016, Old bush vine, Barossa Valley

La couleur très pâle fait penser à un pinot noir, mais le vin est gourmand, suave, mûr et potelé comme seul peut l'être le grenache. Chaleureux et pourtant si frais, malgré ses 14% d'alcool. Pour sa qualité d'ensemble et pour sa constance sans faille depuis une douzaine d'années (au moins!), il mérite bien quatre étoiles.

902353   19,90$ ★★★★ ② ♥

9 311789 081847

YALUMBA
Shiraz 2017, Organic, South Australia

Cette syrah d'entrée de gamme de Yalumba ne prétend à aucune complexité, mais donnera du plaisir à l'amateur de rouge gourmand. L'attaque est nerveuse, animée d'un léger reste de gaz et enrobée d'une chair fruitée généreuse aux parfums de confiture de framboise. Simple, mais efficace et très accessible.

12990531   17,50$ ★★★ ½ ②

9 311789 001692

YALUMBA
The Strapper 2015, Grenache-Shiraz-Mataro, Barossa Valley

Mataro: mourvèdre. Un assemblage GSM tout ce qu'il y a de plus classique par sa générosité, sa rondeur tannique qui tapisse la bouche d'une chair mûre et gourmande et sa profusion de goûts de petits fruits compotés. Rassasiant, mais sans lourdeur.

12505866   20$ ★★★ ½ ♥

9 311789 003023

HÉMISPHÈRE SUD
NOUVELLE-ZÉLANDE

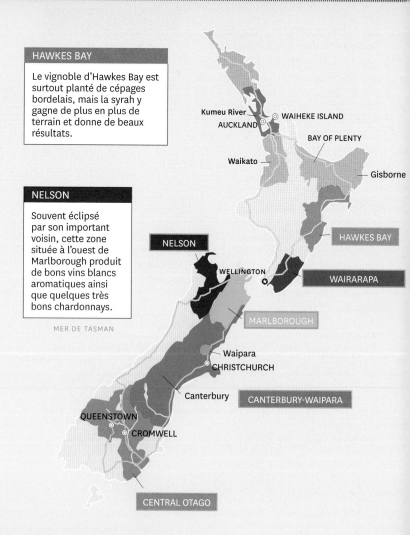

HAWKES BAY

Le vignoble d'Hawkes Bay est surtout planté de cépages bordelais, mais la syrah y gagne de plus en plus de terrain et donne de beaux résultats.

NELSON

Souvent éclipsé par son important voisin, cette zone située à l'ouest de Marlborough produit de bons vins blancs aromatiques ainsi que quelques très bons chardonnays.

MER DE TASMAN

Kumeu River
WAIHEKE ISLAND
AUCKLAND
BAY OF PLENTY
Waikato
Gisborne

NELSON
HAWKES BAY
WELLINGTON
WAIRARAPA

MARLBOROUGH

Waipara
CHRISTCHURCH
Canterbury
CANTERBURY-WAIPARA

QUEENSTOWN
CROMWELL

CENTRAL OTAGO

OCÉAN PACIFIQUE

Avec son dynamisme et la qualité générale de ses vins, la Nouvelle-Zélande pourrait servir de modèle de développement à bien des régions viticoles. Il y a une vingtaine d'années, les *leaders* de cette industrie émergente ont fait le pari du moyen et du haut de gamme, plutôt que de tenter de rivaliser avec les autres pays du Nouveau Monde sur le front du bas de gamme des grands volumes. Le temps leur aura donné raison : l'économie viticole de la Nouvelle-Zélande se porte très bien – beaucoup mieux que celle de son voisin australien – et le vignoble poursuit son développement lentement, mais sûrement.

Le sauvignon blanc, cépage qui a fait connaître la vocation viticole du pays dans les années 1980, couvrait environ 59 % des 37 129 hectares plantés en 2017, mais la production néo-zélandaise est loin de se limiter à ces vins blancs nerveux et très parfumés. Les pinots noirs de Central Otago ont plus de profondeur et d'élégance qu'il y a dix ans, tout comme ceux de Martinborough et de North Canterbury-Waipara. Cette dernière région produit aussi de sensationnels chardonnays et rieslings – ceux de Black Hill, de Pyramid Valley et de Bellbird Spring sont offerts en importation privée. Enfin, bien que les vins de certaines régions de l'île du Nord aient un profil plus robuste et généreux, le vignoble néo-zélandais, dans son ensemble, est résolument tourné vers la fraîcheur et dédié à l'expression d'un terroir encore jeune, mais infiniment prometteur.

WAIRARAPA – MARTINBOROUGH

Wairarapa, au sud-est de l'île du Nord, est la source de bons pinots noirs, principalement ceux produits dans le secteur prestigieux de Martinborough.

MARLBOROUGH

Cette vaste région, source des deux tiers de la production nationale, n'a rien d'un ensemble monolithique. Le sauvignon blanc d'Awatere est habituellement plus racé et structuré, celui de la sous-région de Wairau, plus rond et fruité. Le pinot noir a plutôt trouvé son bonheur dans les Southern Valleys.

CANTERBURY-WAIPARA

Autour de Christchurch, la région de North Canterbury–Waipara peut donner des pinots noirs fins et veloutés, des chardonnays tendus et racés, ainsi que de très bons rieslings.

ASTROLABE
Sauvignon blanc 2017, Marlborough

Simon Waghorn élabore ce très bon sauvignon blanc issu de trois différentes sous-régions de Marlborough: la vallée de Wairau, la vallée de l'Awatere et la côte de Kekerengu. Waghorn est par ailleurs un *leader* quant à l'exploration des terroirs de cette dernière sous-région, située à l'extrémité nord-est de l'île du Sud. En 2017, cela donne un vin au profil exubérant, bien marqué par les parfums tropicaux du cépage, avec en trame de fond des notes d'écorce de pamplemousse, d'asperges et de thé vert. Servir frais avec un céviche de poisson relevé d'un trait de lime.

12143535   23,80$ ☆☆☆ ½ ②

9 421019 370020

CHURTON
Sauvignon blanc 2017, Marlborough

Question de goût peut-être, mais ce délicieux vin blanc me donne l'impression de gagner en précision chaque année. À l'aveugle, on serait porté à situer le 2017 à mi-chemin entre Chablis et Sancerre. Les parfums se laissent deviner, plutôt que de vous assaillir le nez; fins et subtils, entre la goyave et le thé wulong, le citron et le poivre blanc. Un vin de terroir, plus qu'un vin de cépage, avec ce que cela implique de minéralité et de structure. Long, complexe, irrésistible. Vraiment, le sauvignon blanc de Sam et Mandy Weaver continue d'être un cas d'exception dans Marlborough. Pour cette raison, une note presque parfaite.

10750091   23,90$ ☆☆☆☆ ½ ② ♥

9 421022 330615

CLOS HENRI
Sauvignon blanc 2016, Petit Clos, Marlborough

Une fois de plus en 2016, le vin de la famille Bourgeois de Sancerre s'ouvre sur des parfums de pierre à fusil et de cire d'abeille qui nous éloignent du registre habituel de Marlborough. Léger, doté d'une fougue juvénile irrésistible et très soutenue en bouche; acidulé, sans être trop tranchant. Un excellent sauvignon, plus profond que la moyenne régionale.

11459896   20$ ☆☆☆☆ ② ♥

3 365910 710508

CLOUDY BAY
Sauvignon blanc 2017, Marlborough

Ce vignoble appartient au groupe français LVMH. Les amateurs de ce grand classique néo-zélandais retrouveront dans ce 2017 le caractère flamboyant du sauvignon blanc dans sa prime jeunesse. Sec, vif et tout de même doté d'une texture ample et rassasiante. Rien de dépaysant, mais très bien exécuté, encore que le prix fasse un peu sourciller.

10954078 34,75$ ☆☆☆ ½ ②

KIM CRAWFORD
Sauvignon blanc 2017, Marlborough

Moins racoleur et caricatural qu'il ne l'a déjà été, le plus connu des sauvignons blancs du monde revêt un caractère plus droit depuis quelques années. Sec, acidulé et riche en parfums tropicaux.

10327701 19,95$ ☆☆ ½ ①

PETER YEALANDS
Sauvignon blanc 2017, Reserve, Marlborough

Cette vaste propriété de Marlborough se dit très engagée dans le développement durable. Les vins n'ont toutefois pas la certification biologique. Au nez, ce 2017 contraste avec les autres sauvignons blancs dégustés en juillet 2018, en préparation du *Guide*. Moins tropical, davantage marqué par des odeurs végétales qui évoquent le piment jalapeño et le gazon frais coupé. Nerveux, tranchant et plutôt simple, mais honnête.

13576623 18,95$ ☆☆☆ ①

VILLA MARIA ESTATE
Sauvignon blanc 2017, Private Bin, Marlborough

De prime abord, un nez peu flatteur aux relents sulfureux. Après une aération de 30 minutes, l'asperge et le pamplemousse se laissent deviner, mais l'ensemble reste réducteur. Sans détour et dessiné dans un style clairement commercial, mais efficace pour qui aime le genre.

11974951 17,60$ ☆☆ ½ ① ⚗

WHITE CLIFF
Sauvignon blanc 2017, Winemaker's Selection, Marlborough

L'archétype du sauvignon néo-zélandais avec sa vigueur et ses senteurs d'agrumes et de fruits de la passion. Alors que d'autres sauvignons de cette gamme de prix tombent dans la caricature, ce vin est sec, acidulé et parfumé, sans être racoleur. Un bon achat au rayon de la Nouvelle-Zélande.

13639971 14,95 $ ☆☆☆ ①

BELLBIRD SPRING

Pinot noir 2016 Pruner's Reward, Waipara Valley – North Canterbury

Ce pinot noir néo-zélandais rencontre toutes les attentes à moins de 25$. Des goûts purs de fruits noirs, une attaque en bouche souple et juteuse, une saine acidité et une juste dose de tanins, qui accentuent la fraîcheur ressentie en finale. Savoureux!

13497052   24,25$ ★★★ ½ ②

CHURTON

Pinot noir 2015, Marlborough

Un an plus tard, ce 2015 déjà commenté l'an dernier dans *Le guide du vin 2018* est, sans surprise, encore un peu plus près de la terre, un peu plus loin du fruit. Un tissu tannique bien présent, mais fin et soyeux, qui déroule en bouche des arômes de sous-bois et de terreau humide, avec au centre, un cœur fruité mûr et croquant. Nettement plus charnu et étoffé que la moyenne de Marlborough. Nul doute, il continuera de gagner en nuances au cours des cinq ou six prochaines années.

10383447   35,50$ ★★★★ ②

CLOS HENRI

Pinot noir 2015, Bel Echo, Marlborough

Produit sur les sols de greywacke de Marlborough, contrairement au sauvignon blanc du Petit Clos, qui provient de sols d'argile, un bon pinot souple et leste en attaque, dans lequel la framboise compotée se mêle aux épices et aux notes herbacées, apportant une fraîcheur aromatique. La finale est élégante, encadrée de tanins serrés et le vin fait preuve d'une bonne longueur.

13581326   26,95$ ★★★ ½ ②

KIM CRAWFORD

Pinot noir 2014, Rise & Shine, Small Parcels, Marlborough

Bon vin commercial habilement confectionné dont le nez de cola traduit un apport boisé. Attaque en bouche ronde, juteuse, gourmande et gorgée de fruits rouges confits. Commenté ci-après, le pinot entrée de gamme de la même marque est, à mon sens, plus avantageux.

13425868   30$ ★★ ½ ②

KIM CRAWFORD
Pinot noir 2016, New Zealand

Misant à fond sur l'opulence fruitée caractéristique du pinot néo-zélandais, un bon vin souple, frais et riche en parfums de fruits noirs. Simple, mais tout à fait correct.

10754244   20,35$ ★★ ½ ②

MISSION ESTATE
Pinot noir 2016, Marlborough

Créé en 1851 dans Hawkes Bay, le plus ancien domaine viticole de Nouvelle-Zélande encore en activité appartient toujours à la Society of Mary. La congrégation catholique possède aussi des vignobles à Marlborough, où elle produit un pinot noir dont la couleur foncée et le nez de poivre et de fruits noirs évoquent la syrah. De longues macérations préférmentaires ont permis d'extraire de la couleur, des tanins et de riches goûts de fruits, mais le vin accuse un certain creux en milieu de bouche et tombe court en finale. Gourmand et généreux, à défaut de complexité.

13618352   21,35$ ★★★ ②

SERESIN
Pinot noir 2016, Momo, Marlborough

Sur les sols argileux de Marlborough, Michael Seresin produit ce bon rouge souple, qui mise à fond sur le naturel fruité du cépage bourguignon. Nez discret, bouche charnue, avec une extraction tannique plus marquée que dans le 2015, commenté l'an dernier, qui lui confère un fini asséchant. Pas spécialement long, mais ample et juteux.

11584638   22,65$ ★★★ ②

HEMISPHERE SUD
AFRIQUE DU SUD

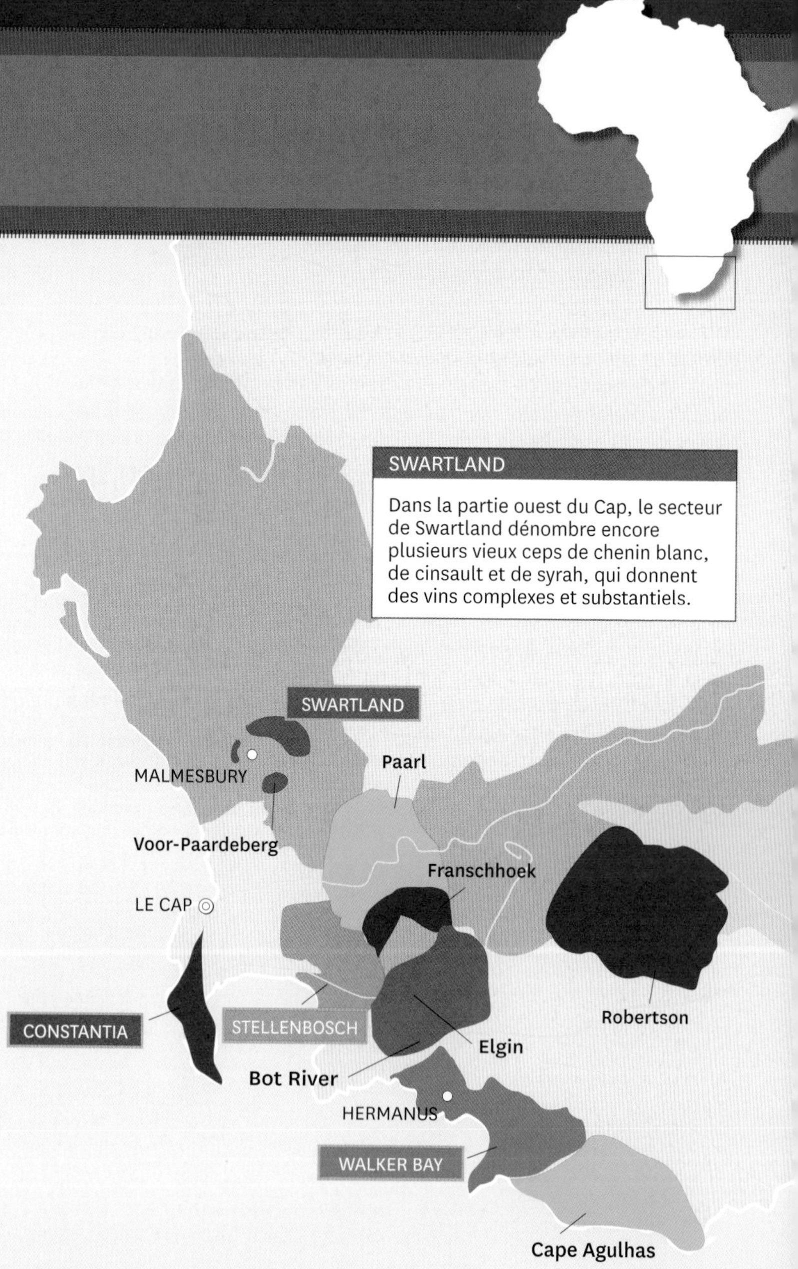

SWARTLAND

Dans la partie ouest du Cap, le secteur de Swartland dénombre encore plusieurs vieux ceps de chenin blanc, de cinsault et de syrah, qui donnent des vins complexes et substantiels.

SWARTLAND

MALMESBURY

Paarl

Voor-Paardeberg

Franschhoek

LE CAP

CONSTANTIA

STELLENBOSCH

Robertson

Elgin

Bot River

HERMANUS

WALKER BAY

Cape Agulhas

L'activité viticole de l'Afrique du Sud affiche un dynamisme presque juvénile malgré ses trois siècles et demi d'histoire. Développé dès 1660 avec l'arrivée des premiers colons hollandais, mais tenu à l'écart des innovations technologiques pendant une partie du régime de l'apartheid, ce vignoble réparti de part et d'autre de la ville du Cap, à l'extrémité méridionale du continent africain, a fait du surplace pendant que ceux d'Europe et du reste du monde entraient dans l'ère moderne. Depuis 1990 cependant, le retard s'est rattrapé à grande vitesse. Là-bas, bien enracinée dans les sols les plus anciens de la planète, la vigne couvre maintenant une peu moins de 100 000 hectares, l'équivalent du vignoble bordelais.

Longtemps méconnus chez nous en raison de l'étroitesse de la gamme offerte, les vins sud-africains semblent avoir conquis nombre d'amateurs de vins de terroir depuis quelques années. Particulièrement ceux de la région de Swartland, où l'on trouve de très vieilles vignes (chenin, cinsault, grenache) non irriguées. Les curieux voudront d'ailleurs suivre de près The Old Vines Project, une initiative sud-africaine de conservation de vieux vignobles, qui s'étend maintenant jusqu'en Europe. Parce qu'avec le vin, l'avenir est souvent dans le passé…

STELLENBOSCH ET PAARL

Les cépages bordelais se sont plutôt bien adaptés aux climats de Stellenbosch et de Paarl, les deux plus importantes régions productrices du Cap. On trouve aussi sur le marché de bons exemples de chenins vifs, structurés et aptes à vieillir.

LE SAVIEZ-VOUS?

La température de l'eau sur la côte ouest du Cap oscille entre 8 et 10 °C, notamment en raison du courant froid de Benguela, qui circule vers le nord, depuis l'Antarctique. L'effet de refroidissement des brises océaniques sur les vignobles a été scientifiquement étudié et vérifié.

WALKER BAY ET BOT RIVER

Au nord-ouest de la petite ville d'Hermanus, les secteurs frais de Bot River et de Elgin produisent de très bons vins blancs de chenin et de sauvignon.

OCÉAN INDIEN

BADENHORST, A. A.
Chenin blanc 2017, Secateurs, Swartland

Une autre réussite incontestable pour le «petit chenin» d'Adi Badenhorst. Il est rare de trouver dans cette gamme de prix, des blancs qui offrent autant de tenue, de relief aromatique et de longueur. Plus mûr et concentré en 2017, mais toujours aussi plein de vitalité. Si vous n'êtes toujours pas convaincu de la qualité de ce chenin, versez le contenu de la bouteille dans une carafe et laissez-le reposer quelques heures au frigo. Un délice à apprécier en toute saison.

12135092   17,70$ ☆☆☆☆ ② ♥ ⚱

BEAUMONT
Chenin blanc 2018, Bot River, Walker Bay

Hyper jeune et pourtant déjà si bien formé, si complet. Tenue, acidité et fraîcheur; attaque en bouche saline, suivie de goûts ultra purs de citron bien mûr, de thé vert, de fleurs blanches et d'amandes fraîches. Cette année encore, un vin au grand coefficient de buvabilité, qu'on voudra servir plutôt frais que froid, avec une salade de concombre, des asperges, des sushis ou encore à l'apéro, sans autre accompagnement qu'une bonne compagnie.

13225840   19,05$ ☆☆☆☆ ② ♥

BELLINGHAM
Chenin blanc 2016, Bernard Series, Coastal Region

Ce vin est le fruit d'un assemblage de raisins de vignes de chenin blanc de plus de 45 ans provenant de différents terroirs du Cap: Darling, Swartland et Somerset West. De l'aveu de l'œnologue, le premier lui confère sa chair fruitée, le second, sa structure et le troisième, sa fraîcheur. Le 2016 embaume les fruits tropicaux, sur un fond de miel, de craie et d'épices en finale. Beaucoup plus mûr et parfumé que la moyenne des chenins sud-africains et d'une excellente longueur. Surveillez de près l'arrivée du prochain millésime en décembre 2018.

11154911   26$ ☆☆☆☆ ② ▼

DOUGLAS GREEN
Chenin blanc 2017, Western Cape

À prix d'aubaine, ce blanc qui s'ouvre sur des odeurs invitantes de poire s'avère tout aussi séduisant en bouche avec son volume, qu'apporte un travail des lies. Recommandable à moins de 10$.

12698872   9,80$ ☆☆ ½ ①

MAN VINTNERS
Chenin blanc 2017, Free Run Steen, Coastal Region

Ce chenin connaît un grand succès commercial chez nos voisins du Sud. Encore très jeune, le 2017 présente des relents sulfureux qui masquent le fruit. Du reste, le vin est chaptalisé avec du moût de raisin concentré, d'où la sensation de richesse en bouche. Satisfaisant dans un genre commercial.

13090578   17,05$ ☆☆ ½ ①

MULDERBOSCH
Chenin blanc 2017, Steen Op Hout, Stellenbosch

À la faveur d'un millésime chaud et très sec dans toute la région du Cap, ce blanc s'avère particulièrement mûr en 2017. Vinifié à 90% en cuves d'acier inoxydable, il offre une expression pure du chenin; sec, salin, juste assez gras et de bons goûts de poire pochée. Très recommandable.

12576921   17,95$ ☆☆☆ ½ ② ♥

MULLINEUX
Chenin blanc 2017, Kloof Street, Old Vine, Swartland

Difficile d'éviter la comparaison avec un vin d'Anjou, en goûtant cet excellent 2017, issu de trois parcelles dans Swartland. La première est située sur les sols de schiste et d'ardoise de Kasteelberg, les deux autres sont non irriguées et plantées de vignes de chenin de plus de 40 ans taillées en gobelet, sur les sols de granite décomposé de Paardeberg, qui donnent habituellement des vins plus fins et frais. Le tout est vinifié avec un apport minimal en soufre, fermenté et élevé à hauteur de 15% dans de vieux fûts de chêne français, pour enrichir sa texture. Beaucoup de matière, de volume et de vie dans ce blanc qui gagnera à respirer en carafe et à être apprécié à table, accompagné d'un poisson à chair grasse, comme de la morue. Chaque bouteille ouverte le confirme: Andrea et Chris Mullineux sont vraiment d'excellents vignerons…

12889409   22,45$ ☆☆☆☆ ② ♥ △

ROBERTSON WINERY
Chenin blanc 2017, Robertson

Autrefois très recommandable, ce chenin blanc me semble sur le déclin depuis cinq ans. Le 2017 sent le soufre à plein nez, sur un fond de parfums fermentaires qui rappellent le sucre d'orge et la banane verte. Vif, mince et végétal.

10754228   9,60$ ☆ ½ ①

BADENHORST, A. A.
The Curator White 2017, Swartland

Adi Badenhorst excelle dans l'art de façonner des vins à forte personnalité, dans toutes les gammes de prix. Son Curator blanc – assemblage de chenin, de chardonnay et de viognier – en est une autre preuve. Sec et original, avec des arômes de fruits blancs et jaunes, de pâte d'amande et de pomme, et d'une longueur impeccable pour le prix. Difficile de demander mieux.

12889126   13$ ☆☆☆ ½ ① ♥

6 009800 591378

BADENHORST, A. A.
White blend 2015, Coastal Region

Chenin blanc, roussanne, verdelho, clairette, grenaches blanc et gris, marsanne, viognier, sémillon et palomino composent l'assemblage plutôt inusité de ce vin. Aux premiers abords, le nez est discret. Puis, à l'aération se déploie un éventail de parfums d'herbes fraîches, de pêche et de fumée. La bouche est mûre, tant en saveurs qu'en texture, pleine de relief, chaleureuse et soulignée d'une acidité plutôt faible, sans que le vin ne manque de vigueur ni de tonus. Vraiment un blanc hyper complexe, dont la finale presque salée évoque la pâte miso, la salicorne et la pâte d'amande. Les bouteilles de 2015 se faisaient de plus en plus rares au moment d'écrire ces lignes. Surveillez de près l'arrivée du 2016 dans les prochains mois.

12532514   41,25$ ☆☆☆☆ ½ ② ▼

0 899109 002011

BOEKENHOUTSKLOOF
Sauvignon blanc 2017, Porcupine Ridge, Western Cape

Mark Kent signe ici un bon blanc fidèle à son cépage, mais pas caricatural. Sec et léger, sans être maigre, très droit en bouche, avec de bons goûts de zeste de citron et de pamplemousse. Dans cette gamme de prix, les expressions subtiles du sauvignon ne sont pas légion...

592881   15$ ☆☆☆ ①

0 746925 000939

DE MORGENZON
Chardonnay 2017, DMZ, Western Cape

Ce chardonnay a un caractère proche de certains petits chablis avec ses accents fumés qui rappellent la pierre à fusil. Pas de fermentation malolactique, on vise ainsi une expression clairement plus axée sur le fruit et la vigueur, que le gras. Vif et tranchant, un peu réduit au nez, mais bien net en bouche.

12986621   17,50$ ☆☆☆ ① ⚗

6 009820 750212

FORRESTER, KEN
Roussanne 2016, Stellenbosch

Sans être le plus profond des vins blancs du Cap, cette roussanne élaborée par Ken Forrester a beaucoup de caractère et de distinction. Un élevage en fûts de 600 litres ajoute du volume, sans dénaturer le fruit; la texture est riche et bien enrobée, avec un petit côté presque tannique. Le vin idéal pour découvrir tout le potentiel de la roussanne, cépage de la vallée du Rhône.

13299945   23,55$ ☆☆☆☆ ② ♥

HAMILTON RUSSELL
Chardonnay 2016, Hemel-en-Aarde

Bien installé dans la vallée de Hemel-en-Aarde, à une centaine de kilomètres à l'est du Cap, Anthony Hamilton Russell élabore des vins racés qui allient la fermeté et le profil parfois austère des vins européens et la générosité des vins du Nouveau Monde. Son chardonnay 2016 joue habilement sur les deux tableaux, avec une attaque nerveuse et minérale, un milieu de bouche ample et plantureux et une finale élégamment boisée qui laisse le fruit s'exprimer avec nuance. Beaucoup de tenue et de longueur dans ce chardonnay très sérieux qui vaut pleinement son prix. À boire sans se presser jusqu'en 2025.

11662270   41,25$ ☆☆☆☆ ②

LE BONHEUR
Chardonnay 2017, Western Cape

Encore un autre chardonnay élevé en barriques, très coloré, au boisé-vanillé très prononcé, tant en bouche qu'au nez. Le tout manque de finesse et de nuances aromatiques et tombe à plat en finale. Bien vu pour le bois, mais où est le fruit?

710780   15,60$ ☆☆ ½ ①

NEWTON JOHNSON
Chardonnay 2017, Felicité, Western Cape

Ce chardonnay vinifié en cuves d'acier inoxydable est produit par une cave familiale, perchée dans les hauteurs de Hermanus. L'attaque en bouche est nerveuse, animée d'un reste de gaz qui ne nuit en rien à sa qualité, mais qui apporte un supplément de vitalité et donne de l'élan à ses goûts de poire et de citron. Sec et digeste, il gagnera à respirer une demi-heure.

12889724   16,55$ ☆☆☆ ½ ② △

BADENHORST, A. A.
The Curator Red Blend 2017, Coastal Region

Sans doute en raison des conditions météo – l'été 2017 a été particulièrement chaud et aride dans la région du Cap –, ce vin composé de syrah, de mourvèdre, de pinotage et de cinsault s'avère plus étoffé et aussi un peu plus généreux cette année, déployant les parfums de fruits noirs et de viande fumée de la syrah, ainsi que les notes épicées du pinotage. La bouche, juteuse et gourmande en attaque, porte aussi la fermeté et les goûts de mûres du mourvèdre. Un bon vin de tous les jours qu'on gagnera à réfrigérer et à laisser respirer une petite demi-heure avant de le servir.

12819435   13$ ★★★ ½ ① ♥ ⚗

BOEKENHOUTSKLOOF
Syrah 2016, Vinologist, Swartland

En plongeant le nez dans le verre, on comprend vite que ce vin est plus sérieux que son prix ne le suggère. Les parfums de violette, de poivre et d'olive noire, caractéristiques de la syrah, s'expriment avec pureté, sans le moindre maquillage boisé. L'attaque en bouche est mûre, gourmande et caressante; le vin offre une matière ample et veloutée, tout en conservant une fraîcheur ô combien appréciable par une journée chaude d'été.

13586784   12,95$ ★★★ ② ♥

BOEKENHOUTSKLOOF
Syrah 2017, Porcupine Ridge, Swartland

Ce domaine de Franschhoek est tenu par l'œnologue Mark Kent, qui en assure le succès depuis plus de vingt ans et signe des vins de plus en plus précis. Cette année encore, je ne saurais assez vous recommander de faire provision de cette syrah. Une preuve supplémentaire de l'immense rapport qualité-prix-plaisir que peuvent offrir les vins de la région de Swartland. Tout en finesse et en suavité, les saveurs affriolantes de mûres, de fleurs et de poivre reposent sur des tanins veloutés et forment un ensemble harmonieux. Miam!

10678510   16,50$ ★★★★ ② ♥

BOEKENHOUTSKLOOF
The Wolftrap red 2017, Western Cape

Assemblage de syrah, de mourvèdre et de viognier. Dans la même veine que la syrah Porcupine, avec des accents fumés et un peu plus de cadre tannique. Solide, mais non moins gourmand et séduisant. À ce prix, on achète les yeux fermés.
10678464   13,95$ ★★★ ½ ② ♥

LAMMERSHOEK
Pinotage 2015, The Innocent, Swartland

Ce domaine de la vallée d'Aprilskloof a été acquis en 2013 par un trio d'hommes d'affaires allemands, dont l'ex-footballeur et entraîneur Franz Beckenbauer. L'œnologue française Pauline Roux a pris les commandes du chai en 2016 et signe, entre autres, ce très bon pinotage, élaboré en cuves de béton ouvertes. Le tiers de la vendange est éraflé, le reste est vinifié avec les grappes entières selon la méthode beaujolaise (semi-carbonique). Un bel exemple de pinotage «de soif», misant sur l'expression pure du fruit, plutôt que sur l'extraction tannique.
13668392   19,95$ ★★★ ½ ② ♥

NEWTON JOHNSON
Pinot noir 2016, Félicité, Cape South Coast

Très réussi dans les millésimes 2013 et 2015, ce pinot me laisse un peu sur ma soif cette année. Non pas que le vin soit raté, mais les saveurs sont un peu moins précises et le vin accuse un léger creux en milieu de bouche, une certaine maigreur. Cela dit, à moins de 20$, on a dans son verre un pinot léger, délicat et suffisamment riche en fruit pour être recommandable.
12556321   19,35$ ★★★ ②

SPIER
Shiraz 2017, Western Cape

Je ne connaissais pas les vins de cette maison historique dont la création remonte à… 1692! Une découverte d'autant plus agréable que ce vin est abordable. Un peu à mi-chemin entre l'Europe et le Nouveau Monde, en termes de style, le 2017 a le nez d'une syrah (très frais) et la bouche d'un shiraz (plus musclée). La chair fruitée et la charpente tannique font corps et le vin procure un plaisir simple, mais sincère. Très bon rapport qualité-prix.
10679221   13,60$ ★★★ ② ♥

BADENHORST, A. A.
Secateurs Red blend 2015, Swartland

De toute évidence, les vignes de syrah, de cinsault et de grenache n'ont pas eu de problème d'ensoleillement en 2015. Le Sécateur rouge est gourmand, nourri de riches saveurs de fruits mûrs et cousu de tanins dodus. Beaucoup de mâche et de relief pour moins de 20$ et une longue finale parfumée. Le bonheur pour pas cher!

12132633   19,50$ ★★★★ ② ♥

BOEKENHOUTSKLOOF
The Chocolate Block 2016, Swartland

La totalité des raisins provient maintenant de Swartland, un secteur très prisé pour la culture de cépages rhodaniens. La sécheresse de l'année 2016 a favorisé la concentration des baies et donné un vin intense et compact, mais harmonieux. Les tanins sont veloutés, l'attaque en bouche est gourmande, joufflue et rassasiante, et le vin s'avère aussi large que long, portant en finale du fruit, de la réglisse, des épices indiennes et des accents de garrigue. Déjà savoureux et apte à se bonifier d'ici 2024.

10703412   39,10$ ★★★★ ③

CARÊME, VINCENT ET TANIA
Terre Brûlée 2015, Swartland

Vincent Carême, vigneron à Vouvray, est avant tout renommé pour ses excellents blancs de chenin, mais il produit aussi un très bon rouge charnu et riche en matière fruitée dans la région de Swartland, où il mène depuis quelques années une activité de négoce avec son épouse Tania, elle-même d'origine sud-africaine. Composé de syrah (60%) et de cinsault, le 2015 présentait de légers accents de réduction lorsque goûté en juillet 2018, mais il n'en était pas moins agréable en bouche, tissé de tanins ronds et bien compacts, avec une longue finale relevée d'épices. À boire entre 2019 et 2023.

En primeur

13738055   21,95$ ★★★ ½ ②

DE MORGENZON
Shiraz 2016, DMZ, Western Cape

Illustration typique du caractère fruité volubile de certains shiraz, ce 2016 tapisse le palais de ses tanins un peu granuleux et de ses saveurs mûres mêlant les fruits noirs, le poivre et la fumée. Il ne fait pas dans la dentelle, mais reste assez sympathique.

12786725   17,55$ ★★★ ②

DORNIER
The Pirate of Cocoa Hill 2015, Western Cape

Propriété de la famille allemande Dornier, ce domaine de Stellenbosch nous offre une autre valeur sûre avec cet assemblage de merlot, de shiraz, de cabernet franc et de cabernet sauvignon. L'an dernier, le 2015 m'avait semblé sucré. Peut-être s'agit-il d'un lot différent, mais la bouteille ouverte au courant de 2018 m'a laissé une meilleure impression. Un vin facile, mais assez charnu, nerveux et bourré de fruit.

10679361   13,95$ ★★★ ①

GLENELLY
Estate Reserve 2011, Stellenbosch

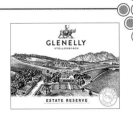

En 2003, à l'âge vénérable de 79 ans, May-Éliane de Lencquesaing, ex-propriétaire du Château Pichon Longueville Comtesse de Lalande, a acquis ce domaine historique situé dans les hauteurs de Simonsberg, à Stellenbosch. Cet assemblage de syrah, de cabernet sauvignon, de merlot et de petit verdot, maintenant âgé de plus de 7 ans, était un peu austère à l'ouverture, mais quelques minutes dans le verre suffisent pour qu'il se révèle sous un jour plus volubile. Encore solide et bien charpenté, à la fois généreux, élégant et tout en retenue, avec une finale racée aux accents de graphite. Beaucoup de vin dans le verre pour 20$!

11605785   22,15$ ★★★★ ② ♥

LE BONHEUR
Cabernet sauvignon 2015, Simonsberg-Stellenbosch

L'amateur de cabernet classique trouvera son bonheur – s'cusez-la, c'était trop facile – avec ce vin. Aucun excès vanillé ou torréfié, mais tout le bon goût d'un cabernet mûri à point, sans verser dans la confiture. Droit, franc, net et élégant, même. Prix tout à fait mérité.

710731   22,50$ ★★★ ½ ②

MULLINEUX
Kloof Street 2016, Swartland

L'assemblage du 2016 de Chris et Andrea Mullineux se distingue de celui du 2015, vendu l'an dernier, par une forte dominante de syrah (94%), complétée de cinsault et de carignan. Un vin qu'on aime d'emblée pour son profil méditerranéen, ses tanins tendres qui caressent le palais et ses saveurs vaporeuses de fruits noirs, d'anis, d'herbes séchées qui évoquent la garrigue – ou le fynbos, la végétation sauvage des régions arides du Cap. Généreux, séduisant et à la fois si élégant.

12483927   21,95$ ★★★★ ② ♥

CHAMPAGNE

Avec une production annuelle de 360 millions de bouteilles, la Champagne représente à elle seule 15 % du volume mondial des vins effervescents. Ainsi, la région a beau avoir souffert de la crise économique de 2008, plusieurs amateurs ayant délaissé le champagne pour se tourner vers les prosecco, cava et autres mousseux abordables, aucune grande maison ne semble près de déposer le bilan.

Longtemps seules dans leur bulle, les grandes marques champenoises doivent désormais jouer du coude avec les vignerons indépendants, dont les vins connaissent une popularité croissante, tant dans la restauration, qu'auprès d'une clientèle avisée, moins sensible aux arguments du marketing.

La consommation de vins effervescents n'est plus réservée exclusivement aux grandes célébrations et se taille désormais une place dans les habitudes régulières des amateurs de vin. Par conséquent, la production mondiale de champagnes et autres bulles a connu une hausse de plus de 40 % depuis une dizaine d'années! Une heureuse nouvelle, puisque aucune boisson ne permet autant d'égayer les papilles et les esprits.

LES PLUS RÉCENTS MILLÉSIMES COMMERCIALISÉS

2017
Gelées en avril. Mois d'août pluvieux qui a favorisé l'apparition de champignons et de moisissures. Les chardonnays récoltés avant les pluies seront de meilleure qualité, tout comme le pinot noir de l'Aube, apparemment épargnée par les intempéries.

2016
La Champagne a elle aussi été victime de la météo (gels, froid, pluie, grêle). L'Aube a été la plus durement touchée, mais la Marne a aussi vu sa récolte amputée du tiers. De manière générale, la qualité s'annonce meilleure pour le pinot noir que pour le chardonnay.

2015
Début de saison frais, mais période de chaleur et de sécheresse intense en juin et juillet. Les vins de pinot noir devraient être plus complets que ceux de chardonnay. Les maisons qui ont pu vendanger tôt en septembre devraient produire de très bons vins.

2014
Août sous la pluie et un mois de septembre chaud et sec. Les secteurs de la Côte des Blancs, de l'Aube, de même que la partie nord de la montagne de Reims promettent de meilleurs résultats.

2013
Autre année frappée par des épisodes de grêle dévastateurs dans l'Aube. À l'opposé de 2012, on observe un très beau potentiel pour les vins de chardonnay, mais une qualité hétérogène pour les pinots, à l'exception de ceux d'Aÿ.

2012
Un début d'été très pluvieux et des nuages de grêle ont fortement touché les vignobles du département de l'Aube. Résultat : une récolte réduite de moitié. La qualité s'annonce assez bonne pour les vins de pinot noir et de pinot meunier.

2011
Une année de températures extrêmes. Un printemps et un mois de juin plus chaud que la normale ont fait place à un été relativement frais, même froid par moments. Le choix de la date de la récolte a fait toute la différence. Quelques belles réussites dans les Grands crus.

2009
Une année de générosité a engendré des vins amples et savoureux qui devraient s'ouvrir avant les 2008. Le pinot noir de l'Aube a donné d'excellents vins. Il y a des aubaines à saisir...

2008
L'un des bons millésimes de la décennie. Un peu austère en jeunesse, mais doté d'un équilibre classique et promis à un bel avenir.

Les champagnes non millésimés (ou brut sans année – BSA) représentent plus des trois quarts des ventes annuelles de la Champagne.

BOLLINGER
Special Cuvée Brut

Ce brut non millésimé illustre bien le style Bollinger : une forte proportion de pinot noir (60%) et une majorité de vins de réserve, dont une partie est conservée en magnums pendant 5 à 15 ans, permettant ainsi une oxydation fine. La bouche est vineuse, structurée et portée par une bulle hyper fine, fruit d'un long élevage sur latte. Salinité et longueur admirable. À mon sens, c'est l'un des BSA les plus racés sur le marché.

384529   81,75$ ☆☆☆☆

CHARTOGNE-TAILLET
Cuvée Sainte Anne

Cuvée d'assemblage – chardonnay et pinot noir à parts égales, provenant de différentes parcelles sur Merfy ; millésimes 2014 (60%) et 2013 (40%) – dosée à plus ou moins 5 g/l. L'attaque est nerveuse et les saveurs très franches, mariant la pomme verte aux notes de fumée et de safran. Très sec, tendu et structuré, il offre une dimension rare pour un champagne de ce prix.

12748673   53,25$ ☆☆☆☆

GARDET
Brut Premier cru

Cette cuvée issue d'un assemblage de pinot noir et de pinot meunier demeure modeste, mais elle offre de la rondeur, des goûts nets de petits fruits rouges et une tenue appréciable pour le prix.

12398600   44$ ☆☆ ½

LALLIER
Grande Réserve Brut

Depuis son rachat par Francis Tribaut en 2004, Lallier est sur la pente ascendante. Dégorgée en janvier 2017, cette cuvée de pinot noir (65%) et de chardonnay provient exclusivement de terroirs de grands crus. Élégant et savoureux tout à la fois, il conjugue l'onctuosité et le nerf des bons champagnes de facture classique, avec un registre de saveurs oscillant entre les agrumes, le fenouil, le caramel et le pain grillé. Bonne longueur.

11374251   47,50$ ☆☆☆ ½

POL ROGER
Brut

Le brut non millésimé, qui compte pour 70% de toute la production de la maison Pol Roger, en est un très bel exemple. Les saveurs sont pures et distinguées, la bulle est tendre, fine et persistante, et le vin a une allure aérienne. Une référence, à juste titre.

51953   62,25$ ☆☆☆☆

ROEDERER
Brut Premier

Cette maison fait partie de l'élite de la Champagne. D'une constance exemplaire, le brut non millésimé mise sur une composition de deux tiers de raisins noirs, d'où sa plénitude et son caractère vineux. Saveurs riches et fraîcheur exemplaire.

268771   70$ ☆☆☆☆

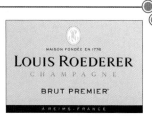

RUINART
Brut

Cette maison propose un BSA de style très classique, majoritairement composé de pinot noir et privilégiant l'élégance à la puissance. Très invitant par ses odeurs de scone et de crème anglaise; ample et généreux en milieu de bouche, mais non moins fin et gracieux par ses bulles, son acidité tranchante et sa minéralité, porteuses de fraîcheur. Belle longueur, excellent vin!

10326004   82$ ☆☆☆☆

TAITTINGER
Brut Réserve

L'élégance classique de la marque Taittinger transparaît dans cet assemblage de chardonnay (40%) de pinot noir et de pinot meunier provenant de 35 crus différents. Un registre de saveurs précises, portées par une effervescence fine, attribuable à un élevage prolongé sur lies. Racé, fin et long en bouche.

10968752   58,50$ ☆☆☆☆

VEUVE CLICQUOT
Carte Jaune

Le dosage apporte une ampleur qui a vite fait de séduire. Un succès non démenti depuis sa création en 1957. Recommandable, bien que plusieurs cuvées vendues à la SAQ offrent un rapport qualité-prix plus avantageux.

563338   71,25$ ☆☆☆

L'ajout de la liqueur de dosage – composée d'un vin âgé de plus de deux ans et de sucre de canne – détermine le type de Champagne: Brut nature ou Zéro Dosage: aucun ajout de liqueur.
Extra brut: jusqu'à 9 g/l de sucre.
Brut: jusqu'à 15 g/l de sucre.

CHARTOGNE-TAILLET
Extra Brut, Couarres Château

Composé à 100% de pinot noir de la vendange 2012, cet extra brut est dosé à hauteur d'à peine 5 g/l et s'avère pourtant plus vineux que la moyenne des champagnes. Le nez s'ouvre d'abord sur des notes de safran, mais il est en évolution constante. La bouche est ample, nourrie par un élevage en fûts de chêne qui ajoute à la tenue du pinot noir. Dégorgé en mai 2017. Excellent!

13111236   86,75$ ☆☆☆☆ ⑤

DOQUET, PASCAL
Extra Brut 2005, Premier cru Vertus

Un champagne ouvert, dont l'acidité est enrobée par une texture riche et mûre, créant un très bel équilibre naturel. Salin, iodé, légèrement biscuité et porté par une bulle hyper fine; finale savoureuse aux parfums d'amande. Aérien, profond, infiniment digeste. Le vin d'apéro par excellence: si bon, qu'il se suffit à lui même.

13142551   93$ ☆☆☆☆ ½

DOQUET, PASCAL
Extra Brut 2005, Grand cru Le Mesnil sur Oger

Riche d'une vinosité acquise au fil de 12 années d'élevage, ce vin présente un équilibre subtil et réussi entre la vivacité et les notes crayeuses du chardonnay sur la Côte des Blancs et les parfums de caramel et de noix, attribuables à un long élevage. Le vin évolue beaucoup avec l'aération; n'hésitez pas à le laisser s'ouvrir dans le verre. Les plus audacieux voudront peut-être même oser la carafe...

11787291   112,50$ ☆☆☆☆ ½ ②

DRAPPIER
Brut Nature, Pinot noir, Zéro dosage

Aucune liqueur d'expédition n'a été ajoutée à ce vin composé à 100 % de pinot noir. L'onctuosité est attribuable seulement à la maturité des raisins. Sec et bien marqué par le caractère du cépage et par une amertume sentie en finale. Très bon rapport qualité-prix ; il demeure une valeur sûre dans sa catégorie.

11127234   52,75 $ ☆☆☆

FLEURY
Brut Nature, Fleur de l'Europe

Cette année encore, la cuvée Fleur de l'Europe s'inscrit parmi mes champagnes favoris. Un exemple éloquent du sérieux de la famille Fleury, qui cultive son vignoble de la Côte des Bar en biodynamie, depuis 1989. Un vin mûr et ouvert, dont les parfums de pain grillé, de pomme jaune et d'amandes rôties exercent un charme immédiat. La bouche, à la fois structurée et aérienne, est riche d'une foule de saveurs qui vont crescendo et terminent leur parcours sur une note saline. À 66 $, c'est presque une aubaine...

12669641   66 $ ☆☆☆☆ ½ ②

GERBAIS, PIERRE
Extra Brut, Grains de Celles

Ce vin de la Côte des Bar est le fruit d'un assemblage de pinot noir (50 %), de chardonnay et de pinot blanc, cultivés de façon biologique sur les sols kimméridgiens de Celles sur Ource, au sud-est de la Champagne. Pour le reste, des fermentations spontanées, un élevage de 30 mois sur lattes et un dosage minimal livrent un vin d'une grande pureté, qui embaume les fleurs, les fruits jaunes et la menthe, laissant en finale une sensation minérale. Caractère et précision, à petit prix.

13647014   52,50 $ ☆☆☆☆ ♥

TARLANT
Zéro Brut Nature

Dans la commune d'Œuilly, la famille Tarlant exploite un vignoble de 14 hectares et signe ce brut nature dont la couleur dorée et le nez marqué de légères notes de noisettes annoncent un vin à maturité. Très sec, vif et épuré, il ne manque vraiment pas d'attraits. À commencer par son prix.

11902763   56 $ ☆☆☆ ½

Le Blanc de blancs est un vin élaboré exclusivement à partir de raisins blancs. En Champagne, le cépage blanc dominant est le chardonnay ; son terrain de prédilection est la Côte des Blancs, une zone située juste au sud d'Epernay et réputée pour ses sols calcaires.

CHARTOGNE-TAILLET
Brut Blanc de blancs 2011, Heurtebise

Issu de vignes de chardonnay d'une trentaine d'années, plantées sur des sols de calcaire et de sable. Le tout est vinifié en cuves inox avec des levures indigènes et élevé sur lies pendant cinq ans. En 2011, cela donne un vin pur et racé, au nez délicatement brioché, plus en verticalité qu'en largeur, mais d'un équilibre exemplaire. Bouche crayeuse, saline, très fine ; longue finale vaporeuse aux parfums de fumée, de pomme blette et d'épices douces. À boire sans se presser jusqu'en 2021.

12748761   76 $ ☆☆☆☆ ⑤

DELAMOTTE
Brut Blanc de blancs

Cette petite maison de Champagne située à Le Mesnil appartient à la firme Laurent-Perrier. Un vieillissement sur lattes prolongé (de quatre à cinq ans) n'est pas étranger au caractère substantiel de ce vin de chardonnay. À l'ouverture, on est vite séduit par son nez de levures et de pain brioché ; la bouche est ample et assez fidèle à l'idée d'un bon blanc de blancs.

12034321   65,25 $ ☆☆☆ ½

DOQUET, PASCAL
Brut Blanc de blancs, Cuvée Horizon

Le vignoble de la famille Doquet est conduit en agriculture biologique. Fruit d'un assemblage des récoltes 2014 (51 %), 2013 et 2012, dégorgée en octobre 2017, cette cuvée est composée exclusivement de chardonnay issu d'une parcelle plantée dans les années 1970 par le père de Pascal Doquet. La bouche est ample et le fruit est bien présent, la pomme côtoie la fraise des bois et le pain grillé. Peu dosé, très frais et bel équilibre d'ensemble. Très bon rapport qualité-prix.

11528046   59,25 $ ☆☆☆ ½ ②

DOQUET, PASCAL
Premier cru Blanc de blancs, Brut Nature, Arpège

Assemblage de vins des millésimes 2011, 2010, mis en bouteille en 2013 et dégorgé en janvier 2017. Le nez annonce un vin riche qu'on soupçonnerait d'être sucré, mais aucune liqueur de dosage n'a été ajoutée à cette cuvée. Sec, fin et délicat ; les saveurs citronnées du chardonnay se dessinent sur un fond de mie de pain et de beurre. Comme tant de champagnes, il gagne à être servi frais, mais pas frappé, autour de 8 à 10 °C.

12024253   68,50 $ ☆☆☆☆

GIMONNET, PIERRE
Cuvée Cuis Premier cru brut

Un Champagne qui met en valeur les plus beaux atouts du chardonnay et qu'il faut déguster lentement, de préférence à table, afin de l'apprécier pleinement. La bouche est fraîche et élancée, puis une richesse sousjacente se développe avec des notes d'amande et de pain grillé. Complexe, avec des arômes de poire et de noisettes, et une finale crayeuse qui ajoute à sa prestance et à sa profondeur.

11553209   65$ ☆☆☆☆

HENRIOT
Brut Blanc de blancs

Ce brut non millésimé provient essentiellement des terroirs de premiers et grands crus de la Côte des Blancs. L'assemblage compte en moyenne 30% de vins de réserve et le vin profite d'un élevage d'au moins trois ans sur lies. Ce dernier détail n'est sans doute pas étranger à la finesse de la bulle de ce champagne exquis. Un vin pur et précis, dont les saveurs de poire se dessinent sur un fond minéral qui rappelle l'odeur de la craie, le tout souligné d'une amertume noble. Harmonieux et délicieux.

10796946   79,75$ ☆☆☆☆

LASSAIGNE, JACQUES
Les Vignes de Montgueux, Blanc de blancs

Établi dans le département de l'Aube, Emmanuel Lassaigne élabore des vins fins, ciselés et précis. Sa cuvée Les Vignes de Montgueux provient de neuf parcelles différentes établies sur des sols d'argile dense et de craie. Un élevage en fûts de chêne apporte au vin de base une certaine richesse, qui enrobe son acidité mordante. Une interprétation fine, délicate et toute en fraîcheur du chardonnay; *umami* et iodé, il donne tout son sens au mot «aérien». À retenir parmi les meilleurs vins pour accompagner les huîtres.

12061311   70$ ☆☆☆☆

La Champagne représente une exception en matière d'élaboration de vin rosé. Partout ailleurs, dans les pays de l'Union européenne du moins, le rosé est issu de raisins rouges pressés délicatement afin de limiter l'extraction de couleur et de tanins. En Champagne, la plupart des rosés sont plutôt le fruit d'un assemblage de vin effervescent blanc, «coloré» par l'ajout de vin rouge.

BOLLINGER

Brut rosé

Composé d'une base de vins des millésimes 2012 et 2013, le Rosé non millésimé de Bollinger déploie au nez des parfums de fruits rouges et de menthe. Le vin se développe en bouche pour atteindre cette vinosité classique, qui est devenue la marque de la maison Bollinger. Une finale délicatement tannique ajoute à sa sapidité. Excellent rosé de Champagne.

10955741   99,25$ ★★★★

DOQUET, PASCAL

Rosé Premier cru

Vignobles conduits en biodynamie par Pascal Doquet, vigneron à Vertus. Pureté et élégance; saveurs délicates, mariant des nuances minérales et fruitées aux goûts caractéristiques de levures, rehaussés d'une fine amertume en finale. Dosé à peine 6 g/l et manifestement issu de raisins mûrs. Équilibre impeccable.

12024296   69,25$ ★★★★

DUVAL-LEROY

Brut rosé

Sous la gouverne de Carol Duval-Leroy, cette cave fondée en 1859, à Vertus, s'est hissée dans le top 10 des maisons champenoises les plus importantes. Sans avoir la profondeur des grandes cuvées du domaine, ce rosé a beaucoup de charme. Un nez d'écorce d'orange, de fraise et de brioche; une bouche onctueuse (dosée à 11 g/l), sans être dépourvue de fraîcheur. Plus fin que la moyenne des rosés et vendu à un prix tout à fait honnête.

12666117   50$ ★★★ ½

FLEURY

Rosé de Saignée, Brut

Le terme «saignée» indique que la couleur du vin relève exclusivement du contact entre le moût et les peaux des raisins de pinot noir, plutôt que d'un assemblage de chardonnay «coloré» par l'ajout de vin rouge, une pratique largement répandue en Champagne. La couleur est donc plus soutenue que la moyenne, et le vin comporte une bonne dose d'extraits secs qui laisse une texture quasi tannique en bouche. Dense, avec de savoureux goûts de fruits rouges et un équilibre exemplaire. Racé et élégant. L'un des meilleurs champagnes rosés à la SAQ, et pas le plus cher...

11010301   70$ ★★★★ ½

HENRIOT
Brut rosé

Le rosé de cette maison fondée en 1808 – aussi propriétaire de Bouchard Père & Fils et du domaine William-Fèvre en Bourgogne – demeure l'un de mes favoris. Frais, vigoureux et délicatement aromatique; du fruit et de la tenue, dans des proportions harmonieuses. À apprécier à l'apéritif ou encore à table avec un plat de canard laqué.

10839635   83,50$ ★★★★

LALLIER
Brut rosé

J'ai longtemps témoigné une certaine réserve quant aux vins de cette maison située à Aÿ, mais j'avoue avoir été charmée par la délicatesse et par la précision aromatique de ce rosé. Plus fin et distingué que par le passé; le dosage m'a aussi semblé mieux intégré. Un bon achat à ce prix.

12560881   48,75$ ★★★ ½

TAITTINGER
Brut rosé, Cuvée Prestige

Une interprétation fraîche et vive du champagne rosé, enrobée par un dosage notable. La couleur soutenue vient de l'ajout de 15% de pinot noir des terroirs d'Ambonnay et de Bouzy. La pomme blette et la cerise se dessinent avec pureté et le rendent très attrayant au nez. Peut-être un peu moins complet, à mon sens, que le Brut Réserve de la maison, mais un très bon rosé d'ampleur moyenne et de bonne longueur.

372367   85$ ★★★ ½

VEUVE CLICQUOT
Brut rosé

Le rosé de cette maison qui se passe de présentation m'a semblé moins dosé et plus élégant que par le passé. Vineux et doté d'une agréable tenue; des saveurs de fruit rouge, mais aussi de terre, de viande et de pomme verte. Très bien, mais pas donné.

10968218   87,50$ ★★★ ½

MOUSSEUX ET LES AUTRES

Le mot «Champagne» sur une étiquette désigne exclusivement un vin produit dans la région du même nom, au nord-est de Paris. En dehors de cette zone, interdit de revendiquer l'appellation «Champagne». Même le procédé de fabrication, autrefois nommé «méthode champenoise», a été rebaptisé «méthode traditionnelle».

On s'adonne à la production de vins mousseux dans presque toutes les régions viticoles françaises: Alsace, Bourgogne, Jura, etc. Même dans le sud, où le chaud climat méditerranéen laisserait planer des doutes, on obtient maintenant des vins étonnamment rafraîchissants. La région de la Loire est particulièrement douée pour l'élaboration de mousseux. Là-bas, pas de chardonnay ni de pinot noir, mais du chenin blanc, un cépage racé et singulier, qui donne des vins nerveux et vigoureux.

Les Italiens produisent depuis quelques années des *spumante* d'une finesse étonnante. Si les proseccos sont avant tout fruités et guillerets, les meilleurs franciacorta soutiendraient la comparaison avec certains champagnes. Enfin, selon les Italiens…

En Espagne, au sud de Barcelone, la qualité du cava est en nette progression. Longtemps absents de la SAQ, certains cavas élaborés par de petites et moyennes entreprises font preuve de beaucoup de race et de profondeur. En juillet 2017, le ministère espagnol de l'agriculture a officialisé le système de classification, le *Paraje Calificado*, et révélé l'identité de 12 premiers crus. Une hiérarchisation attendue depuis longtemps, autant par les producteurs que par les amateurs de cava.

Enfin, tout près de chez nous, les bulles québécoises continuent de se multiplier et de gagner en qualité, tant pour les méthodes traditionnelles que pour les pétillants naturels. Un prétexte de plus pour aller se promener sur les routes des vins du Québec… et pour faire sauter le bouchon!

BARMÈS BUECHER
Crémant d'Alsace 2015

Quelle sveltesse! Ce crémant d'Alsace a des allures de ballerine : délicat et aérien, il gambade en bouche, titille les papilles de ses bulles fines et embaume la poire et l'abricot mûris à point. Une très belle expression des pinots gris, blanc et auxerrois et du chardonnay, sans dosage, mais avec toute l'ampleur et la fraîcheur voulues.

10985851   26,30 $ ☆☆☆☆ ①

CARÊME, VINCENT
Vouvray Brut 2015

Ce vouvray brut remporte une fois de plus le pari de l'équilibre et de l'élégance. L'agriculture biologique, une vinification soignée, un élevage de 18 mois sur lattes et un dosage limité à 7 g/l donnent un vin particulièrement séveux et racé en 2015, qui conserve cependant un caractère vibrant, essence du chenin sur sols de tuffeaux de Vouvray. Une bulle très fine et des arômes de pêche blanche, de mie de pain et de craie, tirés en finale par une amertume noble. Impeccable!

11633591   25,35 $ ☆☆☆☆ ♥

LAURENS
Crémant de Limoux 2016, Tête De Cuvée, Clos Des Demoiselles

Sans trop de surprise, je retrouve dans ce 2016 la même élégance et cet équilibre finement dosé qui fait la marque de cette cuvée produite par le Champenois Michel Dervin, au sud de Carcassonne. Le nez est discret, avec de jolis accents de pomme verte et de pain frais sorti du four. La bouche est nerveuse, tendue, structurée, mais pourtant gracieuse, et culmine en une finale crayeuse, racée et profonde.

10498973   22,75 $ ☆☆☆☆ ② ♥

BAUD
Brut Blanc de blancs, Crémant du Jura

Ce crémant issu de chardonnay à 100% et produit par la famille Baud, dans la commune de Le Vernois, charme d'emblée par son nez de pâtisserie qui évoque les scones fraîchement sortis du four. Tout en élégance, en pureté et en fraîcheur, il offre une bonne consistance, de la tenue et une finale vibrante aux notes minérales. À ce prix, on peut l'acheter à la caisse.

12397501   23,50$ ☆☆☆☆ ♥

BICHOT, ALBERT
Crémant de Bourgogne, Brut Réserve

Sauf erreur, c'est la première fois que ce crémant de la maison Bichot est vendu à la SAQ. Sec, vif et très réussi, il témoigne d'une bonne équation entre l'amertume, l'acidité et le dosage, entre le fruit et les notes de pâtisserie. Un bon achat pour l'amateur de bulles classiques.

13585378   27,95$ ☆☆☆

BOUILLOT, LOUIS
Crémant de Bourgogne 2014, Perle Rare

Très réussi cette année encore! Nez crayeux, bouche franche et revigorante, entre la pomme blette et la pomme verte. Texture serrée qui porte le vin en longueur, autant qu'en largeur; finale minérale fort élégante, couplée à de fins accents amers. À boire jusqu'en 2022.

884379   21,60$ ☆☆☆☆ ②

BOURDY, JEAN
Crémant du Jura

Crémant du Jura profilé «à l'ancienne», comme tous les vins du domaine d'ailleurs. Composé de chardonnay à 100%. Nez de sucre d'orge et de caramel; bouche à la fois vive et bien mûre – comme en témoignent ses goûts généreux de fruits jaunes – enrobée par un dosage perceptible. Rondeur et bulles passablement fines, à défaut de profondeur.

13437439   27,10$ ☆☆☆

PIROU, AUGUSTE
Crémant du Jura

Tout de sveltesse et de légèreté, un crémant de pinot noir et de chardonnay dont le nez biscuité contraste heureusement avec une bouche très fraîche, entre la pomme verte, le citron et la menthe, ponctués d'une belle amertume. Le vin parfait pour accompagner vos apéros du temps des fêtes avec les hors-d'œuvre.

13032941   21,05$ ☆☆☆

PIUZE, PATRICK
Non dosé, Méthode traditionnelle, Vin de France

Le Québécois Patrick Piuze s'est associé à la maison champenoise Moutard Diligent pour produire un bon vin effervescent issu de raisins cultivés hors Champagne, d'où son prix... Bien qu'il semble plus mûr que le lot commercialisé l'an dernier, le vin demeure vif, offrant des saveurs généreuses de poire et de crème pâtissière. Une bulle fine donne à sa texture onctueuse un élan presque irrésistible. Prix doux, top qualité!

12999181   25,15$ ☆☆☆☆ ② ♥

3 440747 509683

TISSOT, ANDRÉ ET MIREILLE
Crémant du Jura, Brut

Très bon crémant issu de l'agriculture biologique et élaboré par l'un des vignerons les plus talentueux du Jura : Stéphane Tissot. Très invitant par son nez de pomme et d'épices douces sur un fond légèrement rancio. La bouche est tout aussi complexe ; ample et vive à la fois, structurée et élégante. Moins abordable que la moyenne des crémants sur le marché, mais c'est peu cher payé pour un vin qui se compare avantageusement à certains champagnes...

11456492   33,50$ ☆☆☆☆ ② ♥

3 561019 600096

VITTEAUT ALBERTI
Crémant de Bourgogne, Brut Blanc de blancs

Cette maison fondée en 1951 à Rully se spécialise dans l'élaboration de crémant de Bourgogne. Ce vin de chardonnay repose sur des bulles fines ; le nez est intense, riche d'une foule de détails aromatiques entre la pomme fraîche et le pain brioché à peine sorti du four. À la fois élégant, rond et vineux, mais sans mollesse. Longueur et complexité.

12100308   24,55$ ☆☆☆☆ ♥

3 760078 490079

Mousseux et les autres

Il est facile de succomber au fruité charmeur de ce vin effervescent, qui doit son originalité au cépage glera, autrefois nommé prosecco. Élaboré selon la méthode charmat – qui implique une seconde fermentation en cuve close plutôt qu'en bouteille –, le prosecco est reconnu pour ses prix abordables.

ADAMI
Prosecco Superiore Valdobbiadene Extra Dry 2016, Rive di Colbertaldo Vigneto Giardino

Le Consorzio local a mis en place un système de classification qui regroupe 43 crus, nommés localement «Rive», qui signifie «pente abrupte» en dialecte vénitien. Celui-ci provient d'une parcelle exposée au sud-est, entre 220 m et 300 m d'altitude. Sa sucrosité (17 g/l) est équilibrée par une juste dose d'acidité qui pince gentiment les joues et qui donne beaucoup d'élan aux parfums de poire en sirop, de menthe et de craie, laissant la bouche nette et fraîche. Vraiment excellent!

13481069   26,80$ ☆☆☆☆ ② ♥

ASTORIA FANÒ
Asolo Prosecco Superiore 2016, Fanò

Très bon prosecco issu de raisins cultivés sur les collines voisines de la ville d'Asolo. Un an plus tard, le vin s'avère encore très frais, à la fois délicat, savoureux et gorgé de fruit. À apprécier pour sa présence en bouche délicate et ses nuances de citron, de fruits blancs et de fleurs, portées par une bulle fine. Relativement sec (7,1 g/l) et tout à fait recommandable.

13056370   20,65$ ☆☆☆ ½ ① ♥

BISOL
Prosecco di Valdobbiadene 2017, Crede

Fondée au XIXᵉ siècle, la vieille cave de la famille Bisol jouit d'une excellente réputation au sein de cette appellation vénitienne. Le Crede – dont le nom fait référence aux terrains argileux d'où les vignes de prosecco, de verdiso et de pinot blanc tirent leur sève – est l'un des meilleurs vins de l'appellation, offerts sur le marché. Le 2017 est joliment fruité, mais surtout frais, aérien et porté par une trame minérale et saline qui le rend hautement digeste et agréable à boire. Un excellent Prosecco, aussi disponible en magnum.

10839168   22,25$ ☆☆☆☆ ① ♥

CORVEZZO
Terre di Marca Millesimato 2016

J'ai peu d'affinités naturelles avec les vins effervescents sucrés, souvent lourds et dessinés à gros traits. Mais cette année, lors d'un voyage dans le nord-est de l'Italie, plus précisément dans la zone de production de Valdobbiadene-Conegliano, j'ai été surprise par la pureté et par l'équilibre de certains proseccos «Dry» et «Extra Dry». Cette cuvée biologique, par exemple, réunit dans de bonnes proportions la rondeur fruitée caractéristique à la méthode charmat, tout en conservant une agréable fraîcheur en bouche. Bon vin d'apéro ou de fin de repas.

13484796   17,95 $ ☆☆☆ ½ ①

FOSS MARAI
Prosecco, Brut

Foss Marai est un nom important du prosecco. Plutôt délicat, l'entrée de gamme de la maison présente des parfums de miel, de fleurs blanches et de citron. Bien qu'il soit considérablement sucré, le vin est soutenu par une acidité vive, qui lui permet de conserver un bon équilibre. Simple, mais friand et tout à fait recommandable.

12580250   19,90 $ ☆☆☆ ②

NINO FRANCO
Prosecco di Valdobbiadene, Brut

Nino Franco est une référence depuis quelques décennies sur le marché québécois. Un peu moins sec que le Crede de Bisol, ce prosecco di Valdobbiadene séduit par son volume en bouche et la richesse de ses saveurs fruitées et florales. Élégant et de bonne longueur.

349662   22,10 $ ☆☆☆ ½

SANTI NELLO
Prosecco, Extra Dry

Un prosecco «tout court» qu'on appréciera pour sa légèreté (11 % d'alcool) et son fruité généreux. Notez bien que la mention «Extra Dry» ne signifie pas que le vin est très sec, mais plutôt arrondi d'un reste de sucre oscillant entre 12 et 17 g/l. Bon prosecco d'entrée de gamme.

10540730   15,70 $ ☆☆ ½

ZONIN
Prosecco, Brut

Le prosecco courant de la famille Zonin demeure simple, mais il est relevé de parfums de cire d'abeille et de sucre d'orge. L'équilibre entre le fruit et l'acidité est assez bien réussi.

10540721   15,70 $ ☆☆ ½

La **D.O. (Denomination de Origen)** Cava désigne une méthode de production, plutôt qu'une zone géographique précise. Les cavas suivent la méthode traditionnelle et sont donc soumis à une seconde fermentation en bouteille. Plus de 85% des cavas proviennent de la région catalane du Pénedès.

JUVÉ Y CAMPS
Cava Gran Reserva Brut Nature 2014, Reserva de la Familia

Ce cava de facture traditionnelle profite d'un élevage prolongé sur lies, qui nourrit sa texture et laisse en bouche une sensation pleine et rassasiante, sans aucun dosage. Pas très expressif, un peu austère même, mais non moins rassasiant par la complexité de ses parfums, qui évoquent la terre humide, les fruits jaunes et les champignons. À apprécier à table avec une paëlla ou de la pieuvre grillée.

10654948   22,50$ ☆☆☆☆ ② ♥

PARÉS BALTÀ
Cava Brut

Les vignes de la famille Cusiné sont conduites en agriculture biologique. Le cava entrée de gamme du domaine est harmonieux et joliment fruité, sans les notions de raisins cuits et de caoutchouc brûlé qui affligent plusieurs mousseux espagnols dans cette gamme de prix. Rapport qualité-prix et constance remarquables.

10896365   16,80$ ☆☆☆ ½ ♥

PARÉS BALTÀ
Cava, Pink

Bien qu'un peu plus «facile» que le Cava Brut vendu depuis plusieurs années à la SAQ, cette version Pink ne manque pas d'attrait. L'amateur de mousseux rosé débordant de fruit se régalera de ses goûts de cerise et de framboise, autant que de son attaque en bouche gourmande et affriolante.

12888043   17,70$ ★★★ ②

RAVENTOS I BLANC
De Nit 2016, Conca del Riu Anoia

Assemblage de macabeo, de xarel-lo, de parellada et de monastrell. Manifestement issu de raisins à maturité optimale, le 2016 déroule en bouche un cortège de bulles fines et persistantes. Sa texture onctueuse est équilibrée par une fraîcheur aromatique qui se dessine en finale, avec des accents de mélisse et de basilic thaïlandais. Cette année encore, c'est l'un des meilleurs mousseux rosés sur le marché.

12097954   27,75$ ★★★★ ② ♥

RAVENTOS I BLANC
L'Hereu 2016, Conca del Riu Anoia

À vue d'œil, un vin animé par une effervescence bien soutenue et qui s'ouvre sur des odeurs très nettes de pomme. La bouche suit, ouverte et savoureuse, d'une qualité et d'une finesse nettement supérieures à la moyenne des cavas. Élégant, mais toujours authentiquement catalan par son style et les saveurs originales des cépages macabeo, xarel-lo et parellada. Encore un incontournable cette année.

12097946   22,90$ ☆☆☆ ½ ②

SUMARROCA
Cava Gran Reserva Brut Nature 2013

Tout comme le 2012 commenté dans *Le guide du vin 2018,* ce cava non dosé est plus près de la terre que du fruit. La pomme et le citron se mêlent aux champignons, au terreau et à la craie pour former un ensemble étonnamment complexe. Très sec, porté par une bulle très fine, attribuable à un élevage de 36 mois sur lies. Peu de cavas offrent autant de plaisir à ce prix. Excellent!

13408929   19,10$ ☆☆☆☆ ① ♥

U MES U FAN TRES
Cava Brut Nature Reserva, Cygnus

Une première à la SAQ pour ce cava biologique et Brut Nature – ce qui signifie qu'aucun sucre n'a été ajouté après la seconde fermentation en bouteille. Le vin est donc sec, nerveux, tendu, permettant ainsi d'apprécier le goût original des cépages parellada, macabeo et xarel-lo. Très bien!

13566783   19,25$ ☆☆☆ ½

VILLA CONCHI
Cava Brut Rosé

Mousseux sec, aux accents de fumée, de feuilles mortes, de terre et de tabac. Digeste, savoureux, ponctué d'herbes et de parfums de cuir qui rappellent certains tempranillos évolués. Original, digeste et très recommandable.

13579331   17,45$ ★★★ ½ ♥

DOMAINE BERGEVILLE
Le Blanc, Brut

Ève Rainville et Marc Théberge croient au potentiel des vins issus de la méthode traditionnelle au Québec. Le couple a donc choisi de s'y consacrer exclusivement dans son domaine de North Hatley, dans les Cantons-de-l'Est. Le Blanc est issu des cépages hybrides frontenac blanc et frontenac gris et cultivés selon les principes de la biodynamie. Le dosage est limité à 6 g/l, ce qui se traduit dans le verre par un vin vibrant, doté d'une excellente tenue, avec une palette de saveurs complexe où les fruits blancs et jaunes côtoient les fines herbes, les noix et les saveurs salées. Singulier et délicieux!

13374562   27,90$ ☆☆☆☆ ½ ♥

0 827924 114015

DOMAINE DU NIVAL
Ces Petits Imprévus 2017

Ce très bon pétillant naturel – vinifié selon la méthode ancestrale, donc embouteillé avant la fin des fermentations – offre une expression originale du cépage vidal. Vif et léger comme tout (10,7 % d'alcool), ponctué de notes de poire et de citron, suivi d'une finale saline qui ouvre l'appétit. Toutes les bouteilles étaient écoulées au moment d'écrire ces lignes, mais surveillez de près la mise en marché du 2018 au printemps 2019.

Disponible à la propriété

28 $ ☆☆☆☆ ①

DOMAINE ST-JACQUES
Brut 2014

Un peu réduit à l'ouverture, il révèle ensuite des notes de levures et de pain grillé annonçant un bon vin de méthode traditionnelle, élaboré avec doigté. Le seyval lui donne fraîcheur et vivacité; le chardonnay, un caractère vineux bien agréable. Le tout est servi par un élevage de 18 mois sur les lies, qui contribue à la finesse desbulles. J'ai particulièrement aimé sa finale crayeuse et sa structure.

Disponible à la propriété

31 $ ☆☆☆ ½ ①

VIGNOBLE DE LA RIVIÈRE DU CHÊNE
Monde Les Bulles

Un vin onctueux et gras, dont on appréciera l'originalité des arômes de miel et de pâte d'amandes ainsi que la fraîcheur aromatique. Délicatement parfumé, passablement dosé et bien équilibré. Jolie finale aux accents de pain grillé qui lui confère un supplément de caractère.

12359871   29,85$ ☆☆☆

0 827924 036256

VIGNOBLE DE L'ORPAILLEUR
Brut

L'Orpailleur élabore une vaste gamme de vins secs et liquoreux, ainsi que ce très bon effervescent issu de seyval, de vidal et de chardonnay. Les odeurs de pomme verte et d'aneth se marient aux notes de crème pâtissière et d'épices douces ; la vigueur naturelle du vin est arrondie par un dosage harmonieux qui n'apporte aucune lourdeur. À juste titre, un classique.

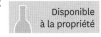 Disponible à la propriété

27 $ ☆☆☆ ½

VIGNOBLE NÉGONDOS
Noctambulles 2017

Cet effervescent élaboré selon la méthode traditionnelle n'est pas dégorgé et il poursuit donc son vieillissement sur lies jusqu'à l'ouverture de la bouteille. Un détail en apparence banal, peut-être, mais qui apporte beaucoup de texture et de gras au seyval, enrobant du même coup son acidité. Le nez présente des notes fruitées de pomme légèrement oxydée sur un fond de noix. L'effervescence n'est pas spécialement fine, mais elle persiste longtemps en bouche et tire en finale des notes salines qui appellent les palourdes et autres coquillages. Surveillez de près la mise en marché du 2018 au printemps 2019.

 Disponible à la propriété

28 $ ☆☆☆☆ ②

VIGNOBLE STE-ANGÉLIQUE
Brut Nature 2016, La vie en bulles

Envie de sortir des sentiers battus ? Difficile de trouver plus dépaysant que cette méthode traditionnelle non dosée et composée de st-pépin (65 %), d'adalmiina et de muscat osceola. D'abord, ses parfums de noix et de levures rappellent le vin jaune du Jura et la manzanilla andalouse. Le vin est aussi archi sec, vif et tranchant, parfait pour se mettre en appétit à l'heure de l'apéro.

Disponible à la propriété

27 $ ☆☆☆ ②

VIGNOBLE STE-PÉTRONILLE
Brut Nature

Le cépage vandal-cliche donne à ce vin effervescent des tonalités fort originales de melon, de fleurs blanches, de menthe et d'aneth. Non dosé – c'est-à-dire qu'aucun sucre n'a été ajouté après le dégorgement –, le vin est ample et de bonne tenue en bouche, tout en demeurant désaltérant. Finale aromatique aux accents de sucre d'orge et d'écorce de citron.

 Disponible à la propriété

30 $ ☆☆☆ ½

CHÂTEAU DE CARTES
Rosé 2016

Vinifié par Stéphane Lamarre, à Dunham, le st-croix donne ici un bon effervescent au nez délicat de petits fruits rouges et à la longueur appréciable. Droit et rafraîchissant, avec des notes animales et des accents d'aneth; un élevage sur lattes de 14 mois contribue certainement à la finesse de ses bulles.

12357453   29,10$ ★★★ ①

DOMAINE BERGEVILLE
Le Rosé, Brut

Rosé de sabrevois, de frontenac gris et de frontenac noir. Le nez est d'abord timide, puis s'ouvre sur des notes de petits fruits noirs et de pomme blette après quelques minutes dans le verre. En bouche, on retrouve le même profil animal que sur le blanc du domaine, avec une attaque vive, des notes de sureau et de légume-racine. De la tenue, du caractère et une impression d'ensemble harmonieuse.

13374597   30,35$ ★★★ ½

DOMAINE BERGEVILLE
L'exception

J'aimais déjà bien le rouge de Bergeville dans sa version «classique». Je l'ai a-do-ré dans cette dernière mouture, misant avant tout sur la souplesse et la buvabilité, avec un dosage limité à 3 g/l. Le vin est aussi expressif en bouche qu'au nez: une profusion de fruits rouges et noirs se dessine sur un fond de brioche et d'épices douces, qu'une amertume noble tire en finale, ajoutant à sa profondeur. Fin, élégant et affriolant comme pas un. Délicieux!

Disponible à la propriété

34 $ ★★★★

PIGEON HILL
Mousseux rouge 2014

Lors de notre visite, en août 2018, Manon Rousseau hésitait à nous faire goûter cette méthode traditionnelle (non dosée) de marquette, la jugeant peut-être un peu trop *funky* pour des professionnels. Je suis repartie avec quatre bouteilles de ce délicieux vin sec et nerveux au nez hyper séduisant de petits fruits rouges aigrelets, de terre fraîche et de thé noir. La bouche est gourmande, très juteuse, mais aussi fraîche, droite et de bonne tenue. Le vin de soif par excellence!

Disponible à la propriété

25 $ ★★★ ½ ① ♥

VIGNOBLE CÔTE DE VAUDREUIL
Lolou

En 2006, l'entrepreneur Serge Primi a acquis ce vignoble de Vaudreuil, planté en 2000. Son domaine est la source d'un très bon rosé effervescent, composé de frontenac gris et de sabrevois. La couleur est soutenue, le nez est plutôt singulier, avec des accents de fruits rouges qui se mêlent aux notes animales, et la bouche est assez élégante, reposant sur une bulle fine, résultant d'un long élevage sur lies.

Disponible à la propriété

21 $ ★★★

VIGNOBLE DU RUISSEAU
Méthode traditionnelle Rosé 2013

Le temps de repos sur lies n'est sans doute pas étranger à la finesse de la bulle de cet excellent rosé, issu d'un assemblage de chardonnay et de pinot noir et dosé à hauteur de 6 g/l. Les saveurs sont aussi plutôt complexes, entre fruits rouges, champignon de Paris, pomme blette et pâtisserie, ponctuées d'accents *umami*. Très belle tenue et longueur digne de mention.

Disponible à la propriété

35 $ ★★★★ ①

VIGNOBLE NÉGONDOS
Redbulles 2017

Une autre très belle réussite pour ce mousseux rouge issu de la méthode traditionnelle et mettant en vedette le profil sauvage des cépages ste-croix, frontenac noir et maréchal foch. Une pointe d'acidité volatile rehausse les goûts de fruits rouges et noirs; puis se développent des parfums de sucre d'orge et de terre. Un vin plutôt hors normes, mais réussi, à aborder avec les papilles et l'esprit ouverts.

Disponible à la propriété

28 $ ★★★ ②

BENJAMIN BRIDGE
Méthode classique Brut 2012

Le millésime 2012 marque le 10e anniversaire de la cuvée Méthode classique et témoigne de l'expérience acquise par le Québécois Jean-Benoît Deslauriers et son équipe. Fort d'un élevage de 48 mois sur lies, le vin repose sur des bulles d'une finesse exquise. Le fruit et les pâtisseries dominent à l'ouverture puis, au fur et à mesure que le vin se déploie et se réchauffe dans le verre, viennent s'ajouter des couches de tabac blond, de menthe et d'épices. Le tout est encadré par une acidité vive qui structure le vin autant qu'elle l'élève ; léger comme une plume et pourtant substantiel. En tous points excellent ! Et il devrait encore gagner en étoffe d'ici 2022.

13193690   49,75$ ☆☆☆☆ ½ ③

`0 695555 000546`

BENJAMIN BRIDGE
Méthode classique NV

« NV » pour non-vintage, puisqu'il s'agit d'un assemblage de vins de plusieurs millésimes sur une période de 13 ans, dont une petite proportion de 2002, tout premier millésime chez Benjamin Bridge. Les cépages l'acadie, seyval, pinot noir et chardonnay donnent ici un vin très original, à prix abordable. Parfumé et dosé à 11 g/l certes, mais incontestablement élégant, comme tous les vins du domaine. En prime : une mousse fine qui tapisse le palais et laisse en finale une sensation hyper rassasiante. Bravo !

13593239   29,90$ ☆☆☆☆ ① ♥

`0 695555 000461`

BENJAMIN BRIDGE
Rosé 2013, Méthode classique

Un rosé d'assemblage issu majoritairement de pinot noir (66 %) et élevé sur lies pendant trois ans. Nez de pâtisserie, de pêche, de fraise des bois et de pomme ; bouche très élégante, tissée de bulles très fines et portée par une acidité mordante, sans pourtant être brutale. Vif et friand, il a aussi beaucoup de relief en bouche. À boire sans se presser jusqu'en 2023.

12937280   49,75$½   ★★★★ ②

`0 695555 000232`

BLUE MOUNTAIN
Brut

La famille Mavety cultive la vigne depuis une vingtaine d'années dans le sud de la vallée de l'Okanagan, où elle produit, entre autres, cet effervescent de pinot noir, de chardonnay et de pinot gris, fermentés séparément, assemblés, puis élevés sur lies fines pendant

24 mois. Très frais et très pur lorsque goûté en juin 2018, les saveurs de fraise et de pomme verte se mêlent à des notes briochées, laissant en bouche une sensation à la fois gourmande et vibrante, grâce à une acidité bien dosée. À apprécier à l'apéro autant qu'à table, avec un poisson à chair grasse.

12826192   28,45$ ☆☆☆ ½

0 626452 601130

CAVE SPRING
Blanc de blancs NV Sparkling

D'ordinaire plutôt tranchant, ce blanc de blancs m'a semblé un peu plus enrobé lorsque goûté en juillet 2018. Le vin demeure cependant très frais ; net et élégant au nez, à la fois rassasiant et vibrant de jeunesse en bouche. Un long élevage sur lies contribue à la finesse de ses bulles, ainsi qu'à sa profondeur aromatique, apportant des notes de brioche et de crème pâtissière, sur un fond citronné. Longueur et tenue. Très recommandable à moins de 30 $.

13216839   29,90$ ☆☆☆☆

0 779334 903508

CHANDON
Brut, California

Le brut de ce domaine appartenant au groupe LVMH est composé de chardonnay, de pinot noir et de pinot meunier, provenant de différents secteurs de la Californie, d'où l'appellation générique. Des odeurs de pomme verte et de citron annoncent un vin vif et plutôt frais, mais la bouche est enrobée par un dosage prononcé qui rend le vin un peu facile et flatteur. Rien de complexe, mais séduisant à sa manière.

13343109   29,60$ ☆☆☆

CHANDON
Brut rosé, California

Moët & Chandon a été la première maison champenoise à s'implanter en Californie, en 1973. Le Brut rosé du domaine est issu d'un assemblage semblable à celui du Brut commenté ci-haut, mais il est aussi étonnamment plus élégant et moins dosé. On appréciera la netteté et la fraîcheur de son fruit, autant que la finesse de ses bulles.

11565007   32,35$ ★★★ ½

COPPOLA, FRANCIS
Brut rosé, Sofia

Rosé de couleur pâle, composé de pinot noir et de chardonnay. Un peu facile avec ses parfums de bonbon à la fraise, mais séduisant dans un style guilleret et friand.

13567452   32,75$ ★★ ½

FERRARI
Trento Brut

Issu à 100% de chardonnay et élevé pendant un minimum de 24 mois sur lies, le Brut de la maison Ferrari se distingue par la finesse de sa bulle, son ampleur en bouche et sa finale délicate et minérale. Relativement sec, avec une fin de bouche rafraîchissante aux goûts de pomme verte et de pain grillé. Très bon vin d'apéritif.

10496898   23,60$ ☆☆☆ ½

FERRARI
Trento Brut rosé

Spécialiste du genre avec une production annuelle de plus de 700 000 bouteilles, la famille Lunelli excelle dans l'élaboration de vins mousseux de qualité dans le Trentin. Quasi sec et tout à fait digeste, le rosé séduit par ses saveurs de fruits rouges et de pâtisserie. La mousse est fine et laisse en finale des arômes d'eucalyptus qui accentuent la sensation de fraîcheur.

10496901   32,25$ ★★★ ½

FORRESTER, KEN

Sparklehorse 2015, Cap Classique, Stellenbosch

Des vignes de chenin blanc plantées en 1975 donnent beaucoup de corps, de mâche et de caractère à ce superbe mousseux du Cap, vinifié selon la méthode traditionnelle et élevé sur lies pendant 14 mois. Un vin net, très sec, pur et fruité, dans la lignée des meilleurs vins blancs de Ken « M. Chenin » Forrester. À découvrir!

13630474 24,90$ ☆☆☆☆ ② ♥

ROEDERER ESTATE

Anderson Valley, Brut

À son arrivée en Californie au début des années 1980, Roederer fut parmi les premières maisons à s'établir dans Anderson Valley. Mon mousseux-de-toutes-les-occasions depuis plusieurs années. Celui dont j'ai toujours une bouteille au frais, au cas où… Bien que très attrayant au nez, le brut non millésimé ne livre vraiment sa pleine envergure qu'en bouche, où se déroule une texture vineuse, fruit d'un équilibre parfait entre la plénitude de raisins mûrs et la signature d'élégance de Roederer. Toutes catégories confondues, il reste l'un des meilleurs mousseux sur le marché.

294181 34,10$ ☆☆☆☆ ♥

ROEDERER ESTATE

Anderson Valley, Brut rosé

Même s'il n'a pas, à mon sens, le raffinement de la cuvée Brut (vendue 10$ moins cher), ce vin reste l'un des bons effervescents rosés produits hors Champagne. Les goûts de fruits rouges sont nets et expressifs, des notes de pain grillé et de sous-bois jouent en trame de fond. L'effervescence est fine et la bouteille ouverte en juillet 2018 m'a donné l'impression d'un vin plus complexe et plus finement dosé que l'an dernier. Persistant, harmonieux, savoureux!

12998904 43,50$ ★★★★

BENJAMIN BRIDGE
Nova 7 2017, Canada

Cet effervescent produit dans la baie de Fundy est issu de différents clones de muscat, ainsi que d'ortega, d'acadie blanc et de geisenheim. Le 2017 affiche une couleur rose pâle et sent bon le raisin muscat; celui qu'on achète au marché et qu'on déguste grain par grain. On perçoit en bouche une certaine rondeur, mais le vin est si frais, si léger et guilleret que le sucre n'apporte aucune lourdeur. Un bon vin parfumé, à boire en toute saison, à la fin du repas ou à apprécier en soi, comme un dessert léger.

12133986 25$ ☆☆☆ ½ ①

CAVES COOPÉRATIVES DE CLAIRETTE DE DIE
Clairette de Die, Cuvée Impériale

Pour faire changement, une clairette traditionnelle principalement issue de muscat et ne titrant que 7 % d'alcool. Le vin est moelleux, léger, parfumé et savoureux, rappelant l'Asti spumante.
À servir très frais, au dessert ou après le repas.

333575 18,80$ ☆☆☆

CAVINO
Deus, Achaia

Version grecque du moscato d'Asti, en plus alcoolisée (8,5 %), mais avec les mêmes douceurs et les mêmes notes florales. Intéressant, si vous aimez le genre. Un bon vin pour le brunch.

13547401 17,85$ ☆☆☆ ②

CHIARLO, MICHELE
Nivole 2017

Bonne effervescence, nez typé, bouche très fruitée; le moelleux enrobe les saveurs exubérantes de muscat. Sa légèreté alcoolique à 5 % le rend particulièrement agréable. Idéal au moment du dessert. Aussi offert en demi-bouteille.

11791848 18,80$ ☆☆☆ ①

GOLAN HEIGHTS WINERY
Moscato 2017, Hermon, Galilee

Cette curiosité israélienne, composée de muscat canelli, est cultivée sur les sols volcaniques du plateau du Golan, à une altitude variant entre 400 m et 1200 m. Un vin mousseux qui s'apparente à un moscato d'Asti, tant par sa légèreté (6 % d'alcool), que par sa teneur en sucre et ses parfums exubérants d'orange confite et de fleurs blanches. Original.

12781650   21,20 $ ☆☆☆☆ ①

RENARDAT-FÂCHE
Bugey Cerdon

Une spécialité alpine, produite dans la commune de Bugey – aux limites de la Savoie et du Jura – et issue de gamay et de poulsard, vinifiés selon la méthode ancestrale. Passablement acidulé, léger en alcool (7,5 %) et tout en finesse au nez. Le fruit explose davantage en bouche, mêlant la rhubarbe, la groseille et autres petits fruits rouges ; finale moelleuse et parfumée. Un très bon vin à apprécier en après-midi, avec le dessert ou comme un dessert, en soi.

12477543   24,85 $ ★★★★

TAITTINGER
Sec, Nocturne

La cuvée Nocturne est le fruit d'un assemblage semblable à celui du Brut Réserve (chardonnay à 40 %, pinot noir et pinot meunier), mais elle se caractérise par un dosage plus important. Un très bon champagne à servir à la fin du repas. Tout de même complexe et sans lourdeur, malgré ses 20 g/l de sucre. Très bien fait, dans un style d'une autre époque, celui où les marchés traditionnels préféraient le champagne doux, plutôt que brut.

12599874   72 $ ☆☆☆ ½

BOEKENHOUTSKLOOF
The Wolftrap Rosé 2017, Western Cape

Ce rosé de cinsault, de syrah et de grenache présente une couleur soutenue et un nez singulier où se côtoient la pâte d'amande, les petits fruits rouges, les fines herbes et les fruits tropicaux. Tenue et longueur plus qu'appréciables; assez substantiel pour être servi à table et vendu à un prix d'aubaine.

13567196 14,95$ ★★★ ½ ♥

6 002039 007924

CHÂTEAU DE ROQUEFORT
Côtes de Provence 2017, Corail

Issu de l'agriculture biologique. La robe est rose profonde. Le nez évoque les herbes, les petits fruits rouges et la rhubarbe; le vin est frais et gourmand, doté d'une finale d'intensité moyenne qui rappelle les coquillages et le bord de mer. À apprécier à table avec des pâtes aux crevettes nordiques.

13532145 22,65$ ★★★ ½ ②

3 552712 430103

CHÂTEAU LA MARTINETTE
Côtes de Provence 2017, Rollier

Un vin de couleur pâle, composé de cinsault, de grenache, de syrah et de rolle. Le premier nez est plus proche de la terre que du fruit: notes de pierre à fusil, de fumée et d'herbes. La bouche est riche d'une foule de détails aromatiques, entre les petits fruits rouges acidulés, la craie et la pêche. La finale est quelque peu chaleureuse, dotée d'une très bonne tenue et soulignée d'une salinité garante de fraîcheur.

13448699 22,30$ ★★★★ ① ♥

3 760046 710475

DOMAINE DE LA BÉGUDE
Bandol Rosé 2016

Guillaume Tari a grandi au château Giscours, à Margaux. En 1996, avec sa femme Soledad, il a acquis cette vaste propriété de 500 hectares, qui comporte aussi un vignoble d'une vingtaine d'hectares cultivés en bio. Ce rosé à la couleur foncée, très profonde, déploie au nez des parfums de liqueur amère. La bouche est tout aussi singulière, entre les herbes, le terreau humide, les fleurs, les fruits rouges; soyeuse, presque veloutée en attaque, puis serrée, laissant une sensation quasi tannique en finale. Belle découverte!

13622538 28,80$ ★★★ ½ ② Ⓢ

3 760275 500052

DOMAINE DE LA TOUR DU BON
Bandol 2017

Plus qu'un rosé de pique-nique, cet assemblage de mourvèdre (42%), de cinsault et de grenache ferait honneur à de la haute gastronomie. Archétype du rosé de Bandol : à la fois raffiné et structuré, et combien élégant avec son nez d'agrumes, sa bouche pleine de vitalité, ses saveurs fruitées, florales et animales qui s'accompagnent d'une amertume noble, garante de longueur et d'équilibre. Déjà savoureux ; je ne serais pas surprise de le voir se bonifier d'ici 2020.

13736578   32,25$ ★★★★ ② ♥ 🗨

MONTIRIUS
**Côtes du Rhône rosé 2017,
La Muse Papilles**

Entre les mains de vignerons soucieux comme Christine et Éric Saurel, qui cultivent leur vignes selon les principes de la biodynamie, dans le sud de la vallée du Rhône, le rosé prend une allure très complexe. Bien que ce 2017 soit composé de grenache et de cinsault (40%), deux cépages noirs, on pourrait presque se croire en présence d'un blanc en goûtant ses parfums de fruits blancs, de pâte d'amande, de fleurs blanches et de coquillages. La texture est hyper délicate, mais le vin a aussi beaucoup de relief et persiste en finale pour le plus grand plaisir des papilles, qui s'amusent. Servez-le frais, mais pas froid. Vous l'aimerez encore plus !

13711194   20$ ★★★★ ② ♥ 🗨

MOUSSET, FRANCK ET OLIVIER
Tendance Caladoc 2017, Méditerranée

On peut se réjouir de l'arrivée à la SAQ de cette cuvée des frères Mousset. Composé à 100% de caladoc, un cépage issu d'un croisement entre le grenache noir et le malbec, le vin affiche une couleur saumon pâle, son nez est expressif et sa texture nourrie offre la tenue et la structure des meilleurs rosés, tout en restant délicat et élégant. Longue finale saline. Excellent !

13679489   21$ ★★★★ ① ♥

CHÂTEAU DE CARTES

Vin gris 2017

Bon rosé de pressurage direct – d'où sa couleur pâle – au profil un peu rustique, faisant bien sentir le caractère parfois sauvage des hybrides. Sec et vif, avec des arômes de pomme à cidre et de canneberges. Plutôt original comme vin de soif, et somme toute bien agréable.

Disponible à la propriété

22 $ ★★★ ½ ①

DOMAINE DU RIDGE

Champs de Florence 2017

Un rosé sec et délicatement parfumé, local et vendu sous la barre des 15 $, dans l'ensemble du réseau de la SAQ. Pas très long ni complexe, mais techniquement bien réussi et tout à fait recommandable dans sa catégorie.

741702   14,55$ ★★★ ①

0 827924 037048

DOMAINE ST-JACQUES

Rosé 2017, Vin du Québec certifié

Le vignoble de la famille Du Temple-Quirion compte maintenant quelques cépages vinifera et une bonne base d'hybrides, comme le lucy kuhlmann et le maréchal foch, dont on tire un très bon rosé de couleur pâle, relevé de parfums délicats de petits fruits rouges et dépourvu de sucre résiduel. À ce prix, on voudra en faire provision pour la saison.

11427544   15,45$ ★★★ ½ ① ♥

0 827924 079048

LE MAS DES PATRIOTES

Hortensias 2017

Ce très bon vin a de petits airs de Tavel du Nord en ce qu'il s'avère plus substantiel et structuré que la moyenne des rosés sur le marché. Les goûts de petits fruits rouges acidulés se mêlent au profil quelque peu sauvage du cépage ste-croix et forment un ensemble tout à fait harmonieux. Pas de sucre, mais une agréable vivacité, de la tenue et du caractère. Plaisir garanti à table!

HORTENSIAS
VIN ROSÉ/ROSÉ WINE

PRODUIT DU QUÉBEC/PRODUCT OF QUÉBEC
embouteillé à la propriété par

12,5%   250 ml

0 827924 112042

12760584   18$ ★★★★ ② ♥

L'ORPAILLEUR

Vin rosé 2017

Cet assemblage de seyval noir, de vidal et de frontenac noir déconcerte au premier nez avec ses notes d'agrumes, qui évoquent le sauvignon blanc plus que le rosé. La bouche est franche et vive, avec des accents de clémentine et de fruits tropicaux, sur fond de petits fruits rouges. Un très bon rosé qu'on servira frais, mais pas trop froid, pour mieux apprécier ses nuances.

16 $ ★★★ ①

Disponible à la propriété

PIGEON HILL

Rosé 2017

Le rosé de Manon Rousseau et Kevin Shufelt plaira à coup sûr à tous ceux que rebutent le sucre et les saveurs bonbons. On a plutôt affaire ici à un rosé d'auteur, aussi près de la terre que du fruit, avec ses odeurs très invitantes de terre humide, de canneberge et de pomme blette qui vous montent au nez. En bouche, le vin est plutôt ample, marqué par la générosité naturelle du frontenac gris, mais sec et étonnamment long. Bravo!

Disponible à la propriété

18 $ ★★★★ ② ♥

VIGNOBLE LA CANTINA

Rosé du Calvaire 2017, Vallée d'Oka

De très jeunes vignes de pinot noir et de chardonnay composent ce bon rosé de couleur très pâle. La bouche est légère, délicate, mais aussi de bonne tenue, s'ouvre sur des notes de fleurs, de fruits blancs et de pain frais sorti du four.

13835648   21,15 $ ★★★ ½ ①

VIGNOBLE RIVIÈRE DU CHÊNE

Le Rosé Gabrielle 2017

Depuis quelques années, le rosé de ce domaine de Saint-Eustache est impeccable. Élaboré par pressurage direct, c'est-à-dire que les raisins sont pressés avant de libérer trop de pigments et de tanins, le 2017 est délicat, tout à fait sec et embaume la fraise des champs, l'écorce d'orange et les fleurs blanches. Franc, net et équilibré.

10817090   15,25 $ ★★★ ½ ① ♥

VIGNOBLE STE-ANGÉLIQUE

Magnolia 2017

Ce rosé de couleur foncée se distingue du lot par ses parfums de pomme blette et de sureau, sur un fond sauvage, presque animal. Le vin s'appuie sur un assemblage de frontenacs gris (93 %) et noir; très sec, tranchant même, et doté d'une certaine structure qui pourra donner des accords intéressants à table.

Disponible à la propriété

16 $ ★★★ ②

VINS FORTIFIÉS

Ces pages regroupent des vins auxquels une certaine quantité d'eau-de-vie a été ajoutée avant, pendant ou après leur fermentation. Avant et pendant, elle permet de préserver le sucre naturel du raisin ; après, elle contribue à hausser le taux d'alcool final du produit.

À table, les vins moelleux couronnent le repas avec une note de chaleur et de réconfort. Peu de vins offrent une si belle répartie aux saveurs puissantes et à la texture grasse de fromages goûteux tel le bleu.

La cote de popularité du porto a sensiblement faibli depuis 15 ans. Victimes d'un changement des habitudes de consommation dans les marchés traditionnels, les grands *vintages* figurent pourtant toujours parmi les vins les plus racés du monde. Cela dit, devant l'effritement des ventes, nombre de maisons historiques du Douro s'appliquent plus que jamais à l'élaboration de vins secs.

Le sud de la France est également la source de très bons vins doux naturels à Banyuls et à Maury. Riches et généreux comme peut l'être le grenache noir, pleins d'originalité et de caractère. Et si le sucre ne vous fait pas peur, goûtez le muscat de Rivesaltes commenté dans ces pages. Vous aurez l'impression de mordre dans une grappe de raisins!

Après des décennies de déclin, la popularité des xérès connaît un regain auprès d'une jeune clientèle curieuse de saveurs nouvelles. Le goût unique de ces vins d'Andalousie défie tous les principes de l'œnologie: conservé dans des fûts remplis aux trois quarts, tout autre vin s'oxyderait, mais pas le xérès qui se trouve protégé par un voile de levures indigènes nommé *flor*. Cette *flor* lui confère par ailleurs un goût *umami* et des notes de noisette.

Derniers millésimes à Porto

Le mot «déclaration» employé dans ces pages consacrées au Porto vient de l'expression anglaise «to declare» que les producteurs de Porto emploient lorsque, deux ans après la récolte, ils estiment que la qualité est suffisamment bonne pour commercialiser un porto vintage.

LES DERNIERS MILLÉSIMES À PORTO

2017

Chaleur et sécheresse dans le Douro et une récolte très précoce, qui a débuté vers la troisième semaine d'août. Rendements inférieurs à la normale, mais des portos colorés et concentrés. On peut anticiper plusieurs déclarations.

2016

Au terme d'une saison végétative difficile, les raisins ont peiné à mûrir dans différents secteurs. Qualité hétérogène. Comme une déclaration semble improbable, 2016 sera sans doute une année de single quinta.

2015

Une saison presque parfaite. Été de canicule et de sécheresse, suivi de quelques jours de pluie en septembre qui ont permis de rafraîchir les raisins, juste à temps pour une récolte sous le soleil. Plusieurs déclarations en perspective.

2014

Une année hétérogène. Les vignobles du Douro qui ont échappé aux pluies de septembre porteront de beaux fruits.

2013

Année très ordinaire pour le porto. Peu ou pas de déclarations en vue.

2012

Plusieurs déclarations de ce que les Anglais appellent un single quinta vintage, c'est-à-dire un vin commercialisé sous le nom du cru, dans les millésimes non déclarés officiellement.

2011

Les températures élevées du mois de juin ont brûlé quelques grappes. Très bonne année pour le porto, avec de faibles rendements, une grande concentration, des tanins fermes et une acidité notable. La plupart des maisons ont déclaré.

2010

Autre année de sécheresse dans le Douro. Qualité jugée satisfaisante, mais peu de déclarations. Une année pour les single quinta vintage.

2009

Mois d'août cuisant et sec, et vendanges commencées 15 jours plus tôt qu'en 2008. Qualité variable. Les vignobles en altitude ont donné les meilleurs vins.

2008

Récolte déficitaire, jusqu'à 30 %. Qualité hétérogène, parfois très satisfaisante. Quelques déclarations de single quinta vintage.

Plutôt que d'être présentés par ordre alphabétique, les vins suivants ont été classés par style, du plus sec et léger au plus liquoreux.

LUSTAU
Manzanilla, Papirusa

Plus délicat que le Puerto Fino, mais aussi plus salin, et marqué par des notes iodées, typiques des xérès produits à Sanlucar de Barrameda, en bordure de l'Atlantique. Archi sec et désaltérant, même avec une teneur en alcool à 15%. C'est un plaisir estival sans égal.

11767565   13,20$ (375 ml)   ☆☆☆☆ ① ♥

LA GITANA
Manzanilla, Hidalgo

Très typé: sec, vif, léger et original avec ses accents saumurés, bien qu'un peu moins fin que les meilleures manzanillas sur le marché. Comme la plupart des xérès secs, il offre un rapport qualité-prix hors pair.

12284039   22,30$ ☆☆☆ ½

LUSTAU
Fino, Puerto Fino

L'archétype du fino: vivifiant et tonique, à la texture ample et aux arômes caractéristiques d'olive verte. Très sec, désaltérant et d'une complexité aromatique incomparable, que met en relief une acidité bien présente. Il sera à son meilleur à l'apéro, par une chaude journée d'été. Et surtout: sans glaçon!

11568347   22$ ☆☆☆☆ ① ♥

GONZALEZ BYASS
Fino, Tío Pepe

Le fino le plus connu au monde est toujours aussi bon. Un xérès jeune et frais en bouche, étonnamment facile à boire en dépit de son taux d'alcool de 14,5%. À noter que Gonzalez Byass commercialise aussi un somptueux xérès «en rama», qui brille malheureusement par son absence sur les tablettes de la SAQ.

242669   19,50$ ☆☆☆ ½

LUSTAU
Manzanilla Pasada, Almacenista Manuel Cuevas Jurado

Concentré et intense, il présente un registre de saveurs animales et noisettées, soulignées d'une amertume noble et d'une salinité qui fait saliver. Même s'il est déjà évolué, il ne devrait pas vous faire douter de sa capacité à vieillir. Contrairement au manzanilla frais, qui gagne à être bu dès sa mise en marché, le manzanilla pasada tend à mieux résister à l'épreuve du temps.

12340248   36,25$ (500 ml)   ☆☆☆☆ ½ ②

LUSTAU
Amontillado, Los Arcos, Solera reserva

L'amontillado est un fino vieilli – de là sa couleur orangée – et ayant perdu son voile, sa *flor*. Le vin paraît d'autant plus sec qu'il est dépourvu de glycérol, consommé par les levures, au cours de l'élevage. Intense, avec des saveurs compactes de noix, de fruits secs, de levures, de sucre brun, il a aussi beaucoup de corps et de tenue. Quatre étoiles bien méritées pour un excellent amontillado de facture classique, pas du tout édulcoré.

13035915   21,65$ ☆☆☆☆

LUSTAU
Palo Cortado de Jerez, Almacenista Cayetano del Pino

Lustau rend hommage aux *almacenistas* – petits producteurs qui élèvent des moûts ou des vins – en embouteillant séparément leurs vins et en les commercialisant sous une étiquette éponyme. Ce palo cortado a perdu son voile et se situe stylistiquement à mi-chemin entre un amontillado et un oloroso. On y trouve des notes caractéristiques de beurre, sur un fond très prononcé de noix rôties. Une grande intensité en bouche, une trame saline et des saveurs pénétrantes, qu'une amertume noble tire en finale. Il donnera de magnifiques accords à table.

12365761   49$ (500 ml)   ☆☆☆☆

LUSTAU
Oloroso, Don Nuño

L'oloroso n'a jamais été élevé «sous voile». Riche et vineux, il donne néanmoins l'impression d'un vin sec, tout en laissant en bouche une sensation chaleureuse et enveloppante. Persistant, savoureux, relevé de notes complexes de torréfaction et de noix. Un excellent compagnon pour les poissons grillés.

13035851   29,75$ ☆☆☆☆

LUSTAU
East India Solera

Un xérès vieilli dans un chai chaud et humide qui imite les effets d'un transport maritime en climat tropical. Composé d'oloroso classique et de 20% de pedro ximénez, ce vin fait preuve d'une richesse et d'une race uniques, mettant en relief des accents de fumée, de caramel brûlé et de dattes. Laissez tomber le dessert et découvrez plutôt le charme exquis de cette spécialité andalouse.

12993011   23,05$ (500 ml)   ☆☆☆ ½

BADENHORST, A. A.
Caperitif

En 2014, le mixologue danois Lars Lyndgaard a proposé à Adi Badenhorst, vigneron réputé du secteur de Swartland, de l'aider à redonner vie au Caperitif, une boisson très populaire à la fin du XIXᵉ siècle. La version moderne du Caperitif est un vin blanc muté à l'alcool et aromatisé de quinine, ainsi que d'un assemblage d'herbes et d'épices authentiquement sud-africaines, comme le fynbos – végétation qui s'apparente à la garrigue méditerranéenne – et l'écorce de naartjies, une mandarine locale. Savoureux en lui-même, on peut le servir frais, sur glace ou accompagné d'un trait de soda tonique.

12831872   28,40$ ☆☆☆☆ ♥

6 009800 591569

BLENDED & MATURED
Vermut, Vermell

Un vermouth espagnol, produit dans la région d'Alicante et issu de garnacha et de monastrell, additionnés d'un moût concentré de moscatel. Le vin est ensuite mis à macérer pendant deux mois avec une vingtaine d'aromates. Il en résulte un vin riche et complexe, auquel une juste dose de tanins apporte une agréable fraîcheur. Une amertume noble tire par ailleurs les saveurs de menthe, de fleurs et d'épices en finale.

13229963   24,95$ ★★★★

8 414606 512485

DOMAINE LAFRANCE
Rouge Gorge, Vermouth de cidre

La famille Lafrance élabore un délicieux vermouth à base de cidre et d'eau-de-vie de pommes distillée au domaine de Saint-Joseph-du-Lac, dans les Laurentides. Le tout est assaisonné d'une centaine d'herbes et épices. Sa rondeur et ses goûts généreux de pomme cuite et d'épices auront vite fait de séduire.

12979092   21,75$ ★★★ ½

0 841125 074152

ENTRE PIERRE & TERRE
Le Vermouth de Pomme

Vermouth issu de cidre de glace, dans lequel on a laissé infuser une sélection d'herbes, d'épices et de fleurs, avec de l'absinthe, comme amérisant. Le résultat est singulier, mais fort réussi. Le nez mêle les parfums de pomme blette et d'anis. En bouche, l'équation acidité, sucre et tanins est au point, et une légère astringence en finale le rend encore plus digeste et désaltérant. Excellent!

13258271   24,80$ ☆☆☆☆

0 627843 195368

FERNANDO DE CASTILLA
Vermut

Un vermouth issu de vin de Jerez – pedro ximénes et oloroso, pour être plus précis – dans lequel on a fait macérer de l'absinthe, des zestes de citron et d'orange, du clou de girofle et d'autres herbes et épices. Le nez présente une belle intensité et la bouche, quoique sucrée (78 g/l), conserve un très bel équilibre. Longue finale amère et vaporeuse, aux accents de quinine.

13651005 24,80$ ★★★ ½

GONZALEZ BYASS
Vermouth Rouge, La Copa

Délicieux, et marqué par les parfums d'un oloroso. Des goûts de noix et de fruits secs s'ajoutent aux notes d'herbes, de quinine et d'épices, créant un ensemble assez complexe. Bon équilibre entre la douceur et l'amertume, quoique je l'aurais aimé davantage avec un peu moins de sucre. À apprécier sur glace ou en negroni.

13137647 24,40$ ★★★ ½

LUSTAU
Vermouth

L'intensité en bouche de ce vermouth et sa richesse ne sont pas sans rappeler celles d'un oloroso. Plus de structure et de longueur que la plupart des vermouth sur le marché. Bonne extraction tannique, amers de qualité et saveurs complexes, mariant les herbes médicinales à l'écorce d'orange et aux accents d'épices douces. Excellent vermouth que tout amateur de negroni devrait avoir en réserve à la maison.

12979084 29$ ★★★★

VAL CAUDALIES
Vermouth sec, Lab

Vermouth blanc québécois, nettement moins sucré que le vermouth rouge du domaine, et aussi nettement plus distinctif et savoureux, à mon sens. Au nez, on sent l'apport aromatique des cépages frontenacs gris et blanc dans le vin de base, qui est muté, puis mis à macérer avec de la gentiane, de l'absinthe, du piment de la Jamaïque, de l'ananas, de l'olive verte et une dizaine d'aromates. Un vermouth très agréable en martini, mais que l'amateur de boissons amères pourra aussi apprécier simplement sur glace.

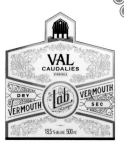

13530078 24,65$ (500 ml) ☆☆☆☆

DOMAINE DE LA RECTORIE
Banyuls Rimage 2016, Cuvée Parcé Frères

Tous les Banyuls dits «Rimage» sont mutés sur grains. Cette technique consiste en un ajout d'alcool directement sur les baies de raisin, avant le pressurage, afin d'extraire un maximum de substances aromatiques et tanniques. Ce domaine phare de la Côte Vermeille reste fidèle à un style de banyuls accessible en jeunesse, croquant et relativement léger en sucre résiduel (80 g/l). Le 2016 est tissé de tanins juste assez compacts qui accentuent la sensation de fraîcheur, et embaume le kirsch, la griotte et la garrigue, le tout porté en finale par des amers nobles. Un pur régal!

10322661   24,95$ (500 ml)   ★★★★ ② ♥

3 760027 330340

DOMAINE LA TOUR VIEILLE
Banyuls Rimage 2017

Depuis quelques années, je redécouvre le plaisir des vins mutés à travers les banyuls et les maury. Pimpant de jeunesse lorsque goûté en juillet 2018, le Rimage 2017 de Vincent Candié présentait une vigueur tannique tout à fait séduisante, qui donnait au vin des airs de vins de soif… malgré ses 15,5% d'alcool. Toute la générosité du grenache noir, beaucoup de volume en bouche et des goûts de cerise confite, de chocolat noir et de fleurs qui vont crescendo et tiennent la note sur plusieurs mesures. Excellent!

884908   26,95$ (500 ml)   ★★★★ ② ♥

3 760087 610017

FONSECA
Vintage 2000

Fonseca, une entreprise associée à Taylor Fladgate, produit des portos vintage à faire rêver. À plus forte raison, celui-ci est considéré comme l'un des triomphes du millésime. Un vin somptueux et encore jeune, qui témoigne d'une subtilité et d'une race incomparables. Multidimensionnel, profond et pénétrant. Une trame tannique tricotée serrée, une structure impressionnante et un large spectre aromatique. On peut très bien le goûter dès maintenant, mais rien ne sert de se presser puisqu'il restera au sommet jusqu'en 2030, au moins.

0 040007 089905

708990   120,50$ ★★★★→★

MAS AMIEL
Maury 2014

Le magnat de l'industrie alimentaire, Olivier Decelle, a acheté cette belle propriété du Roussillon où il produit une gamme de vins exemplaires. Ce vin est l'un des classiques de Maury, qui puise sa sève dans un îlot rocheux composé de schiste et ceinturé de collines calcaires. Le 2014 réunit les parfums de fruits noirs, d'épices et de cacao propres au grenache, et prend sa pleine mesure en bouche, laissant une délicieuse sensation de plénitude. Généreux, intense et sans lourdeur. Aussi offert en demi-bouteille (733808 : 21,90 $).

11544151   34,50 $ ★★★★ ② ♥

OFFLEY
Late Bottled Vintage 2012

Il y a eu peu de déclarations officielles en 2012, mais cela n'a pas empêché Offley de produire un excellent LBV «traditionnel», c'est-à-dire non filtré et mis en bouteille après quatre ans, soit le minimum pour cette catégorie. Signe que ce vin est conçu pour non seulement se conserver, mais aussi continuer de se développer en bouteille, il est bouché d'un liège pleine longueur. Le 2012 brille par la concentration de son fruit; par sa charpente tannique, sa profondeur et sa qualité d'ensemble, il n'est pas loin d'un vintage. Un vin sérieux et très étoffé, vendu à un prix très abordable.

483024   20 $ ★★★★ ② ♥

TAYLOR FLADGATE
Late Bottled Vintage 2012

Un LBV à l'image des autres vins de la maison Taylor : puissant et capiteux, avec un soutien tannique solide qui encadre la masse fruitée et harmonise le tout. Large spectre de saveurs entre le kirsch et la confiture de framboise, les herbes séchées, le poivre et la réglisse. Aussi offert en demi-bouteille (12490078 : 13,20 $).

046946   21,85 $ ★★★ ½

CABRAL
Tawny 20 ans

Même si les vins de cette marque obscure n'ont pas la profondeur d'un tawny de chez Graham's, Ramos Pinto ou Taylor, ce 20 ans m'a semblé tout à fait correct. Suave et expressif, entre les fruits confits, le caramel et les épices.

10682623 52,25$ ★★★

DOMAINE LA TOUR VIEILLE
Banyuls Reserva

Un excellent rapport qualité-prix pour ce banyuls aux arômes de fruits secs et de noix caramélisées. La bouche, à la texture onctueuse, égraine des saveurs riches et complexes, tout en faisant preuve d'une grande fraîcheur. Peu de tanins et presque sec en finale, un équilibre remarquable et tout indiqué pour la table, avec des fromages (particulièrement les bleus) ou des desserts sucrés-salés, aux fruits secs ou aux noix. Se garde très bien pendant plusieurs jours une fois ouvert.

884916 33,25$ ★★★★

GRAHAM'S
Tawny 20 ans

Ce remarquable tawny illustre avec éclat que 20 ans est sans doute l'âge idéal pour ce type de vin. Plus complexe et plus raffiné que le 10 ans, plus doux et plus charnu, et surtout beaucoup moins cher que le 30 ans et le 40 ans. À la fois puissant et velouté, très onctueux, vaporeux, et offrant cette finale typique teintée de vanille et de crème brûlée. Sensationnel!

12299610 60$ ★★★★★

RAMOS PINTO
Tawny 10 ans, Quinta da Ervamoira

Cette maison appartenant au groupe champenois Roederer est avant tout reconnue pour ses délicieux vins des *quintas* Bom Retiro et Ervamoira. Des références en matière de tawny. Le 10 ans est remarquable tant par son équilibre que par sa vigueur et par la plénitude de ses saveurs. Excellent comme toujours.

133751 46,25$ ★★★★

SANDEMAN
Old Tawny Porto 20 ans

Cette maison fondée en 1790 a subi une importante revitalisation depuis son rachat par le groupe Sogrape en 2002. Présenté dans une bouteille élégante en verre transparent qui permet d'apprécier sa jolie couleur tuilée, ce tawny embaume la vanille, les fruits secs et les épices douces. La bouche est chaleureuse et onctueuse, dépourvue de toutes les aspérités tanniques. Pas le plus profond des 20 ans sur le marché, mais incontestablement séduisant. Prix mérité.

13559655 59,75$ ★★★ ½

TAYLOR FLADGATE
Tawny 20 ans

Taylor Fladgate n'excelle pas seulement dans l'élaboration de portos jeunes et vigoureux, elle commercialise aussi une gamme de brillants tawnys. Splendide vin onctueux et subtilement parfumé de notes affriolantes de vanille et de cacao. La quintessence du tawny.

149047 69,75$ ★★★★ ½

VALCROS
Banyuls Hors d'Âge

Dégusté aux côtés de tawnys et de quelques vins doux naturels du Roussillon, ce banyuls hors d'âge m'a semblé un peu ténu. À défaut de réelle profondeur, on appréciera ses goûts évolués, qui évoquent le cuir et le champignon, et la patine du temps sur ses tanins.

855056 17,05$ (500 ml) ★★★

WARRE'S
Otima Tawny 10 ans

Warre's, la plus ancienne des vieilles firmes britanniques (1670), appartient au groupe de la famille Symington. Le 10 ans de la gamme Otima déroule en bouche des saveurs de figue, de datte, de caramel brûlé et de noix de grenoble. Soyeux, velouté et d'une tendreté alléchante, mais aussi doté d'une certaine tenue.

11869457 24$ (500 ml) ★★★ ½

DOMAINE CAZES
Muscat de Rivesaltes 2013

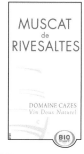

Le plus vaste domaine du midi de la France conduit en agriculture biologique et biodynamique appartient maintenant au groupe français Advini, mais il est encore administré par les membres de la famille Cazes. Comment résister à l'explosion de saveurs qu'offre ce vin liquoreux? Le nez en soi a tout pour faire saliver, avec des parfums de raisins muscat, d'écorce d'orange et de Suze. La bouche suit, chaleureuse et gourmande, mais sans la moindre lourdeur, puisque les éléments se rencontrent dans des proportions idéales. À prix accessible, une excellente occasion pour découvrir ou redécouvrir ce classique roussillonnais.

961805   26,05$ ☆☆☆☆ ② ♥

DOMAINE DE MONTBOURGEAU
Macvin du Jura

Nicole Deriaux élabore cette curiosité jurassienne, dont les origines remontent au moins jusqu'au XIVe siècle. Composé surtout de chardonnay et fortifié avant même le début des fermentations alcooliques, à la manière d'un pineau des Charentes ou d'un floc de Gascogne. L'amateur de vin du Jura retrouvera dans ce macvin le même petit «goût de jaune» qui fait toute l'originalité du célèbre vin jaune, avec en prime une finale persistante aux accents d'aneth. Belle occasion pour sortir des sentiers battus. Servir frais et, de grâce, sans glaçons!

11785624   40$ ☆☆☆☆ ②

DOMAINE DU TARIQUET
Floc de Gascogne

Spécialiste des eaux-de-vie et de vins de Gascogne, la famille Grassa élabore aussi un très bon floc, fruit d'un assemblage de jus de raisins frais et d'eau-de-vie de folle blanche, cette curiosité locale est en quelque sorte un proche cousin du pineau des Charentes. De la noisette, des fruits séchés et des épices; grande douceur en bouche, mais aucune mollesse. Servir autour de 8 °C.

966598   22,55$ ☆☆☆

FERREIRA
Porto blanc

Propriété du groupe portugais Sogrape, Ferreira produit aussi un excellent porto blanc. Doré et très doux, à la texture tendre et onctueuse. Ne pas confondre avec le type de porto extra dry. On peut le servir très frais, à l'apéritif ou à la fin du repas, en guise de vin de dessert.

571604   15,85$ ☆☆☆☆

FONSECA
Porto blanc

Un porto blanc aux doux parfums d'amande et de noisette ; expressif, généreux, moelleux et très caressant, mais surtout harmonieux. À boire très frais sans glaçons ou encore coupé de soda tonique, avec citron.

276816   15,65$ ☆☆☆ ½

JOSE MARIA DA FONSECA
Moscatel de Setúbal 2012, Alambre

Spécialité de la maison José Maria da Fonseca – aucun rapport avec les portos Fonseca, commenté ci-dessus –, cet excellent vin moelleux aromatique est une tradition de la péninsule de Setúbal, au sud de Lisbonne. Le muscat, ici assemblé aux cépages boal et malvoisie, est muté avec de l'eau-de-vie, puis élevé pendant quelques années dans des fûts neutres. Le 2012 est tendre, doux, velouté et embaume la figue et l'abricot séché, les épices et le sucre brûlé. Même s'il est prêt à boire, il peut encore se conserver de longues années. Le moscatel de Setúbal est apparemment indestructible.

357996   15,80$ ☆☆☆ ½ ♥

OFFLEY
Porto blanc Cachucha

Issu de vignes blanches portugaises (malvasia, codega, rabigato, etc.) plantées dans la Quinta de Cachucha, et mûri pendant six ans en fûts de chêne. Riche et onctueux, et pourtant frais en bouche et facile à boire, doté d'une dimension aromatique remarquablement intense et persistante. Quatre étoiles bien méritées, car il domine dans la catégorie du porto blanc. Idéal en apéritif, servi sur glace et allongé de soda tonique.

582064   20,70$ ☆☆☆☆ ♥

LES BONNES ADRESSES DE NADIA

AU PIED DE COCHON
536, avenue Duluth Est, Montréal, 514-281-1114

Le chef Martin Picard prépare une cuisine généreuse et goûteuse. Le porc est présent sous toutes ses formes, accompagné d'une carte de vins étoffée qui comporte de nombreuses raretés.

BISTRO ROSIE
1498, rue Bélanger, Montréal, 514-303-2010

Vu de l'extérieur, Rosie a l'air d'un autre petit bistro de quartier décontracté et sympathique dont Montréal a le secret. Mais dans l'assiette on saisit toute l'ampleur du talent et de la maîtrise du chef-copropriétaire, Jérémy Daniel-Six, qui a fait ses classes auprès d'Inaki Aizpitarte (Chateaubriand, Paris). Le service est aussi mené de main de maître par Sophie Duchastel de Montrouge, copropriétaire, qui propose une très belle sélection de vins digestes, taillés pour la table, dont quelques belles trouvailles du Québec. Aussi ouvert pour les lunchs en semaine.

BOUILLON BILK
1595, boulevard Saint-Laurent, Montréal, 514-845-1595

Depuis son ouverture, le restaurant de Mélanie Blanchette et de François Nadon donne un souffle nouveau à ce segment peu fréquenté du boulevard Saint-Laurent, en marge du Quartier des spectacles. La taille de la salle à manger a plus que doublé au cours des dernières années, mais la qualité des plats et du service demeure inchangée. Très sérieuse, sans être guindée. La carte des vins est meublée avec beaucoup de goût.

BRASSERIE T
1425, rue Jeanne-Mance, Montréal, 514-282-0808

Le célèbre restaurant de Normand Laprise a maintenant son antenne sur la Place des Spectacles. On y sert une cuisine bistro sans prétention, qui mise néanmoins sur des produits de première qualité. La carte des vins est, en quelque sorte, un modèle réduit de celle du Toqué!

BUVETTE CHEZ SIMONE
4869, avenue du Parc, Montréal, 514-750-6577

La Buvette est un lieu chaleureux où il fait bon s'attabler entre amis. Simple et sans prétention, le menu propose quelques entrées et des plats copieux de poulet rôti. Belle sélection de vins au verre.

CADET
1431, boulevard Saint-Laurent, Montréal, 514-903-1631

Le si joliment nommé «petit frère» du Bouillon Bilk est une autre adresse incontournable à deux pas du Quartier des Spectacles. Le menu est moins élaboré que celui du Bouillon Bilk, mais la cuisine est bien exécutée et la carte des vins, comme le service, le lui rendent bien.

CANDIDE
551, rue Saint-Martin, Montréal, 514-447-2717

Envie de sortir de votre zone de confort? Vous aimerez cette adresse un peu atypique, ne serait-ce que par son emplacement – l'ancien presbytère de l'église Saint-Joseph dans la Petite-Bourgogne. La cuisine du chef John Winter Russell est locavore, issue d'ingrédients locaux et de saison. En salle, Émily Campeau, jadis cuisinière à New York, occupe le poste de sommelière et propose une très belle sélection de vins naturels.

GRAZIELLA
116, rue McGill, Vieux-Montréal, 514-876-0116

Grand restaurant dans tous les sens du terme : salle étendue et beauté des murs. La réputée chef Graziella Battista prépare une cuisine italienne précise et sans ostentation. Grand choix de vins, principalement d'Italie.

GRUMMAN'78
630, rue de Courcelle, Montréal, 514-290-5125

De «*food truck*» à restaurant, cette adresse du quartier Saint-Henri nous donne l'impression d'un voyage dans le sud des États-Unis, avec son décor industriel, sa cuisine, son ambiance. Tacos, ceviche, quesadillas et autres classiques de la cuisine tex-mex sont revisités avec bon goût et accompagnés d'une belle carte des vins, avec un penchant marqué pour les vins de petits producteurs, souvent biologiques.

H4C
528 Place Saint-Henri, Montréal, 514-316-7234

Dans le décor d'une ancienne banque, ce restaurant apporte un vent de fraîcheur dans ce quartier en pleine revitalisation. La cuisine du chef Dany Bolduc est goûteuse, témoigne d'un grand sens du détail et s'accompagne d'une carte des vins on ne peut plus digne. L'amateur curieux sera comblé!

HAMBAR
355, rue McGill, Montréal, 514-879-1234

Au rez-de-chaussée de l'hôtel Saint-Paul, le Hambar fait davantage office de bar à vin que de restaurant. L'établissement se spécialise dans les charcuteries et propose, entre autres, du jambon *pata negra* à prix fort. Carte des vins étoffée, avec quelques grandes bouteilles de Bourgogne et de Bordeaux.

HOOGAN & BEAUFORT
4095, rue Molson, Montréal, 514-903-1233

L'une des meilleurs nouveaux restaurants de Montréal, a élu domicile au cœur du technopôle Angus, dans les anciennes usines du Canadien Pacifique. Le chef Marc-André Jetté reste fidèle au style très raffiné et hautement digeste qui l'a fait connaître chez 400 Coups et Laloux. Les plats sont essentiellement cuisinés dans un immense four à bois qui occupe une bonne partie de la cuisine ouverte et accompagnés de très bons vins choisis avec soin par William Saulnier.

IL PAGLIACCIO
365, avenue Laurier Ouest, Montréal, 514-276-6999

Manuel Silva a officié pendant une vingtaine d'années au restaurant Le Latini avant d'ouvrir cet établissement à l'angle des avenues Parc et Laurier. On y trouve la même cuisine italienne classique et sans chichi, mais élaborée avec des produits de première qualité. La carte des vins, quoique concise, propose quelques raretés en importation privée.

JOE BEEF/LIVERPOOL HOUSE
2491 et 2501, rue Notre-Dame Ouest, Montréal, 514-935-6504 et 514-313-6049

Au cœur de la Petite-Bourgogne, ces deux établissements voisins admirablement tenus par les chefs David McMillan et Frédéric Morin ont valeur de référence tant par l'originalité des lieux que par la créativité dans la cuisine. L'une des meilleures adresses montréalaises où manger des huîtres. Les vins sont choisis avec soin et la carte est très diversifiée.

JUNI
156, avenue Laurier Ouest, Montréal, 514-276-5864

Dans un cadre simple et dépouillé, une cuisine asiatique aussi exquise que raffinée. Une belle carte des vins présentée soigneusement et riche de plusieurs vins et de saké d'importation privée.

LA CHRONIQUE
99, avenue Laurier Ouest, Montréal, 514-271-3095

L'une des meilleures tables de Montréal. Une cuisine moderne et précise, une carte très élaborée, avec une belle sélection de vins de Bourgogne, et un très bon choix de vins servis au verre. Service ultraprofessionnel.

LALOUX/POP!
250, avenue des Pins Est, Montréal, 514-287.9127

Contre vents et marée, Laloux demeure l'une des institutions de la restauration montréalaise. Cuisine bistro bien présentée et service efficace, sans prétention. La carte des vins est un peu plus ténue que par le passé, mais tout aussi pointue.

LARRY'S
9, avenue Fairmount Est, Montréal

On arrive dans ce café à l'heure du petit-déjeuner et on y reste aisément jusqu'à l'heure de l'apéro. Le local est grand comme une boîte de sardine, le service, très décontracté, le menu et la carte des vins sont même plutôt sommaires, mais on a envie de goûter à tout. Simple et bon.

LE CLUB CHASSE ET PÊCHE
423, rue Saint-Claude, Vieux-Montréal, 514-861-1112

Le restaurant du chef Claude Pelletier et de son associé Hubert Marsolais ne connaît aucun fléchissement et compte toujours parmi les meilleures tables de la métropole. Cuisine inventive et exquise, aussi impeccable que la sélection des vins. L'une des bonnes adresses montréalaises pour savourer de grands crus de Bourgogne.

LE FILET
219, avenue du Mont-Royal Ouest, Montréal, 514-360-6060

Les propriétaires du Club Chasse et Pêche et le sommelier Patrick St-Vincent tiennent le fort à cette adresse bien fréquentée, située en face du parc Jeanne-Mance. Le poisson et les crustacés sont à l'honneur, servis en petites portions – façon tapas – et assortis d'une carte des vins concise, très soignée et renouvelée fréquemment.

LEMÉAC
1045, avenue Laurier Ouest, Montréal, 514-270-0999

Le bistro outremontois à la mode, agrémenté d'une jolie terrasse à l'année. Décor clair et dépouillé, très bonne cuisine moderne, d'une constance exemplaire et service efficace. Très belle carte des vins, avec une sélection considérable de vins au verre.

LE ST-URBAIN
96, avenue Fleury Ouest, Montréal, 514-504-7700

Un sympathique bistro nouvelle vague, une grande salle claire et dépouillée. Très bonne cuisine présentée par le chef Marc-André Royal et une liste de vins bien constituée.

LE SERPENT
257, rue Prince, Montréal, 514-316-4666

Nouveau-né des propriétaires du Club Chasse et Pêche. Cuisine italienne impeccable et service avenant ; le lieu est chic, stylé et on peut y tenir une conversation sans y perdre la voix. La carte des vins, courte et minutieusement choisie, témoigne d'une politique de prix terrestre. On peut y voir une marque de respect pour le client.

LES FILLETTES
1226, avenue Van Horne, Montréal, 514-271-7502

Une jeune équipe de restaurateurs a donné une seconde vie à ce célèbre local de l'avenue Van Horne qui a hébergé le Paris-Beurre pendant une trentaine d'années. Look revampé mis au goût du jour – on a enlevé les nappes et éclairci le décor – et cuisine toujours aussi savoureuse. Carte des vins concise, mais variée ; service courtois et professionnel. En prime : une terrasse verdoyante.

LE VIN PAPILLON
2519, rue Notre-Dame Ouest, Montréal, 514-439-6494

Nouveau-né de la famille Joe Beef, un bar à vin lui aussi situé au cœur de la Petite-Bourgogne, juste à côté du célèbre établissement de David McMillan et Fred Morin. La sommelière Vania Filipovic tient le fort et propose une sélection aussi inspirée qu'inspirante des meilleurs crus de la planète, le plus souvent «natures», sinon biologiques. Pour les accompagner, la cuisine savoureuse du chef Marc-André Frappier. Plaisir garanti ! Aucune réservation.

L'EXPRESS
3927, rue Saint-Denis, Montréal, 514-845-5333

Avec raison, L'Express demeure l'une des véritables institutions montréalaises. Depuis une trentaine d'années déjà, une bonne adresse toujours animée, où savourer de bons plats typiques de la cuisine bistro française, avec un vaste choix de vins européens, dont quelques raretés vendues à prix tout à fait correct.

LILI CO.
4675, boulevard Saint-Laurent, Montréal, 514-507-7278

Après un bref passage dans la rue Mentana, ce restaurant a élu domicile sur la *Main*, juste au sud de la rue Villeneuve, à deux pas du bar à vin Le Comptoir. Du mardi au dimanche, le chef David Pellizzari y décline un éventail de plats aussi créatifs que raffinés, que Catherine Draws honore d'un service ultraprofessionnel et très élégant. Belle carte des vins, la plupart vendus à un prix attrayant.

MAISON BOULUD
1228, rue Sherbrooke Ouest, 514-842-4224

Tout nouvellement rénové, le restaurant du chic Ritz-Carlton porte l'enseigne prestigieuse du chef étoilé Daniel Boulud. Fine cuisine du marché et carte des vins tout à fait à la hauteur de l'établissement, ponctuée de quelques curiosités. Superbe terrasse en été et verrière pour les saisons fraîches.

MARCONI
45, avenue Mozart Ouest, Montréal, 514-490-0777

La nouvelle adresse du chef Mehdi Brunet-Benkritly – anciennement au Toqué!, au Pied de Cochon, puis Fedora et Chez Sardine à New York – est une belle addition dans le paysage de la Petite-Italie. La carte des vins de la sommelière Émilie Courtois met en valeur la cuisine avec un choix varié, misant sur les classiques, comme sur les tendances de l'heure. Service à la fois décontracté et professionnel.

MOLESKINE
3412, avenue du Parc, Montréal, 514-903-6939

Véronique Dalle, Frédéric St-Aubin et les propriétaires du Pullman ont ouvert cette nouvelle adresse à quelques numéros civiques du populaire bar à vin de l'avenue du Parc. Au rez-de-chaussée, un espace décontracté s'articule autour d'une cuisine ouverte; on y sert essentiellement de la pizza cuite au four à bois et des vins en fûts d'excellente qualité. L'étage supérieur propose une cuisine gastronomique, assortie d'une belle carte des vins, choisie par la sommelière Véronique Dalle.

MON LAPIN
150, rue Saint-Zotique Est, Montréal

La sommelière Vanya Filipovic et les chefs Marc-Olivier Frappier et Jessica Noël sont à la barre de la nouvelle adresse du groupe Joe Beef (Vin Papillon, Liverpool House, Joe Beef). Une belle place est accordée aux légumes, poissons et fruits de mer. La cuisine et le service sont à la hauteur des standards Joe Beef, tout comme la sélection de vins, hétéroclite et judicieusement choisie.

MONTRÉAL PLAZA
6230, rue Saint-Hubert, Montréal, 514-903-6230

La nouvelle maison de Charles-Antoine Crête – le petit génie qui a tenu la barre des cuisines du Toqué! pendant près de 10 ans – et de Cheryl Johnson. Samuel Chevalier (jadis sommelier chez Toqué! et Le Filet) veille sur la carte des vins et spiritueux. Ouvert sept soirs sur sept.

MILOS
5357, avenue du Parc, Montréal, 514-272-3522

La célèbre table hellénique est réputée depuis longtemps pour ses spécialités de poissons. Excellente cuisine et service impeccable. Une carte des vins assez diversifiée et un vaste choix de crus grecs rappelant l'origine des propriétaires.

NORA GRAY
1391, rue Saint-Jacques, 514-419-6672

Deux anciens de chez Joe Beef ont ouvert récemment cette excellente table dans un segment peu fréquenté de la rue Saint-Jacques. On y sert une cuisine italienne aussi savoureuse que réconfortante, assortie d'une sélection pointue de vins de tous horizons. Ambiance animée et service courtois.

PASTAGA
6389, boulevard Saint-Laurent, 438-381-6389

Dans ce segment moins achalandé du boulevard Saint-Laurent, entre le Mile End et la Petite-Italie, le chef Martin Juneau poursuit avec l'esprit de créativité qui a jadis fait le succès de la Montée de Lait. On y sert des plats de taille moyenne que l'on partage volontiers afin de pouvoir goûter à tout. Penchant affiché pour les vins nature, sans ajout soufre.

PETIT ALEP
199, rue Jean-Talon Est, Montréal, 514-270-9361

Voisin du restaurant Alep, cette petite table animée et fort sympathique, ouverte les midis et les soirs, propose dans un cadre décontracté, une cuisine syrienne savoureuse, mise en valeur par une très vaste sélection de vins nature.

PORTUS CALLE
4281, boulevard Saint-Laurent, Montréal, 514-849-2070

La savoureuse cuisine portugaise d'Helena Loureiro est servie dans une grande salle très affairée. Une belle carte de vins portugais, un service courtois et efficace.

PULLMAN
3424, avenue du Parc, Montréal, 514-288-7779

Cet établissement moderne du centre-ville est un incontournable pour tout amateur de vin de Montréal. La carte propose de nombreuses petites bouchées inventives et savoureuses. Le service très courtois et professionnel fait honneur à un choix de vins de très grande qualité.

ROUGE-GORGE
1234, avenue du Mont-Royal Est, Montréal, 514-303-3822
Le bar à vin d'Alain Rochard et Laurent Farre – anciens propriétaires du restaurant Le Continental – s'est vite imposé comme un incontournable pour les amateurs de vins du Plateau. L'établissement possède un permis de bar, il n'est donc pas nécessaire d'y manger. Cela dit, le Rouge-Gorge propose aussi une belle brochette de petits plats pour apaiser la faim, tout en explorant la carte des vins.

SATAY BROTHERS
3721, rue Notre-Dame Ouest, Montréal, 514-933-3507
Après avoir longtemps oscillé entre une adresse estivale (au marché Atwater) et une adresse hivernale dans la rue Saint-Jacques, les frères Winnicki ont finalement élu domicile rue Notre-Dame, dans le quartier Saint-Henri. La carte des vins est concise mais recherchée et se marie à ravir à une cuisine singapourienne, aussi exotique que délicieuse.

TAPÉO/MESÓN
511 rue Villeray, 514-495-1999/345, rue Villeray, Montréal, 514-439-8089
Deux adresses, un même groupe de propriétaires et une même chef: Marie-Fleur Saint-Pierre. Le premier s'est vite imposé comme une référence en matière de restaurant à tapas à Montréal, bien avant la mode des petits plats à partager. Le petit «nouveau» est situé quelques pas à l'ouest, et propose aussi une cuisine espagnole moderne, en formule bistro de quartier. La carte des vins des deux établissements affiche une belle sélection de vins ibériques, dont d'excellents cavas et xérez.

TOQUÉ!
900, Place Jean-Paul-Riopelle, Montréal, 514-499-2084
Servie dans le cadre moderne du Quartier international de Montréal, la cuisine de Normand Laprise et de sa brigade mérite largement sa place au sein de l'élite gastronomique nord-américaine. Inspirée, savoureuse et mettant toujours en valeur les produits d'artisans locaux. Carte des vins aussi éclectique que recherchée, dont plusieurs raretés. En semaine, menu du midi à prix attrayant.

LAVAL ET LES LAURENTIDES

LE MITOYEN
652, rue de la Place publique, Laval, 450-689-2977
Dans sa belle maison ancestrale du quartier Sainte-Dorothée, Richard Bastien prépare une cuisine classique raffinée, mise en valeur par une carte des vins diversifiée dont plusieurs belles bouteilles. Bon choix de vins au verre.

LE SAINT-CHRISTOPHE
94, boulevard Sainte-Rose, Laval, 450-622-7963

Dans une ancienne demeure agrémentée d'une terrasse, une excellente cuisine inspirée des traditions du sud de la France. Carte de vins exclusivement français, présentée de façon professionnelle.

RIVE SUD DE MONTRÉAL, CANTONS-DE-L'EST ET MONTÉRÉGIE

AUBERGE WEST-BROME
128, route 139 Sud, West-Brome, 450-266-7552

À mi-chemin entre Cowansville et Sutton, cette auberge bicentenaire abrite aussi l'une des bonnes tables de la région de Missisquoi. Menu bistro le midi et cuisine plus élaborée en soirée, tous deux essentiellement composés de produits locaux. Le carte des vins compte plusieurs belles surprises.

AUGUSTE
82, rue Wellington Nord, Sherbrooke, 819-565-9559

Sympathique bistro situé au centre-ville de Sherbrooke. Le décor est épuré et la cuisine s'accompagne d'une belle carte des vins, dont plusieurs belles options au verre.

CAFÉ MASSAWIPPI
3050, chemin Capelton, North Hatley, 819-842-4528

La cuisine de Dominic Tremblay est servie entre les murs d'une coquette maison de campagne. Service courtois et attentif ; carte des vins bien garnie, mais classique.

LE CARNET NOIR
1287, rue Boulay, Acton Vale, 450-642-1026

La municipalité d'Acton Vale, en Montérégie, cache un petit bijou de restaurant, dont la cuisine est dirigée par le chef Grégory Chaput, qui a peaufiné son art au défunt Cocagne, aux côtés d'Alexandre Loiseaux. Les plats, très créatifs, voguent au gré des récoltes et de l'offre des producteurs locaux. La sommelière et copropriétaire Karine Richard, a su initier avec brio les gens du coin au plaisir des accords mets et vins, en proposant une vaste sélection de vins au verre.

L'IMPÉRIAL
320, boulevard Leclerc Ouest, Granby, 450-994-1922

Le chef François Côté a quitté les cuisines du restaurant montréalais Joe Beef il y a un peu plus de cinq ans pour ouvrir son propre restaurant à Granby. La cuisine est copieuse et savoureuse – les pâtes au homard valent le détour à elles seules – et la carte des vins compte nombre de belles bouteilles, dont plusieurs importations privées. Tellement bon qu'on a envie de faire un détour par Granby pour s'y poser.

MANOIR HOVEY
575, chemin Hovey, North Hatley, 819-842-2421

Au bord du lac Massawippi, cette belle demeure d'influence sudiste est un haut lieu de l'hôtellerie dans les Cantons-de-l'Est. Cuisine sophistiquée, concoctée par le chef Francis Wolf. Peu d'aubaines, mais des crus choisis avec soin.

TABLE FERMIÈRE
3809, rue Principale, Dunham, 450-814-1500

Dans l'ancien relais de diligences de Dunham, voisin de la Brasserie Dunham, le chef Luc Pinard propose déjà une cuisine fine, qui met en valeur les produits de maraîchers et éleveurs locaux. Vaste sélection de bières d'envergure gastronomique, carte des vins bien choisie et service décontracté et professionnel.

QUÉBEC ET LA RÉGION

LE PIED BLEU
179, rue Saint-Vallier Ouest, Québec, 418-914-3554

Dans un décor tout droit sorti d'une autre époque, cet établissement de la vieille capitale se définit comme un «bouchon lyonnais». C'est-à-dire inspiré de la cuisine de la ville de Lyon, en France, célèbre pour ses charcuteries, ses plats copieux à base de viande de porc et d'abats. Service sympathique, professionnel et carte des vins axée sur les régions voisines de Lyon : Rhône, Beaujolais, Bourgogne et Jura.

LE MOINE ÉCHANSON
585, rue Saint-Jean, Québec, G1R 1P7, 418-524-7832

Le concept : restaurant et boîte à vin. Un lieu minuscule, mais chaleureux et convivial. Le menu, comme la carte des vins, évolue au rythme des saisons. Plus léger l'été, plus rassasiant l'hiver.

LE CLOCHER PENCHÉ
203, rue Saint-Joseph Est, Québec 418-640-0597

Au menu, des classiques de la cuisine bistro française : boudin, tartares, etc. Expérience tout aussi agréable en soirée que pour le brunch. Belle carte des vins, essentiellement européenne. Service sympathique, sans compromis sur le professionnalisme.

INITIALE
54, rue Saint-Pierre, Québec, 418-694-1818

Membre de la chaîne Relais & Châteaux, récemment décoré de la mention cinq Diamants, ce restaurant gastronomique situé au cœur du Vieux-Québec est un incontournable de la Vieille Capitale. Une cuisine fine et sophistiquée, servie dans un cadre tout aussi distingué, accompagnée d'une belle sélection de vins, dont plusieurs grands crus bordelais. Le menu du midi est une véritable aubaine.

CHEZ BOULAY
1110, rue Saint-Jean, Québec, 418-380-8166

Le chef-propriétaire du restaurant Le Saint-Amour a développé un nouveau restaurant voué à la mise en valeur des produits du terroir boréal, comme le désormais très médiatisé NOMA, de Copenhague. Omble de l'arctique et caribou parfumé au thé du Labrador sont assortis d'une carte des vins truffée d'importations privées.

LÉGENDE
255, rue Saint-Paul, Québec, 418-614-2555

L'antenne du restaurant La Tanière dans le Vieux-Québec. Une cuisine boréale très bien exécutée, à la hauteur des standards de la maison-mère. Le sommelier Jean-Sébastien Delisle dresse une carte étoffée, résolument axée sur les vins de terroir.

PANACHE
10, rue Saint-Antoine, Vieux-Québec, 418-692-1022

Dans les murs de l'hôtel Saint-Antoine, ce restaurant séduit par la beauté historique des lieux, l'excellente cuisine sans confusion, le service pondéré et la belle carte des vins. Membre de la chaîne Relais & Châteaux.

LE SAINT-AMOUR
48, rue Sainte-Ursule, Vieux-Québec, 418-694-0667

Campé dans une rue en pente près de la porte Saint-Louis. La carte des vins a l'allure d'un annuaire téléphonique. Toutes les régions de France y sont, particulièrement les vins de Bourgogne et de Bordeaux. Une gamme impressionnante de vins liquoreux et un très bon choix de demi-bouteilles.

LAURIE RAPHAËL
117, rue Dalhousie, Vieux Québec, 418-692-4555

Une table réputée du Vieux Québec, où Daniel Vézina signe une cuisine moderne, mise en valeur par une belle carte des vins.

L'ÉCHAUDÉ
73, rue Sault-au-Matelot, Vieux-Québec, 418-692-1299

Restaurant niché au cœur de la vieille ville. Cuisine de bistro accompagnée d'un très bon choix de vins français à des prix raisonnables.

BAS-SAINT-LAURENT, CHARLEVOIX, SAGUENAY, CÔTE-NORD

CHEZ SAINT-PIERRE
129, Mont-Saint-Louis, Le Bic, 418-736-5972

Selon l'avis de plusieurs, la meilleure table du Bas-Saint-Laurent. Colombe Saint-Pierre met en valeur des produits locaux et concocte des plats aussi fins que savoureux. Côté vin, quelques belles trouvailles. Un arrêt obligé dans la région.

AUBERGE DU MANGE GRENOUILLE
148, rue Sainte-Cécile, Le Bic, 418-736-5656

Une adresse réputée sur la route du Bas-du-Fleuve. Dans un décor chaleureux, cette auberge de qualité propose une cuisine soignée et une longue carte des vins diversifiée.

MAURICIE, BOIS-FRANCS, SOREL

AUBERGE DU LAC SAINT-PIERRE
1911, rue Notre-Dame, Pointe-du-Lac, 819-377-5971

Sur les rives du Saint-Laurent, une sympathique halte où l'on sert une cuisine réconfortante. Sur la carte, environ 150 vins bien choisis. Pour les grands soirs, quelques grands crus de Bordeaux.

LE CARLITO
361, rue des Forges, Trois-Rivières, 819-378-9111

On ne s'arrête pas dans ce restaurant trifluvien pour sa cuisine. En revanche, la carte des vins vaut vraiment le détour! Une foule de bonnes bouteilles de garde des régions de Bordeaux, de Bourgogne et du Rhône.

OUTAOUAIS ET ONTARIO

PLAY
1, York Street, Ottawa, 613-667-9207

Fort du succès de leur premier restaurant (Beckta, dans Nepean Street), le tandem formé de Stephen Beckta et du chef Michael Moffat a ouvert un second établissement, plus décontracté et aussi plus abordable. L'ambiance est animée, la formule est originale, le service est avenant et la carte compte quelques bons vins canadiens proposés au verre.

L'ORÉE DU BOIS
15, chemin Kingsmere, Chelsea, 819-827-0332

Dans le parc de la Gatineau en Outaouais, un sympathique relais de campagne, sous la gouverne du chef-propriétaire Jean-Claude Chartrand. La carte des vins est très bien garnie et inclut une sélection de vins québécois et canadiens. Un bon choix de vins au verre.

SOIF, BAR À VIN DE VÉRONIQUE RIVEST
88, rue Montcalm, Gatineau, 819-600-7643

Véronique Rivest a enfin pu concrétiser son projet d'ouvrir son bar à vin dans sa ville natale. Au cœur du Vieux-Hull, la vice-championne du monde en sommellerie a opté pour un décor chaleureux où le liège est à l'honneur sous toutes ses formes. La carte des vins est invitante, très éclectique, mais sans ostentation. Tout à l'image de sa créatrice.

APPORTEZ VOTRE VIN

Les restaurants où l'on peut apporter son vin sont nombreux dans la région de Montréal. Voici quelques bonnes adresses :

Montréal

À L'OS
5207, boulevard Saint-Laurent, 514-270-7055

Dans un décor dépouillé, ce bistro de quartier propose un menu élaboré et bien présenté. Service professionnel, carafes et verres de qualité impeccable.

BOMBAY MAHAL
1001, rue Jean-Talon Ouest, Montréal, 514-273-3331

Adresse très fréquentée de Parc-Extension, où s'entassent les amateurs de cuisine indienne dans une ambiance un peu bruyante et chaotique, mais néanmoins sympathique. Cuisine savoureuse, plus ou moins relevée, à la demande du client.

ÉTAT-MAJOR
4005, rue Ontario Est, Montréal, 514-905-8288

Une très bonne adresse, située sur la promenade Ontario, tout près du boulevard Pie IX. La cuisine est bien exécutée, les portions assez copieuses, le service est professionnel, efficace et très sympathique et des verres de qualité permettent d'apprécier les bonnes bouteilles.

KHYBER PASS
506, avenue Duluth Est, Montréal, 514-844-7131

Envie d'exotisme? Davantage parfumée que piquante, la cuisine afghane se prête assez bien aux accords mets et vins. Dans un décor feutré, on savoure de bons plats d'agneau braisé, des grillades et autres spécialités. Par contre, ne cherchez pas les verres en cristal...

LA COLOMBE
554, avenue Duluth Est, 514-849-8844

Une adresse que l'on visite et revisite avec un plaisir toujours renouvelé. Vos meilleures bouteilles seront admirablement bien servies, tant par le personnel en salle, que par la cuisine aussi soignée, que gourmande et réconfortante, du chef-propriétaire Mostafa Rougaïbi. Un classique et un incontournable pour l'amateur de vin. Pas étonnant qu'on y croise tant de gens de la profession...

LE MARGAUX
5058, avenue du Parc, Montréal, 514-448-1598

Ce restaurant de l'avenue du Parc, à deux pas de l'avenue Laurier, s'est reconverti en «Apportez votre vin» depuis le début de l'année 2013. La formule fonctionne assez bien si on en juge par l'achalandage. Cuisine sobre et raffinée.

LES CANAILLES
3854, rue Ontario Est, Montréal, 514-526-8186

Dans le quartier Hochelaga-Maisonneuve, pas très loin de la Place Valois. Bonne cuisine bistro, servie dans une ambiance animée et un cadre décontracté.

O'THYM
1112, boul de Maisonneuve Est, Montréal, 514-525-3443

Bistro très fréquenté. Le menu, inscrit à l'ardoise, varie au rythme des arrivages. Service avenant et courtois.

QUARTIER GÉNÉRAL
1251, rue Gilford Est, Montréal, 514-658.1839

Parmi les bons «apportez votre vin» du Plateau Mont-Royal. On y propose une belle sélection d'entrées et de plats servis à la carte ou en menu composé. Le service est à la fois professionnel, avenant et sympathique. Le mieux est de réserver une semaine à l'avance.

Québec

LA GIROLLE
1384, chemin Sainte-Foy, 418-527-4141

L'un des rares bistros de Québec où l'on peut apporter son vin. On y sert des plats français classiques à des prix très abordables. Les bonnes bouteilles sont de mise. Ouvert midi et soir.

CHEZ SOI LA CHINE
27, rue Sainte-Angèle, Québec, 418-523-8858

Au cœur du Vieux-Québec, à deux pas de la place d'Youville, ce restaurant situé dans les anciens locaux du Café d'Europe propose une cuisine chinoise authentique. Les dumplings vapeur et le canard laqué aux champignons feront certainement honneur à vos bonnes bouteilles. Chaleureux et abordable.

L'IMPORTATION PRIVÉE

COMMENT ÇA MARCHE ?

La plupart des agences mettent à jour le catalogue de leurs vins d'importation privée sur une base régulière. Si un produit vous intéresse :

1- Communiquez avec l'agence par courriel ou par téléphone pour passer votre commande ;

2- Choisissez la succursale de la SAQ où vous souhaitez prendre possession de vos bouteilles* ; un employé de la succursale vous avisera par téléphone sur réception de votre commande ;

3- Un employé de la succursale vous avisera par Tél.éphone sur réception de votre commande ;

4- Le paiement s'effectue lors de la prise de possession des bouteilles, au comptoir-caisse de la SAQ.

*Les vins sont vendus en caisse de 6 ou 12 bouteilles.

OÙ S'ADRESSER ?

Pour obtenir de plus amples renseignements quant aux coordonnées des différentes agences, vous pouvez aussi communiquer avec :

- le service à la clientèle de la SAQ au 514-254-2020 ;
- la RASPIPAV (Regroupement des agences spécialisées dans la promotion de l'importation privée des alcools et des vins) à l'adresse info@raspipav.com ;
- l'AQAVBS (Association québécoise des agences de vins, bières et spiritueux) au 514-722-4510.

DES ADRESSES OÙ S'APPROVISIONNER

AB2vin
Tél. : 450-525-0171
ab2vin.ca

Agence Boires
Tél. : 514-969-2485
agenceboires.com

A.O.C. et Cie
Tél. : 514-931-9645
vinsaoc.ca

Anthocyane
Tél. : 514-237-3902
anthocyane.ca

Authentic Vins et Spiritueux
Tél. : 514-356-5222
awsm.ca

Avant Garde Vins et Spiritueux
Tél. : 514-464-0054
agvs.ca

Balthazard
Tél.: 514-288-9009
vinsbalthazard.com

Bambara Sélection
Tél.: 450-482-3777
bambaraselection.com

Benedictus
Tél.: 450-671-5572
benlecavalier@sympatico.ca

Blanc ou Rouge
Tél.: 450-747-3070
blancourouge.com

Cava Spiliadis Canada
Tél.: 514-272-7459
cavaspiliadis.com

Charton-Hobbs
Tél.: 514-355-8955
chartonhobbs.com

Connexion Œnophilia
Tél.: 514-244-2248
oenophilia.ca

Dandurand
Tél.: 1 888 820-2089
vinsdandurand.com

Divin Paradis
Tél.: 450-463-1020
divinparadis.com

Elixirs Vins et Spiritueux
Tél.: 514-489-9880
elixirs.ca

Enoteca di Moreno de Marchi
lenoteca.ca

Enotria Internationale
Tél.: 514-955-8466
enotria.ca

Francs-Vins (La Société)
Tél.: 514-270-6123
francs-vins.ca

GLOU
Tél.: 514-978-7216
glou-mtl.com

Importations BMT
Tél.: 514-652-5003
importationsbmt.com

Les Vins Dame-Jeanne
vindamejeanne.com

Importation Épicurienne R.A. Fortin
Tél.: 450-671-0631
importation-epicurienne.com

Importation Le Pot de Vin
Tél.: 418-997-9264
importationlepotdevin.com

Importations Syl-Vins
Tél.: 450-492-4474
importationssyl-vins.com

Isravin
Tél.: 514-991-9463
isravin.com

La Céleste Levure
Tél.: 514-948-5050
lacelestelevure.ca

La QV
Tél.: 514-504-5082
laqv.ca

LBV International
Tél.: 514-907-9680
lbvinternational.com

LCC/Clos des Vignes
Tél.: 514-985-0647
lccvins.com

La Fontaine Vins et Liqueurs
Tél.: 514-253-1848
la-fontaine.ca

Le Maître de Chai
Tél.: 514-849-7555
lemaitredechai.qc.ca

Les Sélections Vin-Coeur
Tél.: 450-754-3769
selectionsvincoeur.com

Les Vieux Garçons
Tél.: 418-571-3396
lesvieuxgarcons.ca

Le Marchand de Vin
Tél. : 514-481-2046
mdv.ca

Le Vin dans les Voiles
Tél. : 514-374-7070
levindanslesvoiles.com

LVAB
Tél. : 450-538-3782
lvab.ca

Mark Anthony Brands
Tél. : 1 800 905-6660
markanthony.com

Mon Caviste
Tél. : 514-867-5327
moncaviste@videotron.ca

Mondia Alliance
Tél. : 450-645-9777
mondiaalliance.com

Œnopole
Tél. : 514-276-1818
Oenopole.ca

Plan Vin
Tél. : 514-678-8777
planvin.com

Primavin
Tél. : 514-868-2228
primavin.com

Raisonnance
Tél. : 450-226-5064
raisonnance.net

RéZin
Tél. : 514-937-5770
rezin.com

Sélection Caviste
Tél. : 450-963-7401
selectioncaviste.com

Sélections Fréchette
Tél. : 514-868-2020
selectionsfrechette.com

Sélections Œno
Tél. : 450-769-1990
oeno.ca

Société Commerciale Clément
Tél. : 450-641-6403
jlfreeman.ca

Société de Vins Fins
Tél. : 450-432-2626
sdvf.ca

Société Roucet
Tél. : 450-582-2882
roucet.com

Symbiose
Tél. : 514-212-6336
symbiose-vins.com

Tocade
Tél. : 514-680-1543
tocade.com

Trialto
Tél. : 514-989-9657
trialto.com

Univins
Tél. : 514-522-9339
univins.ca

Vin Conseil
Tél. : 450-628-5639
vinconseil.com

Vinealis
Tél. : 514-895-8835
vinealis.com

Vinicolor
Tél. : 514-938-8467
vinicolor.ca

Vini-Vins
Tél. : 514-993-3727
vini-vins.com

Vins etcetera
Tél. : 450-621-5836
vinsetcetera.com

VinatoVin
Tél. : 819-472-5282 poste 103
VinatoVin.com

Vitis
Tél. : 418-683-5618
vitiscanada.com

Ward & Associés
wardetassocies.com

OÙ SE PROCURER DES VINS DU QUÉBEC

MONTRÉAL

Boire Grand - William J. Walter Saucissier Ahuntsic
1314, rue Fleury Est, Montréal
514-383-2999

Comptoir Sainte-Cécile
232, rue de Castelnau Est, Montréal
514-271-9888

Pascal le boucher
8113, rue Saint-Denis, Montréal
438-387-6030

Peluso Beaubien
251, rue Beaubien Est, Montréal
514-379-1343

Veux-tu une bière? (3 adresses)
372, rue de Liège Est, Montréal
514-871-2771
5105, boul. Saint-Laurent, Montréal
514-871-2663
1451, rue Saint-Zotique Est, Montréal
514-871-2661

Le Vinologue
4301, rue Ontario Est, Montréal
514-251-8484

MONTÉRÉGIE

Ferme Guyon
1001, rue Patrick Farrar, Chambly
450-658-1010

La Grange à Houblon
222, boul. Poliquin, Sorel-Tracy
579-363-3363

Marché du Village
98, QC-235, Ange-Gardien
450-293-6115

William J. Walter
123, rue Saint-Charles Ouest,
Longueuil
450-293-6115

LAVAL ET RIVE-NORD

La Saucisserie BDF
69, Montée Gagnon, Bois-des-Filion
450-621-0611

La Saucisserie Ste-Rose
146, boul. Sainte-Rose, Laval
450-937-9333

Yannick Fromagerie
357, rue Parent, Saint-Jérôme
450-436-8469

ESTRIE

Bières Dépôt - Au Vent Du Nord
4692, boul. Bourque, Sherbrooke
819-933-3883

RÉGION DE QUÉBEC

William J. Walter - Nouvo St-Roch
165, rue Saint-Joseph Est, Québec
581-981-2020

Yannick Fromagerie
901, 3e avenue, Québec (Limoilou)
418-614-2002

JA Moisan
699, rue Saint-Jean, Québec
418-522-0685

La Place
699, rue Saint-Joseph Est, Québec
418-529-7524

Laiterie Charlevoix - Marché public de Lévis
5751, rue J.-B. Michaud, Lévis
581-985-8881

INDEX
DES CODES

||||||||||||||||||||||||||||||||||||||||||||||||||||||||||||||||||||||||||||||||||||||||||||||||||||||

Numéro de code de chaque vin, suivi de la page où il apparaît dans le livre.

||||||||||||||||||||||||||||||||||||||||||||||||||||||||||||||||||||||||||||||||||||||||||||||||||||||

917138	55	10264860	37	10522540	268	10758325	221
917484	105	10265061	139	10523366	89	10771407	37
917823	118	10268887	154	10540721	357	10778975	153
917948	133	10269151	33	10540730	357	10780311	169
927590	166	10270881	216	10542137	198	10783088	119
927822	258	10270928	178	10543404	174	10783310	103
927830	258	10271998	218	10544749	280	10783491	151
927962	247	10272966	65	10551471	203	10786115	246
928184	209	10293169	280	10556993	213	10792267	63
928473	229					10796524	60
928853	311	**103**		**106**		10796946	349
952705	115	10318160	317	10654948	358		
960310	53	10322661	380	10669787	194	**108**	
961185	65	10326004	345	10675001	151	10816775	163
961805	384	10327701	329	10675271	153	10817090	373
962811	304	10330433	120	10675431	199	10820900	184
962829	312	10342741	322	10676881	111	10838982	227
963355	88	10359156	211	10678229	107	10839168	356
963389	190	10360261	212	10678237	106	10839635	351
964593	169	10360317	213	10678261	123	10841188	226
966135	134	10367412	67	10678464	339	10843394	188
966598	384	10370267	290	10678510	338	10854085	179
966804	63	10371761	229	10679221	339	10856161	204
968214	78	10383447	330	10679361	341	10856427	220
972216	177	10388601	36	10680118	274	10856937	279
972422	39	10395309	316	10682615	129	10858086	221
973222	121	10399297	317	10682623	382	10858158	221
976852	133			10685251	246	10858262	179
978072	40	**104**		10689606	90	10860346	164
978189	132	10403410	232	10689665	84	10863281	32
978866	218	10405010	133			10863344	33
		10456440	167	**107**		10863766	195
102		10462778	210	10700764	259	10863774	194
10210677	258	10493806	319	10703412	340	10865227	226
10217300	185	10496898	366	10703594	238	10865307	34
10220269	278	10496901	366	10703754	255	10894431	318
10236682	257	10498973	353	10704984	176	10894811	126
10248931	240			10707093	296	10895565	318
10249061	238	**105**		10744695	300	10896365	358
10252869	182	10503963	188	10745532	282	10897851	127
10253440	180	10507104	139	10745989	301		
10255939	120	10507307	129	10749736	175	**109**	
10259737	140	10517759	190	10750091	328	10902841	210
10259745	140	10520755	101	10752775	43	10919117	102
10259753	123	10520835	61	10754228	335	10919133	119
10259833	38	10521301	34	10754244	331	10919707	270
10259876	104	10522401	92	10756400	253	10919723	270

Index

Index

13385931	70	13529624	323	13594581	57	13674371	166
13386168	69	13530078	379	13594899	84	13675883	319
13387267	100	13530326	277	13595576	307	13679489	371
13387355	119	13530342	271			13679884	249
13394766	308	13532145	370	**136**		13681685	249
		13545886	318	13601446	285	13685539	306
134		13546037	206	13608752	207	13685598	305
		13546061	256	13612532	264	13688772	315
13401639	317	13547401	368	13616285	162		
13402316	147	13551371	319	13618352	331	**137**	
13408929	359	13553974	68	13619321	203		
13425868	330	13554660	317	13619478	106	13706627	191
13425972	170	13554723	316	13620815	58	13710811	171
13437439	354	13554758	309	13620840	231	13710909	73
13440700	252	13557828	209	13622263	167	13711194	371
13442801	182	13559655	383	13622319	204	13713472	306
13448699	370	13565385	205	13622407	188	13730740	313
13458580	284	13565406	212	13622538	370	13734337	35
13466512	109	13566214	225	13622626	140	13736578	371
13467435	292	13566783	359	13623080	206	13738055	340
13470482	104	13567196	370	13625915	249	13740016	50
13470589	116	13567452	366	13626037	192	13740577	174
13476139	312	13570521	256	13626109	189	13745626	186
13476201	239	13574370	193	13626328	199	13746485	230
13477625	248	13574441	66	13629001	231	13747269	68
13477959	32	13574687	205	13630474	367	13755437	193
13478741	199	13574695	290	13630749	229	13788087	248
13479639	252	13575524	314	13632365	220		
13480605	41	13576594	33	13637254	140	**138**	
13481069	356	13576623	329	13638231	113		
13484796	357	13579314	213	13638513	137	13827277	83
13485959	181	13579331	359	13639971	329	13827411	56
13491081	324	13579496	76	13647014	347	13835648	373
13497052	330	13581123	219	13648324	318	13835841	264
13497141	282	13581262	239	13651005	379	13836915	136
13498928	59	13581326	330	13657538	87	13841360	71
		13585378	354	13657571	61	13841423	36
135		13586101	293	13657802	314	13841431	173
		13586784	338	13660315	127	13841440	173
13501146	182	13587710	172	13665474	127	13844317	230
13501710	295	13587947	90	13668392	339	13882313	296
13503205	304	13587963	85	13668552	183		
13503686	322	13589441	91	13672092	70	**139**	
13507329	246	13593239	364	13674266	171		
13510552	244	13593280	237	13674362	167	13911794	194
13526298	195						
13529202	205						

INDEX DES PRODUCTEURS

NOTES DE RÉFÉRENCES

Pour faciliter vos recherches, vous pouvez également
télécharger l'index complet du *Guide du vin 2019* sur
le site Internet des Éditions de l'Homme
à l'adresse suivante:

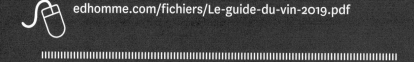 edhomme.com/fichiers/Le-guide-du-vin-2019.pdf

G

GAILLARD, PIERRE
Condrieu 2017, 100
Côte Rôtie 2016, 102
Faugères 2015, Transhumance, 129
Saint-Joseph 2016, Clos de Cuminaille, 102
Saint-Joseph blanc 2017, 100

GALASSO, ETTORE
Montepulciano d'Abruzzo Riserva 2015, Corno Grande, 194

GALIL MOUNTAIN WINERY
Meron 2014, Upper Galilee, 256
Yiron 2015, Galilee, 256

GARCES SILVA
Syrah 2014, Boya, Valle de Leyda, 310

GARDET
Brut Premier cru, 344

GASSIER, MICHEL
Costières de Nîmes 2014, Lou Coucardié, 123
Costières de Nîmes 2015, Nostre Païs, 123
Lou Coucardié blanc Costières de Nîmes 2014, 109

GAY, FRANÇOIS
Chorey-lès-Beaune 2015, 55

GERBAIS, PIERRE
Extra Brut, Grains de Celles, 347

GEROVASSILIOU
Avaton 2015, Epanomi, 240
Blanc 2017, Epanomi, 238
Malagousia 2017, Vieilles vignes, Epanomi, 238
Rouge 2016, Epanomi, 240

GEYERHOF
Grüner veltliner 2017, Rosensteig, Kremstal, 248
Riesling 2017, Sprinzenberg, Niederösterreich, 249

GILBERT, PHILIPPE
Menetou-Salon 2015, 94

GIMONNET, PIERRE
Cuvée Cuis Premier cru brut, 349

GLENELLY
Estate Reserve 2011, Stellenbosch, 341

GOLAN HEIGHTS WINERY
Cabernet sauvignon 2015, Yarden, Galilee, 257
Hermon Red 2014, Galilee, 257
Hermon Indigo 2015, Galilee, 256
Moscato 2017, Hermon, Galilee, 369
Syrah 2014, Yarden, Galilee, 257

GONZALEZ BYASS
Fino, Tío Pepe, 376
Vermouth Rouge, La Copa, 379

GRAHAM'S
Tawny 20 ans, 382

GRASSO, SILVIO
Barolo 2013, 162
Barolo 2012, Bussia Dardi Le Rose, 163
Barolo 2013, Annunziata Vigna Plicotti, 162
Dolcetto 2016, Langhe, 166

GRETZKY, WAYNE
Riesling 2016, Estates No. 99, Niagara Peninsula, 282

GRIFALCO
Aglianico del Vulture 2015, Grifalco, Basilicate, 196

GRILLESINO
Ciliegiolo 2016, Toscana, 189
Morellino di Scansano Riserva 2013, Battiferro, 189

GROS NORÉ
Bandol 2014, 141

GUADO AL TASSO
Bolgheri Rosso 2016, Il Bruciato, 187
Bolgheri Superiore 2014, 187
Bolgheri Superiore 2015, 187

GUIGAL, E.
Condrieu 2015, 101
Côte Rôtie 2013, Brune & Blonde, 103
Côtes du Rhône 2015, 120
Côtes du Rhône blanc 2016, 109
Crozes-Hermitage 2015, 105
Crozes-Hermitage blanc 2015, 101
Gigondas 2013, 117
Hermitage blanc 2013, 101

H

HALOS DE JUPITER, LES
Côtes du Rhône 2016, 121

HAMILTON RUSSELL
Chardonnay 2016, Hemel-en-Aarde, 337

HARO-BILBAO
Rioja 2015, Monopole Clasico Blanco Seco, 204

HEITZ CELLAR
Cabernet sauvignon 2012, Trailside Vineyard, Napa Valley, 294
Cabernet sauvignon 2013, Martha's Vineyard, Napa Valley, 295
Cabernet sauvignon 2013, Napa Valley, 294

HENRIOT
Brut Blanc de blancs, 349
Brut rosé, 351

HERMANOS HERNÀIS
Rioja 2016, El Pedal Tempranillo, 212

HERMANOS LURTON
Rueda Verdejo 2016, 207

HONORO VERA
Calatayud 2016, Garnacha, 210

HOURS, CHARLES
Jurançon sec 2015, Cuvée Marie, 147

HOUSE WINE CO
Cabernet-Merlot 2016, Red House, Niagara Peninsula, 284

HUGEL
Riesling 2016, Alsace, 76

I

IJALBA
Rioja 2015, Graciano, 212
Rioja Reserva 2014, 214

ILLUMINATI
Montepulciano d'Abruzzo 2016, Riparosso, 194

INAMA
Soave Classico 2017, 172

INDEX DES PRODUCTEURS 421

R

RAMOS, JOÃO PORTUGAL
Alentejano 2016, Reserva, 233

RAMOS PINTO
Tawny 10 ans, Quinta da Ervamoira, 382

RAVENSWOOD
Zinfandel 2014, Big River, Alexander Valley, 298

RAVENTOS i BLANC
De Nit 2016, Conca del Riu Anoia, 358
L'Hereu 2016, Conca del Riu Anoia, 359

RAYMOND
Cabernet sauvignon 2016, California, 297

REBHOLZ
Weisser Burgunder Trocken 2016, Pfalz, 245

RECTORAL DO UMIA
Rias Baixas 2016, Abellio, Albariño, 205

RENARDAT-FÂCHE
Bugey Cerdon, 369

RIDGE VINEYARDS
Geyserville 2016, Sonoma County, 299
Lytton Springs 2015, Dry Creek Valley, 299
Three Valleys 2015, Sonoma County, 299

RIVIÈRE, OLIVIER
Rioja 2016, Gabaxo, 213

ROBERTSON WINERY
Chenin blanc 2017, Robertson, 335

ROEDERER
Brut Premier, 345

ROEDERER ESTATE
Anderson Valley, Brut rosé, 367
Anderson Valley, Brut, 367

RONSEL DO SIL
Ribeira Sacra 2015, Vel'uveyra Mencia, 203

ROOTS WINE COMPANY
Pinot noir 2016, Klee, Willamette Valley, 293

ROUVINEZ
Pinot noir 2017, Valais, Coteaux de Sierre, Suisse, 251

RÉSERVE DE L'HERRÉ
Sauvignon blanc 2017, Vin de France, 149

RUFFINO
Chianti Classico Gran Selezione 2012, Riserva Ducale Oro, 181
Modus 2015, Toscana, 189

RUINART
Brut, 345

SANDEMAN
Old Tawny Porto 20 ans, 383

SANDRONE, LUCIANO
Barbera d'Alba 2016, 167
Dolcetto d'Alba 2016, 167
Nebbiolo d'Alba 2016, Valmaggiore, 165

SAN FELICE
Chianti Classico 2016, 179
Chianti Classico Riserva 2015, Il Grigio da San Felice, 181

SANTA JULIA
Cabernet sauvignon 2017, Mendoza, 319
Chardonnay 2017, Mountain Blend, Valle de Uco, Mendoza, 314
Chenin blanc 2017, Mendoza, 314

SANT'ANTONIO
Amarone 2013, Selezione Antonio Castagnedi, 176

SANTI NELLO
Prosecco, Extra Dry, 357

SANTO WINES
Assyrtiko 2017, Santorini, 236

SAN VALENTINO
Sangiovese Superiore 2016, Scabi, Romagna Sangiovese, 183

SAPAIO
Bolgheri 2016, Volpolo, 187

SARTORI
Amarone della Valpolicella 2013, 176

SELBACH
Riesling 2016, Qba, Mosel, 247
Riesling Kabinett 2016, Halbtrocken, Zeltinger Himmelreich, Mosel, 247

SELLA & MOSCA
Alghero Rosso 2014, Corallo, 199
Carignano del Sulcis 2014, Terre Rare Riserva, 199

SEMELI
Mantinia 2016, Thea, 239

SERESIN
Pinot noir 2016, Momo, Marlborough, 331

SERRADINHA
Vinho mesa tinto 2012, 233

SIGALAS
Santorini 2017, 237

SOGRAPE
Vinho Verde 2016, Morgadio da Torre Alvarinho, 225

SOPHENIA
Malbec 2016, Altosur, Mendoza, 317

SOUMAH
Savarro 2016, Yarra Valley, 323

SPIER
Shiraz 2017, Western Cape, 339

STAG'S LEAP WINE CELLARS
Cabernet sauvignon 2015, Artemis, Napa Valley, 295
Chardonnay 2016, Hands of Time, Napa Valley, 291

STRATUS
Cabernet franc 2014, Niagara-on-the-Lake, 285
Kabang Red 2015, Niagara-on-the-Lake, 285
Merlot 2016, Wildass, Niagara Peninsula, 285
Red 2015, Niagara-on-the-Lake, 285
Riesling 2016, Icewine, 279
Riesling 2017, Moyer Road, Niagara Peninsula, 283
Sauvignon blanc 2016, Wildass, Niagara Peninsula, 283

SUMARROCA
Cava Gran Reserva Brut Nature 2013, 359
Penedès 2016, Tuvi (or not Tuvi), 205

INDEX DES NOMS DE VINS

NOTES DE RÉFÉRENCES

Pour faciliter vos recherches, vous pouvez également
télécharger l'index complet du *Guide du vin 2019* sur
le site Internet des Éditions de l'Homme
à l'adresse suivante :

 edhomme.com/fichiers/Le-guide-du-vin-2019.pdf

Index

C

Rouge 2016, Epanomi, Gerovassiliou, 240

Rouge 2016, Le Chat Botté, 276

Rouge Gorge, Vermouth de cidre, Domaine
Lafrance, 378

Roussanne 2016, Stellenbosch,
Ken Forrester, 337

Rueda 2016, El Petit Bonhomme Blanco,
Les Vins Bonhomme, 206

Rueda 2016, Paramos de Nicasia,
Maquina & Tabla, 207

Rueda de Verdejo 2016, Beronia, 206

Rueda Verdejo 2016, Comenge, 206

Rueda Verdejo 2016, Hermanos Lurton, 207

Rueda Verdejo 2016, Marqués de Cáceres, 207

Rueda Verdejo 2016, Vinedos centenario
Sobre lias, Cuatro Rayas, 206

S

Saint-Amour 2016, Domaine de La Pirolette, 68

Saint-Amour 2016, Grandes Mises,
Mommessin, 69

Saint-Chinian 2015, Au fil de soi, Clos
Bagatelle, 128

Saint-Chinian 2015, La Madura, 129

Saint-Chinian 2016, Terrasses de Mayline,
Cave de Roquebrun, 128

Saint-Chinian 2017, Antonyme, Domaine
Canet-Valette, 129

Saint-Chinian – Roquebrun 2015, Granges des
Combes, Cave de Roquebrun, 128

Saint-Émilion Grand cru 2014, Côtes
Rocheuses, 39

Saint-Émilion Grand cru 2015, Château
Viramière, 39

Saint-Joseph 2015, Vins de Vienne, 103

Saint-Joseph 2016, Clos de Cuminaille,
Pierre Gaillard, 102

Saint-Joseph 2016, Courbis, 102

Saint-Joseph 2016, Terroir de Granit,
Guy Farge, 102

Saint-Joseph blanc 2017, Pierre Gaillard, 100

Saint-Nicolas de Bourgueil 2015, Maugueret-
Contrie, Alain Et Pascal Lorieux, 93

Saint-Pépin 2015, Léon Courville, 270

Saint-Pépin 2017, Château de Cartes, 270

Saint-Véran 2016, Combe aux Jacques,
Louis Jadot, 57

Salice Salentino 2010, Rosso Riserva,
Cosimo Taurino, 196

Sancerre 2014, Cuvée du Connetable,
Château de Sancerre, 86

Sancerre 2016, Château de Sancerre, 86

Sancerre 2016, Henry Natter, 87

Sancerre 2016, Les Chasseignes,
Domaine Fouassier, 86

Sancerre 2017, Chavignol, Domaine
Delaporte, 86

Sancerre 2017, Domaine de la Rossignole,
Pierre Cherrier et Fils, 87

Sancerre 2017, La Moussière, Alphonse
Mellot, 87

Sangiovese Superiore 2016, Prugneto,
Romagna, Nespoli, 183

Sangiovese Superiore 2016, Scabi, Romagna
Sangiovese, San Valentino, 183

Santorini 2017, Sigalas, 237

Sardòn 2015, Vino de la Tierra de Castilla y
Leòn, Quinta Sardonia, 219

Saumur 2016, Château Yvonne, 84

Saumur 2016, Cuvée Affinité, Domaine de la
Guilloterie, 92

Saumur 2017, Les Perrières, Domaine de Saint-
Just, 85

Saumur 2017, Saint-Cyr-en-Bourg, Arnaud
Lambert, 85

Saumur-Champigny 2016, La Folie, Château
Yvonne, 92

Saumur-Champigny 2017, Les Terres Rouges,
Arnaud Lambert, 93

Sauternes 2004, Cru Barréjats, 145

Sauvignon 2017, Touraine, Domaine de
Lévêque, 90

Sauvignon blanc 2013, Domaine de la
Ragotière, 90

Sauvignon blanc 2014, Natoma, Sierra
Foothills, Easton, 291

Sauvignon blanc 2016, Petit Clos,
Marlborough, Clos Henri, 328

Sauvignon blanc 2016, Sonoma County,
Cannonball, 290

Sauvignon blanc 2016, Touraine, La Java des
Grandes Espérances, Domaine des Grandes
Espérances, 91

Sauvignon blanc 2016, Wildass, Niagara
Peninsula, Stratus, 283

Sauvignon blanc 2017, Les Fumées blanches,
Côtes de Gascogne, François Lurton, 148

Sauvignon blanc 2017, Marlborough,
Astrolabe, 328

Sauvignon blanc 2017, Marlborough,
Churton, 328

Sauvignon blanc 2017, Marlborough, Cloudy
Bay, 329

Sauvignon blanc 2017, Marlborough, Kim
Crawford, 329

Sauvignon blanc 2017, Porcupine Ridge,
Western Cape, Boekenhoutskloof, 336

Sauvignon blanc 2017, Private Bin,
Marlborough, Villa Maria Estate, 329

Sauvignon blanc 2017, Reserve, Marlborough,
Peter Yealands, 329

Index

TABLEAU DES MILLÉSIMES

TABLEAU DES MILLÉSIMES	17	16	15	14	13	12	11	10	09	08	07	06	05	04	03	02	01	00	99	98	97	96	95	94	93	92	91	90	89	88	87	86	85	84	83
Médoc - Graves	6	10	8	7	4	6	7	10	9	8	6	7	9	8	8	7	9	9	8	8	7	9	9	7	6	4	5	10	10	8	5	9	9	5	8
Pomerol - Saint-Émilion	6	9	9	6	5	7	7	10	9	8	6	7	9	8	8	7	8	9	9	9	7	8	9	7	6	4	4	10	9	8	6	8	9	3	8
Sauternes	7	8	10	8	9	7	8	9	9	7	10	8	9	7	10	9	10	8	7	8	8	10	8	5	5	5	4	9	9	10	5	10	8	5	8
Côte d'Or rouge	9	7	9	8	8	8	8	9	9	7	7	8	9	7	9	9	8	7	8	7	7	8	8	6	8	6	7	9	8	8	7	5	9	5	7
Côte d'Or blanc	9	7	7	8	7	8	7	8	8	8	8	8	9	8	7	10	7	8	8	7	8	9	9	7	5	8	5	8	9	7	6	9	6	6	8
Chablis Grands crus	8	6	7	9	7	8	8	9	8	9	8	8	9	8	6	10	7	10	8	8	8	9	8	6	7	7	7	8							
Alsace	10	8	8	7	9	9	7	10	8	10	9	7	9	7	7	8	9	9	7	8	9	8	8	8	6	6	6	9							
Loire blanc (Anjou, Vouvray)	7	7	8	8	7	7	7	7	8	8	8	7	9	8	8	8	9	7	6	6	9	10	9	6	6	5	5	9							
Loire rouge	7	7	8	8	6	6	6	8	9	8	6	7	9	8	7	8	8	8	7	7	9	9	8	7	7	5	7	9							
Rhône rouge (nord)	8	8	9	7	7	8	8	9	9	7	7	8	9	8	8	6	8	8	9	8	8	7	9	7	4	5	9	9	10	9	7	8	9	5	9
Rhône rouge (sud)	7	9	8	7	8	8	7	8	8	6	8	9	8	8	8	5	9	9	8	10	7	6	9	7	7	5	5	10	10	8	4	7	8	5	8
Piémont: Barolo, Barbaresco	8	9	8	8	8	7	7	8	8	8	9	9	8	9	8	6	10	9	9	9	10	9	7	6	7	5	5	10	9	8	4	6	10	5	7
Toscane: Chianti, Brunello	6	9	9	7	7	7	7	8	7	8	9	10	7	9	7	6	10	7	9	8	10	7	9	8	7	4	6	10	5	9	5	7	10	4	8
Allemagne (Rheingau et Moselle)	8	7	9	7	7	8	9	7	7	7	9	7	10	8	9	8	8	7	8	7	9	8	9	9	8	7	6	8							
Californie-Chardonnay	8	9	9	8	9	9	8	7	8	7	8	8	8	8	8	9	9	8	8	7	10	10													
Californie-Cabernet sauvignon	8	7	8	9	9	9	9	7	7	7	9	7	9	8	7	9	9	7	8	7	10	8	8	9	7	8	10	9	7	6	9	8	9	8	6
Porto Vintage	10	7	9	8	7	7	9	7	7	8	10	6	8	7	9	6	n/a	10	5	5	10	7	9	10	-	9	9	7	-	-	7	9	8	-	8

Les millésimes sont cotés de 0 (les moins bons) à 10 (les meilleurs). *Les notes attribuées au millésime 2017 ne sont qu'indicatives et provisoires.*

- À laisser vieillir.
- On peut commencer à les boire, mais les meilleurs continueront de s'améliorer.
- Prêts à boire.
- À boire sans attendre, il n'y a pas d'intérêt à les conserver plus longtemps.
- Peut-être trop vieux.